...E O VENTO LEVOU

MARGARET MITCHELL

...E O VENTO LEVOU

Tradução e adaptação
Amanda Moura

Principis

Esta é uma publicação Principis, selo exclusivo da Ciranda Cultural

Traduzido e adaptado do original em inglês
Gone with the wind

Texto
Margaret Mitchell

Tradução e adaptação
Amanda Moura

Preparação
Karin Gutz

Revisão
Adriane Gozzo

Produção editorial e projeto gráfico
Ciranda Cultural

Diagramação
Fernando Laino Editora

Imagens
ole_art/Shutterstock.com;
melazerg/Shutterstock.com;
Paul Lesser/Shutterstock.com;
Szasz-Fabian Jozsef/Shutterstock.com;
Black Creator 24/Shutterstock.com;
bojpav/Shutterstock.com;
kstudija/Shutterstock.com

Dados Internacionais de Catalogação na Publicação (CIP) de acordo com ISBD

M681e Mitchell, Margareth

... E o vento levou / Margareth Mitchell ; adaptado por Amanda Moura. - Jandira, SP : Principis, 2020.
512 p. ; 15,5cm x 22,6cm. - (Literatura Clássica Mundial)

Adaptação de: Gone with the wind
Inclui índice.
ISBN: 978-65-5552-207-5

1. Literatura americana. 2. Romance. I. Moura, Amanda. II. Título. III. Série.

2020-2640 CDD 813.5
CDU 821.111(73)-31

Elaborado por Vagner Rodolfo da Silva - CRB-8/9410

Índice para catálogo sistemático:
1. Literatura americana : Romance 813.5
2. Literatura americana : Romance 821.111(73)-31

1ª edição em 2020
www.cirandacultural.com.br

Sumário

Nota da tradutora

A literatura é um retrato ou uma fuga da realidade? Essa é uma pergunta que tenho me feito há alguns anos e que faço a colegas de trabalho e estudiosos da área sempre que tenho a oportunidade, sem nunca chegarmos a uma resposta definitiva. Entrego essa adaptação/tradução à editora em junho de 2020, momento em que protestos se espalham pelo mundo após a morte de George Floyd, negro que chegou morto ao hospital depois que um policial branco, após o ter imobilizado, ajoelhou-se sobre seu pescoço e o pressionou contra o chão, mesmo depois de Floyd ter repetido várias vezes: "I can't breathe" ["Não consigo respirar"]. A frase repetida por Floyd no momento da abordagem policial foi registrada em vídeo, postada nas redes sociais e compartilhada pelo mundo todo. Will Smith, ator negro e estadunidense, manifestou-se em relação ao ocorrido: "O racismo não está piorando, só está sendo gravado agora"[1].

Mas não é necessário surgir uma notícia na mídia sobre o racismo ou uma fala de alguém famoso para trazer o assunto à tona. O racismo está em nosso dia a dia, basta pensar em inúmeras situações em que você, independentemente de sua raça, já o vivenciou ou testemunhou. Eu me lembro de uma professora negra que tive no Ensino Médio que um dia interrompeu uma conversa com um grupo de alunos para pedir: "Por favor, parem de me chamar de *moreninha, escurinha.* Eu sou *negra*".

Gone with the wind [... E o vento levou], de Margaret Mitchell, originalmente publicado em 1936, se passa nos Estados Unidos, período da guerra civil americana; portanto, no cenário de uma sociedade escravocrata. Àquela época, década de 1860, ainda distante dos computadores,

---

[1] *Folha de S. Paulo*, 29 maio 2020, Mundo. Disponível em: https://www1.folha.uol.com.br/mundo/2020/05/caso-george-floyd-quem-era-o-americano-negro-morto-sob-custodia-e-o-que-se-sabe-sobre-o-policial-branco-que-o-matou.shtml?aff_source=56d95533a8284936a374e3a6da3d7996. Acesso em 5 out. 2020. (N.T.)

da internet e dos *smartphones*, os meios e os recursos de registros eram outros, sendo a escrita, e particularmente a literatura, a meu ver, um dos mais emblemáticos entre eles. Se traçarmos um paralelo entre a narrativa de Mitchell e o momento atual, teremos resposta clara à pergunta que fiz no primeiro parágrafo. Dois mil e vinte, mais de um século após o tempo dessa narrativa e da abolição da escravidão, o racismo continua presente e arraigado na sociedade mundo afora. Nas ruas, nos estádios, nas escolas, nas empresas, os negros continuam sofrendo preconceito, e a desigualdade continua a bater à porta. Não é só nos Estados Unidos. É no mundo. E no Brasil.

Dito isso, quero deixar aqui algumas palavras para você, leitor.

Lembrando que a história deste livro se passa em um cenário escravocrata, e que a mim, tradutora, cabe a responsabilidade de servir à autora, durante a tradução e adaptação desta obra, você verá termos como "neguinho", "escurinho" e "macaco". Essas palavras foram escolhidas sempre que no original havia termos ofensivos em inglês, como *darkie*, *nigger*, entre outros. Levando em conta que aqui lidamos com o registro escrito da língua, e compreendendo o contexto cultural como fator decisivo para a escolha de uma palavra ou outra, contexto esse que em *...E o vento levou* é o da escravidão, nesta tradução/adaptação, o sentido da palavra "preto" (português) é sempre ofensivo e pejorativo, e aparecerá, como verá, em situações de violência, opressão e desigualdade (seja na fala, no pensamento, na narração ou na descrição feita por personagens).

Por que publicar uma adaptação como essa é importante? Porque a literatura (também) é espaço de registro histórico e, nesse sentido, não se pode apagar a história, ainda que esteja imersa em injustiças e atrocidades cometidas pelo ser humano desde a sua existência. E me refiro não só ao racismo e à escravidão como também a grandes questões da humanidade retratadas nessa narrativa, entre elas os papéis atribuídos a homens e mulheres na sociedade. Deixar de publicar e de **debater** obras como *... E o vento levou* é, de certo modo, apagar a luta dos negros e das mulheres. Se nas décadas recentes as mulheres conquistaram espaços e direitos importantes, é porque nunca nos esquecemos de como foi no passado. Se protestos antirracistas se proliferam pelo mundo hoje, é porque não se pode esquecer as barbaridades cometidas contra os negros pelo mundo ao longo da história e tampouco desqualificar a luta dessa população em busca da equidade.

Fui econômica nas notas de rodapé. E (espero) breve nesta nota. Faço isso porque não subestimo sua capacidade, leitor/a, e porque é um modo de aguçar seu senso crítico e de pesquisa. Como todo livro é sócio-historicamente situado, há muitas outras inferências que você fará sobre os assuntos que tratei aqui e sobre outros mais. Que essa leitura provoque tantas emoções e reflexões quanto provocou em mim.

Saudações editoriais!

Amanda Moura

Primeira Parte

Capítulo 1

Scarlett O'Hara não era de beleza ímpar, mas os homens quase nunca se davam conta disso quando envolvidos por seu charme, caso dos gêmeos Tarleton. O rosto combinava uma mistura entre os traços delicados da mãe, uma aristocrata litorânea de descendência francesa, e os traços mais rudimentares do pai, um irlandês de pele rosada; os olhos eram verde-claros, as sobrancelhas grossas e negras, e a pele de magnólia, tão benquista pelas mulheres sulistas, era cuidadosamente protegida contra o sol quente da Geórgia por chapéus, véus e luvas.

Naquela ensolarada tarde de abril de 1861, na companhia de Stuart e Brent, sentou-se à sombra fresca da varanda de Tara, na fazenda do pai. Com um vestido exuberante e a sapatilha verde de pelica que o pai trouxera de Atlanta, exibia a cintura de quarenta e três centímetros, a mais esbelta de três condados, e os seios maduros para uma jovem de 16 anos igual a ela. O olhar esverdeado daquele rosto meigo era turbulento, obstinado, vívido, dissonante de seu comportamento decoroso. Os bons modos lhe foram impostos pelas gentis reprimendas da mãe e pela rigidez de sua mammy[2].

[2] Termo comum no século XIX no Sul dos Estados Unidos para se referir à mulher negra que recebia a responsabilidade de cuidar de uma criança branca. (N.T.)

Stuart e Brent, irmãos gêmeos de 19 anos, um metro e oitenta e cinco de altura, braços grandes e musculosos, rosto bronzeado e cabelo castanho--avermelhado, olhar galante e igualmente arrogante, ambos vestidos com idênticos casaco azul e culote mostarda, pareciam dois caroços de algodão. Amarrados na entrada da fazenda, estavam os cavalos dos gêmeos, tão castanho-avermelhados quanto os donos, e, junto deles, os cães de caça que acompanham os irmãos por todo o canto. Um pouco mais distante, como é de esperar de um aristocrata, aguardava pacientemente um dálmata. Os gêmeos tinham o vigor e a prontidão de quem vive no campo e passa a vida inteira ao ar livre, sem se preocupar muito com as chatices dos livros.

A vida em Clayton, na Geórgia, era muito rudimentar se comparada a Augusta, Savannah e Charleston. As regiões mais pacatas e antigas do Sul torciam o nariz para os georgianos do interior, porém, no norte da Geórgia, a falta de educação clássica não era motivo de vergonha, mas, sim, a falta de esperteza de um homem para o que realmente importava: bom cultivo do algodão, domínio de equitação, boa pontaria na caça, habilidade na dança, elegância ao conduzir as damas e discernimento para beber como um cavalheiro.

Incapazes de absorver o que houvesse entre as capas de um livro, no período de dois anos os gêmeos foram expulsos quatro vezes da universidade, sendo a última delas a Universidade da Geórgia, por isso passavam aquela tarde na varanda de Tara. Tom e Boyd, irmãos de Stuart e Brent, diziam se compadecer e decidiram sair da universidade com eles, alegando não poderem permanecer em uma instituição onde os irmãos não eram bem-vindos. Tom e Boyd, tendo achado muita graça da última expulsão, divertiam-se com a situação, tal como Scarlett, que, por vontade própria, não abria um livro desde quando saíra da Fayetteville Female Academy[3], um ano antes.

– Sei que vocês dois não estão preocupados com a expulsão, nem o Tom – comentou ela. – Mas e o Boyd? Parece decidido a terminar os estudos e

[3] Academia Feminina de Fayetteville. (N.T.)

vocês o arrancaram da Universidade da Virgínia, do Alabama, da Carolina do Sul e agora da Geórgia. Desse jeito, ele não vai concluir nunca.

Brent desdenhou, dizendo que o irmão poderia ler sobre Direito no escritório do juiz em Fayetteville e que, de todo modo, eles teriam de voltar para casa antes do final do semestre por causa da guerra. Ante à menção da palavra "guerra", Scarlett ficou aborrecida e contou que Ashley Wilkes e o pai haviam dito ao pai dela que comissários enviados a Washington chegariam a um... um... acordo amigável entre o senhor Lincoln e a Confederação, e acrescentou:

– E, além do mais, os ianques morrem de medo da gente. Não haverá guerra nenhuma e não suporto mais falar sobre isso.

– Não haverá guerra nenhuma! – desdenharam os gêmeos indignados, como se tivessem sido trapaceados por alguém por meio da notícia.

– Ora, querida, é claro que haverá guerra – insistiu Stuart. – Os ianques até podem morrer de medo da gente, mas, depois do modo como o general Beauregard os expulsou do forte Sumter anteontem, terão de reagir ou vão ficar com a fama de covardes perante o mundo inteiro. Pois veja, a Confederação...

Aborrecida mais uma vez, Scarlett ameaçou se retirar dizendo nunca antes na vida ter ouvido tanto "guerra" e "secessão", e que o pai e todos os homens que o visitavam não falavam de outra coisa a não ser o forte Sumter, os direitos, o Estado e Abe Lincoln. A moça era muito convicta do que dizia, pois nunca conseguia suportar qualquer outra conversa na qual não fosse ela própria o centro do assunto. Os cílios escuros, que resvalam entre si a cada piscar de olhos, feito as asas de uma borboleta, como fora a intenção da própria Scarlett, fascinavam os gêmeos, que se apressaram em pedir desculpas por aborrecê-la com aquele papo; afinal, a guerra era assunto de homens, e a atitude de Scarlett era a prova clara da feminilidade.

Deixado de lado o assunto enfastiante, ela perguntou aos gêmeos a reação da mãe deles ao saber da expulsão, e os dois contaram que ainda não haviam conversado com ela, pois eles e Tom haviam saído de manhã cedo, antes de ela se levantar, e Tom passara a noite na casa dos Fontaine, enquanto os dois tinham ido para lá. Na noite anterior, o garanhão que a mãe dos Tarleton encomendara havia chegado e todos estavam entretidos com a novidade que, segundo eles, arrancara um naco do cavalariço no caminho e pisoteara dois escravos da mãe que foram buscar o animal no trem, em Jonesboro. Quando viu os filhos chegarem, ela se surpreendeu, mas mal teve tempo de repreendê-los dizendo que a presença deles só deixaria o bicho ainda mais nervoso.

– Acham que Boyd vai apanhar? – perguntou Scarlett.

Pelo condado, todos sabiam que a senhora Tarleton educava os filhos já crescidos com o chicote, sempre que necessário. Beatrice Tarleton era uma mulher ocupada, tendo sob seus cuidados não só uma plantação de algodão grande, cem escravos e oito crianças como também a maior fazenda de criação de cavalos do estado. De temperamento forte, sempre se enfurecia com as gaiatices dos quatro filhos, mas de vez em quando lhes permitia uma chicotada ou outra em um escravo ou em um cavalo, alegando que o gesto não faria mal algum aos rebentos.

Stuart respondeu à pergunta de Scarlett dizendo que Tom, que tinha 21 anos, jamais apanharia por ser o mais velho e o menor entre eles. A moça quis saber se a senhora Tarleton iria com o tal garanhão para o churrasco dos Wilkes no dia seguinte, e Stuart disse que o pai deles jamais permitiria isso, pois o animal era perigoso.

A primavera chegara cedo naquele ano, com chuvas rápidas e mormaço, o súbito desabrochar dos pessegueiros cor-de-rosa e a terra úmida e arada, aguardando ansiosamente as sementes de algodão. A casa de tijolo caiado da fazenda parecia uma ilha em meio a um mar vermelho arredio, de ondas espiraladas e crescentes. Aquela região montanhosa do norte da Geórgia fora sulcada com uma infinidade de curvas para impedir a queda daquela valiosa terra nas profundezas das águas.

O vermelho selvagem se esparramava por toda a terra, colorindo-a como sangue após as chuvas, caiando-a feito tijolo na seca, transformando--a no melhor solo do mundo para o plantio de algodão. E nessas terras agradáveis de casas brancas, campos pacíficos e rios lânguidos e lamacentos, por entre os pinheiros, parecia soar um sussurro: "Cuidado! Cuidado! Já a confiscamos uma vez. Podemos confiscá-la de novo".

A voz meiga de Ellen O'Hara, mãe de Scarlett, soou de dentro da casa, chamando a negrinha que carregava a cesta de chaves, e ouviram-se passos em direção à casa de defumação, nos fundos, onde Ellen racionaria a comida para os criados que chegavam. Ouvia-se também o tilintar da porcelana e dos talheres enquanto Pork, o mordomo de Tara, preparava a mesa para o jantar. Com isso, os gêmeos entenderam que chegara a hora de ir embora.

Antes de partirem, os dois, cientes do churrasco e do baile no dia seguinte, disseram a Scarlett que não abririam mão da chance de tirá-la para dançar, mas a moça lembrou os irmãos de que, na ausência dos dois, até então na universidade, não correria o risco de sobrar no salão e, portanto, já prometera a dança a outros cavalheiros.

– Você? Sobrar no salão?! – caçoaram os dois, aos risos.

– Veja, querida, conceda a primeira valsa a mim e a última a Stu e nos faça companhia durante o churrasco. Sentaremos na escadaria como fizemos no último baile e pediremos a Jincy[4] que leia nossa sorte de novo.

Os gêmeos insistiram no convite e disseram que contariam a Scarlett um segredo caso ela aceitasse a proposta. Antes mesmo de ouvir a resposta, contaram que, durante o baile, seria anunciado o noivado entre Ashley Wilkes e a irmã de Charlie, a senhorita Melanie Hamilton. Os lábios de Scarlett empalideceram, apesar de a expressão dela se manter a mesma, fazendo Stuart pensar que a moça estava meramente surpresa e interessada na notícia. Depois de revelarem o "segredo", reiteraram o convite quanto à dança e ao churrasco, ao que Scarlett aceitou de prontidão. Jubilosos e perplexos, os gêmeos se entreolharam, pois, apesar de se considerarem os pretendentes prediletos de Scarlett, jamais imaginariam que ela aceitaria o convite com tal facilidade. Em outras circunstâncias, ela os teria feito implorar e protelaria a resposta. Mas... Aceitar o convite para todas...

[4] A mammy dos Tarleton. (N.T.)

todas as valsas! E para o churrasco! A expulsão da universidade de fato valera a pena.

Continuaram conversando e, só depois de algum tempo, perceberam que Scarlett mal falava e que algo mudara, sem saberem ao certo por quê. Frustrados e aborrecidos com o clima estranho, depois de algum tempo e contra a própria vontade, os dois se levantaram, olharam no relógio e Stuart chamou:

– Jeems!

Tratava-se do pajem dos dois, um garoto alto e preto, da mesma idade dos gêmeos, que chegou depressa e ofegante. Na infância, Jeems brincava com os gêmeos e fora dado de presente a Stuart e Brent no décimo aniversário deles. Os cães se levantaram ao vê-lo, aguardando pelos gêmeos. Stuart e Brent despediram-se de Scarlett, com uma reverência, e avisaram que de manhã cedo estariam esperando por ela, na casa dos Wilkes. Partiram a galope, acompanhados de Jeems e dos cães de caça, mas a poucos metros dali detiveram-se. Brent, com o rosto largo e ingênuo, parecia indignado.

– Ei, você teve a impressão de que ela nos convidaria para o jantar? – perguntou ao irmão.

– Tive, sim. Fiquei esperando o convite, mas ela não disse nada – respondeu Stuart.

Era consenso entre os dois que o convite seria natural, já que haviam passado um tempo fora e acabado de regressar. Os dois também notaram a mudança repentina de comportamento da moça. Brent perguntou a Jeems se ele ouvira a conversa dos três, ao que o rapaz respondeu:

– Não sinhô, ai de mim, seu Brent! Como vois micê pode achá que eu pudia espiá vois micê, pessoas brancas?

– "Não sinhô, ai de mim, seu Brent!" Ora! Vocês, seus negrinhos, sabem de tudo que se passa. Seu mentiroso! Vi com meus próprios olhos você atrás da varanda, agachado detrás de uma árvore, escutando tudo. Agora, diga, dissemos alguma coisa que possa ter aborrecido a senhorita Scarlett? Ou a deixado magoada?

Jeems, tendo desistido de fingir não ter escutado a conversa, respondeu não ter ouvido nada demais, pelo menos nada que pudesse ter magoado a senhorita, mas disse ter reparado no silêncio da moça quando os sinhozinhos comentaram que o sinhô Ashley e a sinhá Melly Hamilton se casariam. Os gêmeos se entreolharam, e Stuart pareceu confuso, porque Ashley não passava de um amigo para Scarlett, pois a moça só tinha olhos para eles, Stuart e Brent, ou assim ele pensava. Tentando compreender a zanga da moça, os dois ainda pensaram em outras possibilidades, como o fato de Ashley não ter contado a Scarlett sobre o noivado e ela ter se ofendido por isso, mas deixaram o assunto de lado e consideraram voltar para casa. No entanto, logo desistiram da ideia ao concluírem que Boyd ainda não teria conseguido acalmar a mãe e que mais seguro seria voltar após a meia-noite.

Cavalos ariscos, brigas e fofocas dos vizinhos indignados, nada disso assustava os gêmeos, mas a raiva, o chicote e o sermão da mãe ruiva os apavoravam mais que tudo. Chegaram a pensar em ir à casa dos Wilkes, mas Stuart ponderou que estariam cuidando dos preparativos do churrasco e, por isso, não seria um bom momento. No verão anterior, Stuart pedira India Wilkes em casamento, com o consentimento das duas famílias, e Brent gostava de India; porém, a achava sem graça demais e simplesmente não se sentia de fato apaixonado, e, nisso, pela primeira vez, os interesses dos irmãos divergiam. Brent ressentiu-se ao ver a atenção que Stuart dava a uma moça que, para ele, não era notável.

Foi durante um comício político entre um bosque de carvalhos em Jonesboro que os gêmeos de repente se deram conta de Scarlett O'Hara, apesar de a conhecerem desde criança. Naquele momento, perceberam que ela se tornara uma moça, e a mais charmosa de todas: o modo como seus olhos verdes se movimentavam, como as covinhas profundas saltavam das bochechas quando ela sorria e quão pequeninos eram seus pés, suas mãos e sua cintura. E aquele dia tornou-se memorável para os dois. Desde então, perguntavam-se como nunca antes tinham se dado conta de tamanha beleza.

No dia do referido comício, Scarlett, incapaz de suportar a ideia de um homem apaixonado por uma mulher que não ela, viu Stuart e India conversando, e a cena fora forte demais para sua natureza predatória. Não satisfeita em enredar Stuart com seu charme, também o fez com o irmão dele, Brent, e com artimanha suficiente para enfeitiçar os dois. Agora, ambos os irmãos estavam apaixonados por Scarlett, e Brent desistira até mesmo de Letty Munroe, de Lovejoy, com quem vinha flertando. Qual dos dois ficaria com a moça era assunto sobre o qual não pensavam; por ora, satisfaziam-se com o fato de estarem interessados pela mesma pessoa, apesar de a senhora Tarleton não gostar de Scarlett.

Os gêmeos, então, cogitaram ir jantar na casa de Cade Calvert, mas desistiram quando Stuart lembrou da madrasta ianque de Cathleen, que detestava os sulistas e os considerava verdadeiros bárbaros. Brent disse que a mulher tinha motivos para agir assim, já que Stuart acertara um tiro na perna de Cade, alegando estar embriagado. Ali, lembraram quão a mãe ainda deveria estar furiosa com a expulsão, o que poderia lhes render o cancelamento do *Grand Tour* que fariam. Stuart acalmou o irmão:

– Ora! E o que tem isso? Não estamos nem aí, não é?! O que há de tão importante assim na Europa?

– Ashley Wilkes diz que lá há um monte de peças de teatro para assistir, várias opções de música. Ele gosta da Europa. Sempre comenta sobre lá.

– Pois que fiquem com elas. Para mim, basta um cavalo para montar, um copo com o que beber, uma moça certinha para cortejar, uma perversa para me divertir e pronto. Quem precisa da Europa? Imagine nós dois na Europa agora, com a guerra pela frente... Não daria tempo de chegar em casa. Prefiro enfrentar a guerra a encarar a Europa.

Tendo dito isso, Stuart sugeriu que fossem à casa de Abel Wynder para jantar. Brent considerou uma ótima ideia e uma boa oportunidade de receberem notícias das tropas e saber que cor finalmente haviam escolhido para as fardas.

– Se for igual à dos zuavos, está para nascer quem me faça participar da tropa. Com aquelas calças vermelhas e largas, eu me sentiria uma marica. Aquilo parece ceroula feminina.

Jeems, ao escutar a ideia, sugeriu que não fossem à casa do sinhô Wynder, pois a cozinheira da família havia morrido e uma mulher do campo que não tinha a menor habilidade para a cozinha fora posta no lugar.

A tropa de cavalaria fora organizada três meses antes, no mesmo dia em que a Geórgia se separou da União, e, desde então, os recrutas vinham esperando ansiosamente pela guerra. O uniforme ainda não fora escolhido, e não faltaram sugestões para o nome da tropa: "Gatos Selvagens da Clayton", "Devoradores de Fogo", "Hussardos da Geórgia do Norte", entre outros. Até que houvesse consenso, eram conhecidos como "A Tropa" e foram lembrados até o fim de seus dias assim.

Como quase ninguém no condado tinha experiência militar, os oficiais foram eleitos pelos membros. Não havia quem não gostasse dos quatro rapazes Tarleton e dos três Fontaine, mas se recusaram a elegê-los porque os primeiros se embebedavam com muita facilidade e gostavam da farra e os segundos tinham temperamento explosivo e assassino. Assim, elegeram: Ashley Wilkes, capitão, o melhor cavalheiro do condado e rapaz de cabeça fria; Raiford Calvert, primeiro-tenente, e de quem todos gostavam; e Able Wynder, segundo-tenente, filho de um caçador de pântano e pequeno fazendeiro. Able era astuto, corpulento, analfabeto, coração de ouro, mais velho que os garotos e com modos tão bons ou melhores na companhia de mulheres; melhor atirador, capaz de sobreviver ao ar livre, habilidoso na caça. Apesar disso, as esposas e os escravos dos fazendeiros não conseguiam ignorar o fato de ele não ter nascido um cavalheiro.

Boa parte dos pais e das avós dos garotos da tropa enriqueceram como pequenos fazendeiros. A princípio, apenas filhos de fazendeiros eram convocados, cada um trazendo consigo o próprio cavalo, armas, ferramentas, uniforme e criado, mas, dada a escassez de fazendeiros abastados em Clayton, fora necessário convocar também caçadores dos arredores, aspirantes e, em último caso, até mesmo alguns brancos pobres, se estivessem acima da média de sua classe. Ávidos para guerrear contra os ianques, se a guerra de fato ocorresse, a tropa teve de encarar antes a falta de recursos. Poucos fazendeiros pequenos tinham cavalos, usavam mulas para o transporte agrícola, e a possibilidade de levá-las à guerra existia, dada a necessidade, apesar da vontade contrária da própria tropa. Os brancos pobres que tinham ao menos uma mula se consideravam ricos; os que vinham de regiões mais longínquas e os caçadores de pântano não tinham nem cavalos nem mulas, sobreviviam exclusivamente do que a terra e a caça rendiam. Todavia, orgulhavam-se de sua pobreza tanto quanto os fazendeiros de suas posses e não aceitavam uma moeda sequer como esmola dos vizinhos ricos. Assim, para o bem de todos e da própria tropa, o pai de Scarlett, Gerald O'Hara, John Wilkes, Buck Munroe, Jim Tarleton e Hugh Calvert, os maiores fazendeiros do condado, faltando apenas Angus MacIntosh, que não fizera parte da lista, contribuíram financeiramente para reforçar a tropa com homens e cavalos.

A tropa se reunia duas vezes por semana em Jonesboro para treinar e rezar para a guerra começar. Havia quem treinasse os próprios cavalos no campo atrás do tribunal, desferindo cutiladas no ar, gritando até onde a voz permitisse. Não havia a preocupação de aprender a atirar; a maioria dos sulistas nascia com arma em punho, e a vida dedicada à caça transformava todos em verdadeiros atiradores. Nas reuniões, diversas armas de fogo, provenientes das fazendas e das casas dos componentes da tropa, eram trazidas, um arsenal que fora utilizado ora na travessia dos montes Allegheny, ora por cavalarianos que prestaram serviço em 1812, ora nas Guerras Seminoles e no México, entre outros.

O treinamento acabava sempre nos bares e em brigas, e foi em um desses momentos que Stuart Tarleton baleou Cade Calvert, e Tony Fontaine acertou Brent. Os gêmeos tinham acabado de ser expulsos da Universidade de Virgínia na época em que a tropa fora organizada e se juntaram a ela com entusiasmo, mas, depois do episódio dos tiros, dois meses antes, a mãe dos Tarleton os enviara para a universidade estadual. Os dois sentiram falta da emoção dos treinamentos no tempo em que passaram fora e não viam nenhum mal em abandonar os estudos, desde que pudessem montar, gritar e atirar acompanhados dos amigos.

– Bom, vamos cortar caminho para a casa de Abel, então – sugeriu Brent. – Podemos atravessar o rio dos O'Hara e os pastos dos Fontaine. Chegaremos lá em um pulo.

Depois de debaterem com Jeems, a quem a princípio ordenaram retornar à casa para avisar à senhora Tarleton onde os dois estavam, decidiram levá-lo com eles, já que o rapaz se recusou a voltar.

– Num vô não, sinhô! Prefiro que o capitão do mato pegue eu do que encontrá a sinhá Biatriz com raiva. Vô não, sinhô!

Capítulo 2

Ashley vai se casar com Melanie Hamilton!

Só poderia ser algum tipo de brincadeira dos gêmeos. Não, Ashley não estaria apaixonado por Melanie; ele estivera em Atlanta uma, no máximo duas vezes desde a festa que dera no ano anterior, em Twelve Oaks. Não, não era possível, porque era Scarlett quem ele amava, e não, não! Ela não poderia estar errada, jamais estaria, tinha certeza disso!

Ao ouvir os passos de mammy no corredor, Scarlett tratou de se recompor. Mammy não poderia suspeitar de nada, pois sentia-se a dona do corpo e da alma dos O'Hara, bem como de seus segredos; a moça sabia que precisava dobrá-la para que não contasse nada a Ellen, mãe de Scarlett, o que a obrigaria a pensar em uma mentira plausível. Mammy era uma velha gigante, com o olhar pequeno e tão arguto quanto o de um elefante. Negra retinta, sangue africano puro e inteiramente dedicado aos O'Hara; braço direito de Ellen, terror de suas filhas e dos demais criados da casa. Sua conduta e seu senso de orgulho eram tão ou mais elevados que os dos próprios donos. Fora criada no quarto de Solange Robillard, mãe de Ellen O'Hara, uma francesa caprichosa, fria e esnobe que não poupava nem os filhos nem os criados de castigos justos, sempre que necessário.

Mammy fora babá de Ellen e a acompanhou quando se casou e mudou-se de Savannah para o interior. O amor e a disciplina eram indissociáveis para mammy, e, como seu amor e orgulho por Scarlett eram incomensuráveis, as práticas disciplinares eram constantes.

Assim sendo, mammy repreendeu Scarlett por não ter convidado os gêmeos para o jantar, mas Scarlett contou não suportar mais ouvir falar de guerra e que seria demais aguentar os dois e o pai, este falando o tempo todo de Lincoln. Mammy, preocupada com o sereno e a saúde da moça, disse:

– Sinhazinha tá com voiz de quem vai pegá gripe.

– Não, não vou não. Vá pegar meu xale. Por favor, mammy, ficarei aqui até papai chegar – pediu.

Naquela tarde, Gerald, pai de Scarlett, viajara para Twelve Oaks, fazenda dos Wilkes, para propor a compra da corpulenta Dilcey, governanta e parteira, esposa de seu criado, Pork. Como os dois tinham se casado havia seis meses, Pork pedira dia e noite ao patrão que comprasse Dilcey, pois, assim, o casal poderia viver sob o mesmo teto. Com essa visita do pai, Scarlett, como cogitou, certamente poderia saber se a tal história do casamento era mesmo verdade.

Assim, à espreita, tomando todo o cuidado para não levantar as suspeitas de mammy e para que ninguém mais a visse, caminhou até o acesso da fazenda e, enrubescida e ofegante, com o espartilho apertado quase a ponto de impedi-la de respirar, sentou-se em um cepo e esperou pelo pai. Esperou e esperou, tempo suficiente para recuperar o fôlego e esfriar o sangue, mas Gerald não apareceu. Os olhos da filha percorriam a estrada sinuosa e tingida de vermelho-sangue após a chuva matutina. Em pensamento, Scarlett fez o percurso da descida da colina até o lânguido rio Flint, atravessando o caminho tortuoso pelos charcos e subindo a colina até Twelve Oaks. "Oh, Ashley! Ashley!", matutava com o coração batendo cada vez mais forte.

Ela estranhava o fato de nunca ter reparado no rapaz, apesar de o conhecer desde criança. Dois anos trás, desde o dia em que Ashley, recém-chegado do *Grand Tour* na Europa, fizera uma visita de cortesia à família, Scarlett o enxergava com outros olhos. Simples assim. Ao vê-la, beijando-lhe a mão ele dissera:

– Como você cresceu, Scarlett!

Scarlett o desejara desde aquele exato momento, e ele, por dois anos, a acompanhara em bailes, piqueniques, feiras, nunca com a mesma frequência que os gêmeos, ou Cade Calvert, e nunca tão inoportuno quanto os meninos Fontaine, mas não passara nem uma semana sequer sem que Ashley visitasse Tara. Nunca a amara, ela sabia disso, nunca aqueles olhos claros a olharam do mesmo modo que os olhos dos outros rapazes, mas ela SABIA que ele a amava. Era sempre cortês, mas distante, indiferente. Em uma vizinhança em que todos diziam o que bem pensavam, a discrição de Ashley era exasperante. Era tão habilidoso quanto qualquer outro rapaz dali, sabia jogar, dançar, conversar sobre política, e o melhor cavalheiro de todos, mas diferia dos demais porque sua vida não se resumia a isso, pelo contrário: dedicava ainda mais tempo aos livros, à música e à escrita de poemas.

Por que então ele, com suas conversas sobre a Europa, os livros, a música e a poesia, coisas que em nada despertavam o interesse de Scarlett, a interessava tanto? Ashley pertencia a uma linhagem de homens que aproveitavam os momentos de lazer para pensar, não para executar, para alimentar sonhos vívidos e coloridos, tão distantes da realidade. Aceitava o universo e seu lugar nele pelo que eram, sem dar a menor importância para o restante, a não ser para sua música, seus livros e seu mundo; este, muito melhor. O mistério que o cercava aguçava a curiosidade de Scarlett feito uma porta sem fechadura e sem chave e só a fazia amá-lo e desejá-lo mais e mais. Que um dia ele a pediria em casamento, disso Scarlett não tinha dúvidas, pois era menina demais e mimada demais para conhecer o sabor da derrota. Ashley casado com Melanie! Impossível! Uma semana antes, enquanto voltavam a cavalo de Fairhill, Ashley disse:

– Scarlett, tenho uma coisa importante para lhe contar, mas não sei como fazer isso.

Ela abaixara a cabeça enquanto aguardava o momento, e o coração parecia saltar pela boca, pois aquilo pelo que tanto esperava enfim chegara, mas, no instante seguinte, Ashley desistiu de prosseguir, sob a desculpa de que estavam perto de casa e que não haveria tempo suficiente. Agora, sentada naquele cepo, ela cogitava que a notícia tão importante fosse o noivado com Melanie.

Ah! Se ao menos o pai chegasse logo! O sol começava a se pôr no horizonte e o lume vermelho que ladeava o universo dava início ao desvanecer. No topo da colina, do outro lado do rio, as altas e brancas chaminés dos Wilkes esmaeciam entre a escuridão dos carvalhos que as cercavam. E nem o menor sinal de Gerald. Quando já considerava ir embora, ao espreitar a estrada silenciosa e vazia mais uma vez, escutou o trote dos cavalos e avistou o pai, aproximando-se a todo galope, com a energia e o vigor de um cavalheiro jovem. "Por que será que ele sempre se aventura a pular cercas quando bebe?", pensou Scarlett. "Ainda mais depois de ter quebrado o joelho, ano passado, e de ter prometido à mamãe que nunca mais daria um pulo sequer". Eufórico, bradando aos ares e estalando o chicote no ar, não viu a filha entre as árvores.

– Nenhum cavalo deste condado, nem deste estado inteiro, se equipara a você! – conversou orgulhoso com o cavalo, dando-lhe um tapinha no pescoço, com o sotaque do condado de Meath bem marcado, apesar de Gerald viver havia trinta e nove anos na América. Ele ajeitou a camisa pregueada e a gravata, e Scarlett gargalhou, pois sabia que o pai estava se ajeitando para que a mãe dela não suspeitasse dos pulos. Gerald, então, viu a filha e lhe perguntou se ela o espiava como a irmã para contar tudo à mãe.

– Não, papai, não sou fofoqueira igual à Suellen.

Gerald era baixo, com pouco mais de um metro e sessenta de altura, mas tão robusto que, quando sentado, parecia um homem muito maior. As pernas curtas e fortes andavam sempre protegidas com as melhoras botas de couro possíveis e sempre bem afastadas uma da outra, feito um menininho arrogante. Tal como um garnisé é respeitado no curral, assim também o era Gerald por todos. Sessenta anos, cabelo encaracolado e grisalho, e os olhos azuis joviais e de quem nunca se preocupou muito com outra coisa além da quantidade de cartas disponíveis em um jogo de pôquer. Era o rosto mais irlandês de todos entre os que deixara para trás havia tanto tempo em sua terra natal: beligerante, redondo, corado, nariz pequeno e boca larga. Por trás dessa máscara colérica, havia um coração de ouro que não suportava ver os escravos tristes após uma punição, por mais que a merecessem, tampouco aguentaria o miado de um gato esfaimado ou o choro de uma criança.

Scarlett era a filha mais velha de Gerald, e, como não havia outro sucessor na família, ele passara a tratá-la de igual para igual, feito um homem, o que muito agradava a ela, pois ela se parecia mais com o pai que as irmãs. Carreen, ou Caroline Irene, era delicada e sonhadora, e Suellen, ou Susan Elinor, gabava-se da própria elegância e por considerar-se uma dama. Ademais, um pacto de confidencialidade unia Scarlett e o pai. Quando ele surpreendia a filha pulando uma cerca para encurtar certo caminho, a reprimia sem nunca contar o fato a Ellen ou a mammy; e, quando Scarlett o surpreendia fazendo suas estripulias com os cavalos, ou quando chegava a seus ouvidos quanto o pai perdera no jogo de pôquer, ela não contava nada à mãe.

Depois de dizer ao pai que ele parecia bem ajeitado e que ninguém jamais suspeitaria de seus saltos, Gerald perguntou à filha:

– O que a senhorita faz por aqui a essa hora e sem seu xale?

Entrelaçando o braço no do pai, Scarlett respondeu:

– Estava esperando o senhor. Não sabia que demoraria. Estava curiosa para saber se trouxe a Dilcey.

– Comprar, comprei e paguei caro. Comprei ela e a menina dela, Prissy. John Wilkes quase ia me dando as duas de presente, mas eu jamais aceitaria isso. Paguei três mil pelas duas.

Scarlett ficou abismada com a generosidade do pai e disse saber que ele só comprara Prissy porque Dilcey pedira a ele. Visivelmente constrangido, como sempre ficava quando alguém desvelava suas gentilezas, Gerald a princípio negou, mas contou não haver por que comprar Dilcey deixando

Prissy para trás, pois a mãe ficaria muito abalada. E, com isso, chamou a filha para entrarem e jantar. Enquanto caminhavam, Scarlett pensava em um modo de tocar no assunto sem levantar a suspeita do pai. Perguntou em tom despretensioso como estavam as coisas em Twelve Oaks e soube que Melanie Hamilton e o irmão, Charles, haviam chegado de Atlanta, o que a deixou ainda mais desconsolada. Sem conseguir disfarçar mais, ao perguntar por Ashley, foi questionada pelo pai:

– Se é esse o motivo de ter vindo até aqui, por que não me disse logo?

Sem que a filha conseguisse dizer nada, o pai insistiu e questionou o que havia entre os dois, se Ashley a pedira em casamento, ao que a filha negou prontamente, e Gerald, por fim, confirmou que Ashley e Melanie anunciariam o noivado no dia seguinte.

Então, era verdade.

Scarlett sentiu uma dor no coração como lança de um caçador que acerta o peito da presa. E sentiu também o olhar piedoso do pai, um tanto incomodado por ter de lidar com um problema para o qual desconhecia a solução. Gerald a repreendeu por correr atrás de um homem que não a queria, e Scarlett rebateu, alegando nunca ter feito isso, mas Gerald insistiu:

– Uma bela de uma mentirosa!

Ao ver o abatimento da filha, tentou amenizar a situação, dizendo que ela ainda era uma criança e que haveria muitos outros pretendentes.

– A mamãe tinha apenas 15 anos quando se casou com o senhor e eu tenho 16 – rebateu com a voz vacilante.

– Sua mãe não era avoada como você. Ande, filha, anime-se. Semana que vem vou levá-la a Charleston para visitar sua tia Eulalie e, com todo o alvoroço que há por lá por conta do forte Sumter, em uma semana terá esquecido Ashley.

O pai, então, sugeriu à filha que se casasse com um dos gêmeos, o que a deixou ainda mais aborrecida, mas Gerald não arrefeceu e disse que, se houvesse a menor possibilidade de a filha se casar com Ashley, o que não havia, ele teria muitas ressalvas, dadas as diferenças entre os dois jovens que jamais poderiam ser felizes. Scarlett persistiu, alegando que o pai e a mãe eram muito diferentes, mas, ainda assim, felizes. Gerald sabia que Ashley adorava a música, os livros e a poesia, coisas que não agradavam a Scarlett, e sugeriu que outra ótima opção seria um casamento com Cade Calvert, pois, no futuro, as terras das duas famílias juntas fariam ótimo negócio. Scarlett insinuou que de nada adiantariam terras quando não se tem o homem que se quer, o que aborreceu ainda mais Gerald, mas ele, na medida do possível, manteve-se calmo e, por fim, disse à filha que o importante não era o pretendente, mas, sim, que ele fosse cavalheiro, sulista e homem de brio, pois o amor viria após o casamento. Ele citou o exemplo dos Wilkes, que, mantendo o casamento entre primos, havia gerações e gerações salvaguardavam o orgulho da família.

Scarlett lamentou essa tradição que os Wilkes mantinham, e, com isso, Gerald pediu à filha que comparecesse ao churrasco de cabeça erguida e prometeu não contar nada a Ellen sobre o que os dois haviam conversado. A moça, então, assoou o nariz com o lenço rasgado, e pai e filha, de braços entrelaçados, seguiram a pé pela estrada já escura, com o cavalo vindo logo atrás a passos lentos. Ao se aproximarem, Scarlett avistou a mãe na varanda, com expressão nada amigável, e mammy a tiracolo, cujo rosto mais parecia uma nuvem que anuncia a tempestade.

– Senhor O'Hara... – declarou Ellen enquanto os dois se aproximavam. Ellen pertencia a uma geração que zelava pela formalidade mesmo após dezesseis anos de casamento e seis gestações. – Há um problema de saúde na casa de Slattery. O bebê de Emmie nasceu, mas está à beira da morte e precisa ser batizado. Vou até lá para ver o que posso fazer.

– Santo Deus! – reclamou Gerald. – Por que esses brancos malditos mandam chamar a senhora bem na hora do jantar, quando queria lhe contar sobre o que andam falando em Atlanta sobre a guerra?! Pode ir, senhora O'Hara. Não consegue deitar a cabeça no travesseiro quando alguém lhe pede socorro e não pode ajudar.

– Ocupe meu lugar à mesa, querida – disse Ellen à filha, com a mão enluvada dando um tapinha carinhoso na bochecha de Scarlett.

– Se eu não tivesse feito tanto por esses Slattery inúteis e eles precisassem de dinheiro para sumir daqui, venderiam seus miseráveis hectares de terra e o condado ficaria livre deles – reclamou. Depois, com entusiasmo e planejando mais uma de suas caçoadas, disse: – Venha, filha. Vamos contar ao Pork que, em vez de comprar Dilcey, eu o vendi a John Wilkes.

Como sempre, Scarlett se perguntava como o pai, tão espalhafatoso e primitivo, poderia ter se casado com Ellen, pois nunca antes houvera duas pessoas de origens, criação e mentalidade tão diferentes.

Capítulo 3

Ellen O'Hara, 32 anos, era uma mulher de meia-idade para os padrões da época, que dera à luz seis filhos e enterrara três. Era uma mulher alta, uma cabeça a mais que o pequeno marido, e movia-se com tanta discrição e graça em sua saia balouçante que esse detalhe nem sequer chamava a atenção. Pele alva, cabelo viçoso e sempre preso com uma rede. Da mãe francesa, cujos pais haviam fugido do Haiti durante a Revolução de 1791, herdara os olhos escuros e oblíquos, os cílios escuros e o cabelo preto; do pai, soldado de Napoleão, o nariz longo e afinado e a mandíbula quadrangular, atenuada pelas curvas delicadas das bochechas. Mas foi a vida quem ensinou Ellen a ser altiva, nunca arrogante, graciosa, melancólica e circunspecta. A voz branda e arrastada, típica dos georgianos do litoral, e com pouco resquício do sotaque francês, nunca se ergueu para dar ordem a um criado ou para reprimir um filho, mas era instantaneamente obedecida em Tara, onde os rugidos de Gerald O'Hara eram silenciosamente ignorados.

Scarlett, cujo quarto ficava de frente para o de Ellen, sempre ouvira a mãe falar baixo e com gentileza, fosse para elogiar ou reprimir, e sempre a vira com a coluna ereta e o espírito calmo, mesmo nas ocasiões da morte de seus três bebês, e nunca com as mãos desocupadas, com exceção da hora das refeições, quando cuidava dos doentes ou da contabilidade da fazenda. Mesmo enquanto atendia visitas, continuava a cuidar das camisas de jabô do marido, dos vestidos e das roupas dos escravos, ainda que em ritmo menor. Era impossível imaginar Ellen sem o dedal de ouro ou desacompanhada da negrinha cuja única função era retirar os alinhavos e carregar a caixinha de costura de jacarandá de um cômodo ao outro, enquanto Ellen circulava pela casa, supervisionando tudo.

Mesmo depois de noites inteiras cuidando de questões relacionadas ao nascimento ou à morte de alguém, na ausência do velho doutor Fontaine e do jovem doutor Fontaine, Ellen presidia a mesa do café da manhã, com olheiras visíveis, mas sem nunca perder a classe. Essa gentileza sobremaneira imponente era admirada por todos na casa, inclusive por Gerald e as filhas, embora ele preferisse morrer a admitir isso.

Contrariando as suposições de Scarlett, Ellen Robillard de Savannah divertira-se e rira como qualquer adolescente de sua idade e passara noites adentro acordada, aos buchichos com as amigas, revelando todos os seus segredos, exceto um. Aos 15 anos, conheceu Gerald O'Hara, vinte e oito anos mais velho; no mesmo ano, Philippe Robillard deixou Savannah para sempre, levando consigo o âmago do coração de Ellen, deixando-a vazia por dentro e livre para o irlandês de pernas curtas que a desposou. Para Gerald, a fortuna de se casar com a filha de uma das famílias mais abastadas e renomadas do litoral era suficiente; como irlandês que não tinha família, tampouco posses que o recomendassem, pois vencera pelos próprios esforços, ele considerava o matrimônio um verdadeiro milagre.

Gerald veio para a América quando tinha 21 anos, às pressas e com a roupa do corpo, a passagem e dois xelins, nada além disso, como muitos outros irlandeses. Não havia nenhum Orange[5] deste lado do inferno que valesse cem libras para o governo britânico nem para o diabo. A família de Gerald sentira as graves consequências da Batalha de Boyne, mesmo

[5] Do inglês *orangeman*, ou protestante inglês, era um membro de uma sociedade fundada na Irlanda, em 1795, para apoiar o protestantismo e a realeza britânica. (N.T.)

cem anos depois, e vivia às voltas com a polícia britânica por suspeita de atividades ilícitas contra o governo. Gerald não foi o primeiro a deixar a terra natal depressa. Seus irmãos mais velhos, James e Andrew, haviam partido também para a América anos antes, depois que um arsenal de armas fora descoberto enterrado no chiqueiro dos O'Hara e agora eram comerciantes bem-sucedidos em Savannah. Como filho com menor estatura entre uma família de cinco irmãos, todos com um metro e oitenta de altura, tal como o pai, Gerald soube desde cedo que precisaria de bravura para resistir aos grandes. E valentia não lhe faltava.

Entre os irmãos altos, de comportamento taciturno e boca que falava pouco, e cuja tradição familiar de glórias passadas havia se perdido para sempre, prevaleciam o ódio velado e o humor amargo. Gerald era o "bocudo cabeça-dura", como a mãe o chamava, sempre pronto para a briga. A mãe ensinara o filho valente a ler e escrever. Gerald sabia fazer contas. E a isso se restringia seu contato com os livros. De latim, conhecia apenas o suficiente para assistir à missa, e, de história, apenas os inúmeros malsucedidos da Irlanda. Embora Gerald respeitasse profundamente aqueles que tiveram mais acesso aos livros, ele próprio não dava por falta deles. E quem precisava dos livros em um país novo onde o mais ignorante dos caipiras fizera grandes fortunas?

A América, nos primeiros anos do século, fora generosa com os irlandeses. James e Andrew, que começaram transportando mercadoria em vagões, de Savannah ao interior da Geórgia, prosperaram, e Gerald, que fora recebido pelos irmãos em sua loja, prosperara com eles. Ele gostava do Sul e logo se tornou sulista, apesar de haver muitas coisa sobre o Sul e os sulistas que jamais compreenderia, mas adotara as ideias e os costumes da região: pôquer e corrida de cavalos, conversas inflamadas sobre política, código de duelos, direitos dos Estados e condenação dos ianques, escravidão e o rei Cotton, desprezo pelo brancos cretinos e cortesia acentuada às mulheres. Aprendera até mesmo a mascar tabaco.

Todavia, Gerald continuava sendo Gerald; mudou a forma de viver e as ideias, mas não mudaria as maneiras, mesmo se pudesse. Admirava a elegância dos cultivadores de algodão e arroz montados em cavalos puro-sangue, a cortesia com que encaravam negócios importantes, o modo como arriscavam fortunas. Mas ele conhecera a pobreza e jamais conseguiria encarar a perda de dinheiro com bom humor, tampouco classe.

Com essa gente cortês do clima semitropical, aprendera aquilo que considerava útil, ou seja, a habilidade do pôquer e do uísque, e descartou todo o resto. Foi a aptidão inata com as cartas e a bebida que lhe rendeu dois de seus três bens mais valiosos: Pork, preto retinto, digno e habilidoso em toda a arte da elegância e da alfaiataria, seu criado pessoal, e a fazenda; o outro bem, a esposa, era fruto de misteriosa benevolência divina. Gerald não desejava passar os dias como James e Andrew, barganhando, tampouco debruçado sobre algarismos: queria ser proprietário de escravos e de terras. Mas entre essa ambição e a consequente realização havia um verdadeiro abismo, por isso Gerald contou com a mão do destino e a do pôquer para conquistar os hectares que mais tarde intitulou Tara, e que ao mesmo tempo o fez se mudar do litoral para o norte da Geórgia.

Em um *saloon* em Savannah, Gerald entreouviu a conversa de um homem dizendo que possuía um lote enorme na região de Geórgia, mas que a casa pegara fogo e ele andava cansado daquele "lugar maldito" e ficaria muito feliz se pudesse se livrar dele. Gerald, então, deu um jeito de se apresentar ao homem e ficou ainda mais interessado quando soube que na região crescia o número de recém-chegados das Carolinas e da Virgínia. Obstinado, uma hora depois, propôs uma partida; o estranho apostava todas as suas fichas e a escritura da fazenda; Gerald, todas as suas fichas e colocara a carteira sobre elas, onde havia guardado o dinheiro que pertencia à firma dos dois irmãos. Estava tão confiante na vitória e nas cartas que tinha à mão que nem por um instante sequer ousou se preocupar. E a profecia se fez como previsto.

Depois da conquista, naquela mesma noite, contara a Pork que um homem nunca deve misturar pôquer e uísque, e o criado, que começara a imitar o sotaque irlandês tamanha a admiração pelo dono, respondera, com sotaque resultante de uma mistura entre *geechee* e o condado de Meath, algo que somente os dois conseguiriam compreender.

As lânguidas águas do lamacento rio Flint que perfilavam pinheiros e carvalhos ladeavam as terras de Gerald. Todas aquelas fileiras de árvores, de ervas daninhas e campos, tudo lhe pertencia agora graças à exímia resistência irlandesa à embriaguez e à coragem de apostar todas as fichas. E ali, sobre aquela terra, a fortuna dos O'Hara se reergueria. O próprio Gerald capinou, plantou algodão, comprou escravos, tomou emprestado dos irmãos uma quantia que lhes foi devolvida com juros e correção nos anos subsequentes. Ele, o bocudo, o baixinho, o cabeça-dura, o temperamental, conseguira.

Relacionava-se muito bem com toda a vizinhança, à exceção dos MacIntosh e dos Slattery. Os MacIntosh eram escoceses e *orangemen*, ascendência que por si os tornaria eternamente amaldiçoados para Gerald, pois o primeiro ancestral da família vinha de Ulster, e isso bastava. A postura calada e empertigada da família e os rumores de suas visões abolicionistas contribuíam para sua má fama pelo condado. Já os Slattery eram detestados por serem brancos pobres e por se recusarem a vender seus minguados hectares, apesar das inúmeras ofertas de Gerald e John Wilkes. Tom Slattery não possuía escravos, ele e os dois filhos mais velhos se revezavam para cuidar da escassa plantação de algodão, enquanto a esposa e os outros filhos cuidavam de uma suposta horta. Slaterry detestava não só os vizinhos como também seus "negrinhos arrogantes", que ostentavam posição melhor que a da família dele, por serem bem alimentados, bem-vestidos e contarem com assistência na velhice. Os escravos, por sua vez, sentiam orgulho do nome prestigioso dos donos e desdenhavam de Slattery pelos mesmos motivos que os donos.

Gerald era benquisto pelos Wilkes, os Calvert, os Tarleton e os Fontaine e por todo o condado. Sua simpatia e o coração de ouro por trás do comportamento truculento e da voz vociferante conquistavam todos. Era aguardado euforicamente pelas crianças brancas e negras, que corriam para encontrá-lo, assim como o procuravam as filhas dos amigos, para lhe confidenciar seus segredos de amor, e os jovens da vizinhança, para lhe contar seus mistérios, sem poderem confessar aos pais.

Nem sempre fora assim. Gerald levara dez anos para conquistar a confiança da vizinhança, mesmo sem saber disso, pois os vizinhos o olhavam com certa desconfiança a princípio. Aos 43 anos, por mais estabelecido e satisfeito que estivesse em Tara, sentia que lhe faltava uma esposa. A fazenda carecia de uma senhora. O cozinheiro, a camareira e até Pork, depois de tanto tempo exposto à própria desorganização do patrão, careciam de supervisão. Os escravos se aproveitavam da falta de pulso do patrão, que "latia, mas não mordia", sem nem disfarçar. Apesar da ameaça de venda e de muitas broncas, apenas uma vez o chicote ricocheteou, quando se esqueceram de tirar a sela e os arreios do cavalo de Gerald. A eficiência com que as propriedades dos vizinhos eram administradas pelas esposas de cabelo penteado e saias farfalhantes não passaram despercebidas pelo olhar azul e arguto do irlandês. O que ele não conhecia era a vigília ininterrupta dessas mulheres, que passavam do amanhecer à meia-noite presas à supervisão da cozinha, dos filhos, da costura e da lavanderia.

Gerald desejava uma esposa, mas não qualquer uma. Queria uma dama, de sangue azul, com os mesmos modos e a graça da senhora Wilkes e com a mesma capacidade de administração que ela. Mas sabia que, apesar de benquisto pelos homens da região, dificilmente eles o aceitariam como genro, pois nenhuma família aceitaria o casamento de uma filha com um homem de cujo avô não sabiam nada. Assim, ele tomou a decisão de ir para Savannah, acompanhado de Pork.

James e Andrew estavam dispostos a ajudar o irmão a encontrar a parceira que o satisfizesse e, em Savannah, onde tinham muitos amigos, o levaram de casa em casa a jantares, festas e piqueniques. Gerald disse aos irmãos que, entre todas as mulheres, apenas uma chamara sua atenção, a senhorita Ellen Robillard, que, apesar da apatia, tão estranha para uma jovem de 15 anos, o encantara. Os irmãos tentaram convencê-lo a desistir da ideia, por Gerald ter idade para ser o pai da moça e pelo fato de o pai dela ser um francês orgulhoso. E ainda havia outro empecilho, o fato de Ellen estar apaixonada pelo primo, Philippe Robillard, apesar de a família ser contra o romance. Gerald tomara notícia de que o tal rapaz partira obrigado para a Louisiana, por ordem da família.

– A família dela preferiria vê-la casada com o doido daquele primo que com você – comentaram James e Andrew.

E qual foi a surpresa dos dois irmãos ao receberem a notícia de que Gerald se casaria com a jovem. Por Savannah, o burburinho sobre o matrimônio se espalhou, e todos se perguntaram o que acontecera a Philippe Robillard, mas sem resposta. O próprio Gerald se surpreendeu quando Ellen, com a mão leve e delicada, tocou-lhe o braço e comunicou aceitar o pedido. O motivo da decisão estava em um pacote que Ellen recebera de Nova Orleans endereçado a ela, escrito com caligrafia estranha, onde dentro havia a carta de um padre comunicando que Philippe morrera durante uma briga em um bar. Mammy tentara acalmar a jovem que, depois de receber a notícia, estava decidida a aceitar o pedido de casamento feito por um homem de bom coração; do contrário, iria para um convento; sendo essa última opção a pior de todas para Pierre Robillard, pai de Ellen, decidiu ceder a mão da filha àquele cujo único defeito era a falta de uma família.

Assim, Ellen deixou Savannah para trás e partiu para Tara, acompanhada do marido de meia-idade, mammy e vinte "escravos domésticos". Katie Scarlett, a primeira filha do casal, veio um ano depois e recebera o nome da mãe de Gerald, que, apesar de frustrado, pois esperava que o primogênito fosse homem, comemorou o nascimento mandando servir rum a todos os escravos e se embriagara com eles.

Logo que chegou ao norte da Geórgia, Ellen se viu em um mundo tão estranho e diferente que teve a sensação de ter atravessado o continente. No alto do platô, no sopé das montanhas Blue Ridge, por todo o canto, ela avistava colinas de terra vermelha, muros de granito e pinheiros altos, paisagem muito diferente das ilhas envoltas pelo musgo cinza e verde e das milhas de superfície arenosa cravejada pelas palmeiras. A população do condado, advinda dos mais variados lugares e origens, conferia um ar de exuberância à região, ao qual Ellen nunca conseguira se acostumar. Ellen jamais poderia, ou conseguiria, tornar-se um deles, mas respeitava cada um, e, com o passar do tempo, aprendera a admirar a sinceridade e a maneira direita dessas pessoas que valorizavam um homem pelo que ele era.

Tornara-se a pessoa mais estimada do condado. Boa mãe, esposa dedicada e senhora de uma casa onde imperava a gentileza, Ellen deu à luz a segunda filha, Susan Elinor, quando Scarlett tinha 1 ano de idade, e Susan, desde sempre, fora chamada de Suellen, e, no tempo certo, nascera Carreen, registrada como Caroline Irene. Na sequência, vieram três garotinhos, e cada um deles morreu antes de aprender a andar e agora jaziam no cemitério a alguns metros da casa, sob a lápide "Gerald O'Hara Junior". Com o auxílio de mammy, capaz de despertar a energia de qualquer preto preguiçoso, Ellen rapidamente estabelecera a ordem em Tara e conferiu à propriedade uma beleza jamais vista.

Em Tara, a vida de Ellen não era fácil, mas nem ela esperaria que fosse; do contrário, não seria a sina de toda mulher. O homem é o dono da propriedade; a mulher, mera administradora. O homem bufa feito um touro quando uma farpa de madeira entra na pele; a mulher tem de abafar os gemidos do parto para não o incomodar. O homem pode dizer o que bem quer e se embriagar. A mulher deve ignorar sua grosseria e colocar o bêbado para dormir sem reclamar. O homem pode ser rude e espontâneo; a mulher deve ser sempre gentil, graciosa e compassiva. Ellen crescera entre verdadeiras damas e aprendera a carregar o fardo sem perder a classe e, pretendia assim ensinar às filhas.

Suellen obedecia à mãe e procurava seguir seu exemplo. Careen era tímida e fácil de ser ensinada. Mas a Scarlett, a mais parecida com Gerald, o caminho para se tornar dama soava duro demais, e, para grande preocupação de mammy, ela preferia passar o tempo com os filhos dos escravos na fazenda ou com os garotos da vizinhança e era tão habilidosa quanto eles para subir em árvores ou atirar pedras. Ellen não se preocupava tanto com isso e encarava o comportamento como algo passageiro, pois ainda haveria tempo hábil de ensinar à filha a arte e a graça de ser atraente aos homens. Apesar de ter frequentado dois anos da Fayetteville Female Academy e de não ter estudado nada muito além disso, nenhuma moça do condado dançava com a mesma graça que ela. Scarlett conhecia o jeito certo de sorrir, de andar ereta e sempre de cabeça erguida, balançando as saias com todo o charme; sabia como olhar para um homem. Mas disfarçar a inteligência aguda por trás do rosto meigo e tão inofensivo quanto o de um bebê era a grande arte que Scarlett dominara. Gerald se gabava por ser pai da grande beldade dos cinco condados, e tinha seus motivos: recebera propostas de matrimônio de quase todos os rapazes da vizinhança e de lugares longínquos, como Atlanta e Savannah.

Aos 16, graças à mammy e Ellen, Scarlett parecia meiga, encantadora e ingênua, mas, na verdade, tornara-se voluntariosa, vaidosa e obstinada. Ellen nunca percebera, de fato, essas características na filha, pois Scarlett era habilidosa em dissimulá-las e, na presença da mãe, reprimia o temperamento forte e aparentava ser a mais afável das moças, pois bastaria um olhar de reprovação da mãe para Scarlett se debulhar em lágrimas, tamanho seu constrangimento. A mammy, porém, Scarlett não enganava, e a escrava, que tinha um olhar mais afiado que Ellen para essas coisas, permanecia em constante vigilância em relação à moça.

Scarlett estava decidida a se casar, e com Ashley, bem como disposta a parecer recatada, dócil e desmiolada, se era isso que atraía os homens, mesmo sem saber por quê, pois nunca se interessou pelo funcionamento da mente de nenhum ser humano, tanto que nem sequer compreendia a dela própria. Sabia apenas que o método funcionava com os homens, feito uma fórmula matemática, a única disciplina que Scarlett considerara fácil nos tempos de escola. Nunca tivera amiga mulher e jamais sentira falta. Para ela, todas as mulheres, incluindo as próprias irmãs, eram inerentemente inimigas em busca da mesma presa: homens. Todas, menos a mãe.

Ellen O'Hara era totalmente diferente, e Scarlett a considerava sagrada e apartada de todo o restante da humanidade, além de representar a segurança absoluta que somente o céu ou uma mãe podem prover. Ela sabia que a mãe era a personificação da justiça, da verdade, da ternura e da sabedoria - uma verdadeira dama. Desejava ser igual a ela, mas tais qualidades implicavam abdicação de certas alegrias e de muitos admiradores. A vida era curta demais para isso. Um dia, quando casada com Ashley e mais velha, um dia, quando lhe restasse tempo para isso, pretendia ser como Ellen. Mas até lá...

Capítulo 4

Durante o jantar naquela noite, Scarlett sentiu-se aflita à mesa, aguardando ansiosamente a volta da mãe, que fora à casa dos Slattery. E que direito eles tinham de ficar doente àquela hora e lhe roubarem a mãe bem naquele momento, quando Scarlett precisava tanto dela?

Ao longo da refeição indigesta, Gerald se esquecera totalmente da conversa que tivera com a família e passou o tempo todo em um monólogo sobre o Fort Sumter, enquanto martelava o punho na mesa e de vez em quando brandia os braços no ar. Scarlett não suportava mais ouvir a voz do pai, apenas assentia vez ou outra enquanto aguardava a chegada da mãe. Apesar de não poder lhe confessar o que se passava, a simples presença de Ellen bastaria para confortá-la. Sentia-se segura quando a mãe estava por perto, pois não havia nada tão ruim que com a companhia de Ellen não pudesse melhorar.

Ao ouvir o rangido de rodas e de risadas lá fora, Scarlett se levantou, na expectativa de que fosse a mãe, mas era Pork que entrou na sala de jantar, com um sorriso de orelha a orelha e olhar radiante.

– Sinhô Gerald – anunciou ofegante com o semblante entusiasmado de um noivo –, sua muié nova chegô.

- Mulher nova? Não comprei mulher nenhuma - disse Gerald, dissimulando.

- Comprô, sim, sinhô Gerald! Ela tá aqui querendo conversá com o sinhô - afirmou Pork, com uma risadinha de empolgação e esfregando as mãos.

- Ora, traga a noiva! - ordenou Gerald.

Pork trouxe a esposa e, atrás dela, quase escondida atrás da volumosa saia de chita e das pernas da mãe, veio a filha de 12 anos dos dois. Dilcey era alta, de postura ereta, e podia ter entre 30 e 60 anos, dada a rigidez de rosto de bronze totalmente desprovido de rugas. Tinha mais traços de índia que de negra, e era centrada e sangue-frio a ponto de superar mammy, pois mammy adquirira essas habilidades, enquanto Dilcey as tinha no próprio sangue. Além disso, era mais articulada que os outros pretos e escolhia as palavras com mais cuidado.

Dilcey agradeceu a Gerald por ter comprado não só ela como a filha e prometeu prestar os melhores serviços à família. O pai de Scarlett, como era de costume nessas ocasiões, ficou sem jeito, e Dilcey aproveitou e agradeceu também a Scarlett por ter pedido ao pai que a comprasse e ofereceu Prissy, a filha, para ser a criada da moça. Scarlett disse que aguardaria a mãe chegar para conversarem a respeito do assunto.

Terminado o jantar e retirada a mesa, Gerald retomou o discurso da guerra iminente e engatou em perguntas retóricas sobre como o Sul poderia suportar tantas ofensas dos ianques e escutava como resposta "sim, papai", "não, papai". Enquanto isso, Carreen lia um romance sobre uma garota que decidira se tornar freira após a morte do grande amor e Suellen bordava uma "arca da esperança" enquanto se perguntava se haveria algum modo de arrancar Stuart Tarleton dos braços da irmã no churrasco do dia seguinte.

Como o pai era capaz de falar do Fort Sumter e dos ianques sabendo que a filha estava com o coração partido? Como é de costume entre os mais jovens, Scarlett não se conformava com o egoísmo das pessoas que ignoravam a dor dela. Sentia um verdadeiro ciclone dentro do peito e não se conformava com a atmosfera calma e inabalada ao redor. Se não temesse o interrogatório vociferado do pai, teria saído correndo dali, trancado-se no pequeno escritório de Ellen e debulhado-se em lágrimas no sofá velho da mãe. Era o cômodo preferido de Scarlett. Ali, a mãe se sentava todas as manhãs para cuidar da contabilidade da fazenda e receber as atualizações de Jonas Wilkerson, o feitor. Scarlett desejava estar lá naquele momento, a sós com Ellen, para poder apoiar a cabeça no colo da mãe e chorar em paz.

Nesse momento, surgiu o barulho de rodas no cascalho, e a voz branda de Ellen despedindo-se do cocheiro flutuou na sala. Todos, ansiosos, a olharam quando a viram entrando depressa e com a expressão cansada e triste. Com ela, flutuou no ar o cheiro de verbena, que parecia impregnar as dobras de seu vestido e que, à Scarlett, sempre rememorava a mãe. Mammy veio logo atrás, com a bolsa de couro na mão e cabisbaixa, murmurando algo, visivelmente abalada.

– Peço desculpas pelo atraso – disse Ellen, tirando o xale dos ombros caídos, entregando-o à Scarlett, dando-lhe um tapinha de leve na bochecha.

Feito um passe de mágica, o semblante de Gerald se iluminou ao ver a esposa.

– Batizaram o pirralho? – perguntou ele.

– Sim, sim. E morreu o pobrezinho – respondeu Ellen. – Temia que Emmie morresse também, mas acho que sobreviverá.

Scarlett tinha curiosidade de saber quem era o pai do bebê de Emmie Slattery, embora suspeitasse de que fosse Jonas Wilkerson, mas sabia que jamais teria essa resposta por meio da mãe.

Ellen caminhava em direção ao consolo da lareira para pegar o rosário quando mammy a advertiu com firmeza:

– Sinhá Ellen, a senhora vá jantá antes de rezá.

– Obrigada, mammy. Mas não estou com fome.

– Vô prepará o jantá e a sinhá vai cumê – insistiu mammy, com uma carranca enquanto andava pelo corredor, a caminho da cozinha. – Poke! Manda Cookie aprontá a comida. Sinhá chegou.

Assim que Pork adentrou o quarto, segurando um prato, os talheres e um guardanapo, e Ellen sentou-se na cadeira que Gerald puxara para ela, quatro vozes a atacaram: "mamãe, a renda do meu vestido novo soltou...", "mamãe, o vestido da Scarlett é mais bonito que o meu...", "mamãe, posso ficar acordada até a hora do baile...", "Senhora O'Hara, acredita que Cade Calvert esteve em Atlanta hoje de manhã e disse que não se fala em outra coisa por lá a não ser em guerra, treinamento de milicianos...".

Scarlett, Suellen e Careen falavam sobre o baile, o vestido que usariam, etc., e Ellen tentava responder a cada uma delas, mas sem jamais deixar de lado o marido:

– Senhor O'Hara, conte-me mais sobre as notícias do senhor Calvert.

Scarlett sabia que a mãe fazia a pergunta tão somente para agradar ao marido, pois detestava o assunto da guerra, tal como ela. Enquanto Gerald prosseguia com o relato, mammy preparou a refeição e assistiu bem de perto a cada garfada de Ellen, para se certificar de que a sinhá comeria tudo. Ellen terminou o jantar e levantou-se no momento em que o marido falava sobre a trapaça dos ianques, que desejavam libertar os pretos sem oferecer nenhum centavo por isso.

Era chegada a hora da oração, como Ellen respondeu ao marido quando ele lhe perguntou. Mammy remexeu uma gaveta e pegou o missal de sua sinhá. No instante seguinte, como era de costume, as garotas se ajoelharam junto da mãe e Gerald ao lado da esposa. Careen, por ser muito pequena, ajoelhou-se de frente para uma cadeira, apoiando os cotovelos no assento, o que lhe agradava, pois, não raramente, pegava no sono durante a oração, sem que a mãe a notasse.

Ao terminar as preces por aqueles sob a proteção do teto de Tara, pelos familiares vivos e mortos e "pelas almas do purgatório", Ellen segurou as contas do rosário com firmeza e começou a oração. Feito o sopro suave do vento, as gargantas brancas e negras rogavam:

– Santa Maria, mãe de Deus, rogai por nós, os pecadores, agora e na hora de nossa morte.

Apesar da angústia que a perturbava, uma súbita e profunda sensação de paz e quietude acometeu Scarlett, não por ela ser uma moça religiosa, mas por ver o rosto sereno da mãe voltado para o trono de Deus, seus santos e anjos, orando por aqueles a quem tanto amava. Scarlett sabia que deveria examinar a própria consciência naquele momento, recomendação tantas vezes repetida pela mãe, mas era o coração que a atormentava.

"Como ele pretendia se casar com Melanie se era Scarlett que amava de verdade? Ainda mais sabendo quanto ela o amava! Por que ele partiria o coração dela daquele modo?" Foi então que uma resposta a acometeu feito um tiro certeiro.

"Ashley faz isso porque não sabe que estou apaixonada por ele! E como saberia? Sempre me mostrei tão recatada, cheia de 'não me toques', ele provavelmente acha que o vejo apenas como um amigo. Sim! É por isso que ele nunca se declarou! E está frustrado porque acha que estou apaixonada por Brent, por Stuart ou por Cade... Se souber que é a ele que meu coração pertence, tudo vai mudar..."

Sentia-se tão feliz com sua descoberta que começara a rezar com a voz demasiadamente emotiva, o que rendeu um olhar de desconfiança de mammy. Mas o que importava era: ainda havia tempo! O noivado nem mesmo fora anunciado! Sim, havia tempo suficiente para desfazer tudo!

Desde a infância, aquele sempre fora para Scarlett um momento de adoração à mãe, não à virgem Maria; então, enquanto entoava "Saúde dos enfermos", "Sede de sabedoria", "Refúgio dos pecadores", "Rosa Mística", sentia nessas palavras os atributos de Ellen. Todavia, naquela noite, sentindo a exaltação do próprio espírito, Scarlett encontrou naquele ritual uma beleza superior a qualquer outra que já vivenciara e, com o coração sincero, agradecia a Deus por ter aberto o caminho diante de seus pés, por tê-la arrancado das mãos do sofrimento e a entregado aos braços de Ashley.

Terminada a oração, Scarlett, a caminho do quarto dos pais para entregar um vestido à mãe, viu a porta entreaberta e escutou a mãe dizendo ao pai que Jonas Wilkerson precisava ser demitido. Com o recado, Gerald compreendeu que Jonas era o pai do bebê de Emmie Slattery. Quando escutou uma pausa na conversa, Scarlett bateu à porta, entregou o vestido à mãe e saiu rumo a seu quarto. Lá, começou a traçar um plano para o baile do dia seguinte.

Primeiro se mostraria "orgulhosa", como Gerald a instruíra. Chegaria a Twelve Oaks radiante, animada, e flertaria com todos os rapazes presentes, o que deixaria Ashley aborrecido, mas o faria desejá-la mais que tudo. Faria com que a rondassem feito abelhas em torno do mel, e, obviamente, a estratégia funcionaria também com o próprio Ashley, que deixaria Melanie de lado e se aproximaria de Scarlett. Feito isso, ela conseguiria um modo de ficar a sós com ele, que certamente ficaria impressionado por ela tê-lo escolhido, ela que, por mais desejada que fosse, preferira ele a todos os homens do mundo. Mas é claro que ela faria tudo isso com a perspicácia de uma dama. Nem sequer sonharia em declarar-se abertamente. Jamais o faria, mas revelaria como se fosse um mero detalhe, algo que não a incomodava. Deitada na cama, visualizou a cena, a expressão de surpresa e de alegria dele ao descobrir que ela o amava e imaginou-o dizendo as palavras que ela tanto queria ouvir: "Quer ser minha esposa?".

Scarlett ergueu o queixo, e seus olhos claros, sombreados pelos cílios escuros, reluziram ao luar. Ellen nunca dissera à filha que o que se deseja nem sempre se concretiza, e a vida não ensinara a Scarlett que nem sempre o mais rápido é que vence a corrida. E, assim, a moça deitou sob as sombras entremeadas pela luz da lua, sentindo a coragem irromper cada vez mais forte no peito de uma jovem de 16 anos que traça seus planos no momento em que a vida é tão agradável, que a derrota é uma impossibilidade e um vestido bonito e uma pele alva são as armas necessárias para driblar o destino.

Capítulo 5

Dez da manhã, o clima de verão já pairava no ar. Uma brisa quente, porém amena, adentrou o quarto, trazendo consigo o aroma das flores, das folhas, do frescor da terra recém-arada. Enquanto disputavam a posse de uma magnólia embaixo da janela, tordos e gaios se revezavam; os primeiros, cantarolando estridentemente; os segundos, com a voz doce e chorosa. Em uma manhã tão radiante como aquela, a essa hora Scarlett iria para a janela, apoiaria os braços no peitoril e se embeveceria com os aromas e os sons da paisagem. Mas não foi o caso aquele dia. Na cama, esticado, havia o vestido de seda na cor maçã-verde, bordado com renda cru, mas, se os planos de Scarlett dessem certo, ela não usaria o vestido naquela noite. Muito antes de o baile começar, ela e Ashley estariam a caminho de Jonesboro para se casarem. A pergunta que não queria calar era: que vestido usar no churrasco? Que vestido a faria irresistível aos olhos de Ashley?

Desde as oito horas, revirara vestidos e mais vestidos, das mais diversas cores e modelos. Quando, por fim, se decidiu por um, lembrou-se de que teria de chamar mammy para apertá-lo. Ela chegou depressa ao escutar o chamado, trazendo uma bandeja com café reforçado, pois estabelecera a regra de que as meninas de O'Hara deveriam se empanturrar em casa antes de irem a qualquer festa, para não comerem mais nada lá.

– Não vou comer! Pode levar a bandeja de volta – ordenou Scarlett.

– Sinhazinha, vá, seja boazinha e coma um tantinho só. Sinhazinha Careen e sinhazinha Suellen já cumeram – disse mammy.

– Claro, elas são tão fraquinhas quanto um coelho. Mas eu não vou comer! Não me esqueço de quando me empanturrei em casa e quando cheguei à casa dos Calvert não consegui comer nada. E eles tinham comprado sorvete em Savannah! Hoje vou comer quanto quiser.

Mammy a repreendeu dizendo que moças que se empanturravam em público nunca arranjavam marido, e que, quando ela se casasse, poderia comer quanto bem quisesse. Conseguiu convencê-la a aceitar a bandeja e perguntou:

– O que minha carnerinha vai usá?

Scarlett apontou para o vestido de saia volumosa, de musselina verde e florido.

Mammy a repreendeu no mesmo instante dizendo que o vestido era decotado demais e sem manga, mas Scarlett insistiu dizendo que a mãe não teria tempo de mandá-la trocar de roupa depois que ela estivesse pronta. Mammy, então, mandou que a moça segurasse no balaústre da cama, apertou-lhe o espatilho e deu-se por satisfeita ao ver a cinturinha de pilão ainda mais fina diante de seus olhos. Depois, com cuidado, deixou cair a musselina florida sobre a saia rodada e prendeu os fechos das costas do corpete apertado e decotado. Sentada de frente para a bandeja, sem saber se conseguiria comer quando mal conseguia respirar, Scarlett resolveu começar pelo presunto enquanto resmungava:

– Como eu queria ser uma mulher casada. Estou cansada de ter de fingir o tempo todo, de nunca poder fazer o que quero de verdade. Estou cansada de comer feito um passarinho, de andar quando quero correr e de dizer que estou cansada depois de uma valsa, quando, na verdade, ainda tenho energia para dançar por dois dias sem me cansar! Estou cansada de dizer: "Como você é maravilhoso!", de mentir para esses homens que não têm metade da minha inteligência e de fingir que não conheço nada só para que eles possam dizer que sabem e se sentir importantes por isso... Chega, não consigo comer mais nada.

Mammy mandou-lhe comer as panquecas, e Scarlett perguntou:

– Por que a moça tem que se fazer de sonsa para conseguir marido?

– Pruque os cavalero num sabe o que qué. Só acha que sabe. E acha que qué moça de miolo-mole e fome de passarim. Nunca que ele se casa com moça que tem mais miolo que ele.

E assim prosseguiu a conversa sobre o assunto. Scarlett disse que um dia faria e diria o que bem quisesse e que não se importaria nem um pouco com a opinião alheia. Scarlett comentou ter reparado no comportamento diferente nas moças ianques quando esteve em Saratoga no ano anterior, pois notara que elas agiam como inteligentes, mesmo na frente dos homens, e mammy comentou que os homens se casavam com essas moças por interesse na fortuna delas.

Scarlett refletiu sobre o que mammy havia dito e lembrou-se dos comentários parecidos da mãe. Na verdade, todas as mães ensinavam as filhas a serem criaturas indefesas, dependentes e com olhos de corça. Talvez Scarlett fora muito ousada durante as conversas que tivera com Ashley, expressando sua opinião verdadeira. Talvez esse fato, somado ao gosto dela pelas caminhadas e cavalgadas, fez o olhar de Ashey se voltar para a frágil Melanie; porém, se Scarlett tivesse de sucumbir aos truques femininos premeditados, jamais o respeitaria como sempre. Qualquer que fosse o caso, estava decidida a usar a tática certa para conquistá-lo de vez. Chegara o derradeiro dia!

A caminho da casa dos Wilkes, Scarlett se regozijava por não haver literalmente ninguém que pudesse detê-la, pois nem mammy nem a mãe participariam da festa; Ellen ficara para cuidar da supervisão da fazenda após a demissão de Jonas Wilkerson, que tentara explicar a Gerald que qualquer outro poderia ter engravidado Emmie Slaterry, mas Ellen continuava firme em sua decisão. Jonas detestava todos os sulistas, sobretudo Ellen O'Hara por ser ela o epítome dessa gente. Mammy permanecera junto de Ellen para ajudá-la. Dilcey fora enviada para acompanhar a família à festa, e Gerald, tendo bebido um gole de conhaque para esquentar, seguia ao lado da carruagem, montado, feliz e aliviado por ter conseguido se livrar rapidamente da desagradável questão com Wilkerson, cuja responsabilidade recaíra nos ombros de Ellen, sem fazer ideia da decepção e tristeza da esposa por perder o churrasco e o encontro com as amigas.

O dia primaveril estava lindo demais, e Gerald, eufórico demais para pensar em alguém além dele próprio. De vez em quando, cantarolava *Peg in a low-backed car* e outras cantigas irlandesas. Animado porque naquele dia poderia vociferar sobre os ianques e a guerra, olhava para as três belas filhas cobertas de laços e rendas, e os olhos de Scarlett naquele dia lhe pareceram tão verdes quanto as colinas da Irlanda. Não se recordava da conversa que tivera com ela no dia anterior e, embevecido com tamanha beleza, cantarolou *The wearin' o' the green* em homenagem às filhas.

Ao vê-lo daquele modo, Scarlett sabia que o pai, já embriagado no caminho de volta, tentaria saltar todas as cercas que havia entre Twelve Oaks e Tara e contava com a misericórdia divina e o bom-senso do cavalo para que Gerald escapasse de quebrar o pescoço. Sabia também que o terno novo e cinza de casimira se estragaria, e, o pai, no dia seguinte, diria a Ellen que a culpa fora do cavalo que se atrapalhara no escuro, mentira que não convenceria ninguém, mas seria aceita por todos como verdade. Todavia estava tão entusiasmada e contente que até a traquinagem egoísta do pai a comovera.

Ao longo da estrada, as amoreiras silvestres escondiam as ravinas vermelhas ricocheteadas pela chuva de inverno, e as pedras de granito que saltavam da terra vermelha começavam a se revestir de violetas roxo-escuras e rosas campestres. O aroma silvestre, adocicado e sutil dos arbustos, de tão agradável, despertava o paladar.

"Enquanto eu viver, nunca vou me esquecer deste dia tão lindo. O dia do meu casamento, quem sabe!", pensou Scarlett.

E assim prosseguia Scarlett em seus devaneios, imaginando a fuga com Ashley, a reação consternada, porém passageira, da mãe ao saber da notícia e a atitude enfurecida e eloquente do pai, que logo se conformaria com o fato de a filha ser desposada por um Wilkes. Mas decidiu deixar essas preocupações para depois que o matrimônio se consumasse. Tamanho foi o regozijo ao imaginar seus filhos, e até mesmo netos, que a moça chegou a acompanhar o pai no refrão de *The wearin' o' the green*, para alegria deste.

Suellen indagou a irmã, pois estranhava a alegria exagerada de Scarlett, sobretudo porque o noivado de Ashley, para quem, ela sabia, a irmã vinha arrastando uma asa, seria anunciado naquele dia. Suellen não se conformava com o fato de ninguém poder triscar nas roupas de Scarlett, tampouco com a crença da mãe de o verde só cair bem a ela.

– Susie, não é bem assim... – interveio Careen, chocada com o comentário de Suellen. – A Scarlett só quer saber do Brent.

Scarlett se surpreendia com a gentileza e doçura de Carreen, quando não era segredo para ninguém da família que ela estava apaixonada por Brent Tarleton, que, por sua vez, só tinha olhos para Scarlett.

– Querida, não dou a mínima para o Brent! – declarou Scarlett contente o suficiente para expressar sua generosidade. – E ele não está nem aí para mim. Brent está só esperando você crescer!

– Ai! Scarlett, está falando sério?

– Scarlett, você sabe que mamãe acha Carreen nova demais para ficar falando em namoro e fica aí, colocando essas ideias na cabeça da menina.

– Ah, vá lá, sua dedo-duro, pode contar para ela. Não ligo – retrucou Scarlett. – Você está é preocupada em segurar a irmãzinha aqui porque sabe que daqui a um ano, mais ou menos, ela vai estar mais bonita que você.

– Comportem-se feito gente civilizada hoje ou meto o chicote nas três – reprimiu Gerald. – Shhh! Quietas! Estão ouvindo o barulho de rodas? Devem ser os Tarleton ou os Fontaine.

Gerald percebeu que se aproximavam as Tarleton. Com exceção de Ellen, não havia outra mulher no condado que Gerald admirasse mais que a senhora Tarleton, que chegara, ela própria, segurando as rédeas do cavalo. Beatrice, que dera à luz oito filhos, todos tão ruivos e vigorosos quanto ela, como assim se dizia no condado, trazia consigo as quatro filhas, com suas saias abundantes, e a criada, mal sobrando espaço para o cocheiro. Amava cavalos e falava sobre eles o tempo todo. Compreendia-os e lidava com eles melhor que qualquer homem do condado.

As Tarleton, cuja fama era a de família comunicativa, cumprimentaram Gerald com inigualável simpatia, apesar de não se encontrarem havia apenas dois dias. Com igual receptividade, as filhas de Gerald foram saudadas, salvo Scarlett; nenhuma garota do condado, com a provável exceção de Cathleen Calvert, cabeça-oca, simpatizava com Scarlett. Tão grande era o entusiasmo das Tarleton com churrascos e bailes que, a cada um que compareciam, se comportavam como se fosse o primeiro. Hatty, Camilla, Randa e a pequena Betsy, todas vinham bem-apessoadas com seus chapéus, cada um de uma cor.

Quando Gerald elogiou a beleza das filhas, mas disse que estavam longe de superar a beleza da mãe, as Tarleton acharam graça e disseram à mãe que contariam ao pai. Scarlett admirava a liberdade que tinham com a mãe, que mais parecia uma delas que mãe propriamente; uma conversa daquele tipo com Ellen seria quase um sacrilégio. As Tarleton eram georgianas por parte de mãe e de pai, georgianas do norte, naturalmente seguras de si mesmas e do ambiente ao qual pertenciam, diferentemente de Scarlett, em cujo sangue corria a mistura entre uma aristocrata litorânea e um camponês irlandês.

Depois de explicar à senhora Tarleton por que Ellen não viera, Gerald soube por meio dela que o marido e os filhos tinham ido à frente, sob o pretexto de verificar se o ponche estava suficientemente forte. Ele perguntou à senhora por que ela não viera montada, como era de costume, e ela explicou que Nellie, sua égua, tinha dado cria. Scarlett não pôde evitar nova comparação entre a senhora Tarleton e a mãe. Ellen jamais se importava com éguas, vacas e crias, ignorava por completo esse tipo de assunto. No meio da conversa, a senhora Tarleton tocou no assunto do noivado entre Ashley e Melanie e em tom de brincadeira perguntou a Gerald se seria ilegal o casamento de um Wilkes com alguém que não pertencesse à família.

Scarlett não ouviu mais o restante da conversa, pois sentiu como se o mundo de repente anuviasse. Sabia do noivado entre os dois, mas era muito diferente escutar as pessoas comentarem o fato. Mas a sensação durou pouco tempo. Logo o sol tornou a brilhar e fulgurar a paisagem. Em breve, a senhora Tarleton se surpreenderia quando soubesse que o noivado fora cancelado. E assim prosseguia a conversa entre a senhora e suas filhas com o pai de Scarlett a respeito do casamento; Beatrice defendendo enfaticamente que o casamento entre primos não era coisa certa, pois enfraquecia a linhagem, e completou que a família necessitava de sangue novo, como o de suas ruivas ou de Scarlett. Surda a toda e qualquer palavra alheia ao seu assunto favorito, a senhora Tarleton completara ainda que havia casos de casamento entre primos em sua família e que as crianças ora nasciam com os olhos estatelados, ora parecendo sapos, os coitados. Preocupado com a franqueza excessiva da senhora, que poderia levar as filhas dele a fazer perguntas constrangedoras, Gerald perguntou o que ela decidira a respeito da venda dos cavalos para a Tropa, ao que Beatrice respondeu nem mesmo saber se haveria, de fato, a guerra. Hetty interrompeu a conversa, apressando os dois, dizendo que poderiam continuar tão logo chegassem a Twelve Oaks. Gerald insistiu, inquirindo Beatrice a respeito do assunto, dizendo que todos no churrasco perguntariam sobre os cavalos, e indagou se a Confederação não significava nada a ela.

– Ouça, senhor O'Hara – retrucou com os olhos fuzilantes. – Não venha jogar a Confederação na minha cara! Acho que ela significa tanto para mim quanto para o senhor, eu com quatro rapazes na Tropa e o senhor sem nenhum. Meus rapazes podem cuidar de si, mas os cavalos não. Cederia meus cavalos de bom grado e sem cobrar nada por isso se soubesse que seriam montados por rapazes que conheço, cavalheiros acostumados com puro-sangue. Não, eu não pensaria duas vezes!

Camilla insistiu com a mãe que prosseguissem caminho, e Gerald comentou que Beatrice tinha razão, que a infantaria era coisa para cavaleiros, não para aspirantes, mas lamentou o fato de não haver no condado número suficiente de filhos de fazendeiros que pudessem preencher uma tropa inteira. Ao perguntar a opinião de Scarlett sobre aquilo tudo, ela, preocupada em organizar os próprios pensamentos e o próprio semblante, apenas pediu que ele cavalgasse mais à frente ou atrás delas, pois o cavalo levantava tanta poeira que corriam o risco de se engasgar antes de chegar a Twelve Oaks.

E assim Gerald meteu esporas no cavalo e, em meio a uma nuvem vermelha empoeirada, tomou distância atrás da carruagem dos Tarleton, onde poderia prosseguir com a altercação hípica.

Capítulo 6

John Wilkes, conhecido por todo o condado pela exemplar hospitalidade, sabia como promover um churrasco. Mesas cobertas por toalhas de linho, cadeiras, pufes e similares dispostos pela clareira. A churrasqueira mantida a distância certa para a fumaça não incomodar os convidados. Tudo preparado para recebê-los. Ao se aproximarem da casa, Scarlett sentiu o aroma agradável da carne de porco, fungou e rogou que lhe abrisse o apetite logo. Comera tanto e o espartilho estava tão apertado que ela temia arrotar a qualquer momento, gesto que seria fatal, pois apenas os cavalheiros e as damas idosos tinham o direito de arrotar sem correr o risco de julgamento alheio.

A varanda frontal e ensolarada estava repleta de convidados. "Sim, o condado inteiro está aqui", pensou Scarlett. Os Tarleton, pai e filhos, incluindo os gêmeos, Stuart e Brent, lado a lado e inseparáveis como sempre, Boyd e Tom ao lado do pai, James; o senhor Calvert, bem ao lado da esposa ianque, que mesmo depois de quinze anos morando na Geórgia ainda parecia deslocada; os dois filhos dos Calvert, Raiford e Cade, a irmã loira deles, Cathleen, os três implicando com Joe Fontaine e a futura noiva, Sally Munroes; Alex e Tony Fontaine sussurrando nos ouvidos de

Dimity Munroe e lhe provocando gargalhadas. Havia famílias de lugares distantes como Lovejoy, Fayetteville e Jonesboro, algumas até de Atlanta e Macon. A casa estava cheia, e ouviam-se risos, vozes e gritinhos eufóricos intermitentes.

Nos degraus da varanda, estava John Wilkes, cabelo grisalho, postura ereta, irradiando charme e hospitalidade; ao lado dele, Honey[6] Wilkes, assim designada porque se dirigia a quem quer que aparecesse como "docinho", distribuindo sorrisos aos convidados. India não aparecera ainda, mas provavelmente estava na cozinha dando as últimas instruções aos criados, ou assim cogitou Scarlett, que se compadecia da moça por ter de cuidar da casa desde que a mãe falecera e não tivera nenhum outro admirador a não ser Stuart Tarleton. "E que culpa tenho eu se ele me acha mais bonita que ela?", pensou.

John Wilkes desceu as escadas e ofereceu o braço a Scarlett. Frank Kennedy veio correndo em direção à carruagem para receber Suellen, que empinava o corpo e o nariz a ponto de Scarlett querer lhe dar um tapa. Nenhum sinal de Ashley até aquele momento. Stuart e Brent Tarleton avistaram Scarlett chegar e se aproximaram. As meninas da família Munroe se aproximaram para elogiar o vestido de Scarlett, que logo se tornou o centro das atenções, em meio a um falatório cada vez mais afervorado. Mas onde estava Ashley? E Melanie? Charles?

Enquanto investigava ao redor à procura de Ashley, seu olhar deteve-se em um estranho, de pé e sozinho no salão; alto, empertigado, musculoso, de bigode, tinha no mínimo 35 anos. Quando o olhar dela cruzou o dele, ele sorriu, e ela sabia que deveria se sentir ofendida por chamar a atenção daquele modo, mas ficou aborrecida consigo por não ter se sentido assim. Era inegável que se tratava de sangue nobre. Ela desviou o olhar sem retribuir o sorriso, quando ouviu alguém chamá-lo:

– Rhett! Rhett Butler! Venha aqui. Quero que conheça a moça de coração mais cruel da Geórgia!

---

[6] *Honey*, em inglês, significa mel, doçura. (N.T.)

O nome soara familiar a Scarlett, mas, naquele momento, pensava em Ashley e mais nada. Com o pretexto de que precisava ajeitar o vestido, estava prestes a subir os degraus rumo ao andar de cima quando encontrou India, que, como sempre, a tratou com muita gentileza, apesar de Scarlett ter lhe roubado o pretendente, Stuart. Ao começar a subir, escutou alguém chamá-la: Charles Hamilton, que, como a maioria dos homens tímidos, admirava moças extrovertidas, comunicativas e sempre à vontade como Scarlett.

– Por que, Charles Hamilton, seu bonitão, por que faz isso comigo? Aposto que veio de Atlanta até aqui só para partir meu coraçãozinho – disse ela.

Charles, desacostumado a ouvir coisas assim das garotas, que apesar de gentis o tratavam como um irmão mais velho, ficou quase sem fôlego. Mesmo com Honey, com quem havia um discreto pacto de matrimônio tão logo ele tomasse posse de seus bens no outono seguinte, era acanhado e introvertido. Não lhe agradava a ideia do casamento, porque Honey não despertava nele nenhuma das emoções próprias dos amantes e descritas nos romances que ele tanto lia. E lá estava Scarlett, dizendo que ele viera para lhe partir o coração!

– Me espere aqui, já volto. Quero sua companhia para a refeição. E não saia por aí flertando com outras meninas porque sou muito ciumenta!

Rhett Butler, que estava a poucos passos de Charles, escutara a conversa e novamente lançou aquele olhar malicioso para Scarlett, o mesmo com o que ela já estava tão acostumada. No andar de cima, Scarlett encontrou Cathleen e soube que o homem de sobrenome Butler era *persona* malquista, mas que estava em Jonesboro para visitar o senhor Kennedy e tratar de algum negócio. Cathleen contou que o homem era de Charleston, fora expulso de West Point por algo terrível e também se recusara a se casar com uma moça com quem supostamente passara a noite. Scarlett soube, ainda, que o senhor Butler dissera que preferia morrer a se casar com uma idiota e se debatera com o irmão da moça em um duelo, que culminou na morte do irmão, baleado. Por esse motivo, o senhor Butler teve de sair de Charleston e era malquisto.

"Bem que eu queria que Ashley me desonrasse", pensou Scarlett. Seria cavalheiro demais para não se casar comigo. Por ora, respeitava Rhett Butler por ter se recusado a se casar com uma moça tola.

Ela escolheu se sentar em uma otomana alta de jacarandá, pois percebera que, nos bancos, apenas dois homens, um de cada lado, poderiam fazer companhia a cada moça. Scarlett, por outro lado, naquele assento ficou cercada por sete cavalheiros e mal tocara no prato que tinha em mãos. O churrasco atingira o ápice, com todos rindo e conversando entusiasmados. Debaixo do caramanchão, conversavam as mulheres casadas, que, com seus vestidos escuros e decorosos, pareciam aos olhos de Scarlett verdadeiras gralhas gordas. Nem sequer passara pela cabeça dela que, uma vez casada com Ashley, passaria a pertencer àquele grupo apartado das brincadeiras e risadas. Como a maior parte das moças, sua imaginação a conduzia somente até o altar.

Sabia-se lá por que os planos da noite anterior tinham fracassado até aquele momento. Apesar de estar cercada por admiradores, Ashley não era um deles, e Scarlett começava a sentir o coração saltar pela boca, o sangue ferver e as bochechas empalidecerem. Ele nem sequer demonstrara interesse em se aproximar, e desde que chegou ela nem ao menos tivera a chance de trocar uma palavra com ele a sós, apenas recebera as boas-vindas. E, na ocasião, Melanie o acompanhara, braços dados com ele. Melanie, a baixinha, de corpo frágil, que parecia uma criança fantasiada com a saia-balão da mãe; tão elementar quanto a terra, tão boa quanto pão, tão transparente quanto a água. Apesar da simplicidade e da baixa estatura, seu comportamento era estranhamente comovente e muito mais maduro do que demandavam seus 17 anos. Scarlett notou que o rosto de Melanie, sempre que olhava para Ashley, iluminava-se como se um fogo interior incandescesse e, se alguma vez neste mundo o amor guardado no coração transpareceu no rosto de alguém, certamente foi no de Melanie Hamilton naquele dia.

Apesar de ser a beldade do churrasco, o centro das atenções por causa do furor que causava nos rapazes e da raiva que provocava nas outras moças, Scarlett se sentia péssima. Charles Hamilton permanecia plantado à direita de Scarlett, segurando um prato praticamente intacto em uma das mãos e o leque de Scarlett na outra; Cade se mantinha à esquerda, puxando a saia dela de vez em quando, para lhe chamar a atenção, lançando um olhar fulminante para Stuart; Frank Kennedy andava de um lado para o outro feito uma galinha circundando um pinto, e, com isso, Scarlett despertava a ira de Honey e das próprias irmãs, Suellen e Carreen, como também a das Munroe, ao verem Alex e Tony disputando um lugar no círculo em torno de Scarlett. Enquanto ria da situação toda, Scarlett sentia o coração latejar e uma vontade irrefreável de cravar as unhas no rosto de Melanie até fazê-lo sangrar. Enquanto conversava com John Wilkes, o único que parecia decifrar as verdadeiras intenções de Scarlett, quando lançava uma olhadela para a moça, era Rhett Butler.

Depois da uma da tarde, a sonolência pareceu imperar entre os convidados. As conversas e as risadas diminuíram, e os grupos aqui e lá começavam a se silenciar. Alguns cavalheiros cochilavam devido ao calor e ao estômago cheio. O churrasco havia terminado. No intervalo entre a festa da manhã e o baile da noite, todos pareciam lânguidos e pacíficos, exceto os rapazes, que iam de grupo em grupo. Dali a pouco, quando o sol brilhava mais forte, todos escutaram a voz vociferante de Gerald irrompendo no silêncio, durante o auge de uma altercação com John Wilkes a respeito da guerra.

No mesmo instante, todos despertaram da sonolência. A pedido de John Wilkes, nenhum homem tocara em política tampouco em guerra durante as conversas, para não incomodar as damas presentes, mas Gerald rompera o trato ao mencionar as palavras "Forte Sumter" e trouxe o assunto à tona. "Ianques ladrões!", "Vejam só, como o senhor Lincoln insulta os comissionários!", "Se é guerra que eles querem, é guerra que teremos", e a voz de Gerald sobrepunha à de todos. Se o pai estava em um dia e tanto, não se podia dizer o mesmo da filha. Secessão, guerra... Scarlett não suportava mais ouvir aquelas palavras capazes de atrair a atenção de qualquer homem e certamente de esgotar todas as ínfimas chances que ela tinha de falar com Ashley. Era evidente que não haveria nenhuma guerra, e todos os homens sabiam disso. Simplesmente adoravam falar e ouvir sobre o assunto.

Charles Hamilton, diferentemente dos outros rapazes, não se levantara, tendo ficado a sós com Scarlett. Aproveitando o momento, perguntou a ela se sentiria sua falta caso ele fosse para a guerra, mas Scarlett, investigando todos os cantos à procura de Ashley, nem sequer ouvira a pergunta. Charles perguntou:

– Rezaria por mim?

"Que tonto!", pensou Scarlett, olhando ao redor na esperança de encontrar algo que pudesse salvá-la daquela conversa enfadonha.

– Claro que sim. Três rosários por noite, no mínimo!

Charles, então, ciente de que jamais teria outra oportunidade como aquela, prendeu a respiração, olhou ao redor, enrijeceu os músculos da barriga e disse:

– Senhorita O'Hara... preciso lhe contar uma coisa. Eu... eu a amo.

– O quê? – perguntou Scarlett, não tendo prestado atenção à declaração, pois seus olhos procuravam freneticamente Ashley.

– Sim... eu a amo! A senhorita é a mais... mais bela que conheci. Não tenho esperanças de que possa se interessar por alguém como eu, cara senhorita, mas faria o que for preciso para que me ame... e... Quero me casar com a senhorita.

Com um sobressalto, Scarlett pareceu recobrar a razão ao ouvir a palavra "casar", pois não pensava em outra coisa que não o casamento entre Ashley e Melanie. Tão acostumada que estava com situações como aquela, pois muitos homens já haviam lhe pedido a mão, Scarlett não viu no semblante de Charles nada além de um garoto de 20 anos, vermelho feito beterraba e com cara de bobo. Queria lhe falar quão tolo parecia ao dizer tudo aquilo, mas lembrou-se dos conselhos da mãe para situações como aquela e, pensando em satisfazer a vaidade do rapaz e mantê-lo preso em suas garras, disse apenas:

– Senhor Hamilton, sei bem qual é a honra de um pedido como esse, mas foi tão repentino que não sei o que responder.

Charles disse que esperaria pela eternidade se preciso fosse e, se por um lado, Scarlett não processava uma palavra sequer do que o rapaz dizia, por outro prestava toda atenção à conversa entre Ashley e Melanie e chegou à conclusão de que Melanie não passava de uma sabichona e que todo mundo sabe o que os homens acham das sabichonas... Essa constatação a acalentou e a fez recobrar toda a alegria e a esperança. Nesse meio-tempo, Jim Tarleton chamou Ashley e lhe perguntou sua opinião a respeito da guerra.

– Ora, cavalheiros, se a Geórgia se dispuser ao combate, irei junto. Por qual outro motivo eu teria me unido à Tropa senão esse? Todavia, como meu pai, torço para os ianques nos deixarem em paz e que não haja guerra nenhuma... – Na sequência, diante do falatório exasperado dos Fontaine e dos Tarleton, Ashley ergueu a mão e acrescentou: – Sim, sim, sei que nos ofenderam e nos enganaram... mas, se estivéssemos no lugar dos ianques e eles tentassem deixar a União, qual seria nossa reação? Exatamente a mesma. Não nos agradaria.

Por sorte, Ashley tinha a fama de inveterado corajoso; do contrário, a discussão teria ficado muito pior. Ao ver a conversa acalorada, o senhor McRae, um cavalheiro surdo de Fayetteville, perguntou a India sobre o que conversavam, e ela, falando bem perto do ouvido do homem, contou-lhe que o assunto era a guerra. Rapidamente, brandindo a bengala no ar e gritando, ele se aproximou do grupo e, como não conseguia ouvir as vozes ao redor, logo foi abrindo espaço entre as vozes acaloradas e declarou que nenhum homem, a não ser ele, sabia o que de fato era uma guerra, pois participara da Guerra dos Seminoles e da Guerra do México, passara fome, sede, frio e contraíra pneumonia.

Entre os homens ali presentes, Rhett Butler era o único que não se unira ao grupo até aquele momento, ficando sozinho e recostado em uma árvore desde que o senhor Wilkes o deixara. Não havia dito uma palavra sequer, apenas observava tudo como quem escuta as farra de um bando de crianças. Quando Stuart Tarleton declarou que, em questão de um mês, poderiam acabar com o adversário, pois cavalheiros sempre lutam melhor que a ralé, Rhett Butler, ainda recostado na árvore, com as mãos nos bolsos e imóvel, com o sotaque inato de Charleston, disse:

– Cavalheiros? Os senhores me permitem uma palavra? – com a cordialidade costumeira concedida a um forasteiro, o grupo todo voltou-se para ele. – Alguém entre os senhores já pensou que não há uma fábrica de canhões ao sul da Mason-Dixon? Ou quão escassas são as fundições de ferro no Sul?

Rhett prosseguiu falando das tecelagens, das fábricas de algodão e dos curtumes, e acrescentou que o problema dos sulistas era o fato de não viajarem o suficiente ou não lucrar o bastante com suas viagens. Também se dirigiu às senhoras sob o caramanchão dizendo que viram hotéis, museus, bailes e voltaram para casa certas de não haver lugar como o Sul, mas acrescentou que somente ele, nascido em Charleston, tinha visto o que ninguém ali viu: milhares de imigrantes que se contentariam em lutar contra os ianques em troca de comida e de algum dinheiro, as fábricas, as fundições, os estaleiros, as minas de ferro e de carvão, tudo que ninguém ali possuía. E encerrou dizendo que os adversários acabariam com todos (nós) em apenas um mês. Havia desprezo em suas maneiras e em seus olhos, desprezo revestido de um ar de cortesia que, de alguma forma, burlesqueava seus próprios modos. Pois caraterizava bem Rhett.

"Ora, ele está insinuando que esses rapazes são um bando de imbecis", pensou Scarlett. Houve um perturbador momento de silêncio. Depois, um zum-zum começou entre o grupo de rapazes e também das senhoras, feito um bando de abelhas cuja colmeia fora cutucada. Mesmo sentindo um rubor nas bochechas, de imediato ocorreu a Scarlett que o homem tinha razão, e essa parecia ser a opinião comum. Ainda assim, não cabia ao cavalheiro comentários como aqueles, sobretudo em uma festa, quando todos se divertiam. Na sequência, Rhett perguntou a John Wilkes se poderia lhe mostrar sua biblioteca, pois logo teria de voltar a Jonesboro, e, com isso, os dois se retiraram.

Um burburinho ainda maior irrompeu. India levantou-se e foi falar com Stuart Tarleton, que estava furioso; o modo como India o olhou era semelhante à maneira que Melanie olhava para Ashley, com a diferença de que Stuart não retribuía. Nesse momento, Scarlett sentiu certo peso na consciência por ter flertado com Stuart de modo tão descarado, mas se conformou ao pensar não ter culpa se as outras moças não conseguiam cativar os próprios pretendentes.

* * *

Nos quartos do andar de cima, ouviam-se risadas e gritinhos de "Não, você não fez isso! Jura?!", "E o que ele disse?". Nas camas e nos sofás dos seis quartos, as moças, tendo tirado o vestido, afrouxado o espartilho e soltado o cabelo, descansavam. O cochilo vespertino era um costume no interior e nunca tão necessário quanto em festas que duravam o dia inteiro e se encerravam com um baile. Antes de ir para o corredor e descer as escadas, Scarlett se certificou de que Melanie estava deitada com Honey e Hetty Tarleton. Ao olhar por uma janela, avistou Ashley despedindo-se das matronas e das crianças. Com o coração quase saltando pela boca, desceu as escadas depressa. Viu os criados cuidando dos preparativos para o baile na sala de jantar, percebeu a porta da biblioteca aberta do outro lado do vestíbulo, esgueirou-se e entrou sem fazer barulho. Esperaria por Ashley ali.

Havia pouquíssima luz na biblioteca, pois as persianas estavam fechadas. A penumbra, as paredes altas e os livros anuviados a deprimiam. Aquele não era o lugar que ela escolheria para o tipo de encontro prestes a acontecer. Pilhas de livros sempre a deprimiam, tanto quanto todas as pessoas que gostavam de lê-las. Todas menos Ashley. Entrefechou a porta, deixando uma fresta suficiente para vê-lo passar. Enquanto tentava repassar mentalmente o que diria e qual seria a reação dele, foi surpreendida:

– Scarlett! O que está fazendo aí? – perguntou Ashley de repente, deixando-a atordoada. Ele apareceu no corredor, espreitando pela fenda da porta. – Está se escondendo de quem? De Charles ou dos Tarleton?

Ela engoliu em seco. Então, ele havia reparado nela! Sem conseguir pronunciar uma palavra, ela o puxou pela mão. Ashley notou um brilho diferente no olhar de Scarlett, algo que nunca vira antes nela. Em um gesto intuitivo, fechou a porta e segurou-lhe a mão.

– O que houve? – indagou quase em um sussurro. – O que aconteceu? – perguntou ele depois de um tempo, quando ela ainda permanecia em silêncio. – Quer me contar algum segredo?

De repente, todos os anos de ensinamento da mãe pareciam ir por água abaixo, e a franqueza do pai irlandês falou mais alto.

– Sim... um segredo. Eu te amo.

Por um momento, houve um silêncio tão profundo quanto se os dois tivessem parado de respirar. De repente, todo o tremor que Scarlett sentia deu lugar a uma sensação de alegria e orgulho. Por que não fizera isso antes? Fora muito mais simples do que imaginara. Mas por que Ashley estava com aquele semblante tão estranho? Sem dizer nada? Havia neles uma expressão de consternação, de incredulidade e algo mais. O que era?

– Não basta ter roubado o coração de todos os homens que estavam aqui hoje? – disse de repente, com o olhar frio e a costumeira voz provocante e carinhosa. – Não se contenta com isso? Quer unanimidade? Sempre a admirei, você sabe. Sempre a admirei muito.

Havia algo errado... muito errado! Não era essa a reação que ela esperava dele. Ashley agia como se Scarlett estivesse simplesmente flertando com ele, apesar de ter a consciência de que aquela conversa era muito mais que isso. Ashley levou os dedos à boca dela depressa, e a máscara caiu.

– Não pode dizer essas coisas, Scarlett! Não pode. Não sabe o que está dizendo. Vai se odiar por ter me dito isso e me odiar por ter escutado!

– Jamais sentiria ódio por você! Eu o amo, e sei que você deve gostar de mim porque... – Scarlett hesitou. Nunca antes vira o sofrimento tão estampado no rosto de alguém. – Ashley, você gosta de mim, não gosta?

– Sim – respondeu sem rodeios. – Gosto.

Se Ashley tivesse dito que a odiava, Scarlett não teria se sentido tão amedrontada. Sem saber o que dizer, ela agarrou a manga da camisa dele.

– Scarlett... não podemos virar as costas e esquecer que tivemos essa conversa? – sugeriu ele.

– Não – sussurrou ela. – Não posso. O que isso quer dizer? Que não quer... não quer se casar comigo?

– Vou me casar com Melanie.

As respostas de Ashley não faziam sentido para Scarlett. Sem saber bem como, viu-se sentada na cadeira de veludo, e Ashley, na almofada a seus pés, segurava-lhe as mãos com firmeza. Depois daquele momento em silêncio, Ashley reafirmou que o pai anunciaria o noivado dele com Melanie naquela mesma noite, desculpou-se por não ter contado antes a Scarlett e disse que o casamento aconteceria em breve. Scarlett insistiu, pois ouvira da própria boca de Ashley que ele gostava dela, mas ele, declarando que o amor não é o suficiente para o casamento, argumentou que Scarlett se machucaria, pois os dois eram pessoas muito diferentes; ela detestava os livros e a música que ele tanto amava e, com o passar do tempo, detestaria o próprio marido. Quando Scarlett perguntou se Ashley amava Melanie, ele respondeu que os dois se entendiam, que ela tinha o mesmo sangue que ele e que um casamento só pode ter futuro quando as duas pessoas se assemelham.

– Mas você disse que gosta de mim.

– Eu não deveria ter dito isso.

Em algum lugar recôndito da mente dele, uma centelha irrompeu, e a raiva incendiou todo o resto.

– Bom, mas foi cafajeste o bastante para dizer...

– Fui um cafajeste por ter dito isso, já que vou me casar com Melanie. Errei com você e errei ainda mais com Melanie. Não deveria ter dito isso, pois sabia que você não entenderia. Como poderia gostar de você... você, que tem toda a paixão pela vida que eu não tenho? Você, capaz de amar e odiar com tanta violência, violência impossível para mim? Você que é tão intensa quanto o fogo, o vento e as coisas selvagens, e eu...

– Por que não diz logo, seu covarde! Diga que tem medo de se casar comigo! Diga que prefere viver com aquela idiota que mal consegue abrir a boca a não ser para dizer “sim” ou “não” e criar um bando de pirralhos tão insossos quanto ela! Por que...

– Você não deveria dizer essas coisas sobre Melanie!

Ashley estava a ponto de perguntar a Scarlett se alguma vez lhe dera esperanças, mas ela o interrompeu, pois sabia que ele nunca, jamais cruzara a fronteira da amizade que os dois tinham, constatação que a deixou ainda mais enfurecida. Ashley preferia uma idiota sem sal nem açúcar como Melanie a ela. Oh, antes Scarlett tivesse seguido os conselhos de Ellen e mammy!

– Eu o odeio, seu cafajeste... seu... seu calhorda! Calhorda!

– Scarlett, por favor...

E, quando Ashley estendeu a mão em direção a ela, Scarlett deu-lhe um tapa na cara com toda a força que pôde. O ruído ecoou pela biblioteca silenciosa, e, de repente, toda a raiva se foi. Ashley, então, levou a mão de Scarlett aos lábios e a beijou. Em seguida, saiu e fechou a porta devagar.

A raiva fez os joelhos vacilarem, e Scarlett deixou o corpo cair na cadeira. Ashley se foi, e a expressão acometida dele assombraria Scarlett enquanto ela vivesse. Ela o perdera para sempre. "Sou tão atrevida quanto Honey, que fica se jogando nos braços dos rapazes", pensou. "Será que transparecera suas intenções tanto quanto Honey? Será que todos riam dela a essa altura?" A simples hipótese a fez estremecer. Precisava romper aquele silêncio perturbador, precisava fazer algo, do contrário enlouqueceria. Em um gesto impulsivo, pegou um vasinho de porcelana no qual haviam estampados dois querubins sorrindo e o atirou com toda a força contra a lareira, estilhaçando-o.

– Isso já é demais – disse uma voz, das profundezas do sofá.

Nada nunca a surpreendera nem a apavorara tanto. Ela se segurou com força no encosto da cadeira quando Rhett Butler se levantou do sofá onde permanecera todo esse tempo deitado. Então, era real. Não era um fantasma. E ele escutara tudo!

Depois de se recompor ou tentar fazê-lo, Scarlett o repreendeu dizendo que deveria ter anunciado sua presença, e ele, por sua vez, explicou que preferira ficar ali, presumindo que sua presença não seria benquista entre os senhores lá fora. Scarlett o acusou de bisbilhoteiro, ao que ele respondeu:

– Observação pertinente... e a senhorita não é uma dama – ele parecia achar graça de Scarlett, pois ria despretensiosamente. – Ninguém pode continuar sendo uma dama depois de dizer e fazer o que acabei de ouvir. Mas, a bem da verdade, raramente as damas me atraem. Sei quais são as intenções das damas, mas elas nunca têm a coragem ou a disposição de romper os modos para dizer o que pensam. E, com o tempo, isso entedia. Já a senhorita, cara senhorita O'Hara, é uma garota de espírito muito admirável, e tiro meu chapéu por sua atitude. Não consigo entender que encantos o senhor Wilkes possui para despertar a paixão de uma moça de natureza tempestuosa como a sua. Ele deveria agradecer de joelhos por ter uma moça... como ele disse mesmo? "Que tem toda a paixão pela vida?", mas sendo um infeliz pobre de espírito...

– O senhor não serviria nem para limpar as botas dele – esbravejou Scarlett.

– E a senhorita vai odiá-lo para a vida toda! – Ele afundou no sofá, e ela o ouviu rir.

Com o máximo de dignidade que conseguiu reunir, Scarlett saiu da biblioteca e bateu a porta pesada. Subiu as escadas o mais rápido que pôde, resfolegante, a ponto de desmaiar. Ashley, aquele maldito Butler e aquelas garotas invejosas! Por uma janela, avistou os homens lá embaixo, descansando em suas cadeiras sob uma árvore. Como os invejava! Que maravilha ser homem e jamais ter de passar por um sofrimento como o dela!

Entre esses e outros pensamentos, lutando contra a raiva, a falta de ar e tantos outros sentimentos, avistou alguém vindo a todo galope pelo gramado. O estranho apeou-se depressa, agarrou o braço de John Wilkes, e o grupo se aglomerou em torno dos dois. Um burburinho, perguntas, comentários entre o grupo e uma voz entre todas aquelas se sobrepôs: "Iaahuuu!". Sem saber, Scarlett escutara, pela primeira vez, a voz dos Rebeldes. "Deve haver alguma casa pegando fogo", pensou Scarlett.

Com o coração menos acelerado, subiu as escadas na ponta dos pés. O sono pesado parecia pairar sobre a casa inteira. Com todo o cuidado, abriu a porta de um vestiário e entrou. Nem sequer tirara a mão da maçaneta quando escutou a voz de Honey Wilkes, quase um sussurro, vindo da porta do quarto à frente.

– Acho que nunca houve uma moça tão atirada quanto Scarlett está hoje.

Deveria atravessar a porta e surpreendê-la? Deixar Honey tão constrangida quanto merecia? Mas a voz de Melanie a deteve.

– Ah, Honey, não seja tão má. Ela só é animada, cheia de vida. Eu a acho a moça mais encantadora de todas.

O comentário de Melanie despertou ainda mais a ira de Scarlett, que nunca confiara em nenhuma mulher, a não ser na própria mãe. Melanie sabia que Ashley era seu, então podia se dar ao luxo de lançar um comentário tão cristão quanto aquele. Para Scarlett, era um modo de exibir o troféu e ainda ser elogiada por tal atitude. A própria Scarlett usara esse truque quando conversava com outras moças sobre os rapazes e, por meio dele, sempre conseguira convencer os mais tolos.

E os comentários a respeito de Scarlett prosseguiram, acompanhados de risadinhas.

– Bom, vocês viram como ela estava se atirando para tudo quanto é homem... nem o senhor Kennedy escapou. E olha que ele é admirador da irmã dela! Nunca vi isso. E, com certeza, ela também está de olho no Charles – comentou Honey. – E vocês sabem, Charles e eu...

– É sério?! – sussurram as vozes em uníssono.

– Não contem a ninguém... ainda não!

– Bom, não vou ficar feliz de ter a Scarlett como irmã, porque ela é a moça mais assanhada que conheço... – comentou Hefty com voz chateada. – Mas ela está praticamente noiva do Stuart. Brent diz que ela não dá a mínima para ele, mas é claro que ele também está de quatro por ela.

– Se quiserem saber a verdade... – disse Honey, com ar misterioso. – Ela só tem olhos pra uma pessoa. O Ashley!

Tamanhos o medo e a humilhação, Scarlett sentiu o corpo congelar. O que passara na biblioteca foram simples alfinetadas perto da dor que sentia agora. No que dependesse de Honey Wilkes, antes das seis, o condado inteiro saberia o que se passara. E na véspera Gerald dissera que tudo que menos queria era ver o condado inteiro caçoando da filha. "Preciso ir para casa! Preciso ir para casa!", pensou Scarlett. Já estava na varanda frontal quando outro pensamento lhe ocorreu. Não poderia ir para casa! Não poderia fugir! Teria de enfrentar tudo aquilo, a maldade daquelas garotas e até o próprio sentimento de humilhação e mágoa. Fugir só serviria como munição a mais para tudo aquilo.

Batendo o punho cerrado contra um pilar alto e branco, Scarlett queria ser Sansão para, naquele momento, derrubar chão abaixo toda Twelve Oaks, destruindo todos os que estavam ali. "Não vou para casa", pensou. "Vou ficar e fazer todos se arrependerem do que fizeram. Nunca vou contar à minha mãe o que aconteceu. Não, nunca vou contar a ninguém." Ao virar, Scarlett avistou Charles caminhando em direção ao corredor, e ele, ao vê-la, aproximou-se depressa. Trazia uma notícia importante, ao menos assim lhe parecia: o senhor Lincoln convidara 75 mil voluntários.

O senhor Lincoln de novo! Será que os homens nunca conseguem pensar em alguma coisa que realmente importe?

O rosto empalidecido de Scarlett e o brilho incomparável de seus olhos o fizeram crer que ela ficara abalada com a notícia. "Como as mulheres são frágeis e sensíveis", pensou. A simples menção à guerra e à crueldade lhes provocava desmaios. Essa constatação o fez sentir-se mais viril que nunca, e ele agiu com o dobro de gentileza ao acompanhá-la. Mas por que Scarlett o olhava com tanta estranheza? E por que as mãos tremiam enquanto ela manuseava o lenço? Na tentativa de falar, Charles pigarreou três vezes e falhou em todas.

"Ele tem muito dinheiro", pensou Scarlett enquanto elaborava mentalmente um plano... "Se me casar com Charles, servirá para provar a Ashey que não dou a mínima para ele, que só brinquei com ele. E Honey morreria de ódio. Ela nunca, nunca teria outro pretendente, e todo mundo caçoaria dela. E Melanie sofreria, porque adora Charles." Por que não ficar com esse rapaz bonito e envergonhado?

– Aceitaria se casar comigo, senhorita Scarlett?

– Hmmm... – disse ela, cutucando uma dobra do vestido.

– Quando devo falar com seu pai?

– Quanto antes melhor.

Em um instante, Charles se pôs de pé. Com olhar radiante e o coração simples e puro brotando dos olhos, foi procurar Gerald. Nunca nenhum homem olhara para Scarlett daquele jeito. Todavia, ela não conseguia pensar em outra coisa a não ser que Charles parecia um bezerro.

A casa branca, com colunas alvas e avultantes, se erguia à frente dela, parecendo se retirar com digna indiferença. Nunca, jamais seria sua. Ashley jamais a carregaria nos braços, degraus acima, como sua noiva. Ah, Ashley, Ashley! Uma emoção adulta nascia, mais forte que a vaidade e o egoísmo. Scarlett amava Ashley, sabia que o amava, e nunca se dera tanta conta disso até o momento em que avistou Charles desaparecer na curva do caminho de cascalho.

Capítulo 7

Em duas semanas Scarlett casou-se e dois meses depois enviuvou. Sentiu-se aliviada das responsabilidades que assumira tão de repente e sem refletir quanto deveria, mas nunca mais voltaria a conhecer a liberdade dos tempos de solteira. E, para piorar as coisas, a maternidade sucedeu a viuvez.

Nos anos posteriores àquele abril de 1861, Scarlett mal conseguia se lembrar do que passara naquele dia, tudo lhe parecia um pesadelo sem explicação lógica. Mas a guerra fervia no Sul, e tudo acontecia tão repentinamente quanto uma ventania, deixando para trás a languidez dos velhos tempos. Ellen se desesperara e aconselhara a filha a não se precipitar, porém Scarlett estava decidida.

O casamento com Charles foi marcado para o dia anterior ao casamento entre Ashley e Melanie, decisão tomada por Scarlett. Charles também tinha pressa, pois logo a Tropa seria convocada, e ele estava afoito para integrar a Legião de Wade Hampton, na Carolina do Norte. Gerald, entusiasmado com o furor em torno da guerra e com o belo partido que a filha escolhera, consentiu a união.

Todo o Sul estava em polvorosa, os rapazes se apressavam para se alistar e se casar antes de partir para a Virgínia e acabar com os ianques em uma simples tacada. Muitos matrimônios se sucederam pelo condado, com pouquíssimo tempo para despedidas, porque todos estavam muito ocupados: as damas confeccionavam fardas, meias e ataduras, e homens treinavam e praticavam tiro. E, em meio a esse turbilhão, houve os preparativos para o casamento de Scarlett, que, quando menos se deu conta, com o vestido e o véu de noiva de Ellen, descia as escadas largas de Tara, de braço dado com o pai, orgulhoso pela filha ter encontrado fortuna e um sobrenome tradicional e prestigiado. No último degrau, aguardavam Ashley e Melanie, de braços dados.

"Não pode ser real. Não pode ser. É um pesadelo. Vou acordar e descobrir que tudo não passou de um pesadelo", pensou. As danças, o brinde e os cumprimentos, entre eles os de Melanie Hamilton, irmã de Charles, por fim terminaram, e o dia quase amanhecia, e os convidados de Atlanta e da vizinhança começavam a se recolher. Só então Scarlett se deparou com o ruborizado Charles, surgindo no quarto com seu camisão de dormir. Com o coração dilacerado e arrependido pela decisão precipitada, e angustiada por ter perdido Ashley para sempre, aquilo foi mais do que ela poderia suportar.

– Não chegue perto de mim! Se me tocar, eu grito! Juro! Juro... vou gritar com toda minha força! Saia daqui! Não se atreva a encostar um dedo sequer em mim!

E, assim, Charles Hamilton passou a noite de núpcias em uma poltrona, triste, mas não tanto por compreender, ou assim imaginar, a delicadeza e o pudor da noiva.

Pesadelo ainda pior que o casamento de Scarlett foi o de Ashley com Melanie. Scarlett assistira a tudo, com seu vestido verde-maçã do "segundo dia", e viu o rostinho liso de Melanie Hamilton reluzir de alegria quando ela se tornou Melanie Wilkes. E Ashley se fora para sempre. Oh, como ela se arrependera de tudo aquilo. Naquela noite, depois que mammy a ajudara a tirar o vestido e fora embora, e Charles tornara a aparecer no quarto, perguntando-se se passaria outra noite na poltrona, Scarlett sucumbira às lágrimas e comovera tanto o marido que ele se sentou ao lado dela na cama e lhe ofereceu o ombro.

Uma semana depois do casamento, Charles partiu para se unir ao coronel Wade Humpton, e, duas semanas depois, Ashley e a Tropa partiram. Nessas duas semanas, Scarlett não teve uma oportunidade sequer de conversar a sós com Ashley. Nem mesmo no momento da despedida, quando Melanie sugeriu ao marido:

– Dê um beijo de despedida em Scarlett, Ashley. Ela é minha irmã agora.

E, com isso, Ashley inclinou-se e lhe tocou a bochecha com os lábios frios e a fisionomia tensa.

Passaram-se cinco semanas durante as quais chegaram cartas receosas, entusiasmadas e carinhosas de Charles, contando para a amada seus planos para o futuro. Na sétima semana, chegou um telegrama, assinado pelo próprio coronel Hampton, comunicando a morte de Charles. Morrera de pneumonia, seguida de sarampo, tendo sido o acampamento da Carolina do Sul o máximo que se aproximou dos ianques. Chegada a hora, o filho de Charles nasceu e, como estava na moda homenagear os comandantes dos pais, recebeu o nome de Wade Hampton Hamilton. A gravidez consternara Scarlett, que desejou a morte do próprio filho. Todavia, seguiu com a gestação até o fim, apesar de rejeitar a criança. Era como se o menino não fosse parte dela.

Uma tristeza profunda acometera Scarlett, a que todos atribuíam ser consequência da viuvez, mas, na verdade, seu coração sangrava pela ausência de Ashley e pela maternidade precipitada. Ao ser flagrada por Ellen no balanço do jardim, sendo empurrada pelo tenente de Frank e aos risos, a mãe a reprimiu e a advertiu que a conduta de uma viúva deveria ser duas vezes mais circunspecta que a de uma matrona. "E só Deus sabe quanto as matronas vivem entristecidas pelos cantos, ou seja, as viúvas devem 'morrer' com os maridos", pensou Scarlett enquanto escutava a mãe obedientemente. Casar-se de novo era algo muito raro às viúvas e, quando o faziam, estavam velhas e acabadas. O casamento já era algo ruim, mas a viuvez... ah, era de fato o fim da vida. Uma viúva tinha que usar vestidos pretos horríveis sem nem mesmo um toque de trança para avivá-los, nenhuma flor, ou fita, ou renda, ou joias, exceto broches de luto de ônix ou colares feitos com o cabelo do falecido. E o véu de crepe preto no gorro tinha que chegar até os joelhos, e só depois de três anos de viuvez poderia ser encurtado na altura dos ombros. As viúvas nunca podiam tagarelar animadamente ou rir alto. Mesmo quando sorriam, devia ser um sorriso triste e trágico. E, o mais terrível de tudo, elas não podiam, de forma nenhuma, demonstrar interesse na companhia de cavalheiros. E, se um cavalheiro for tão mal-educado a ponto de demonstrar interesse por ela, ela deve congelá-lo com referência digna, mas bem escolhida, ao marido morto.

E que tolice a das pessoas acharem que Wade era o consolo de que ela precisava; que tolice achar que agora ela tinha um motivo para viver! Scarlett mal olhava para o filho e, às vezes, até se esquecia de que ele saíra dela. Todas as manhãs ela acordava e, em um lapso de sonolência, tornava a ser Scarlett O'Hara, e o sol refulgia nas magnólias, os passarinhos começavam a cantar, o cheiro do bacon frito adentrava suas narinas, enfim, ela voltava a ser aquela mulher jovem e despreocupada, mas recobrava a consciência ao ouvir o choro do bebê.

Mesmo detestando Twelve Oaks, que antes ela tanto amava, Scarlett sempre aparecia para visitá-los e saber das notícias de Ashley; mesmo que as machucassem, ela precisava ouvi-las. Sempre que voltava de lá, trancava-se no quarto e se recusava a comer. E foi isso que passou a preocupar muito Ellen e mammy, depois que souberam do doutor Fontaine que muitas mulheres sucumbiam e não resistiam após uma decepção amorosa. O médico, afoito para se livrar de uma paciente que não lhe interessava, aconselhou que uma mudança de ares faria bem a Scarlett. E, assim, Ellen a mandou com o neto para Savannah e Charleston, para visitar alguns parentes. Mas Scarlett voltou para casa um mês antes do previsto.

Ellen, ocupada dia e noite, tentando dobrar os negócios em Tara para auxiliar a Confederação, ficou apavorada ao ver a filha de volta, mais magra, empalidecida e com a língua afiada. Ela própria conhecia a dor de uma decepção amorosa, e não houve uma noite sequer, deitada na cama enquanto Gerald roncava, que não cogitou o que poderia fazer para aliviar o sofrimento da filha.

A senhorita Pittypat Hamilton, tia do falecido Charles e de Melanie, escrevera inúmeras vezes a Ellen sugerindo que Scarlett fosse visitá-la em Atlanta, e, pela primeira vez, a mãe de Scarlett cogitou que essa seria uma boa saída. Ela e Melanie estavam sozinhas em uma casa enorme e "sem a proteção masculina", escreveu a senhorita Pittypat, "agora que nosso querido Charlie se foi. É claro que temos meu irmão Henry, mas ele não mora conosco. Talvez Scarlett tenha lhe falado dele. Melly e eu nos sentiríamos muito mais contentes se Scarlett nos fizesse companhia. Três mulheres sozinhas é melhor que duas. E talvez a querida Scarlett encontre aqui algum conforto para a própria dor, como Melly tem feito, ao ajudar a cuidar dos nossos corajosos rapazes nos hospitais, e, claro, Melly e eu estamos ansiosas para ver esse querido bebê".

Desse modo, Scarlett fazia as malas novamente com suas roupas de luto e viajava para Atlanta com Wade Hampton e sua babá, Prissy, com milhares de recomendações de Ellen e mammy quanto ao comportamento e cem dólares de notas confederadas que Gerald lhe deu. Atlanta não era um lugar que lhe agradava. Scarlett considerava tia Pitty a mais tola das senhoras e a simples ideia de dividir o mesmo teto que a esposa de Ashley a atormentava. Mas permanecer no condado, tendo de lidar com aquelas lembranças, era insuportável, então qualquer mudança seria bem-vinda.

Segunda Parte

Capítulo 8

Scarlett embarcou no trem com destino ao norte em uma manhã de maio de 1862, na esperança de que Atlanta não fosse tão enfadonha quanto Charleston e Savannah, sobretudo porque estava curiosa para rever a cidade que visitara pela última vez antes da guerra. Gerald dizia a Scarlett que ela e Atlanta haviam sido batizadas no mesmo ano, porque somente no ano do nascimento de Scarlett a cidade, antes chamada Terminus, depois Marthasville, recebera o nome de Atlanta. Quando Gerald mudou-se para o norte da Geórgia, Atlanta ainda não existia, mas, no ano seguinte, 1836, o governo autorizou a construção de uma ferrovia no território que fora cedido pelos Cherokees.

Tendo nascido de uma ferrovia, Atlanta crescia junto de suas estradas de ferro. As quatro linhas de trem da cidade a conectavam com o Oeste, o Sul e o litoral e, por meio de Augusta, ao Norte e ao Leste. Como ponto de interligação entre Norte e Sul, Leste e Oeste, a outrora aldeia ganhou vida. Os habitantes de Atlanta eram um povo audacioso. A cidade recebia a energia vigorosa e inquieta daqueles que vinham entusiasmados das regiões mais distantes da Geórgia. Os motivos que faziam Scarlett gostar de Atlanta eram os mesmos que faziam Savannah, Augusta e Macon condenar a cidade. Tal como Scarlett, Atlanta era uma mistura entre o velho e o novo da Geórgia. Além disso, havia algo pessoal e empolgante em torno dessa região que nascera, ou pelo menos fora batizada, no mesmo ano que ela.

Chovera muito na noite anterior, mas, ao chegar em Atlanta, fazia muito sol. Scarlett, figura empalidecida, com seu vestido preto e um véu preto de crepe cujo comprimento ia quase até os tornozelos, ao descer do trem, procurou pela senhorita Pittypat, mas fora recepcionada por um senhor preto, de chapéu à mão. Peter, cocheiro da família, a alertou para não pisar na lama e a segurou nos braços com extrema facilidade, apesar da aparência frágil e da idade, e, ao ver Prissy com o bebê nos braços, disse:

– Esse é o bebê di sinhá? Sinhá Scarlett, ela é nova demais pra segurá o fio di sinhô Charles! Mas nóis cunversa outra hora. Você, minina, vem logo atrás di mim e cuidado prá num dirrubá esse bebê!

Enquanto tio Peter a carregava nos braços e Prissy vinha atrás, Scarlett se lembrou do que Charles lhe contara. "Tio Peter salvou a vida do meu pai e o acompanhou durante todas as campanhas no México, cuidando de suas feridas. Foi praticamente ele quem criou Melanie e eu, porque éramos muitos novos quando ficamos órfãos. Tia Pitty se desentendeu com o irmão, tio Henry, naquela época, então veio morar conosco e cuidou de nós dois. Ela é a criatura mais desamparada do mundo, parece uma criança em corpo de adulto, é incapaz de tomar qualquer decisão, aí tio Peter faz isso por ela... É o velho preto mais esperto que conheço e o mais dedicado." Todas as palavras de Charles se confirmaram.

Durante o trajeto, Peter aconselhou Scarlett a segurar o bebê, receoso de que Prissy o deixasse cair. De fato, Prissy não era a mais apropriada das babás. Fora promovida ao posto devido às exigências da guerra, à alta demanda do Batalhão de Suprimentos e à consequente impossibilidade de mammy, Dilcey ou até mesmo Rosa e Teena assumirem o posto. Prissy nunca se afastara mais que um quilômetro e meio de Tara, e a viagem de trinta quilômetros de Jonesboro a Atlanta a deixara agitada demais, e Wade não parava de chorar, tanto que Scarlett teve de segurá-lo ao longo do percurso todo, o que não resolvia muito, pois, nos braços dela, a criança chorava tanto quanto nos de Prissy. Além disso, ele puxaria os laços do chapéu e amarrotaria o vestido, o que a fez fingir não ter escutado a sugestão de Peter.

– Dê a chupeta de açúcar que está no seu bolso, Priss. Qualquer coisa que o faça calar a boca. Sei que ele está com fome, mas não posso fazer nada agora.

Com o bebê mais calmo e a nova paisagem diante de seus olhos, Scarlett começou a se animar e, pela primeira vez, depois de meses, sentiu recobrar o interesse pela vida quando tio Peter entrou na Peachtree Street. Como a cidade crescera em tão curto tempo! As mesmas ferrovias que serviram de interseção para o comércio em períodos de paz tinham se tornado indispensáveis pontos estratégicos em épocas de guerra, conectando os dois exércitos da Confederação, o da Virgínia, do Tennessee, e do Oeste. Atlanta zunia feito colmeia, consciente e orgulhosa de sua importância para a Confederação, e trabalhava dia e noite para transformar a região rural em área industrial.

Antes da guerra, havia poucas fábricas de algodão, tecelagem, arsenais e maquinário ao sul de Maryland, o que era motivo de orgulho a todos os sulistas. O Sul produzia estadistas e soldados, agricultores e médicos, advogados e poetas, mas nunca engenheiros e mecânicos. Que os ianques se incumbissem dessas profissões tão inferiores. Mas agora as canhoneiras ianques se amontoavam nos portos confederados, e somente os mercadores que vinham da Europa tinham permissão para passar pelo bloqueio. O Sul tentava desesperadamente fabricar seu arsenal bélico. O Norte podia contar com a colaboração geral, tanto em relação aos suprimentos quanto aos soldados; milhares de irlandeses e alemães se aliavam ao Exército da União, atraídos pela generosa recompensa oferecida pelo Norte. O Sul não podia contar com ninguém além dele próprio.

Na Peachtree Street e adjacências, situava-se a sede de vários quartéis do Exército, repletos de homens uniformizados. Tal como tio Peter lhe contara, Atlanta deveria ser a cidade dos enfermos, pois ali havia hospitais de todas as especialidades e todos os dias os trens que vinham de Five Points descarregavam mais e mais doentes e feridos. Algo nessa atmosfera alvoroçada reavivou o ânimo de Scarlett, como se ela pudesse sentir o pulsar eletrizante da cidade batendo no mesmo ritmo que ela. "Ah... vou gostar daqui! É tão vivo, agitado!", pensou Scarlett, tendo pela primeira vez, desde o dia do churrasco, uma verdadeira sensação de prazer.

À medida que avançavam pelo caminho, Scarlett perguntava ao tio Peter sobre tudo que via. Entre a conversa, Peter mencionou que as senhoras Merriwether e Elsing aguardavam sua chegada. Scarlett recordava-se vagamente de ter ouvido falar nas duas e lembrou-se de que eram as melhores amigas da senhorita Pittypat. A senhora Merriwether era alta, robusta, usava um corpete tão apertado que o busto se projetava à frente feito a proa de um navio. Tinha o rosto redondo e corado, no qual se via uma mistura entre a boa índole e o hábito de ordenar. A senhora Elsing era mais jovem, magra e frágil, certamente muito bonita na juventude, que ainda trazia consigo um pouco do frescor daquela época e discreto ar de arrogância. As duas, junto à senhora Whiting, eram os pilares de Atlanta e administravam três igrejas, o clérigo, o coral e os paroquianos. Organizavam quermesses, lideravam grupos de costura, sabiam discernir um comportamento decoroso do indecoroso e nunca deixavam de emitir a própria opinião. As três não se gostavam e não confiavam uma na outra, mantendo entre si a mesma cordialidade do Primeiro Triunvirato de Roma.

– Avisei a Pitty que quero você trabalhando comigo no hospital – afirmou a senhora Merriwether, sorrindo. – Não prometa nada a Meade nem a Whiting!

– Não prometerei – declarou Scarlett, sem fazer ideia a que a mulher se referia, mas sentindo aquilo como sinal de que sua visita era bénquista e aguardada. – Espero encontrá-la em breve.

Quando a carruagem parou por um instante para dar passagem a duas mulheres que carregavam cestas cheias de ataduras, uma figura na calçada, com vestido colorido e coberta por um xale de Paisley, chamou a atenção de Scarlett. Era uma mulher bonita, ruiva, o cabelo até vermelho demais para ser natural. Foi a primeira mulher que ela encontrava que provavelmente "fizera alguma coisa com o cabelo". Ficou fascinada. Perguntou ao tio Peter de quem se tratava.

- Ah, num sei.

- O senhor sabe, sim. Dá para perceber que sabe.

- Belle Watling.

- Quem é ela?

Scarlett percebeu que ele não se referira à mulher como "senhora" nem "senhorita", e tio Peter resmungou que a senhorita Pitty não gostaria de saber que a moça andava perguntando coisa que não era de sua conta. Scarlett nunca vira pessoalmente uma mulher de má reputação e ficou tão curiosa que, à medida que a carruagem prosseguia viagem, virou o pescoço para continuar olhando-a até onde a vista alcançou. As mulheres que encontravam pelo caminho diziam a Scarlett que se juntasse aos grupos de costura e ao comitê de feridos, e nada mais. Ela, sem refletir sobre a resposta, prometia tudo quanto possível.

Pelo caminho, encontraram também o doutor Meade, sua esposa e o pequeno Phil, que a cumprimentaram. Scarlett lembrou-se de tê-los visto no casamento. O doutor Meade disse a ela que a senhorita Pitty lhe prometera que Scarlett integraria o hospital e o comitê de feridos da senhora Meade. Scarlett explicou que já havia prometido o mesmo a outra pessoa, e a senhora Meade deduziu que se tratava da senhora Merriwether.

- Prometi porque não faço ideia do que isso significa - confessou Scarlett. - O que são esses comitês hospitalares?

O médico e a esposa ficaram perplexos com aquela confissão, mas a senhora Meade explicou que havia na cidade diferentes comitês de enfermagem que atendiam os hospitais em diferentes dias e auxiliavam os médicos, faziam ataduras, roupas, e, quando o ferido tinha alta do hospital, era levado para a casa dessas famílias, onde permanecia até se restabelecer. Tio Peter os apressou dizendo que a senhorita Pitty aguardava a visita e, com isso, despediram-se. A senhora Meade prometeu uma visita naquela mesma tarde. Atlanta, com suas multidões, pressa e entusiasmo irrefreável, era muito agradável e estimulante. Scarlett de repente sentiu que seu lugar era ali, não nas cidadezinhas pacatas e tranquilas, às margens de rios e pântanos. Ao se aproximarem da casa da senhorita Pittypat, quase a última ao norte da cidade, nos degraus da entrada havia duas mulheres vestidas de preto e atrás delas uma mulata gorda com as mãos dentro do avental e sorriso de orelha a orelha. Ao lado da senhorita Pittypat, que ansiosa alternava o movimento entre os pés minúsculos, estava aquela que seria a mosca na sopa de Scarlett em Atlanta: Melanie.

Scarlett chegou a Atlanta sem ter ideia de quando retornaria. Se a visita a entediasse tanto quanto acontecera em Savannah e Charleston, em um mês voltaria para casa. Mas, se lhe agradasse, não teria data para regressar. No entanto, mal chegara e a senhorita Pitty e Melanie tentaram com todos os argumentos possíveis convencê-la a morar com elas. Agora que Charles morrera, a casa também pertencia a ela e ao filho, conforme desejo do falecido. Além disso, toda ajuda à Confederação era mais que bem-vinda. Henry Hamilton, tio de Charles, que morava sozinho no Atlanta Hotel, perto da estação, também conversou muito seriamente com Scarlett sobre o assunto. Era um senhor de baixa estatura, irascível, de rosto corado e barriga saliente, cabelo grisalho e comprido e sem a menor paciência para os caprichos e excessos femininos, sendo este último o motivo pelo qual mal conversava com a senhorita Pitty, com quem desde a infância se desentendia e passou a brigar ainda mais enquanto Charles crescia e era, segundo ele, "criado feito uma marica" por Pitty.

Tio Henry identificou-se com Scarlett de imediato, pois, apesar das afetações de tola, via nela algum juízo. Era fiduciário dos bens de Pitty e Melanie e, consequentemente, dos de Charles deixados a Scarlett e ao filho. Com muita surpresa, ela soube por meio de Henry que Charles lhe deixara metade da casa da tia Pitty, fazendas e propriedades da cidade. Por isso, Henry insistia que Scarlett permanecesse na cidade, para que o filho aprendesse a tomar conta dos bens que herdara. Para tio Peter, era mais que certo que Scarlett deveria ficar, pois era inconcebível que Wade fosse criado longe de seus bens. Por ora, Scarlett se esquivava de uma resposta definitiva, pois ainda não sabia se se adaptaria a Atlanta e sabia que teria de convencer os pais, além de admitir que passara a sentir falta da terra vermelha, das plantações de algodão e do agradável silêncio do crepúsculo.

Morando ali, Scarlett por fim pôde conhecer melhor o rapaz que a desposara, a engravidara e a enviuvara em tão curto tempo e compreendeu que a timidez e a mente idealista eram consequência do ambiente feminino em que fora criado. Sarah Jane Hamilton, nome de batismo de tia Pitty, recebeu esse apelido do pai por conta do barulho que seus pezinhos pequenos, inadequados a seu peso, e agitados faziam, e ninguém nunca mais a chamara pelo nome. Já adulta, e até os correntes 60 anos, continuava a tagarelar alegremente feito uma criança e tinha o coração sensível da infância. Desfalecia sempre diante de uma emoção forte, como o faziam todas as damas, mas todos sabiam que se tratava de fingimento, a tratavam feito criança e nunca a levavam a sério. Ninguém jamais lhe contava algo chocante ou escandaloso, para preservar sua condição de solteirona e mimá-la feito uma velha criança.

Melanie assemelhava-se à tia em vários sentidos. Era tímida, modesta, mas sensata, Scarlett tinha de admitir. Tinha a mesma fisionomia pueril da tia, de quem aprendera a praticar nada além da simplicidade e da gentileza, a verdade e o amor, uma criança que nunca se deparara com grosseria nem maldade e não as reconheceria se as visse. Por isso, a seus olhos, não havia criado que não merecesse uma segunda chance, nenhuma moça feia e desagradável em que não pudesse haver alguma graciosidade ou nobreza de caráter. E, por causa de tal espontaneidade e sinceridade, todos queriam se aproximar dela; afinal, quem poderia resistir aos encantos de alguém capaz de enxergar no próximo qualidades que a própria pessoa desconhecia?

Melanie fazia exatamente o mesmo que todas as moças sulinas foram ensinadas a fazer, e era essa conspiração feminina que tornava a sociedade sulista tão agradável. Onde os homens nunca se sentiam insatisfeitos, nunca eram contrariados e nunca tinham a vaidade ameaçada, as mulheres sabiam que teriam um ambiente tranquilo para viver. Por isso, desde o berço, eram ensinadas a sempre agradar aos homens, e eles, por consequência, lhes retribuíam com galanteios e adoração. A bem da verdade, os homens ofereciam de tudo para as mulheres, menos o crédito por serem inteligentes. Scarlett utilizava o mesmo método de Melanie, mas com astúcia calculada e habilidade consumada.

Charles crescera em um ambiente tranquilo e sereno, em uma casa tão delicada quanto um ninho de pássaro. Ali, Scarlett sentia falta do aroma masculino de conhaque, do tabaco e do óleo de Macassar, dos gritos repentinos, de armas, selas e cães de caça. Scarlett, que se sentira aliviada por escapar da rígida disciplina de mammy, descobriu que os padrões de conduta de tio Peter, especialmente em relação à viúva do sinhozinho Charles, eram ainda mais rigorosos. Todavia, foi nesse ambiente que Scarlett notou ter recobrado seu ânimo genuíno. Tinha apenas 17 anos, era cheia de saúde e energia, e a família de Charles se esforçava ao máximo para agradar a ela.

Ashley era sempre mencionado, e Melanie falava dele o tempo todo! Mas tia Pitty e Melanie pareciam deixar a própria dor em segundo plano para abrandar o sofrimento de Scarlett. Elogiavam-na o tempo todo, admiravam seu porte, suas mãozinhas, a pele alva e preocupavam-se com o horário das refeições, da sesta e dos passeios de carruagem. Os elogios muito agradavam a Scarlett, que em Tara não costumava ouvir coisas tão encantadoras. O pequeno Wade já não incomodava e se tornara motivo de grande alegria para as famílias branca e negra e para a vizinhança, que disputavam entre si quem o seguraria no colo.

Detestava ter de servir de enfermeira, mas não tivera escolha, porque fazia parte do comitê da senhora Meade e da senhora Merriwether e passava quatro manhãs da semana em um hospital fedorento, em meio a gemidos, delírios, gangrenas e morte. O cheiro pútrido impregnava-lhe as mãos e o cabelo e a atormentava durante o sono. Nada disso, porém, parecia incomodar Melanie, que, junto dos doentes, mantinha sempre postura gentil, generosa e alegre, tendo recebido dos enfermos a alcunha de "anjo de misericórdia". Scarlett estranhava esse comportamento para uma mulher tão medrosa e acanhada, e, por vezes, a flagrou com a fisionomia empalidecida enquanto segurava a bacia e outros instrumentos para auxiliar o doutor Meade, e outras vezes a flagrou vomitando escondido em uma toalha.

Talvez a tarefa não incomodasse tanto Scarlett se lhe fosse permitido flertar com os convalescentes, pois muitos eram atraentes e bem-nascidos, mas ela não poderia se permitir esse capricho por conta da viuvez. À exceção desses homens gravemente feridos, Scarlett se via em um ambiente predominantemente feminino, o que a enfastiava, pois nunca confiara em ninguém do mesmo sexo que ela. As moças dos grupos de costura que tinham conhecido Charles eram gentis e atenciosas, mas a tratavam de um jeito diferente, como se ela fosse uma velha acabada. Ah, como a vida era injusta! Que injustiça pensarem que o coração dela jazia no túmulo, quando não poderia haver mentira maior! Seu coração batia vivo e forte! Na Virgínia, e por Ashley!

Apesar dessas intempéries, Atlanta lhe agradava muito. E a estada prolongava-se por algumas semanas.

Capítulo 9

Naquela noite, aconteceria uma quermesse para levantar fundos para os hospitais. Sentada à janela de seu quarto, Scarlett assistia ao desfile de carroças lotadas de gente, todos felizes e entusiasmados com a festa. Uma carroça à frente das demais levava pretos fortes, e dois deles, um com banjo e outro com uma gaita, tocavam uma versão animada de *If you want to have a good time, jine the cavalry*. Havia convalescentes entre moças gorduchas e outras delgadas, senhoras mais velhas, oficiais a cavalo. Todos muito contentes, "menos eu", pensou Scarlett.

Acenavam para ela e a chamavam, e Scarlett tentou responder de bom grado, mas foi difícil. Sentia um nó na garganta por não poder participar de tudo aquilo, nem ela, nem a senhorita Pitty, nem Melanie e quem mais estivesse de luto. Não era justo. Ela trabalhara duro tricotando, bordando, pintando tudo para a quermesse. Havia um ano apenas, àquela hora, estava dançando em um vestido lindo, de cor viva e praticamente noiva de três homens. Foi interrompida subitamente enquanto fazia reverências e acenos aos rapazes que passavam pela janela.

– Enlouqueceu, querida! Está acenando para aqueles homens da janela de seu quarto? Scarlett do céu! Estou chocada! O que sua mãe vai achar disso? – repreendeu a senhorita Pitty.

– Bem... eles não sabem que este é meu quarto.

– Mas vão deduzir, o que é tão ruim quanto. Docinho, não faça coisas como essa. Vai cair na boca do povo, vão dizer por aí que é uma moça assanhada... e, para piorar, a senhora Merriwether sabe que este é o seu quarto.

– E suponho que ela vai contar a todos os rapazes, aquela velha alcoviteira.

– Docinho, vigie a boca! Dolly Merriwether é minha melhor amiga.

– Bom, mas continua sendo alcoviteira mesmo assim... ah, me perdoe, tia, não chore! Esqueci que estava na janela do meu quarto. Nunca mais vou fazer isso de novo... eu... só... só queria ver as pessoas passando... Queria tanto ir...

– Docinho!

– Ora, mas é verdade. Estou tão cansada de ficar em casa o tempo todo...

O nó na garganta de Scarlett finalmente irrompeu e se transformou em um pranto sem fim. Pittypat imaginou que o motivo fosse o falecido Charlie, mas, na verdade, Scarlett chorava porque o barulho das carroças, das vozes e dos risos sumia.

Melanie apareceu ao escutar os gritos, soube por tia Pitty o motivo do pranto (ou o que Pitty assim acreditava ser) e tentou consolar a viúva dizendo que lhe restava um filho querido, mas só conseguiu perturbá-la ainda mais. Por fim, cansada de fingir e de ser incompreendida, Scarlett pediu que a deixassem sozinha. E ali, no quarto, permaneceu até tarde, e nem a vista pela janela do grupo que voltava com as carroças lotadas de galhos de pinheiros, trepadeiras e samambaias a animou. Após o jantar, quando já começava a pegar no sono, não sem antes refletir que não restavam esperanças e que a vida não valia a pena, foi surpreendida pela visita das senhoras Merriwether e Elsing. Estranhando o aparecimento repentino das duas àquela hora, Scarlett, a senhorita Pitty e Melanie levantaram-se.

Souberam que os filhos da senhora Bonnell haviam contraído sarampo, culpa da própria senhora Bonnell, de acordo com o expressivo e condenatório semblante da senhora Merriwether, e que as meninas

McLure tinham ido para a Virgínia, pois Dallas McLure estava com um ferimento no ombro. Com isso, tinham vindo para convocar tia Pitty e Melanie para assumirem o posto da senhora Bonnell e das McLure na quermesse. As duas senhoras insistiam, e tia Pitty e Melanie se opuseram veementemente, mas Scarlett, esforçando-se ao máximo para controlar a própria empolgação, manifestou-se e disse que deveriam ir, pois era o mínimo que poderiam fazer pelo hospital.

As duas senhoras, que mesmo em um momento crítico como aquele nem sequer imaginariam a participação de uma viúva em ocasião como aquela, olharam-na fixamente, surpresas. Scarlett sugeriu acompanhar Melly, como assim Melanie era chamada, em uma das barracas, pois a aparição das duas juntas causaria menos estranheza. A ideia agradou à senhora Merriwether, que, ao ver Pitty recuar, disse que a Charles agradaria vê-la trabalhar em prol de uma causa que lhe custara a vida e destacou que a barraca das McLure não atrairia muita gente, portanto Scarlett e Melly não teriam tanto com o que se preocupar.

"Bom demais para ser verdade! Bom demais para ser verdade!", pensou Scarlett. Tia Pitty e Melanie foram convencidas. Com o coração cheio de alegria, Scarlett sentou-se discretamente no banquinho da barraca rosa e amarela que deveria ser ocupada pelas McLure. Tudo estava encantador. As senhoras tinham trabalhado duro para deixar tudo perfeito. Todas as velas e castiçais de Atlanta estavam espalhados naquele que, havia algumas horas, era apenas um salão de treinamento vazio e feio. Estatuetas magnificentes, suportes de bronze, mesas decoradas com flores, um lustre enorme pendendo do teto no centro do salão, com a corrente envolta por heras e trepadeiras que começavam a murchar devido ao calor. Por todo o canto, resplandeciam as estrelas da Confederação, tecidas em bandeiras com o fundo vermelho e azul.

Um estrado para os músicos fora montado para servir de palco, e, do lado oposto, estavam pendurados nas paredes os retratos do presidente Davis e do próprio "Pequeno Alec Stephens", vice-presidente da Confederação. Quando os músicos pretos subiram ao palco com o rosto já lustroso de suor, o velho Levi, cocheiro da senhora Merriwether, que liderava as orquestras em todas as quermesses, bailes e casamentos quando Atlanta ainda se chamava Marthasville, rangeu o arco, pedindo a atenção de todos. Os músicos, então, iniciaram uma versão lenta de "Lorena", lenta demais para dança, que só viria mais tarde, quando todas as prendas das barracas tivessem sido vendidas. O melancólico refrão da canção, "Os anos se arrastam, Lorena! A neve pinta a relva mais uma vez, Lorena. O sol se escondeu nos confins do céu, Lorena...", começava a despertar aquele velho e conhecido nó na garganta de Scarlett.

De repente, o salão ganhou vida e se encheu de mocinhas com seus vestidos coloridos de saia rodada, ombros brancos despidos e xales de renda. Algumas flores da cidade, os botões menores, enfeitavam o cabelo, o vestido e a orelha dessas moças, flores que, antes do término da noite, se tornariam lembranças preciosas nos bolsos de fardas cinzas. Entre a multidão, havia muitas fardas, muitos uniformes de homens que Scarlett conhecia, homens que ela encontrara em leitos de hospitais, nas ruas, nos campos de treinamento. Scarlett acompanhava o ir e vir das faixas douradas bordadas nos punhos e nas golas, as listras vermelhas, amarelas e cinzas das calças. "Quantos homens lindos", pensava. Mesmo com os bigodes louros, cabelos pretos e castanhos, eram tão lindos, tão despreocupados, e mesmo com tipoias, ataduras e até muletas continuavam belíssimos.

Escutou-se o rufar de tambores no andar debaixo, seguido de passos marchando e gritos de reverência. No momento seguinte, a Guarda Nacional e a Unidade de Milícia, com seu uniforme reluzente, chacoalharam as escadas estreitas e se uniram à multidão acenando, fazendo reverências, trocando apertos de mão. Havia jovens na Guarda Nacional que se orgulhavam de servir durante a guerra, homens mais velhos e de barba branca que sonhavam recobrar a juventude, orgulhosos de marcharem com um uniforme que refletia a glória dos filhos na linha de frente. Na milícia, havia vários de meia-idade e alguns de idade mais avançada, mas havia muitos em idade militar, que não pareciam tão contentes quanto os mais velhos ou os mais novos. Perguntavam-se por que ainda não combatiam ao lado de Lee.

E como caberiam todos naquele salão? O que antes parecia um espaço enorme, agora, com tanta gente, diminuíra. Era praticamente impossível escutar qualquer coisa em meio ao barulho e ao falatório, e dados a euforia e o entusiasmo da ocasião, Levi interrompeu "Lorena", e, com o toque da batuta, a orquestra começou a tocar *Bonnie blue flag*. O corneteiro da Guarda Nacional subiu ao palco no exato momento do refrão em uníssono e, junto à multidão, cantarolou: "Salve, salve! Pelos direitos do Sul, salve! Salve a Bela Bandeira Azul! A quem tem uma só estrela!". Ao olhar para o lado, Scarlett viu Melanie de olhos fechados e as lágrimas começando a escorrer pelas bochechas.

– Estou tão feliz – sussurrou – e tão orgulhosa dos soldados que simplesmente não consigo conter as lágrimas.

E se via esse mesmo sentimento de Melanie no olhar e nos gestos das outras mulheres do salão. Havia orgulho e devoção estampados no peito de cada uma delas, pois a última e vitoriosa batalha se aproximava. Era o que mostravam os triunfos de Stonewall Jackson, no Vale, e a derrota dos ianques na Batalha dos Sete Dias, na região de Richmond, era a evidência. Como poderia ser diferente quando se está sob o comando de Lee e Jackson? Bastaria mais uma vitória para findar a guerra! Em breve, Raphael Semmes e a Marinha Confederada acabariam com aquelas canhoneiras ianques e liberariam o acesso aos portos. E a Inglaterra estava a caminho para unir forças com a Confederação, porque as fábricas inglesas estavam paradas por falta de algodão, que recebiam do Sul. É claro que a aristocracia britânica era solidária à Confederação, pois, como duas aristocracias, lutavam contra a raça mercenária dos ianques.

E, assim, as mulheres sorriam e se emocionavam, e embevecidas de orgulho admiravam seus homens que lutavam por tão nobre Causa. A princípio, o coração de Scarlett bateu forte diante de toda aquela emoção e euforia, mas, quando começou a refletir e a enxergar o brilho no semblante daquelas mulheres, percebeu que não compartilhava do mesmo sentimento. A Causa não lhe parecia sagrada. A guerra não lhe soava como assunto sagrado, mas como um inconveniente que assassinava sem motivos os homens, custava muito dinheiro e dificultava o acesso a certos privilégios. Ela se deu conta de que estava cansada do tricô interminável, da infindável tarefa de enrolar ataduras e, ah, estava tão cansada dos hospitais, do cheiro fétido e de tudo que remetia à morte. Mas por que ela era tão diferente das outras mulheres tolas e histéricas que só falavam de patriotismo e da Causa? E os homens, que só conversavam sobre questões vitais e direitos do Estado, eram quase tão enfadonhos quanto elas.

Ela, e somente ela, Scarlett O'Hara Hamilton, tinha o prático bom senso irlandês. E qual seria a surpresa daquelas pessoas se soubessem o que se passava na cabeça dela! Como a senhora Merriwether alertara, a barraca das McLure atraía pouca gente, e Scarlett não tinha muito o que fazer, a não ser matutar sobre o retrato do senhor Davis, cujo até mesmo o cavanhaque a incomodava, e o retrato do senhor Stephens, que não tinha culpa da própria feiura, pois por toda a vida fora inválido.

Não, ela não se sentia mais feliz. A alegria de participar de tudo aquilo fora passageira. Estava na quermesse, mas não fazia parte dela. Ali, era a única mulher sem marido que não tinha um admirador. Logo ela, tão acostumada desde pequena a ser o centro das atenções. E cada moça de Atlanta tinha três admiradores. Até as mais feias! Todas com seus vestidos lindos, lindos! Todas menos ela, que parecia um corvo com vestido de tafetá quente e abotoado até o queixo, sem nenhuma renda, debrum e tampouco joia, a não ser o broche de ônix de Ellen, emblema de luto. E tudo porque Charles Hamilton contraíra sarampo. Ele nem sequer morrera na dignidade de uma batalha para que Scarlett pudesse se gabar disso.

Como era curto o tempo para se divertir, vestir roupas bonitas, dançar, flertar! Poucos, pouquíssimos anos! Depois vinha o casamento, os vestidos sem graça, os filhos que arruinavam a cinturinha fina da mãe, as conversas tediosas com as matronas. Quantas dicas, quanto treinamento recebera de Ellen e mammy para usá-los por tão pouco tempo e esquecê-los para sempre. Quão maravilhoso seria não se casar nunca e continuar despertando, com um vestido verde, o encanto dos homens. Ah, como a vida era injusta! Onde Scarlett estava com a cabeça quando cometeu a idiotice de escolher logo Charles, entre tantos, e colocar um fim à própria vida em plenos 16?

Enquanto se via às voltas com os próprios pensamentos, Scarlett avistou o capitão da milícia subindo ao palco, junto à orquestra, emitindo uma palavra de ordem que fez metade da corporação formar uma fila. Então, executaram algumas manobras por alguns minutos, arrancando aplausos da plateia. Scarlett, sentindo que era a hora de começar a encenação sobre a Causa, virou-se para Melanie e comentou quanto a performance fora ótima. Para sua surpresa, Melanie resmungou que uma porção daqueles homens deveria estar fardado de cinza e prestando serviço na Virgínia. Algumas mães daqueles rapazes entreouviram a conversa e ficaram constrangidas.

– Mas... mas... – ponderou Scarlett, que nunca antes pensara sobre o assunto. – Alguém tem que ficar em casa para... – Qual foi mesmo a desculpa que Willie Guinan contara para justificar sua presença em Atlanta? – Alguém precisa ficar em casa para proteger o Estado da invasão.

– Não estamos sofrendo nenhuma invasão, nem vamos sofrer – rebateu Melly friamente, olhando para o grupo da milícia. – E a melhor forma de evitar uma invasão é ir para a Virgínia e combater os ianques. E, quanto a essa história de a milícia ter de ficar por aqui para impedir a rebelião dos escravos... é a coisa mais idiota que já escutei. Por que os escravos se rebelariam? Isso é desculpa para gente covarde. Aposto que em um mês acabaríamos com os ianques se as milícias de todos os estados fossem para a Virgínia.

– Ora, Melly! – exclamou Scarlett, encarando-a.

– Meu marido não teve medo de ir, nem o seu. Preferiria ver os dois mortos que em casa... Ah, querida, me perdoe! Falei sem pensar, não quis machucá-la!

Mal sabia Melanie que não era a menção a Charles que angustiava Scarlett, mas escutar o nome de Ashley.

Dali a pouco, dois idosos se aproximaram da barraca delas e pediram dezesseis metros de *frivolité*, que era o que havia disponível para venda. Na maioria das outras barracas, pessoas se aglomeravam, moças conversam, homens compravam, ao contrário daquela. Quem se aproximava vinha contar que estudara com Ashley ou comentava a imensa perda que significava para Atlanta a morte de Charles.

Quando começou a tocar *Johnny Booker, he'p dis Nigger!*, de tão empolgada, Scarlett sentiu vontade de gritar. Queria dançar. Queria muito dançar. Observando o salão, tamborilou os pés no chão ao ritmo da música e, nesse momento, seu olhar cruzou com o de um homem, que tinha cabelo preto azeviche, bigodinho negro e curto, muito bem aparado, diferente do bigode espesso dos que estavam por ali. Ele, com olhar malicioso, confiante e ao mesmo tempo insolente, curvou-se para Scarlett, que, naquele momento, teve a impressão de conhecê-lo, sem saber ao certo de onde. Depois de tantos meses, ele era o primeiro homem que mostrava interesse por ela. Ela fez uma mesura para retribuir, e, de repente, ele começou a caminhar em sua direção, para desespero dela. Scarlett olhou de um lado para o outro, à procura de um lugar que servisse de fuga, mas a saia do vestido enganchou em um prego da barraca. Em um instante, o homem misterioso estava ao lado dela:

– Permita-me, senhorita – disse, curvando-se mais uma vez, ajudando-a a desenroscar a saia do vestido. – Não esperava que se lembrasse de mim, senhorita O'Hara.

Ao olhar para o par de olhos mais negro que vira em toda a vida, Scarlett imaginou que, entre tanta gente que poderia aparecer ali, justo ele, que testemunhara aquele episódio com Ashley, estava ali. Ao escutar a voz dele, Melanie virou-se, e, pela primeira vez, Scarlett agradeceu aos céus pela existência daquela criatura.

– Ora... não é... o senhor Rhett Butler? Eu o conheci no...

– Naquela feliz ocasião do anúncio do seu noivado – concluiu, curvando-se para ela. – Que gentileza a sua se lembrar de mim.

Melanie perguntou o que o trouxera a Atlanta e Butler respondeu que viera a negócios e que aparecia sempre na cidade, pois teria de cuidar não apenas da entrega de suas mercadorias como também da distribuição.

– Ora! O senhor deve ser o famoso capitão Butler, de quem tanto se fala nesta cidade... o furador de bloqueios... Ora, cada moça aqui neste salão está usando um dos vestidos que o senhor traz... Scarlett, você viu só, o senh... o que houve, querida? Está tonta? Sente-se.

Que situação! Scarlett sentou-se no banquinho, pegou o leque preto e começou a abanar-se desesperadamente. Jamais imaginara que voltaria a encontrar esse homem.

– Está muito abafado aqui – comentou Butler. – Não é de estranhar que a senhorita O'Hara não esteja se sentindo bem. Permita-me levá-la até a janela?

– Não! – respondeu Scarlett de modo tão rude que Melly a encarou.

– Ela não é mais a senhorita O'Hara – declarou Melly. – É a senhora Hamilton. E minha irmã. – Melanie olhou para Scarlett com ternura, e Scarlett se sentia a ponto de morrer sem ar diante do olhar de pirata do capitão Butler.

– Estou certo de que isso é um ganho enorme para essas duas damas encantadoras – comentou ele, com discreta reverência, mas aparentando exatamente o contrário pela fisionomia. – Suponho que o marido das senhoras estejam aqui, nessa auspiciosa ocasião? Seria um prazer reencontrar os conhecidos.

– Meu marido está na Virgínia – respondeu Melly, erguendo a cabeça orgulhosamente. – Mas o Charles...

– Ele morreu servindo – interveio Scarlett sem rodeios.

– Caras senhoras... que erro o meu! Perdoem-me. Mas permitam que um estranho ofereça o conforto de dizer que morrer pelo próprio país é viver para sempre.

Scarlett se enraiveceu tanto pela evidente dissimulação de Butler quanto pela incapacidade de Melanie percebê-la. Mas seria ele capaz de contar tudo o que sabia? Ela recusou a oferta de Butler, e Melanie fez o que pôde para se desculpar pela cunhada. Butler elogiou a bravura dela e de Scarlett por estarem ali em pleno luto.

– Imagine, capitão Butler! Foi algo de última hora, o comitê do hospital requisitou nossa presença... Gostaria de levar uma fronha para travesseiro? Há um modelo lindo aqui, com a bandeira bordada – ofereceu Melanie, que dali a alguns instantes se viu cercada de outros potenciais compradores e se esqueceu de Scarlett e do capitão.

Butler perguntou a Scarlett havia quanto tempo estava viúva e quando se casara, e ela respondeu, contra a própria vontade. Ele lamentou a tragédia e quis saber se aquela era a primeira aparição pública da viúva. Quando Scarlett respondeu, ele disse:

– Sempre achei essa coisa do luto... de enclausurar para sempre as mulheres por trás de um véu e proibi-las de seguir a vida adiante algo tão bárbaro quanto o *sati hindu*.

– *Sa* quem?

Butler deu risada, e Scarlett enrubesceu por não saber o que ele queria dizer com aquilo.

– Na Índia, quando um homem morre, é queimado em vez de enterrado, e a esposa sempre sobe na pira para ser queimada com ele.

Butler explicou a Scarlett que a mulher que se recusasse a ser queimada com o falecido marido era excomungada da sociedade e acrescentou que o hábito sulista de "sepultar as viúvas vivas" era tão perverso quanto. E, para ela, como era difícil lidar com um homem que não era um cavalheiro. Cavalheiros sempre obedeciam às leis, diziam as coisas certas e tornavam tudo mais fácil para as damas. De repente, Butler disse:

– Não tema, formosa dama! Comigo, seu segredo está bem guardado!

Sem se dar conta, Scarlett começou a rir, e Butler gargalhou de tal modo que um burburinho começou a circular a respeito da viúva de Charles Hamilton que parecia se divertir com um estranho.

* * *

Depois de um rufar de tambores, o doutor Meade subiu ao palco, todos pediram silêncio, e ele tomou a palavra. Começou agradecendo às senhoras sulistas por terem transformado aquele salão tão rudimentar em algo tão encantador. Butler, ainda ao lado de Scarlett, recostado em um balcão, sussurrou:

– Ele não parece um bode imponente?

Apesar de horrorizada com o comentário em um primeiro momento, Scarlett teve de conter o riso. O doutor Meade prosseguiu com o discurso, enfatizando o agradecimento às mãos que aliviavam o sofrimento de tantos feridos, acrescentou que precisavam de mais fundos para comprar medicamentos da Inglaterra e pediu às senhoras presentes que lhe entregassem suas joias. No mesmo instante, todas as mulheres começaram a retirar os brincos, a abrir o fecho dos colares com a ajuda umas das outras. Pela primeira vez, Scarlett agradeceu seu estado de luto, pois não fosse por ele teria de entregar, entre outras joias, a corrente de ouro que fora da avó Robillard.

Um zuavo começou a passar com uma cesta para recolher as joias. Scarlett ficou constrangida por ser a única a não ter o que oferecer e estendeu as mãos espalmadas para o homenzinho sorridente. Foi quando avistou sua aliança reluzente. Sentiu-se confusa a princípio, mas Charles era o motivo de a vida dela ter terminado tão de repente. Sem mais pensar, atirou a aliança na pilha de joias que havia na cesta, e Melanie, vendo aquilo, tomou coragem e fez o mesmo com a própria aliança, a mesma que nunca tirara do dedo desde que Ashley a colocara ali, como Scarlett bem sabia.

– Que gesto bonito – comentou Butler. – São sacrifícios como os das senhoras que incentivam nossos corajosos rapazes de cinza.

Scarlett quis dizer exatamente o que pensava daquele homem, mas se conteve, pois sabia que estava em desvantagem por ele conhecer um importante segredo dela. Resolveu que, no tempo certo, o colocaria no devido lugar. Resolveu agradecer pelo elogio, mas Butler reagiu com uma gargalhada.

– Por que não diz o que realmente pensa? – retrucou baixinho para que apenas ela escutasse. – Por que não diz que sou um cafajeste da pior espécie, que devo me retirar, pois, do contrário, vai chamar um desses cavalheiros fardados e pedir que me coloque fora daqui?

Scarlett tinha na ponta da língua uma resposta tão ácida quanto a pergunta, mas em um gesto heroico conseguiu se conter e disse:

– Ora essa, capitão Butler! Como pode? Como se todos aqui não soubessem quão famoso o senhor é, quão corajoso, e que... que...

– Estou decepcionado com você.

– Decepcionado?

– Sim, na ocasião em que a conheci, pensei que tinha finalmente encontrado uma moça não apenas bela, mas corajosa. E agora vejo que é apenas bela.

– Está me chamando de covarde? – indagou, enfurecida.

Scarlett não se conteve mais, disse que Butler não tinha educação e que se achava no direito de caçoar da coragem de homens e mulheres que sacrificavam tudo pela Causa apenas porque seus "barquinhos" conseguiam furar os bloqueios dos ianques. Butler comentou que, desde o início da quermesse, vinha observando Scarlett.

– Estava escrito na sua cara que queria dançar e se divertir, mas não podia. Tão claro quanto dois e dois são quatro. Diga a verdade. Não estou certo?

– Não tenho mais nada para conversar com o senhor, capitão Butler. Não é porque o senhor é conhecido como o "grande furador de bloqueios" que tem o direito de ofender as mulheres.

– O grande furador de bloqueios! Que piada.

Butler tentou se explicar dizendo que a obstrução dos bloqueios era uma questão de negócios, e Scarlett o acusou de calhorda mercenário, tanto quanto os ianques. Para surpresa dela, Butler explicou que os ianques o ajudavam a ganhar a vida e que, no mês anterior, aportara em Nova Iorque para receber uma carga. Scarlett quis saber se os ianques não o bombardeavam, e Butler explicou que havia muitos patriotas da União que não se incomodavam de ganhar dinheiro vendendo seus bens aos Confederados. Butler, portanto, levava seu navio em segredo até Nova Iorque, comprava das firmas ianques e partia, o que convinha mais que ir para a Inglaterra.

– Ah, eu sabia que os ianques não prestavam, mas não imaginava que... - comentou Scarlett.

– Por que criticar os ianques por ganharem a vida honestamente, vendendo para fora da União? Eles sabem que a Confederação será derrotada, então por que não lucrar com a situação?

– Seremos derrotados?

– Mas é claro!

– O senhor pode fazer o favor de se retirar, ou...

– Uma pequena rebelde esquentada.

E, com mesura, Butler se retirou, deixando Scarlett enfurecida e indignada. Melanie se aproximou e perguntou o que os dois conversavam tão baixinho e disse que a senhora Merriwether não tirara os olhos dos dois por nem um momento. Scarlett apenas respondeu que o homem era um grosseirão dos piores e que estava farta de agir feito uma boba apenas para agradar à senhora Merriwether.

Nesse instante, para surpresa de todos, o doutor Meade fez um anúncio que, segundo ele próprio, poderia chocar alguns, mas reforçou que tudo seria feito para angariar fundos ao hospital.

– O baile já vai começar, e a primeira será, claro, uma escocesa, seguida de uma valsa. As demais, as polcas, os xotes, as mazurcas, todas serão antecedidas por uma escocesa curta. Como conheço bem a disputa para liderar as escocesas... Cavalheiros, se quiserem dançar a escocesa com a dama de sua preferência, terão de barganhar por ela. Serei o leiloeiro, e o lucro será destinado ao hospital.

Um burburinho começou a se espalhar pelo salão. A senhora Meade, afoita para apoiar o marido em algo que ela própria desaprovava, viu-se atordoada porque as senhoras Elsing, Merriwether e Whiting ficaram indignadas. A Guarda Nacional irrompeu em um "viva!" e foi apoiada pelo restante dos convidados uniformizados. As moças batiam palmas e exclamavam, contentes. Scarlett não reagiu, mas não pôde conter mais uma vez a sensação de angústia no peito. Se não fosse viúva... Se pudesse voltar a ser a Scarlett O'Hara de antes... De repente, a voz de um pequeno zuavo com seu sotaque crioulo bem demarcado irrompeu:

– Co... com licença... senhôrres. Vinte dólarres pela senhorrita Maybelle Merriwether.

Maybelle enrubesceu e tentou esconder o rosto no ombro de Fanny. Outras vozes masculinas soaram, outros nomes, outras ofertas. Então, Rhett Butler subiu ao palco e, com seu inconfundível sotaque charlestoniano, anunciou:

– Senhora Charles Hamilton... cento e cinquenta dólares... em ouro.

Um silêncio generalizado espalhou-se entre os convidados, abismados tanto pela menção do nome quanto pelo montante. De tão abismada, Scarlett nem sequer conseguiu se mexer. Permaneceu sentada no banquinho, com o queixo apoiado em uma das mãos e os olhos arregalados. Todos os olhares se voltaram para ela. O doutor Meade, sabendo do estado de luto da moça, perguntou a Butler se não gostaria de eleger outra entre tantas beldades, mas Butler foi categórico:

– Não. – Ele olhou ao redor, encarou cada um dos convidados e acrescentou: – A senhora Hamilton.

– Senhor, estou lhe dizendo que isso não é possível – reafirmou o médico, irritado. – A senhora Hamilton não vai...

Scarlett escutou uma voz que, a princípio, não reconheceu como a própria.

– Sim. Eu aceito!

E, com isso, levantou-se com o coração tão acelerado que receou não conseguir se manter de pé. Voltara a ser o centro das atenções, a moça mais cobiçada. "Não ligo, não estou nem aí pro que vão dizer", pensou enquanto caminhava em direção a Butler, que vinha ao encontro dela, abrindo espaço entre o corredor humano que se formou. Levi, consternado com o que via, mandou que todos procurassem seus pares e emitiu ordem para a orquestra tocar a escocesa "Dixie".

– Como se atreve a me expor dessa maneira, capitão Butler?

– Mas, minha cara senhora Hamilton, era visível que desejava a notabilidade!

– Como pôde se atrever a pronunciar meu nome assim, na frente de todos?

– Poderia ter recusado.

– Mas... preciso me sacrificar pela Causa... E não pensei em mim quando o senhor ofereceu aquela quantia em ouro. Pare de rir, estão todos nos olhando.

– Vão olhar de qualquer jeito. E não me venha com essa conversa de Causa. Você queria dançar, e eu só criei a oportunidade. Esta marcha marca o último número da escocesa, não é?

– Sim... é verdade. Preciso parar e me sentar.

– Por quê? Por acaso pisei no seu pé?

– Não... mas vão falar de mim.

– E se importa com isso... do fundo do coração?

– Bem...

– Não está cometendo nenhum crime, está? Por que não dançar a valsa comigo?

– Mas se minha mãe sonhar que...

– Ainda presa na barra da saia da mãe.

– Ah, o senhor e esse hábito ridículo de transformar virtudes em bobagens.

– Mas as virtudes são uma bobagem. Importa-se com o que as pessoas vão falar?

– Não... mas... bem, deixemos isso para lá. Graças a Deus a valsa está começando. As escocesas sempre me deixam sem fôlego.

– Não fuja da minha pergunta! Alguma vez se importou com o que pensam as outras mulheres?

– Ah, já que o senhor quer me colocar contra a parede... a resposta é não. Mas uma moça deveria se importar, sim. Esta noite, porém, não me importo.

– Bravo! Agora está começando a pensar por si mesma em vez de deixar os outros pensarem por você. É o início da sabedoria.

– Ah, mas...

– Quando começarem a falar de você tanto quanto de mim, vai perceber o quanto não dá a mínima para isso. Pense comigo. Não há uma casa sequer em Charleston onde eu seja recebido. Nem mesmo minha contribuição para a nossa justa e santa Causa pode mudar a opinião dessas pessoas.

– Que horror!

– Ah, nem tanto. Só quando se perde a reputação é que se percebe o fardo que ela é ou qual é o valor da liberdade.

– O senhor é mesmo um bocudo!

– Bocudo e sincero. Desde que tenha coragem o suficiente... ou dinheiro o bastante... pode viver sem se preocupar com reputação nenhuma.

– O dinheiro não compra tudo.

– Deve ter ouvido isso de alguém. Jamais reproduziria um clichê desses se tivesse pensado com a própria cabeça. O que o dinheiro não pode comprar?

– Bom... não sei... a felicidade e o amor, por exemplo.

– Geralmente, compra, sim. E, quando não consegue, pode muito bem comprar alguns dos substitutos mais notáveis.

– E o senhor tem tanto dinheiro assim, capitão Butler?

– Que pergunta mal-educada, senhora Hamilton. Estou surpreso. Mas, sim. Para um jovem deserdado quando era apenas um menino, me dei muito bem. E estou certo de que atravessar o bloqueio vai me render um milhão.

– Ah, não!

– Ah, sim! O que a maioria das pessoas parece ignorar é que se pode ganhar tanto dinheiro com os destroços de uma civilização quanto com sua construção.

– E o que isso significa?

Butler explicou a Scarlett que a fortuna de todas as famílias ali era fruto da transformação de terras inóspitas em civilizações, e que isso nada mais era que a construção de um império, e que esse império, ou seja, o Sul, a Confederação, o Reino do Algodão, tudo vinha ruindo.

– Só os mais ingênuos não veem isso e não são capazes de tirar proveito da situação desse colapso. Minha fortuna está sendo construída com os destroços.

– Então, acha mesmo que seremos derrotados?

– Acho. E por que ser um avestruz?

– Ah, Santo Deus, como me aborrece essa conversa. Não tem nenhuma coisa mais agradável para falar, capitão Butler?

– Agradaria à senhora se eu dissesse que seus olhos são dois aquários cheios até a borda da mais límpida e verde água e que, quando os peixes nadam até o topo, como o fazem agora, você fica tão encantadora quanto o diabo?

– Ah, não! Não gosto disso... Essa música não é linda? Ah, eu passaria o resto da vida dançando essa valsa. Não imaginei que sentiria tanta falta disso!

– Você é a parceira mais linda com quem já dancei em toda a vida.

– Capitão Butler, não me segure tão perto. Estão todos olhando.

– Se não houvesse ninguém olhando, se importaria?

De repente, *When this cruel war is over* começou a tocar, e Butler pediu a Scarlett que lhe cantasse a letra.

"Querido, lembra quando nos encontramos pela última vez? Quando declarou quanto me amava, ajoelhado aos meus pés? Ah, quão orgulhoso estava diante dos meus olhos, com sua farda cinza, quando me fez jurar pela nação. Sozinha e triste, choro! Lágrimas e suspiros vãos! E, quando essa guerra cruel terminar, reze para que voltemos a nos encontrar!"

– É claro que era "farda azul", mas como roubamos a letra dos ianques virou "cinza". Ah, o senhor valsa tão bem, capitão Butler... Sabe, a maioria dos homens não valsa assim. E só de pensar que voltarei a dançar assim daqui sabe-se lá quantos anos...

Mas as previsões de Scarlett foram contrariadas, pois Butler fez outro lance, e outro, e mais outro, para dançar com ela de novo. A princípio, Scarlett o advertiu para que não o fizesse, pois sua reputação já estava arruinada.

– Se já está, que mal fará outra dança? Talvez, depois de cinco ou seis, eu dê chance para os outros rapazes. Mas a última será minha.

– Ah, que seja. Sei que é loucura, mas não me importo. Não dou a mínima para o que dizem. Estou tão cansada de ficar em casa. Vou dançar, dançar e...

– Parar de usar preto? Detesto o preto do luto.

– Ah, o preto não posso deixar de usar... Capitão Butler, não me aperte tanto. Assim, ficarei brava com o senhor.

– E você fica linda quando está brava. Vou apertá-la mais uma vez... só para vê-la... brava de novo. Não faz ideia do quão linda estava naquele dia, em Twelve Oaks, quando começou a atirar as coisas na parede.

– Ah, por favor, não consegue esquecer isso?

– Não, é uma das minhas lembranças mais inestimáveis... uma beldade do Sul, tão delicada e, ao mesmo tempo, tão impulsiva, tão irlandesa. Você é muito irlandesa, sabia?

– Santo Deus! Acabou a música e lá no fundo vem tia Pittypat. Tenho certeza de que a senhora Merriwether foi contar para ela. Ah, pela misericórdia divina! Vamos sair daqui. Para a janela! Não quero que me alugue os ouvidos agora. É bem capaz de ela me fuzilar com os olhos!

Capítulo 10

No café da manhã do dia seguinte, Pittypat estava aos prantos, Melanie calada e Scarlett provocadora.

– Não ligo para o que digam de mim. Aposto que no baile consegui arrecadar mais dinheiro para o hospital que qualquer outra moça... mais até que a quinquilharia velha que estavam vendendo na quermesse.

– Ah, senhor Deus, e que vale o dinheiro? – lamentou Pittypat, preocupada. – Não consigo acreditar no que meus olhos viram, e não faz nem um ano que o pobre Charles se foi... E aquele capitão Butler, expor você daquele jeito... Ele é uma pessoa terrível, Scarlett, terrível.

Pittypat soubera que Butler era pessoa malquista em Charleston e que havia feito algo de mal a uma moça. Melanie ficou incrédula, pois o capitão se mostrara um homem muito gentil na noite anterior, mas Scarlett fez questão de dizer que Butler não dava a mínima para a Confederação e que afirmara que logo seriam derrotados na guerra. Melanie e Pittypat ficaram chocadas ao ouvir aquilo, e Scarlett, sem se dar conta de que reproduzia as palavras do próprio Butler, emendou:

– Estou cansada de ficar em casa o tempo todo. Se falaram de mim por causa do que fiz ontem à noite, então minha reputação já está manchada e não fará a menor diferença o que disserem.

– E o que dirá sua mãe quando souber do que aconteceu? O que ela vai pensar de mim?

Apesar da pontada de culpa que a perturbou de repente, Scarlett decidiu confiar nos quarenta quilômetros que separavam Atlanta de Tara. Tia Pitty certamente não contaria a Ellen, sobretudo porque isso a poria em maus lençóis, uma vez que Scarlett estava sob sua responsabilidade. Melanie, que havia se levantado e envolvido o pescoço de Scarlett com os braços, começou a defendê-la dizendo que a tarefa do luto não era algo fácil e que o confinamento das duas, na verdade, acabava sendo um ato de egoísmo, pois os tempos de guerra não são como os outros, e uma casa como aquela bem poderia hospedar pelo menos três convalescentes, como os demais moradores faziam, e elas poderiam até mesmo convidar alguns rapazes para o almoço de domingo.

A última defensora que Scarlett desejava ter no mundo era Melanie. Não precisava de defensor nenhum, pois ela própria era capaz de dar conta daquelas alcoviteiras. Havia muitos oficiais legais no mundo para Scarlett se preocupar com a opinião de um bando de velhas. Naquele instante, Prissy entrou com uma carta em mãos, endereçada a Melanie. Scarlett estava ocupada com os *waffles* e nem sequer deu atenção, até que, de repente, escutou os gritos de Melanie e viu tia Pittypat levar a mão ao próprio peito.

– Ashley morreu! – exclamou Pittypat, jogando a cabeça para trás, largando os braços junto ao corpo.

– Ah, meu Deus! – gritou Scarlett, sentindo o sangue gelar nas veias.

– Não! Não! – exclamou Melanie. – Rápido, traga os sais para reanimá-la, Scarlett! Aqui está, querida! Sente-se melhor? Respire fundo. Não, Ashley não morreu. Perdoe-me assustá-la. Comecei a chorar de felicidade. – Então, Melanie abriu a palma da mão, onde guardara algo, e levou-o aos lábios. – Estou tão feliz.

Ao olhar de relance, Scarlett viu que era uma aliança de ouro, e Melanie lhe entregou a carta e pediu que a lesse.

"A força vital de seus homens pode ser necessária à Confederação, mas não o sangue do coração de suas mulheres. Aceite, cara senhora, este meu gesto como sinal de minha reverência por sua coragem e não pense que seu sacrifício terá sido em vão!". Capitão Rhett Butler.

Sorridente, Melanie deslizou a aliança pelo dedo e pediu à tia que escrevesse ao capitão Butler convidando-o para jantar, como forma de agradecimento pelo gesto. No afã da emoção, ninguém percebeu que a aliança de Scarlett não fora devolvida. Ninguém a não ser ela própria, que também reconhecia naquele gesto nenhuma cordialidade, mas puro interesse: o de receber um convite para vir à casa da senhorita Pittypat.

A quermesse acontecera na segunda-feira, e na quinta-feira Scarlett recebera uma carta da mãe contando que soubera do ocorrido. As notícias correram mais rápido do que ela imaginara. Mas a informante não fora tia Pitty, que tremia mais que vara verde ao vê-la ler a carta. Entre as palavras e reprimendas duríssimas de Ellen, estava o aviso de que o pai, Gerald, viria no dia seguinte para conversar com o capitão Butler. Pela primeira vez, a atitude provocativa deu lugar ao medo. Ao pavor. Pitty recusou-se a ajudar Scarlett a acalmar os ânimos de Gerald quando ele chegasse, mas Melanie reforçou seu apoio e disse que estaria a seu lado. E como Scarlett lamentava o fato de Melanie, justo ela, ter de ajudá-la nessa façanha. Ela contou às duas o medo de que, para piorar tudo, o pai a obrigasse a voltar para Tara e que, se fosse esse o caso, morreria de tédio. Pitty e Melanie enfatizaram que não suportariam essa dor, pois não conseguiriam mais viver sem a companhia dela.

"Você ficaria contente, Melanie, em se livrar de mim se soubesse o que penso de verdade sobre você", pensou Scarlett.

Quando Gerald chegou na tarde do dia seguinte, Pittypat passou o dia na cama e de lá mandou inúmeras mensagens de desculpas. Ele estranhamente as cumprimentou com gentileza e poucas palavras, e até se referiu a Melanie como "prima Melly". Scarlett teria preferido os berros e as reprimendas. Melanie não arredou o pé, como prometera, e por mais que a contrariasse a ideia Scarlett teve de admitir que ela conduziu tudo com maestria, como se não soubesse de nada. Ela começou a perguntar ao pai de Scarlett sobre as notícias do condado, e elas souberam os detalhes do casamento de Joe Fontaine e Sally Munroe. A noiva não tivera um vestido de "segundo dia" porque Joe voltou à Virgínia no dia seguinte. Gerald também contou que os gêmeos Tarleton estavam em casa, depois de se recuperarem de ferimentos leves durante a guerra, e que Brent agora era tenente.

As duas souberam também que Stu andava visitando Twelve Oaks, por conta da senhorita India, certamente, e que Brent andava visitando Tara.

Scarlett calou-se. Saber que seus admiradores desistiram dela era quase uma ofensa, sobretudo porque se lembrava bem da reação consternada dos gêmeos quando ela contou de seu casamento com Charles. Gerald contou que a pretendida de Brent era Carreen, causando ainda mais a revolta de Scarlett.

– Está agourando as intenções do seu antigo admirador só porque ele se interessou pela sua irmã? – resmungou Gerald, e a sinceridade explícita com que pai e filha conversavam a chocava.

Quando o vinho do Porto foi servido, e as duas se levantaram para deixar Gerald sozinho, ele olhou de canto para a filha e pediu para ficar a sós com ela por alguns minutos. Melanie não teve outra saída a não ser atender ao pedido.

Na conversa, Gerald reprimiu a filha e a acusou de tentar agarrar outro marido quando mal enviuvara, se é que não teria flertado com alguém durante o velório do falecido. Scarlett começou a lacrimejar, e Gerald, com a voz meio vacilante, reprimiu a filha e mandou que se controlasse. Disse ainda que, no dia seguinte, conversaria com o capitão Butler, que fizera tão pouco caso da reputação da filha.

Scarlett tardou a adormecer naquela noite, pensando que sair de Atlanta àquela altura, quando sua vida acabara de recomeçar, para voltar a Tara e se deparar com a mãe, seria insuportável. Enquanto se revirava no travesseiro quente, ouviu o barulho familiar das rodas de carruagem e algumas vozes, uma delas enrolada e cantarolando a familiar *Peg in a low-backed car*. Gerald, acompanhado de alguém. Rhett Butler. Apesar da raiva do primeiro momento por rever aquele homem detestável, Scarlett sentiu certo alívio; afinal, os dois não tinham se matado e haviam chegado a algum acordo por estarem ali, juntos, naquelas condições, e àquela hora da noite. Do parapeito da janela, ela espiou e começou a ouvir o pai cantar a favorita dela:

"Ela está longe das terras onde seu jovem herói repousa, e os admiradores a seu redor suspiram".

Ao término da canção, uma batida soou na porta. Sem poder contar com Pork, o único que sabia lidar com o pai em uma hora como aquela, ela própria foi atender. E se deparou com Rhett Butler amparando o pai com um braço. Enfurecida com o fato de o pai colocá-la em situação tão constrangedora, ela pediu a Rhett que o levasse até o canapé. Antes de se despedir, Rhett pegou o chapéu que deixara cair no umbral e disse:

– Até o jantar, domingo.

Com isso, fechou a porta e saiu.

No dia seguinte, Scarlett acordou antes de todo mundo, repreendeu o pai pela cena que causara, e ele lhe contou que desafiara Butler no pôquer e ganhara dele. Todavia, Scarlett pediu que ele abrisse a carteira e, para surpresa de Gerald, encontrou-a vazia.

– Nunca mais vou voltar a andar de cabeça erguida nesta cidade – lamentou Scarlett. – O senhor desmoralizou todos nós.

– Veja como fala, mocinha. Não percebe que estou com a cabeça latejando?

– Chegar em casa bêbado, amparado por um sujeito como o capitão Butler, cantando a plenos pulmões e arriscando dinheiro no jogo.

– O homem é esperto demais com as cartas para ser um cavalheiro. Ele...

– O que mamãe vai dizer quando souber que...

Gerald pediu à filha que não comentasse nada com a mãe a respeito do que acontecera, e Scarlett ironizou, dizendo que, por uma simples dancinha para angariar fundos para os soldados, o pai estava disposto a entregá-la a Ellen. A conversa terminou com um acordo: Gerald diria a Ellen que o que acontecera a Scarlett não passara de mexerico de um bando de alcoviteiras e Scarlett não contaria à mãe sobre o vexame do pai. A pedido do pai, que quis saber se por ali havia algo para aliviar a ressaca, Scarlett foi até o vestíbulo pegar uma garrafa de conhaque que tia Pittypat e Melanie chamavam de "garrafa sossega nervos", da qual Pittypat bebia toda vez que se sentia a ponto de desmaiar.

Agora, Scarlett permaneceria em Atlanta. E poderia fazer o que bem quisesse, sendo Pittypat o vaso frágil que era. Estaria lá, bem no centro dos acontecimentos, rodeada de homens. Sim, os homens, que se apaixonavam tão facilmente depois que uma mulher lhe prestava socorro no hospital. Com a garrafa em mãos, ela retornou ao pai, agradecendo aos céus o fato de a cabeça-dura de Tara ter sucumbido ao efeito do álcool na noite anterior. Teria Rhett Butler alguma relação com aquilo tudo?

Capítulo 11

Certa tarde, ao chegar do hospital exausta e enfastiada depois de levar uma bronca da senhora Merriwether por ter se sentado na cama de um dos soldados enquanto enfaixava seu braço ferido, e estando tia Pitty e Melanie se preparando para seu turno semanal de visitas, Scarlett, sem pensar duas vezes, entrou no quarto de Melanie e trancou a porta. Lá, encontrou alguns pertences de Charles, mas logo os deixou e foi até uma caixa de jacarandá que havia na mesa ao lado da cama, onde se deparou com o que de fato lhe interessava: as cartas de Ashley a Melanie envoltas com uma fita azul. Vez ou outra, um sentimento de culpa a acometia, sobretudo ao pensar o que a mãe diria se a visse ali, mas Scarlett aprendera a postergar esses pensamentos desagradáveis que, no final das contas, acabavam por perder força e desaparecer completamente.

Ao ler as cartas, notou que em nenhuma delas Ashley se dirigia a Melanie como "Meu amor", mas sempre como "Prezada esposa", e o único assunto das mensagens era a guerra:

"E, quando deito a cabeça para dormir, olho para as estrelas e penso: 'Pelo que você luta nesta guerra, Ashley?'. Penso nos direitos do Estado, no algodão, nos pretos e nos ianques que desde crianças aprendemos a odiar, e descubro que não é por nada disso que luto. Com certeza, não luto para obter honra e glória. A guerra é um negócio sujo e se tem uma coisa que não me agrada é a sujeira. Não sou um soldado e não almejo reputação nenhuma, nem mesmo a que sai da boca de um canhão. Mesmo assim, cá estou eu, na guerra... Eu me deito e olho para os rapazes dormindo perto de mim, me pergunto se os gêmeos, se Alex ou Cade também pensam essas coisas. Será que eles sabem que estamos lutando por uma Causa que está perdida desde o momento em que o primeiro tiro foi lançado? Melanie, por nada disso terá valido a pena... Nem pelos direitos do Estado, nem pelos escravos, nem pelo algodão. Nada compensa o que enfrentamos agora e que ainda enfrentaremos, pois, se os ianques vencerem, o futuro será terrivelmente assustador. E, minha cara, eles podem de fato nos derrotar.

Eu não deveria escrever tudo isso, nem mesmo pensar em tudo isso. Lembra-se daquele churrasco, quando nosso noivado foi anunciado e um homem chamado Butler, de sotaque charlestoniano, quase causou uma briga por causa de seus comentários sobre a ignorância dos sulistas? Lembra-se de quando os gêmeos quiseram atirar contra ele por ter dito que tínhamos poucas fundições e fábricas, moinhos e navios, arsenais e oficinas mecânicas? Pois bem, ele tinha razão. Deveríamos ter escutado os céticos como Butler, que sabiam bem o que diziam, em vez de ter confiado no que achavam os estadistas...".

Scarlett dobrou a carta e a guardou. O tom de derrota nas palavras de Ashley a entediava, e ela já escutara bastante dessas ideias mirabolantes dele quando outrora os dois conversavam na varanda de Tara. Ademais, conseguira aquilo que procurava: saber se ele escrevia cartas apaixonadas à esposa. "Que coisas mais malucas ele escreve!", pensou. "Se um dia meu marido me escrevesse essas bobagens, com certeza levaria uma bronca. Ora, até Charles escrevia coisas melhores!

Mas Ashley não sentia medo... Ashley não é nenhum covarde. Uma vez tomada uma decisão, não existiria pessoa mais corajosa ou determinada que ele... Todavia, Ashley não vive no mundo aqui fora, vive dentro da própria cabeça... Ah, desisto, não sei mais o que pensar!"

Scarlett se deteve por um tempo, segurando as cartas contra o peito, pensando com saudade em Ashley. Seus sentimentos por ele continuavam exatamente os mesmos, desde o primeiro dia em que o vira. Depois de ler aquelas cartas, teve a certeza de que o amava, apesar de ele ter se casado com Melanie, e isso era tudo que Scarlett precisava saber. Se Charles, mesmo com a timidez e o modo desajeitado, tivesse tocado e despertado alguma veia profunda da paixão em Scarlett, os sonhos dela em relação a Ashley não se restringiriam a um simples beijo. Ela ainda se sentia jovem e imaculada.

Guardou as cartas na caixa e a fechou com a tampa. Franziu o cenho ao se lembrar da menção de Ashley a Rhett Butler. Que estranho ele ter se impressionado com o que aquele patife dissera um ano atrás. Inegavelmente, o capitão Butler era um patife, mesmo sendo um pé de valsa. Ela destrancou a porta e com o coração leve desceu a escada sinuosa. No meio do caminho, começou a cantar *When this cruel war is over*.

Capítulo 12

A guerra prosseguiu, em partes bem-sucedida, e ninguém voltou a dizer "mais uma vitória e a guerra chegará ao fim", assim como ninguém mais se referia aos ianques como covardes. Liderada pelos generais Morgan e Forrest, a Confederação teve vitórias no Tennessee e triunfou na Segunda Batalha de Bull Run, mas houve consequências: os hospitais e as residências de Atlanta estavam abarrotados de doentes e feridos, e cada vez mais mulheres vestiam o luto. A fileira de sepulturas de Oakland aumentava dia após dia. O preço da comida e do vestuário subira, e as mesas de Atlanta começavam a sofrer as consequências ao enviarem arrecadações mais substanciais ao Batalhão de suprimentos do Exército. A farinha de trigo encarecera, nos açougues havia pouquíssima carne de vaca e menos ainda de carneiro, e somente os ricos conseguiam custear a última. Todavia, havia muita carne de galinha, porco e verduras.

O bloqueio ianque nos aeroportos confederados tornou-se mais rígido, e certos artigos de luxo, como chá, café, sedas, colônias, revistas e livros, ficaram mais escassos. Os hospitais começavam a se preocupar com a privação de quinino, claromelano, ópio, clorofórmio e iodo. As ataduras de linho e algodão passaram a ser reaproveitadas; todas as mulheres que prestavam auxílio nos hospitais traziam para casa cestas de faixas ensanguentadas, as lavavam e passavam para serem utilizadas em outros feridos. Entretanto, para Scarlett, recém-liberta da crisálida da viuvez, a guerra significava tão somente tempo de fanfarra e badalação. Nem a privação de certas peças de roupa e de alimentos a incomodava, tamanha a alegria que sentia de retornar ao mundo real. Cada dia embarcava em uma aventura diferente, cada dia conhecia um homem diferente que lhe dizia quanto era bonita, o privilégio que era lutar e, por que não, morrer por ela. Continuava amando – e muito! – Ashley, de todo o coração, mas isso não a impedia de induzir o pedido de casamento de outros homens.

A guerra trouxe consigo uma agradável informalidade às relações sociais, vista por alguns como assustador sinal de alarme. Mães recebiam estranhos à sua porta, que apareciam para lhes visitar as filhas, que não raramente apareciam de mãos dadas com esses homens. A senhora Merriwether, que nunca beijara o marido antes da cerimônia de casamento, mal pôde acreditar quando viu Maybelle beijando um zuavo, Rene Picard, e ficou ainda mais atordoada quando Maybelle recusou se envergonhar por isso, mesmo depois de Rene ter pedido a mão da moça em casamento. Mas os homens cuja expectativa de vida era de uma semana ou, com sorte, um mês não poderiam se dar ao luxo de esperar um ano para chamarem uma moça pelo primeiro nome em vez de "senhorita".

Scarlett deliciava-se com toda essa informalidade. Com exceção da obrigação de bancar a enfermeira e da enfastiante tarefa de enrolar ataduras, para ela, a guerra poderia durar para sempre. O hospital se tornara um prato cheio para seu deleite, pois, para que um ferido se apaixonasse, bastava lavar-lhe o rosto e ajeitar-lhe o travesseiro. Um verdadeiro paraíso depois de um ano inteiro tão melancólico! A verdadeira Scarlett voltara, e sentia como se nunca tivesse se casado, enviuvado e tampouco dado à luz Wade. Tinha um filho que era tão bem-criado pelos que moravam naquela casa que nem sequer se lembrava dele. Incólume aos comentários das amigas de tia Pitty, Scarlett ia às festas, dançava, cavalgava com os soldados, flertava e fazia tudo que tinha o hábito de fazer na solteirice. Apenas não abandonara o luto, o que seria a gota d'água para Pittypat e Melanie.

Assim, para Scarlett passaram rapidamente os meses do outono de 1862, divididos entre a enfermagem, a dança, as cavalgadas e uma ou outra visita a Tara durante os curtos intervalos. Apesar de viajar sempre entusiasmada para rever a mãe, Scarlett sempre se frustrava nessas visitas, porque Ellen, mais ocupada que nunca por conta da demanda cada vez maior por suprimentos, mal conseguia conversar com a filha. Mesmo Gerald, sem conseguir encontrar um substituto para Jonas Wilkerson, andava muito ocupado cuidando dos hectares. Suellen, que andava se "entendendo" com Frank Kennedy, vivia pelos cantos cantando *When this cruel war is over*, e Carreen também estava ocupada demais em seus devaneios com Brent Tarleton. Sempre que ia a Tara, Pittypat e Melanie escreviam a Scarlett implorando para que voltasse, o que entristecia Ellen. Nos últimos tempos, havia muitas coisas que Scarlett escondia da mãe, sobretudo as constantes visitas de Rhett Butler à casa de tia Pittypat.

Butler tinha 30 e poucos anos, era o admirador mais maduro que Scarlett tivera, o que a tornava tão impotente quanto uma criança ao lidar com ele. Butler passara a buscá-la no hospital e a levá-la para casa, e a acompanhava nos bailes. Não raramente, os dois discutiam, mas cedo ou tarde Butler retornava a Atlanta e, sob o pretexto de visitar tia Pitty, trazia para Scarlett uma caixa de bombons de Nassau, ou reservava um lugar ao lado dela nos saraus, ou a tirava para dançar durante os bailes, e esses disparates entretiam Scarlett, que fazia vistas grossas, mas esperava ansiosamente pelos próximos. Assim como passou a esperar com ansiedade pelas visitas de Butler, sem saber ao certo por quê. Havia algo de diferente naquele corpo atlético, cujo aparecimento sempre causava muito impacto. "É quase como se eu estivesse apaixonada por ele!", pensou desnorteada. "Mas não estou! E simplesmente não consigo entender." E Scarlett não era a única que ficava atordoada com a presença máscula de Butler; tia Pittypat estremecia e ficava agitada com a visita, apesar de saber que deveria recusar a cortesia de um homem com aquela reputação à casa de três mulheres que viviam sozinhas. Mas Pittypat não conseguia resistir aos presentinhos que Butler sempre lhe trazia.

Toda vez que Butler olhava para Scarlett, ela se sentia como se estivesse nua. A ousadia com que ele olhava para todas as mulheres a incomodava, como se todas elas fossem uma propriedade a seu bel-prazer. Todas menos Melanie. Butler a olhava de um jeito diferente, com cortesia, respeito, servidão.

– Não sei por que você a trata com tanta gentileza – comentou Scarlett enraivecida certa tarde, depois que Melanie e Pitty se retiraram para tirar um cochilo. Na ocasião, Butler escutara com atenção Melanie gabar-se de Ashley, que fora promovido. – Sou muito mais bonita que ela. Não compreendo por que é mais gentil com ela que comigo – acrescentou.

– Seria atrevimento de minha parte achar que isso foi uma demonstração de ciúme?

– Ah, seria! Nem ouse!

– Mais uma esperança minha frustrada. Se trato a senhora Wilkes com mais gentileza, é porque ela merece. É uma das raras pessoas gentis, sinceras e altruístas que já conheci. Mas talvez você não tenha percebido essas qualidades. E, além disso, apesar de ela ser muito jovem, é uma das poucas e genuínas damas que tive o privilégio de conhecer.

– E com isso você também quer dizer que não me considera uma grande dama?

– Acho que, naquela ocasião do nosso encontro, concluímos, de comum acordo, que você não é, em hipótese nenhuma, uma dama.

E assim engataram uma discussão, Scarlett rechaçando-o por trazer à baila um acontecimento isolado e pela demonstração de infantilidade da parte dele; Butler rebatendo-a ao dizer que ela repetiria a cena nas circunstâncias atuais, se assim pudesse. Scarlett nunca encontrara alguém tão inabalável quanto aquele homem. Nada que dissesse ou fizesse o atingia. Durante todos esses meses, Butler chegou sem avisar e partiu sem se despedir. Scarlett nunca descobriu ao certo de que se tratavam os negócios dele em Atlanta, pois a maioria dos atravessadores não achava necessário se afastar tanto do litoral, porque descarregavam em Wilmington ou em Charleston, onde eram recebidos por multidões de comerciantes, e especuladores de todos os cantos do Sul os aguardavam para participar do leilão das mercadorias. Nunca Butler tentara segurar a mão de Scarlett, tampouco lhe declarara seu amor ou demonstrara ciúme dos outros homens que a cercavam.

A má reputação de Butler e a fama de atravessador atrevido causavam verdadeiro *frisson* feminino pela cidade. A cada vinda, o burburinho das matronas colaborava para esse engodo que só o tornava mais encantador para as moças, na maioria ingênua o bastante para não compreender o real significado de "bastante atirado com as mulheres". Apesar de todo o falatório, desde que colocara o pé em Atlanta, Butler estranhamente nunca beijara a mão de nenhuma moça solteira. À exceção dos heróis militares, era o homem sobre quem mais se falava em Atlanta. Não havia quem não soubesse da história com a moça de Charleston cuja honra ele manchara e ainda lhe matara o irmão. E de Charleston também chegara a notícia de que o pai de Butler, genuíno cavalheiro, expulsara o filho de casa sem nenhum centavo no bolso e até riscara seu nome da família, o que levou Butler a vagar pela Califórnia no período da corrida pelo ouro, em 1849, e de lá ele teria viajado para a América do Sul e Cuba, onde havia relatos de conduta duvidosa envolvendo mulheres, tiroteio, venda de armas, jogatina profissional, entre outras práticas. Não fosse pelas condições adversas da guerra e pelo serviço que Butler prestava aos confederados, a presença dele jamais seria tolerada em Atlanta. Todos sabiam que o destino da Confederação dependia tanto da habilidade dos barcos atravessadores para ludibriar os ianques quanto dos soldados da linha de frente. E havia aqueles que acreditavam ser Rhett a ovelha negra dos Butler que tentava se redimir de seus pecados.

Dizia-se que Butler era um dos melhores navegadores do Sul. Por ter crescido em Charleston, conhecia cada enseada, baía, baixio e rochedo da costa da Carolina, bem como as águas em torno de Wilmington. Nunca perdera um barco, tampouco fora obrigado a despejar uma carga.

Conseguira dinheiro suficiente para comprar um barco pequeno e agora tinha quatro. Contava com bons pilotos, pagava-lhes bem, e eles saíam de Charleston e Wilmington na escuridão da noite, transportando algodão para Nassau, Inglaterra e Canadá. Na Inglaterra, os trabalhadores passavam fome, e qualquer barco que conseguisse furar o bloqueio dos ianques vendia sua carga com o preço que bem quisesse, em Liverpool. Os barcos de Butler tinham a sorte de levar algodão para a Confederação e trazer as mercadorias bélicas de que o Sul tanto precisava. Ele vestia roupas finas e estilosas, gastava sem se preocupar, era o tipo que todos viravam para olhar quando chegava. Poucas resistiam a seus encantos quando ele se aproximava, e até a senhora Merriwether o convidou para o jantar aos domingos. Butler presenteara Maybelle Merriwether, prestes a se casar com seu pequeno zuavo, com metros e metros de cetim branco e cintilante vindo da Inglaterra, tecido que não havia mais na Confederação. A senhora Merriwether não pôde recusar a oferta, pois "não haveria material melhor que aquele para adornar a noiva de um dos nossos bravos heróis", segundo relatara Butler, que, além de fornecer o tecido, ainda ofereceu dicas do que as noivas andavam vestindo em Paris. Como as revistas de moda não passavam pelo bloqueio, Butler passou a ser procurado pelas senhoras como fonte de moda, pois lhes contava o que as damas francesas vinham usando, como cortavam o cabelo e se penteavam.

Por alguns meses, apesar da má reputação e de todos os boatos a seu respeito, inclusive o fato de que, além de atravessar o bloqueio, estava envolvido em negócios duvidosos do ramo alimentício, Butler fora a figura mais popular e romântica da cidade. Depois de conquistar a aparente confiança e o respeito dos patrióticos cidadãos, passou a afrontá-los e deixou claro que a conduta de até então não passara de disfarce que não mais o entretinha. Parecia sentir verdadeiro desprezo pelo Sul e pelos sulistas, e pela Confederação em particular, fato que não fazia a menor questão de esconder. Antes mesmo da passagem de 1862 para 1863, os homens o cumprimentavam com indiferença e as mulheres tratavam de afastar as filhas toda vez que Butler aparecia em algum lugar público. Ele passou a se referir aos soldados como "nossos bravos heróis" e "nossos heróis cinzentos", e o fazia sempre em evidente tom ofensivo. Sempre que o elogiavam pelos serviços prestados à Confederação, retrucava que furar o bloqueio não passava de um negócio e dizia que, se os contratos com o governo lhe rendessem a mesma quantia, certamente abandonaria os riscos da travessia e passaria a vender tecido fajuto, açúcar com areia, farinha estragada e couro podre à Confederação.

Escândalos em torno de contratos com o governo já começavam a circular, pois soldados na linha de frente escreviam reclamando de sapatos que não duravam mais de uma semana, pólvora que não acendia, carne podre, entre outras queixas, e a população de Atlanta se esforçava para acreditar que esses suprimentos procediam de contratados do Alabama, da Virgínia ou do Tennessee, jamais dos georgianos. Ora, não havia entre esses contratados da Geórgia homens das melhores famílias da cidade? Não eram eles os primeiros a contribuírem com fundos para o hospital e com os órfãos dos soldados? Não eram os primeiros a vibrarem pelo "Dixie", os mais sedentos (no discurso, ao menos) do sangue ianque? Todavia, Butler prosseguia com suas insinuações de corrupção envolvendo homens de altos cargos, alfinetando presunçosos, hipócritas e patriotas exaltados.

A Scarlett, nunca enganara, sabia que era um dissimulado que escondia outras intenções por trás de uma cortesia pretensiosa. Entretanto, o fato de Butler ter deixado a máscara cair a aborreceu. Durante o sarau beneficente da senhora Elsing, Butler assinou embaixo do próprio ostracismo. A casa estava cheia, e um bom montante já havia sido arrecadado. Todas as moças presentes tinham cantado ou tocado piano, e os *tableaux vivants*[7] já haviam arrancado muitos aplausos dos convidados. Scarlett estava radiante e, com Melanie, apresentou um dueto emocionante de *When the dew is on the blossom*, seguido de *Oh, lawd, ladies, don't mind Stephen*, e Scarlett também fora escolhida para representar o Espírito da

[7] Do francês, "pintura viva". Tipo de apresentação em que um ou mais atores recriam quadros e/ou pinturas. No século XIX, eram apresentados nos palcos dos teatros, mas depois passaram a ser encenados também em outros campos, como cinema, fotografia, televisão etc. (N.T.)

Confederação no último *tableau vivant*. Estava radiante. Ao término da apresentação, perscrutou os arredores ávida por saber se Rhett a vira, mas, nesse exato momento, o avistou em meio a uma discussão. Entre as vozes, ouviu-se a de Willie Guinan, da milícia, dizendo claramente:

– Pelo que disse, compreendo que para o senhor a causa pela qual nossos heróis dão a própria vida não é sagrada?

– Todas as guerras são sagradas – respondeu Butler. – Para aqueles que precisam combatê-la. Se quem começa a guerra não a torna sagrada, quem seria o tolo de entrar em campos de batalha? A verdade é que não há outro motivo para a guerra senão o dinheiro. E todas as guerras são uma disputa por dinheiro. Mas poucos percebem isso. Seus ouvidos estão entupidos com o barulho das cornetas, dos tambores e dos discursos inflamados daqueles que ficaram no conforto de seus lares. Às vezes, entoam "Salvem o túmulo de Cristo dos pagãos!", outras "Abaixo o Papa", "Liberdade!", ou ainda "Algodão, escravidão e os direitos dos Estados!".

"E o que o Papa tem a ver com isso?!", pensou Scarlett. *"E o túmulo de Cristo?!"*

Tendo dito essas palavras, Rhett começava a se retirar. Scarlett saiu atrás dele, mas foi detida pela senhora Elsing, que a puxou pela saia.

– Deixe-o ir. É um traidor, um especulador! Uma cobra venenosa que trouxemos para nossas casas!

Todos ficaram consternados. Na carruagem a caminho de casa, a senhora Merriwether culpava incansavelmente Pittypat por ter concedido tamanha liberdade àquele homem. Scarlett e Melanie ficaram em silêncio, pois tinham aprendido que não se refutavam os mais velhos. Tio Peter se manteve calado, apesar de Pittypat ansiar pelo momento em que ele olharia para trás e diria: "Deixe a sinhá Pitty em paz". A senhora Merriwether não tardou a culpar Scarlett e Melanie também pela gentileza com que tratavam aquele calhorda. Foi quando o mais inesperado dos fatos aconteceu. Melanie se manifestou e disse que não impediria a entrada de um homem em sua casa que pensava tal como o marido dela. Então, era isso que Ashley queria dizer com aquelas cartas. Que não deveriam combater os ianques, que foram persuadidos por estadistas e oradores e que nada no mundo valeria aquela guerra. E que, mesmo considerando aquela guerra um erro, continuava disposto a lutar e morrer pela Causa.

Scarlett permanecia calada. Estava perplexa ao se dar conta de que Ashey tinha a mesma opinião que o patife de Rhett Butler. "Os dois enxergam o verdadeiro motivo dessa guerra, mas Ashley está disposto a morrer por ela, ao contrário de Rhett... Os dois veem a mesma verdade terrível, mas Rhett a encara de frente e provoca a raiva das pessoas ao falar sobre ela, enquanto Ashley mal consegue encará-la..."

Uma constatação atordoante.

Capítulo 13

Motivado pela solicitação da senhora Merriwether, o doutor Meade escreveu uma carta para o jornal, sem mencionar o nome de Rhett Butler, e o editor, impactado com o que leu, a publicou na segunda página. Entre outras observações, a carta dizia:

"Há muitos homens corajosos e patrióticos atravessando o bloqueio do serviço naval da Confederação, homens bem-intencionados, que arriscam a vida e toda a sua riqueza em prol da sobrevivência da própria Confederação. No entanto, há outros patifes que se valem do disfarce de atravessadores visando ao próprio ganho, e contra os quais evoco a justa ira e vingança de um povo preparado para o combate e que luta pela mais justa das Causas... Esses patifes, verdadeiros abutres humanos, trazem laços e cetins, enquanto nossos homens morrem por falta de quinino; chegam com os barcos carregados de chá e vinho, enquanto nossos heróis se contorcem por falta de morfina. Amaldiçoo esses vampiros que sugam a força vital dos seguidores de Robert Lee, e é graças a esses homens que o nome de um certo atravessador se torna pútrido às narinas de todos os patrióticos. Como podemos tolerar a presença desses abutres, com suas botas envernizadas, enquanto nossos meninos enfrentam descalços os campos de batalha? Como podemos tolerar seu champanhe e patê de Estrasburgo, enquanto nossos soldados tremem de frio ao pé de uma fogueira e mascam bacon mofado? Convoco todos os confederados leais a expulsá-los".

Atlanta inteira compreendeu a mensagem do oráculo, e todos os leais confederados trataram de banir Rhett. Em 1863, a única casa em que ele colocava os pés era a da senhorita Pittypat, que não conseguia a força necessária para lhe dizer que sua presença não era bem-vinda. Melanie se recusava a deixar de recebê-lo e a tratá-lo mal, argumentava que o capitão seria incapaz de reter alimentos para impedir que fossem saciados os famintos, boato que corria solto sobre os negócios de Butler. Scarlett não estranhava o comportamento de Melanie, sempre acostumada a ver a bondade no coração das pessoas, e tampouco acreditava na bondade e no patriotismo do sujeito, embora preferisse morrer a confessar isso. A bem da verdade, os presentinhos que Butler trazia de Nassau para Scarlett muito lhe agradavam, sobretudo porque o preço de tudo andava nas alturas e, se proibisse as visitas de Butler, onde mais conseguiria agulhas, bombons e grampos? Era melhor atribuir a culpa de sua vinda a tia Pitty; afinal, ela era a guardiã da casa e árbitra da moral. Scarlett sabia que a cidade inteira comentava sobre as visitas de Rhett, bem como sobre Rhett e ela, mas ela também sabia que a fama de retidão de Melanie resguardava, de certo modo, a intenção dessas visitas. O que a incomodava era o fato de Rhett não fazer a menor questão de disfarçar suas heresias e, consequentemente, ser ignorado pelas pessoas sempre que os dois passeavam pela Peachtree Street.

Certa vez, enquanto conversavam sobre isso, Rhett perguntou a Scarlett se não a incomodava o fato de se manter calada o tempo todo quando ouvia toda aquela baboseira sobre a guerra, e ela respondeu que, se não o fizesse, nenhum rapaz se interessaria em tirá-la para dançar, e recomendou a Rhett que parasse com suas condenações, porque ele sabia bem que a Inglaterra e a França estavam a caminho e uniriam forças com os Estados Unidos. Butler respondeu:

– Ora, Scarlett! Vejo que anda lendo o jornal! Estou surpreso. Não faça isso de novo. Eles costumam confundir o cérebro das mulheres. Para seu conhecimento, faz menos de um mês que estive na Inglaterra e vou lhe dizer uma coisa... A Inglaterra jamais ajudará a Confederação. A Inglaterra nunca aposta no azarão. E é por isso que ela é a Inglaterra. Além disso, a gorda holandesa sentada no trono é uma alma temente a Deus e não aprova a escravidão. É capaz de deixar os trabalhadores ingleses morrerem de fome por não conseguirem nosso algodão, mas nunca, jamais, se daria ao trabalho de mover uma palha pela escravidão. E, quanto à França, aquela fajuta imitação de Napoleão anda ocupada demais enfiando os franceses no México para se preocupar com a gente. Na verdade, para ela, a guerra é um bom negócio, porque nos mantém ocupados demais para expulsar suas tropas do México... Não, Scarlett, a ideia de uma aliança com outros países não passa de invenção dos jornais para preservar a moral do Sul. A Confederação está condenada.

E, com isso, Butler contou ainda que ficaria mais seis meses pelo bloqueio, depois venderia seus barcos a algum inglês tolo, pois já ganhara muito dinheiro. Para Scarlett, como sempre, a análise soou plausível, mesmo sabendo que deveria se sentir irritada e revoltada com o comentário. Scarlett disse a Butler que ele deveria se alistar e vender os barcos para se redimir do que fizera, sugestão feita pelo doutor Meade em um trecho da carta enviada ao jornal, mas Butler rebateu dizendo que não havia motivos para se redimir com um sistema que o expulsou, e que era visto como a ovelha negra da família Butler simplesmente por não se encaixar nos padrões de Charleston e do Sul. Explicou ainda sua indignação quando quiseram obrigá-lo a se casar com, em suas próprias palavras, "uma tola entediante", apenas porque não conseguiu deixá-la em casa antes de anoitecer por conta de um acidente no meio do caminho. Mencionou também sua revolta ao ser rechaçado por ter matado o irmão da moça, que lhe apontou uma arma, em vez de ter entregue a própria vida para honrar o brasão dos Butler. Para o capitão, a vida no Sul era tão ultrapassada quanto o sistema feudal da Idade Média, e, agora que ganhara dinheiro com o sofrimento dos sulistas, via-se empatado com eles.

Scarlett acusou Butler de mercenário, e ele rebateu dizendo que, em 1861, qualquer um no lugar dele poderia ter feito o mesmo, por exemplo, aproveitado a oportunidade para estocar suprimentos como o algodão e vendê-los por um preço muito mais alto para as tecelagens inglesas quando se esgotassem os estoques. O capitão tinha a certeza de que se tornaria um homem rico ao término da guerra, graças ao comportamento que Scarlett considerava "mercenário", e acrescentou:

– Eu já lhe disse que há duas maneiras de embolsar muito dinheiro. Uma delas é erguendo um país e, a outra, destruindo-o. Com a primeira, ganha-se devagar; já com a segunda, rapidamente. Lembre-se disso. Talvez essas palavras lhe sejam úteis algum dia.

– Agradeço o conselho, mas o dispenso. Acha que meu pai é algum pobre? Ele tem o suficiente para me dar o que preciso e, além do mais, Charles me deixou propriedades.

– Imagino que era mais ou menos assim que pensavam os aristocratas franceses antes de subirem na carroça rumo à guilhotina.

* * *

Frequentemente, Rhett apontava para Scarlett a inconsistência de ela usar roupas pretas de luto quando participava de todas as atividades sociais. Ele gostava de cores vivas; os vestidos funerários de Scarlett e o véu de crepe que pendia do gorro até os calcanhares o divertiam e ofendiam. Mas ela se agarrou aos vestidos pretos sem graça e ao véu sabendo que, se os trocasse por cores, sem esperar vários anos mais, a cidade zumbiria ainda mais do que já zumbia. E, além disso, como ela explicaria para a mãe? Butler partiu em viagem para Wilmington, e de lá para outro país, não sem antes prometer a Scarlett que, quando voltasse, a faria se livrar do chapéu e do véu que lhe cobria o rosto. Ela o refutou com veemência, mas, dali a algumas semanas, Butler retornou de viagem trazendo uma caixa com um chapéu de sol de tafetá verde-escuro, forrado com seda na cor jade, com fitas de amarrar largas e uma pluma verde de avestruz na aba frontal.

Scarlett não hesitou em experimentá-lo e ficou tão fascinada que disse a Butler que pagaria quanto fosse pela peça. Na caixa do chapéu estava escrito "Rue de la Paix", mas Scarlett não fazia a menor ideia do que aquilo significava. Contemplando o próprio rosto no espelho, a moça pareceu triste de repente e disse a Butler que teria de cobrir o chapéu com crepe e tingir as plumas de preto, mas o capitão a repreendeu e disse que levaria a peça e a ofereceria a outra moça de olhos verdes. Scarlett ficou atordoada ao ouvir aquilo e, por fim, deixou-se levar pela vaidade, apesar de temer as reações da mãe, de Pitty e de Melanie. Ao perguntar a Butler quanto custava o chapéu, ele disse que a peça valia dois mil dólares, mas que ela não lhe devia nada, pois era um presente, deixando Scarlett ainda mais revolvida, pois os presentes masculinos não passavam de doces e flores, ou talvez um livro de poesias, ou um álbum, sendo essas as únicas coisas que as moças podiam aceitar de um cavalheiro. Presentes caros jamais eram aceitos, nem mesmo de um noivo, pois isso, segundo ele, soava como sinal para o rapaz de que a moça não era uma dama e que, portanto, ele teria o direito a certas liberdades. Butler disse a Scarlett que continuaria lhe trazendo presentes, não por gentileza, mas para arrastá-la para uma fogueira, porque jamais fazia algo sem esperar nada em troca. Scarlett disse a ele que não alimentasse esperanças de casamento, e Butler desdenhou dizendo que não era homem que vislumbrava o casamento, nem com ela nem com ninguém, e que nem sequer queria beijá-la, deixando Scarlett ainda mais irritada, momento em que ela se viu fazendo um biquinho, aguardando pelo beijo. Butler se aproximou e fez que ia beijá-la, mas apenas roçou o bigode na bochecha da moça. Ela poderia ter lhe dado um tapa, mas não conseguiu conter o riso. Se não estava apaixonado, o que ele queria visitando-a com tanta frequência e lhe oferecendo presentes?

Enquanto ela, com o chapéu na cabeça, não parava de se contemplar no espelho, cogitando usar a peça ao visitar os soldados no hospital naquela mesma tarde, Butler dizia que fora ele o responsável por encorajá-la a dançar, a admitir que a gloriosa Causa nada tinha de gloriosa, tampouco de sagrada, a livrar-se do luto anos e anos antes do tempo devido. Mas

Scarlett não ouvia nem uma palavra, não se dava conta da verdade daquilo tudo, do quanto ela, depois de conhecer Butler, se distanciara dos ensinamentos da mãe, da conduta que uma dama supostamente deveria ter. O fato de aquele chapéu ser o mais lindo que tivera, de não ter dado nem um centavo sequer por ele e de que Butler, por mais que se recusasse a admitir, estava apaixonado, era tudo que lhe ocupava a mente.

No dia seguinte, enquanto ajeitava o cabelo com o penteado considerado a mais nova febre da capital, Scarlett de repente escutou os passos sôfregos de Melanie e logo imaginou que havia algum problema, pois Melanie sempre caminhava com o decoro de uma viúva herdeira. Ao abrir a porta, Scarlett se deparou com Melanie pálida e assustada feito uma criança com medo de uma bronca. Às lágrimas, a recém-chegada contou que estava com medo de tio Peter contar a tia Pitty que vira Melanie conversando com Belle Watling, a mulher ruiva que Scarlett encontrara logo que chegara a Atlanta, e, àquela altura, a mais mal-afamada das prostitutas da cidade, por conta do cabelo flamejante e dos vestidos ousados que usava. Todas as mulheres respeitáveis desviavam o caminho quando a encontravam. E Melanie conversara com ela.

Melanie foi abordada por Belle, que estava escondida atrás de uma cerca, enquanto saía do hospital. Sem pintura no rosto e com semblante decente, pediu desculpas a Melanie, pois sabia que não deveria abordá-la, e contou que tentou, em suas palavras, falar com a "pavoa" da senhora Elsing, mas a mulher saíra correndo. Belle disse a Melanie que gostaria de oferecer ajuda ao hospital, trabalhando pelas manhãs como enfermeira, e contou que gostaria de doar uma quantia em dinheiro. Ela entregou à moça uma trouxinha pesada, um monte de moedas envoltas em um lenço masculino, manchado e com perfume forte. Scarlett pediu a Melanie que vissem quanto dinheiro havia ali e, ao desamarrarem o lenço sobre a cama, viram que havia cinquenta dólares em ouro, no total. Melanie implorava a Scarlett que descesse e pedisse ao tio Peter que não contasse a tia Pitty a conversa que vira, mas Scarlett parecia ter perdido a capacidade de ouvir quando seus olhos viram no lenço as iniciais "R. K. B.", as mesmas que havia no lenço da cômoda dela, lenço esse que Rhett Butler lhe emprestara para embrulhar umas flores silvestres que os dois tinham colhido.

Então, Rhett andava com aquela mulher e lhe dava dinheiro. E a contribuição para o hospital era fruto do ouro do bloqueio. E em pensar que Rhett teve a cara de pau de olhar nos olhos de uma mulher decente depois de andar com aquela criatura! E em pensar que Scarlett chegou a cogitar que ele estava apaixonado por ela! As mulheres da vida e tudo que dizia a respeito a elas era assunto misterioso e revoltante para Scarlett. Ela sempre acreditara que só os homens boçais as procuravam. Jamais imaginara que homens decentes, isto é, homens que conhecia em ambientes familiares e com quem dançava, seriam capazes de fazer tal coisa. Talvez todos os homens sejam assim! Como se não bastasse o absurdo de obrigarem as esposas a fazer coisas indecentes, ainda procuram outra e pagam para lhes satisfazer! Os homens são todos uns cafajestes, e Butler é o pior deles! Se eu simplesmente não fosse uma senhora, o que não diria àquele verme!

Esmagando o lenço com uma das mãos, Scarlett desceu as escadas e foi falar com tio Peter. Ao passar pelo fogão, atirou o lenço nas chamas e, com raiva fervilhante, observou o fogo consumi-lo.

Capítulo 14

Com a chegada do verão de 1863, o Sul voltou a entoar: "Mais uma vitória e a guerra termina", apesar da escassez de suprimentos, da enfermidade, da morte e do sofrimento que agora deixavam suas marcas em quase todos os lares. No Natal de 1862, a Confederação saíra vitoriosa em Fredericksburg, deixando milhares de ianques mortos e outros tantos feridos. A virada da maré trouxe novas esperanças, entre elas a de que, no recomeço da primavera, os ianques seriam definitivamente esmagados. Maio chegou, e a Confederação saiu vitoriosa de Chancellorsville. A euforia tomou conta do Sul. Uma afronta da União contra a Geórgia se transformou em um verdadeiro triunfo. "Sim, senhor! Quando o velho Nathan Bedford Forrest aparecer, suma da frente dele!", era a frase que se ouvia entre risos e tapinhas nas costas. A Geórgia sofreu um ataque inesperado no final de abril, quando o coronel Streight e seus mil e oitocentos cavalarianos ianques invadiram o território, sendo que o alvo era Rome, a quase cem quilômetros de Atlanta, onde destruiriam a ferrovia entre Atlanta e Tennessee e, na sequência, as fábricas e o arsenal bélico da Confederação concentrado ali. O estrago teria sido irreversível, não fosse Forrest, que, com um terço do número de soldados, os deteve antes mesmo de chegarem a Rome. Atlanta soube da notícia quase ao mesmo tempo em que soube da vitória de Chancellorsville.

Ninguém negava que os ianques liderados por Grant vinham sitiando Vicksburg desde meados de maio e que o Sul sofrera uma perda incomensurável quando Stonewall Jackson fora gravemente ferido em Chancellorsville. Tampouco se negava que a Geórgia perdera um de seus filhos mais valentes e brilhantes com o assassinato do general T. R. R. Cobb. Mas os ianques não suportariam outras derrotas como as de Fredericksburg e Chancellorsville. Teriam de se entregar, e, então, essa temível guerra chegaria ao fim.

No início de julho, Lee marchava para a Pensilvânia. A última batalha! Agora os ianques saberiam o significado de uma guerra no próprio território, o que era ter os solos férteis extirpados, os cavalos e o gado roubados, as casas incendiadas, e conheceriam a fome. Não era segredo para ninguém o que os ianques haviam feito em Missouri, Kentucky, Tennessee e Virgínia. Até as crianças pequenas podiam recitar com ódio e medo os horrores que os ianques infligiram ao território conquistado. Atlanta já estava cheia de refugiados do leste do Tennessee, e a cidade tinha ouvido histórias em primeira mão sobre o sofrimento que haviam passado. Mas Lee enviara a ordem para que não tocassem em nenhuma propriedade sequer na Pensilvânia, provocando o descontentamento geral: o que se passava na cabeça do general, com todos os nossos heróis famintos, descalços, sem roupa e sem cavalos? Precisamente, no dia três de julho, um telegrama chegou, trazendo consigo um silêncio profundo e arrebatador. Houve uma batalha acirrada na Pensilvânia, próxima à cidadezinha de Gettysburg, e o suspense pairava no ar. Famílias rezavam pelos filhos combatentes, mas nada se comparava à agonia daqueles cujos parentes pertenciam ao regimento de Darcy Meade, e que, ao mesmo tempo, se vangloriavam por fazerem parte da finda batalha que massacraria os ianques de uma vez por todas. Na casa de tia Pitty, as três mulheres trocavam olhares de pavor. Ashley pertencia ao regimento de Darcy.

Em 5 de julho, más notícias chegaram do Oeste. Vicksburg caíra e praticamente todo o rio Mississippi, de St. Louis a New Orleans, estava nas mãos dos ianques. A Confederação se dividira ao meio. Mas a derrota de Vicksburg não seria catastrófica se Lee vencesse no Oeste, onde se situavam Filadélfia, Nova Iorque e Washington. Uma vitória nesse território anularia o desastre do Mississippi. A preocupação anuviava Atlanta. Ante a falta de notícias, em toda parte, as mulheres se agarravam e confortavam umas às outras, apesar dos rumores de que Lee fora morto, da batalha perdida e de que listas de baixa vinham chegando. Multidões se apinhavam nas estações de trem e nas agências de telégrafos à espera de notícias. Não havia praticamente nenhum lar naquela cidade em que não houvesse um filho, um irmão, um pai ou um marido na guerra. Todos esperavam a notícia da morte bater à porta. Da *morte*, jamais da derrota. Tal como tinham certeza de haver no céu um Deus justo e zeloso, assim acreditavam ser Lee um verdadeiro milagre, e o exército da Virgínia, invencível.

* * *

A bordo da carruagem, em frente ao *Daily Examiner*, com o teto rebaixado, Scarlett, Melanie e tia Pittypat aguardavam por notícias. Quando tia Pitty ameaçou desmaiar, Melanie lhe entregou os frascos com sais para que os cheirasse, mas pela primeira vez na vida sem aquela tradicional delicadeza, dizendo à tia que, caso desfalecesse, teria de se ver com tio Peter, pois ela, Melanie, não arredaria o pé dali até receber notícias. E tampouco Scarlett o faria. Em algum lugar, sabia-se lá qual, Ashley lutava e talvez até tivesse perdido a vida, e a sede do jornal era a única e confiável fonte para obter notícias. Muitas pessoas se aglomeravam ali, entre elas a senhora Merriwether e Maybelle, cuja gravidez copiosa desta última tornava sua aparição em público igualmente constrangedora.

De repente, Rhett Butler, montado a cavalo, começou a avançar em meio à multidão. Como ousava aparecer de botas lustrosas, terno de linho branco, fumando um charuto caro, enquanto Ashley e todos os outros rapazes, passando fome, frio e sede, lutavam contra os ianques? Foi fuzilado por milhares de olhos, entre eles os da senhora Merriwether, que gritara: "Especulador!". Butler, parando ao lado de Scarlett, disse:

– Não acham que seria a hora do doutor Meade nos brindar com seu famoso discurso sobre a vitória que se empoleira nos nossos estandartes feito uma águia altiva?

A fala provocou a ira de muitos, mas Butler os interrompeu dizendo ter vindo para avisar que as listas de baixa haviam sido enviadas para dois jornais que as imprimiam naquele exato momento. Da janela da redação do jornal, um braço esticado surgiu segurando um maço de provas tipográficas, com tinta fresca e uma lista enorme de nomes. A multidão se engalfinhou para disputar as folhas, e Scarlett escarafunchou à procura da letra "W". Wilkens...Winn...Zebulon... Não, Ashley não constava da lista. Ashley estava vivo!

Agora, com o coração acalentado, Scarlett leu o restante das listas. Calvert. Raiford, tenente. Raif! Ele, com quem ela havia fugido um dia, mas decidiram voltar para casa ao anoitecer por medo do escuro e porque sentiram fome. Entre nomes e sobrenomes... Tarleton. Não podia ser verdade. Talvez, na pressa, o tipógrafo tivesse errado. Mas não. Tarleton... Brenton, tenente. Tarleton... Stuart, cabo. Tarleton...Thomas, soldado. E Boyd, que falecera no primeiro ano da guerra, fora enterrado sabia Deus onde. Todos os Tarleton tinham partido. Rhett, com a voz genuinamente sincera, ofereceu os pêsames a Scarlett e, sussurrando, disse a ela que outras listas sairiam no dia seguinte e que corria o boato de que Lee recuara para Maryland.

– Rhett, por que existem guerras? Não teria sido muito mais fácil para os ianques pagarem pelos escravos? Ou que nós os entregássemos de graça para evitar que tudo isso acontecesse?

– A questão não são os pretos, Scarlett. Eles são apenas um pretexto. Sempre haverá guerra porque os homens adoram guerra. As mulheres, não, mas os homens, sim... mais até do que gostam das mulheres.

E, com isso, Butler se despediu e disse que iria procurar o doutor Meade para dar a notícia da morte de seu filho. Scarlett e Melanie foram à casa da senhora Meade para oferecerem apoio à família. Lá, viram o doutor Meade chegar com os ombros prostrados, a cabeça baixa. Depois de cumprimentar as moças com um beijo, ele subiu as escadas em silêncio. Nesse meio-tempo, as duas viram Phil Meade consternado, triste por não permitirem que ele fosse à guerra. Melanie confessou a Scarlett que a invejava por ela ser mãe e que tudo que mais desejava era a maternidade. Para Scarlett, imaginar Melanie, com seus quadris estreitos e peitos murchos, grávida era algo inconcebível.

– Pare com isso, não seja boba – retrucou Scarlett. – Vá à varanda e tente consolar Phil. Está chorando.

Capítulo 15

No inverno, um exército cansado e esgotado depois da derrota de Gettysburg se recolheu para o quartel no distrito de Rapidan, e, com a proximidade do Natal, Ashley retornou para casa. Passados dois anos desde a última vez em que o viu, Scarlett temia a própria reação quando o reencontrasse. Era um Ashley diferente agora, de farda desbotada, cabelo queimado do sol, mil vezes mais encantador. O major Ashley Wilkes, dos Estados Confederados da América, tinha agora ares de autoconfiança, comando e autoridade. Os olhos lânguidos deram lugar a um olhar de constante alerta, como os de quem tem os nervos tão apertados quanto as cordas de um violino. De bigode, a pele queimada e o semblante cansado que esboçava os primeiros sinais da idade faziam dele o Ashley de sempre. Ao mesmo tempo, tão diferente.

Scarlett, que a princípio planejara passar o Natal em Tara, com a família, nem por um decreto sairia de Atlanta depois de saber da chegada de Ashley. Ele chegou quatro dias antes do Natal, acompanhado de outros quatro rapazes do condado: Cade Calvert, magro e com tosse incessante, os dois Munroe, eufóricos com a primeira licença desde 1861, e Alex e Tony Fontaine, muito embriagados e baderneiros. Mas a Scarlett, que só tinha olhos para Ashley, tudo isso passou despercebido. Como ela pôde escutar as juras de amor de outros homens durante a ausência dele? Como pôde considerar outro homem que não ele gentil e interessante? Teve de reunir todas as forças possíveis e impossíveis para se conter quando o via sentado no sofá com Melanie de um lado, India do outro e Honey achegada ao ombro. Se ao menos ela pudesse se sentar ao lado dele, entrelaçar o braço no dele!

Logo ao chegar, Ashley foi recebido com um abraço arrebatador de Melanie, depois India e Honey o abraçaram. Na sequência, Ashley beijou o pai, tia Pitty e só então se virou para Scarlett e, beijando-lhe a bochecha, disse:

– Ah, Scarlett! Como você está linda, linda!

Será que ele a teria beijado nos lábios se estivessem a sós? Essa simples ideia a animou e a acalmou, pois havia uma semana inteira pela frente e ainda haveria tempo de perguntar a ele se se lembrava dos passeios a cavalo que costumavam fazer, daquela tarde em que ela torceu o tornozelo e ele teve de carregá-la nos braços, entre tantas outras lembranças.

Também ao chegar, Ashley contou que os Fontaine, por terem raspado a própria barba, decidiram segurá-lo à força e barbeá-lo também. Os Fontaine, que vinham procurando briga ao longo do caminho, contaram a Melanie que só fizeram isso como forma de agradecer a Ashley por tê-los salvado de ir para a cadeia e disseram que, se fosse da vontade dela, poderiam raspar o restante do bigode ali mesmo. Melanie, ao ver que os dois fanfarrões eram capazes de tudo, agarrou o marido depressa e agradeceu a oferta. Quando Ashley saiu para levar os dois rapazes à estação com a carruagem de tia Pitty, Melanie agarrou o braço de Scarlett e disse:

– Essa farda dele não está horrível? Não acha que o casaco vai ser uma surpresa e tanto? Ah, quem dera eu tivesse tecido suficiente para fazer as calças também!

O tal casaco era um assunto que aborrecia Scarlett, pois era ela que queria dá-lo de presente de Natal a Ashley. Melanie, graças a um golpe de sorte, pois, a lã cinza dos uniformes ficara mais cara que as pedras de rubi, conseguira um tecido de casimira cinza com o tamanho suficiente para confeccionar um casaco. O tecido fora enviado pela mãe de um soldado morto, soldado esse de quem Melanie havia cuidado até o último suspiro e decidira enviar à mãe do falecido uma mecha de cabelo dele e todo o escasso conteúdo que restara em seus bolsos. Além do tecido, a mãe do falecido enviara também os botões de latão que comprara para o então filho. Tecido fino, grosso e quente, sem dúvida, material muito caro, que atravessara o bloqueio e que naquele momento estava nas mãos do alfaiate a quem Melanie tratava de apressar para que o presente estivesse pronto na manhã de Natal.

Scarlett também tinha um presente para Ashley, muito mais simples em comparação ao de Melanie. Um estojo pequeno, feito de flanela, com um precioso conjunto de agulhas que Rhett trouxera de Nassau, três lenços de linho, também trazidos por Rhett, dois carretéis de linha e uma tesoura pequena, mas Scarlett queria algo mais pessoal, o tipo de presente que uma esposa oferece ao marido. Decidiu que um chapéu seria o presente ideal e, nesse quesito, não havia ninguém melhor que Rhett Butler para ajudá-la, pois ele tinha chapéus de todos os tipos. Pediria a ele o chapéu novo e preto, de feltro, colocaria uma fita cinza na peça e daria a Ashley. Mas como não podia contar a verdade a Rhett, diria que o chapéu seria para algum soldado internado no hospital.

Desde o momento de sua chegada, todos enchiam Ashley de perguntas sobre a guerra, às quais ele respondia sempre contando piadas e histórias engraçadas do acampamento, atenuando a fome e os dias e mais dias debaixo de chuva, descrevendo em detalhes o momento em que o general Lee, após a retirada de Gettysburg, perguntou aos soldados: "Cavalheiros, pertencem à tropa da Geórgia? Pois não podemos seguir adiante sem vocês, georgianos!". Para Scarlett, toda essa conversava soou como uma manobra para evitar perguntas desconcertantes.

Dali a pouco, todos se reuniram em torno da lareira e começaram a bocejar. Depois que o senhor Wilkes e as meninas se despediram, Ashley, Melanie, Pittypat e Scarlett subiram as escadas à luz da lamparina de tio

Peter. Nesse momento, um arrepio percorreu a espinha de Scarlett. Ao despedir-se com um boa-noite, notou as bochechas coradas e as mãos trêmulas de Melanie. Apesar de supostamente amedrontada, Melanie parecia feliz ao entrar no quarto depressa, quando Ashley abriu a porta. Ao fechá-la, ele nem sequer olhou nos olhos de Scarlett. Ashley não era mais seu. Pertencia a Melanie.

A semana de licença passara rápido, feito um sonho perfilado com o aroma dos pinheiros e das árvores de Natal, cintilando com as velas e os ouropéis natalinos, e esse sonho durou tanto quanto um piscar de olhos. Agora Ashley retornaria à Virgínia, ao risco iminente de ser esmagado feito uma formiga sob a sola de um sapato.

Sentada no divã da sala, ela o aguardava com o presente de despedida no colo, esperando-o enquanto ele se despedia de Melanie, rezando para que descesse as escadas sozinho e os dois pudessem, então, ter um momento a sós. Scarlett pensou em todas as coisas que poderia ter dito a ele durante aquela semana, mas que não teve a chance de fazê-lo porque Melanie permanecera ao lado do marido o tempo todo, sem falar nos amigos, parentes e vizinhos que não largavam Ashley. Tanto a se dizer e não havia mais tempo! Mas ela não o deixaria partir (talvez, para sempre!) sem ao menos saber se ele ainda a amava. Por fim, depois do que pareceu uma eternidade, Scarlett escutou os passos dele ao fechar a porta do quarto, em direção às escadas. Estava sozinho! Bendito seja Deus! Agora, o teria só para ela por alguns preciosos minutos.

Ashley vestia o casaco dado por Melanie, que não lhe caíra muito bem, dada a pressa com que fora confeccionado. Ainda assim, era o soldado mais lindo que ela vira. Ao vê-lo, Scarlett perguntou se podia acompanhá-lo até a estação de trem, mas Ashley respondeu que preferia se despedir ali mesmo a vê-la tremendo de frio na plataforma. Scarlett soube que o pai de Ashley, India e Honey o acompanhariam até a estação, o que minou todas as esperanças dela, pois as duas detestavam Scarlett.

Ela, então, disse a ele que tinha outro presente e, com certa timidez, desembrulhou uma faixa comprida e amarela, feita de seda chinesa, com uma franja espessa bordada nas extremidades. Scarlett passara a semana toda desfazendo o bordado de um xale amarelo que Butler lhe trouxera de Havana para confeccionar o presente.

– Scarlett, é lindo! Foi você quem fez? Tem valor ainda maior para mim. Coloque-o em mim, querida. Os rapazes vão morrer de inveja quando me virem com esse casaco e essa faixa.

Ela envolveu a cintura dele com a faixa e amarrou um cuidadoso nó. Ao recuar um passo, observando-o, ela se sentiu orgulhosa e satisfeita. Ashley voltou a agradecer o belo presente, mas advertiu que ela não precisava ter se preocupado, pois certamente cortara algum vestido ou xale seu para fazer uma faixa como aquela.

– Ashley, eu faria qualquer coisa por você! – respondeu ela.

– Faria? – inquiriu ele, com o semblante menos tenso. – Então, há uma coisa que pode fazer por mim, Scarlett. Algo que vai me deixar menos preocupado enquanto estiver fora.

– E o que é? – perguntou animada, disposta a prometer o que fosse necessário.

– Scarlett, pode cuidar de Melanie por mim?

– Cuidar de Melanie?

O mundo desabara na cabeça de Scarlett. Como Ashley pôde falar de Melanie bem agora, nesse momento de despedida? E como tinha a ousadia de lhe pedir algo assim?

Ashley acrescentou que Melanie não tinha mais ninguém além de tia Pitty, de tio Henry e da própria Scarlett e confessou:

– Scarlett, fico apavorado só de pensar no que aconteceria se eu morresse e ela ficasse sozinha, sem ter com quem contar... Quando chegar o fim, pode ser que eu esteja muito longe daqui, ainda que sobreviva, longe demais para ampará-la.

Scarlett congelou ao escutar tudo aquilo, pois, apesar de acompanhar diariamente as listas de baixas, tinha a forte sensação de que, mesmo que todo o Exército Confederado fosse esmagado, Ashley sobreviveria. Ela rogou a ele para que não falasse sobre "morte", que traria má sorte, mas

Ashley reforçou que o fim da guerra e o fim do mundo estavam próximos e confessou ter dito mentiras à família apenas para não os preocupar, e que Gettysburg fora o marco do fim. Contou ainda que muitos de seus homens na Virgínia andavam descalços na neve, sem ter o que calçar, e que ele tinha vontade de arrancar as botas quando via seus pés congelados deixando rastros de sangue pelo chão. Scarlett soube por Ashley que os ianques haviam comprado milhares de soldados da Europa, alemães, poloneses e irlandeses que só falavam gaélico. Por fim, pediu a ela que não alarmasse ninguém e não lhes contasse nada disso.

– Você precisa ser forte – disse ele com a voz ligeiramente diferente. Mais profunda e ressonante, imbuída de urgência. – Você precisa ser forte. Do contrário, como poderei suportar tudo isso?

Ashley continuava com a mesma fisionomia preocupada com que descera as escadas. Scarlett tentava decifrar algo além disso no olhar dele, mas não conseguia. Ele inclinou o corpo à frente, segurou o rosto dela com ambas as mãos e a beijou devagar, na testa.

– Scarlett! Scarlett! Você é tão linda, tão forte... tão bondosa. E não é apenas o seu rosto que é bonito, minha querida... Mas tudo em você. Seu corpo, sua mente, sua alma.

– Ah, Ashley! – exclamou às lágrimas, sem conseguir se conter ao sentir o toque e as palavras dele. – Ninguém além de você...

– Gosto de pensar que talvez eu a conheça melhor que ninguém e que, por isso, vejo coisas no fundo do seu coração, coisas enterradas que os outros não percebem ou andam apressados demais para perceber...

Ashley parou de falar e soltou o rosto de Scarlett, mas continuou olhando-a nos olhos. Ela hesitou e, prendendo a respiração, aguardou ansiosamente para que ele continuasse e dissesse as três palavrinhas mágicas. Mas elas não vieram.

Nesse momento, ela escutou o barulho da carruagem se aproximando lá fora. Com a voz baixa e gentil, Ashley disse "adeus" e caminhou até a porta. Scarlett, num rompante de desespero, saiu atrás e o agarrou pela franja da faixa.

– Beije-me – sussurrou ela. – Um beijo de despedida.

Com gentileza, Ashley envolveu a cintura dela e inclinou o rosto à frente. Ao sentir os lábios de Ashley nos dela, Scarlett envolveu o pescoço dele em um gesto frenético. Por um instante incomensurável, Ashley apertou o corpo dela contra o seu. Num gesto rápido, deixou o chapéu de feltro cair no chão, abaixou para pegá-lo e soltou as mãos dela do pescoço.

– Não, Scarlett, não! – disse ele em voz baixa, segurando os pulsos dela com tanta força que provocou dor.

– Eu te amo! Sempre te amei! Nunca amei outra pessoa. Só me casei com Charlie para... para tentar magoar você. Ah, Ashley, eu te amo tanto que seria capaz de ir a pé até a Virgínia só pra ficar perto de você... Ashley, diga que me ama! Guardarei isso comigo para sempre!

Ele abaixou para pegar o chapéu, e Scarlett não tirou os olhos de seu rosto. Era o rosto mais infeliz que ela já vira, mas nele estava escrito o amor que sentia por ela e a alegria de ser retribuído.

– Adeus – disse ele com a voz rouca.

A porta abriu, e uma rajada de vento frio invadiu a casa, ricocheteando as cortinas. Scarlett estremeceu ao vê-lo subir na carruagem com a franja da faixa dançando vividamente de um lado para o outro.

Capítulo 16

Janeiro e fevereiro de 1864 foram meses chuvosos, frios e anuviados por ares sombrios e depressivos. Depois da derrota de Gettysburg e Vicksburg, o centro da linha sulista caíra. Quase todo o Tennessee estava sob o poder das tropas da União. Mas o espírito otimista do Sul não arrefecera, sobretudo por conta da derrota dos ianques em setembro. Pela primeira vez desde o início da guerra, confrontos violentos ocorreram no noroeste do estado, em Chickamauga. Os ianques invadiram Chattanooga e marcharam pelos desfiladeiros rumo à Georgia, mas sofreram grandes perdas. As ferrovias de Atlanta foram fundamentais para a vitória de Chickamauga, pois, por meio delas, os ianques foram atacados entre a Virgínia e Atlanta, e dali as tropas marcharam para o Tennessee. Dia e noite, viam-se homens sem comer, sem dormir e seus cavalos saltarem direto dos trens para os campos de batalha. E dali os ianques foram expulsos. Esse foi o ápice da guerra, e Atlanta orgulhava-se de suas ferrovias, por terem possibilitado vitória tão importante.

Ninguém mais negava que os ianques eram bons de briga, tampouco que tinham bons generais: Grant, Sheridan, Sherman, sendo este último de quem se ouvia cada vez mais depois dos resultados na campanha do Tennessee e do Oeste, que lhe rendera fama de combatente impiedoso e determinado. Mas nenhum deles, claro, comparava-se ao general Lee. A crença no general e em seu Exército continuava forte, apesar de a guerra continuar se arrastando por tempo demais. Havia mortos, feridos, viúvas e órfãos por toda parte, e uma dura batalha ainda pela frente. Boatos de suspeita no alto escalão começavam a se espalhar, muitos jornais denunciaram o presidente Davis e o modo como vinha conduzindo a guerra, assim como se especulava haver divergências no gabinete da Confederação e desentendimentos entre o presidente Davis e seus generais.

A moeda se desvalorizava rapidamente. Sapatos e roupas eram cada vez mais escassos, o preço das carnes bovina e suína voltara a subir, bem como o valor do chá, da manteiga e do barril de trigo. Nos campos, os generais imploravam por mais soldados, que eram cada vez mais escassos, e governadores de estado, entre eles Brown, da Geórgia, recusava-se a enviar seus homens para fora da fronteira. Apesar de muitos não perceberem, a verdade é que o Norte mantinha o Sul sob estado de sítio. Os ianques apertaram o cerco nos portos, e pouquíssimos navios conseguiam atravessar o bloqueio. O Sul sempre sobrevivera da venda do algodão e da compra daquilo que não produzia, mas, agora, não podia vender, tampouco comprar. Gerald O'Hara armazenara em Tara algodão suficiente para três anos, mas pouco lhe serviu. Em Liverpool, a safra poderia render cento e cinquenta mil dólares, mas não havia a menor esperança de chegar até lá. De abastado, Gerald se tornara um homem preocupado em alimentar a família e os escravos durante o inverno, situação semelhante à maioria dos agricultores de algodão do Sul, pois o cerco se fechava cada vez mais nos bloqueios. O Sul agrícola, em guerra contra o Norte industrial, agora precisava do que jamais pensara em comprar nos tempos de paz, situação propícia a especulares e oportunistas.

Nos primeiros dias de 1864, não havia um só jornal que deixasse de denunciar os especuladores e taxá-los de abutres e sanguessugas, convocando providências do governo, que, apesar de veementes tentativas, atormentado por outras demandas, não pôde fazer nada. Entre os mais odiados, estava Rhett Butler, que vendera seus barcos quando o bloqueio se tornara perigoso demais e, depois, envolvera-se em especulações de produtos alimentícios. Apesar de todos os reveses, a população de Atlanta dobrara, chegando a vinte mil habitantes durante a guerra, e até o bloqueio colaborara para o prestígio da cidade. O Sul agora teria de sobreviver com os próprios recursos. Atlanta passara a ser o centro das atenções. A população da cidade sofria com privações, doenças e mortes, tanto quanto o restante da Confederação; todavia, mais ganhara que perdera com a guerra; pelas ferrovias de Atlanta, pulsava o fluxo incessante do sangue dos soldados, das munições e dos suprimentos.

* * *

Em outros tempos, Scarlett se sentiria amargurada por ter de usar vestidos surrados e sapatos remendados, mas, agora, a única coisa que importava era o amor de Ashley. Ele a amava. Ela tinha certeza disso, pois vira em seus olhos. E extraía dessa convicção certo prazer, tanto que passara a sentir pena de Melanie. E a vislumbrar o casamento com Ashley. O divórcio seria inviável, e Ellen e Gerald, católicos fervorosos, jamais permitiriam que a filha se casasse com um divorciado. Isso significaria romper com a Igreja! Pois Scarlett estava decidida. Entre a Igreja e Ashley, escolheria Ashley. Tinha certeza de que a guerra chegaria ao fim e que Ashley voltaria para casa. Mas foi nos idos de março que a bomba maior explodiu.

Melanie, com o olhar embevecido de alegria, lhe contou que teria um bebê.

– Dr. Meade diz que estará aqui no final de agosto ou setembro –, disse ela. – Pensei, mas não tinha certeza até hoje. Oh, Scarlett, não é maravilhoso? Invejei você, Wade, e queria um bebê. E estava com tanto medo de que talvez não fosse nunca ter um e, querida, quero uma dúzia!

Scarlett estava penteando o cabelo, preparando-se para dormir, quando Melanie falou. Ela parou, o pente no ar.

– Querido Deus! – ela disse, e, por um momento, a realização não veio. Então, de repente, a porta fechada do quarto de Melanie saltou em sua mente e uma dor como uma faca a percorreu, uma dor tão forte como se Ashley fosse seu próprio marido e tivesse sido infiel a ela. Um bebê. O bebê de Ashley. Oh, como ele poderia, quando a amava e não Melanie?

Então, a porta fechada do quarto... Ashley e Melanie... Um bebê. Ashley teria um filho. Aquilo era demais. Scarlett não suportaria mais viver sob o mesmo teto da mulher que carregava um filho de Ashley na barriga. Estava decidida a voltar para Tara, pois não conseguiria mais esconder os verdadeiros sentimentos.

Determinada a fazer as malas após o café da manhã, enquanto estava à mesa com tia Pittypat e Melanie, um telegrama chegou. Mose, soldado da tropa e braço direito de Ashley, dizia na mensagem tê-lo procurado por todos os cantos, em vão. Scarlett abandonou completamente a ideia de partir e as três dirigiram-se à agência de telégrafos para enviar uma mensagem ao coronel de Ashley. Logo ao entrar, receberam dos agentes um telegrama do próprio coronel.

"Lamento dizer que o major Wilkes está desaparecido desde que saiu para uma patrulha, há três dias. Nós a manteremos informada."

Na lista de baixas, o nome de Ashley aparecia como "Desaparecido/ provavelmente morto". Melanie telegrafou várias vezes para o coronel Sloan e, por fim, soube que Ashley e a tropa haviam saído para uma expedição e não retornaram. As listas de baixa seguintes, "Desaparecido/ provavelmente capturado", reavivaram as esperanças da casa. Melanie, contrariando as ordens médicas de repouso, vivia agitada, não saía da agência de telégrafos e enfrentava uma gravidez delicada. Em uma dessas idas, desfaleceu e voltou para casa nos braços de Rhett, que passava pela agência e a amparou. Vendo-a naquela situação, o capitão perguntou a Melanie se estava grávida e, se ela não estivesse tão debilitada, teria tido um ataque com a pergunta, pois ficava muito constrangida ao tocar no assunto, mesmo durante as consultas com o doutor Meade. Todavia, dadas as circunstâncias, ela respondeu que sim. Rhett recomendou que se acalmasse e lhe pediu permissão para procurar saber do paradeiro de Ashley por meio de contatos que tinha com Washington.

Um mês depois, sabe-se lá como, e tampouco elas faziam questão de apurar, temendo os meios que o capitão tinha para obter informações, Rhett cumpriu a promessa. Ashley não morrera! Fora capturado em Rock Island, campo de prisioneiros em Illinois. O alívio repentino logo deu lugar à preocupação, pois Rock Island, tal como Andersonville, era verdadeiro sinônimo de "Inferno". Lincoln recusara-se a trocar os prisioneiros, acreditando que isso apressaria o fim da guerra, pois a Confederação teria de alimentar e vigiar os prisioneiros da União. Com isso, milhares de casacos azuis se espalharam por Andersonville, em Geórgia. Os Confederados enfrentavam a escassez de mantimentos, medicamentos e ataduras para cuidar dos próprios ferimentos. Os prisioneiros, que recebiam a mesma comida dos soldados em campo de batalha, carne suína gorda e ervilhas secas, morriam aos montes. Incentivado pelos relatórios, o Norte enrijecera ainda mais o tratamento dos prisioneiros Confederados, e não havia lugar pior para um soldado que Rock Island, que recebera a alcunha de "Casa da Peste", graças à epidemia de varíola, pneumonia e febre tifoide que infestara o lugar.

Ashley estava nesse lugar terrível! Para piorar as coisas, Melanie soube de Rhett que Ashley tivera a oportunidade de ser libertado, mas recusou-a. Os ianques haviam recrutado entre os prisioneiros Confederados homens para o serviço de fronteira contra os índios. Qualquer prisioneiro que prestasse juramento de fidelidade e se alistasse no serviço indiano por dois anos seria libertado e enviado para o Oeste. Mas Ashley se recusou a fazer isso. Ao saber do fato, Scarlett ficou revoltada e questionou por que Ashey não prestara o tal juramento, para depois desertar e voltar para casa assim que saísse da prisão.

Melanie, em um rompante de fúria, virou-se para ela e disse:

– Como pode sugerir que Ashley fizesse uma coisa dessas? Trair a própria Confederação com esse tal juramento e depois desonrar a própria palavra ante aos ianques?! Preferiria que ele morresse em Rock Island a saber que prestou esse tal juramento. Ficaria orgulhosa do meu marido se ele morresse na prisão. Mas, se ele prestasse esse TAL juramento, nunca mais voltaria a olhar na cara dele. Nunca! É óbvio que ele se recusou a fazer isso!

Enquanto acompanhava Rhett até a porta, Scarlett, indignada, perguntou se ele, naquela circunstância, se alistaria com os ianques para escapar da prisão e desertar. Rhett respondeu:

– É claro.

– Então, por que Ashley não fez isso?

– Porque ele é um cavalheiro – respondeu Rhett.

Terceira Parte

Capítulo 17

Em maio de 1864, mês quente e seco, os ianques, sob o comando do general Sherman, voltaram à Geórgia, ao noroeste do estado, e chegaram a Dalton, a cento e sessenta quilômetros de Atlanta. Havia boatos de que combates violentos ocorreriam por lá, na fronteira com o Tennessee, e que os ianques planejavam usar a ferrovia que ligava Atlanta ao Tennessee, a mesma usada pelas tropas sulistas no combate vitorioso em Chickamauga. Todavia, Atlanta não se preocupava com isso, pois sabia que a cidade e todo o estado da Geórgia eram fundamentais para a Confederação, que jamais permitiria a entrada de um ianque sequer ao sul de Dalton. A Geórgia fabricava boa parte da pólvora e do armamento de guerra, bem como a maior parte do algodão e da lã. Rome estava entre Atlanta e Dalton, com sua fundição de canhões e outras fábricas, e havia ainda Etowah e Allatoona, com a maior indústria metalúrgica ao sul de Richmond. E era em Atlanta que havia não só fábricas de pistolas e selas, tendas e munições como as maiores oficinas de laminação do Sul, as agências das principais rodovias e os maiores hospitais, além das quatro ferrovias das quais dependia a sobrevivência da Confederação.

Assim, não havia motivo para preocupação. Dalton estava longe demais para oferecer perigo. Ademais, o velho Joe e seus homens formavam uma barreira entre os ianques e Atlanta, e todos sabiam que, com exceção do general Lee, não havia nenhum outro mais temível que Johnston, depois da morte de Stonewall Jackson. Em um entardecer de maio, na varanda de tia Pitty, o doutor Meade tranquilizou a todos dizendo que não havia o que temer, pois o general Johnston se empunhara nas montanhas feito uma muralha de ferro. A senhora Meade torcia para que o médico tivesse razão, pois Phil, com seus 16 anos, poderia ser convocado, caso os combates se aproximassem dali. Fanny Elsing, atordoada desde Gettysburg, reunia todas as forças para afastar do pensamento a imagem do tenente Dallas McLure morrendo em uma carroça de bois sacolejante debaixo da chuva.

O braço ferido e imobilizado do capitão Carey Ashburn tornara a doer e, para piorar, ele andava triste porque Scarlett não lhe correspondia à corte, sem saber que isso se devia a Ashley. Scarlett, com pesar, imaginava que ele tivesse morrido, e Melanie se recusava a acreditar nisso. Rhett parecia relaxado e despreocupado, segurando nos braços Wade, que gostava muito dele. Rhett estranhamente parecia sentir o mesmo pelo menino. A presença de Wade costumava incomodar Scarlett, menos quando Rhett aparecia, pois, com ele, Wade se comportava bem.

Tia Pitty tentava reprimir os arrotos que a carne dura e velha do galo servido no jantar provocara. Com grande pesar, ela mandou tio Peter abater a ave antes que morresse de velhice e solidão no galinheiro. Com a consciência ainda mais pesada, pois havia semanas que as amigas não comiam carne, ela resolveu convidá-las para o jantar. Melanie, grávida e preocupada com a situação de Ashley, tentou fazê-la mudar de ideia, mas Pittypat a repreendeu.

– Não aja como se Ashley... estivesse morto – afirmou com a voz trêmula, porque no fundo tinha certeza do contrário. – Ele está tão vivo quanto você e, além disso, lhe fará bem um pouco de companhia. Vou convidar Fanny Elsing também. A senhora Elsing me pediu para tentar animá-la um pouco, fazê-la ver gente...

– Mas, tia, que crueldade fazer isso com ela, o coitado do Dallas acabou de morrer...

– Melanie, chega. Vou morrer de desgosto se me contrariar. Sou sua tia e esta é minha última palavra. Vou dar uma festa.

Um convidado inusitado e indesejado apareceu na festa, com uma caixa de bombons embrulhada em papel rendado. Rhett Butler. E ante a tamanha gentileza tia Pittypat não teve outra escolha a não ser convidá-lo a entrar, mesmo sabendo da reação do doutor e da doutora Meade e da amargura de Fanny em relação a qualquer homem sem farda. Melanie o recebeu de muito bom grado. Depois das informações que Rhett lhe trouxera a respeito de Ashley, ela declarou que a casa estaria sempre de portas abertas para ele. Rhett comportou-se muito bem durante a visita, foi muito cortês com Fanny, o que aquietou o coração de tia Pittypat. Foi um banquete digno de príncipes. Carey Ashburn trouxera chá que encontrara na pochete de um ianque, e todos saborearam uma fatia do galo, com uma porção razoável de farofa e molho, este último um pouco ralo, pois não havia farinha de trigo para encorpá-lo. De sobremesa, torta de batata-doce seguida dos bombons de Rhett, que ofereceu aos cavalheiros charutos de Havana para acompanhar o vinho de amora.

Durante uma conversa na varanda, o capitão Ashburn anunciou que seu pedido de transferência de Atlanta para o exército de Dalton fora aceito, provocando suspiros e lamentos das damas. O doutor Meade disse que Ashburn voltaria logo, alegando que os ianques fugiriam para o Tennessee e que lá o general Forrest se encarregaria deles, e disse às damas que não havia motivo para preocupação, pois o general Johnston formara uma verdadeira muralha de ferro nas montanhas, impedindo a passagem de Sherman. Rhett, que permanecera em silêncio esse tempo todo, contorcendo os lábios e segurando no colo o sonolento Wade, disse:

– Ouvi dizer que Sherman está com mais de cem mil homens depois da chegada dos reforços...

– Como disse, senhor? – indagou o doutor Meade, que desde a chegada de Rhett sentia-se desconfortável, mas suportara sua presença por consideração à tia Pittypat.

– Creio que o capitão Ashburn anunciou há pouco que o general Johnston só tem quarenta mil homens, isso contando os desertores que foram incentivados a se reapresentarem depois da última vitória.

– Senhor – interveio a senhora Meade, indignada. – Não há desertores no Exército Confederado.

– Perdão, senhora – disse Rhett, visivelmente irônico. – Refiro-me aos milhares que esqueceram de retornar aos regimentos e àqueles cujos ferimentos cicatrizaram há seis meses, mas continuam em casa, cuidando da própria vida ou cuidando da aragem da primavera.

A resposta de Rhett e a reação enfurecida da senhora Meade divertiram Scarlett. A bem da verdade, muitos se recusavam a voltar para o Exército e servir ao que consideravam "a guerra dos ricos e a batalha dos pobres". Mas havia aqueles que, de fato, não desertavam, iam para casa cuidar dos seus que lhes escreviam contando da fome, aravam a terra e plantavam para garantir alguma safra. Eram os chamados "lavradores afastados"; não eram considerados desertores propriamente, apesar de enfraquecerem as tropas.

Ante o silêncio que se instaurou depois da altercação, o doutor Meade afirmou que um confederado valia por uma dúzia de ianques, e Rhett contestou dizendo que, de fato, no primeiro ano da guerra as coisas eram assim, mas não agora que os soldados viviam descalços, famintos e sem munição. Tia Pittypat, percebendo o rumo acalorado que a conversa tomava, pediu a Scarlett que fosse ao piano tocar e cantar. Enquanto Scarlett saíra em direção à sala, um silêncio perturbador imperou no ar. Com a voz melodiosa e triste, ela começou a tocar e cantar:

Em uma ala de paredes caiadas, onde jaz os mortos e os moribundos,
os feridos por baionetas, cartuchos e balas, um dia nasceu o amor
de alguém!

Com a voz vacilante, Fanny levantou-se e pediu a Scarlett que tocasse outra coisa, qualquer coisa que não aquilo. Constrangida e surpresa,

Scarlett parou de tocar de repente, retomando depois de alguns instantes com os primeiros compassos de *Jacket of gray*, mas logo se deteve ao lembrar que aquela também era uma música comovente.

De súbito, Rhett se levantou, colocou Wade no colo de Fanny e foi até a sala. Lá, pediu a Scarlett que tocasse *My old Kentucky home*, e ela, agradecida, mergulhou nas teclas do piano, e o baixo de Rhett somou-se à voz dela. Quando chegaram à segunda estrofe, os que estavam na varanda respiraram com mais tranquilidade, apesar de aquela também não ser uma canção das mais alegres.

> *Só mais alguns dias carregando esse fardo! Não importa que seu peso não ceda! Só mais alguns dias pelas estradas enfrentando esse inimigo bastardo! Aí, meu velho Kentucky, boa noite por toda e qualquer vereda!*

* * *

De certo modo, as previsões do doutor Meade estavam certas. Johnston resistiu feito uma muralha de ferro no alto das montanhas, e os ianques foram obrigados a recuar e dirigiram-se para Resaca, para onde os Confederados se deslocaram, aguardando a chegada deles. Os feridos de Dalton que retornavam a Atlanta contavam da retirada do velho Joe para Resaca, deixando toda a cidade pasma e um tanto incomodada. A primeira nuvem de verão, carregada e tempestuosa, começava a ensombrecer Atlanta. Como o general pôde permitir os ianques adentrarem quase trinta quilômetros da Geórgia? Se as montanhas eram verdadeiras fortalezas, como bem repetia o doutor Meade, por que então o general não encurralara os ianques lá?

E assim prosseguiram os acontecimentos, com perdas e derrotas de ambos os lados, Johnston e Sherman liderando seus exércitos, e os confederados cada vez mais exaustos, famintos, muito famintos, sonâmbulos. Fileiras azuis de homens continuavam avançando e invadindo o estado, aproximando-se cada vez mais de Atlanta. A batalha de New Hope Church, a apenas cinquenta e seis quilômetros de Atlanta, perdurara onze dias e fizera Johnston recuar alguns quilômetros, mas resultou em uma horda de feridos que chegava a hospitais, casas, hotéis, pensões, lojas e depósitos da cidade. A insatisfação com o general crescia. Barbas cinzentas da Guarda Nacional e da milícia estadual, protegidas em Atlanta, insistiam que teriam conduzido melhor a campanha. No dia em que chegaram a Atlanta os primeiros feridos da montanha Kennesaw, nas proximidades da cidadezinha de Marietta, logo a senhora Merriwether foi à casa de tia Pittypat convocar Scarlett para ir ao hospital, e ela saiu a contragosto, com os pés moídos, porque no dia anterior havia dançado na festa da Guarda Nacional.

A bem da verdade, Scarlett estava farta do cheiro pútrido, dos piolhos, dos corpos, e, além disso, aqueles feridos já não lhe apeteciam tanto quanto outrora, pois não demonstravam mais interesse por ela e só falavam da guerra. O clorofórmio era tão escasso que o utilizam agora apenas para as amputações, e o ópio, de tão precioso, era reservado para atenuar a morte, não mais para aliviar a dor. Assim, ao meio-dia, Scarlett arrancou o avental e escapou do hospital sem que a senhora Merriwether notasse. Caminhou um pouco pela rua, aliviada pelo contato com o ar fresco, e, quando decidiu parar na esquina, receosa de voltar para a casa de tia Pittypat, Rhett Butler apareceu de carruagem. Ela implorou para que a tirasse dali, não importava para onde, e o simples fato de ver um homem que não era aleijado, com o rosto e os lábios corados, roupa limpa, aparentemente bem alimentado e saudável, trouxe-lhe imenso alívio.

– Não suporto mais aquele hospital velho! – confessou ela, ajeitando as saias balouçantes e apertando no queixo o laço do chapéu de sol. – E todo dia chegam mais e mais. Tudo isso é culpa do general Johnston. Se ele tivesse enfrentado os ianques em Dalton, eles teriam...

– Mas ele enfrentou os ianques, tolinha. E, se continuasse lá, Sherman o teria atacado pelos lados e esmagado entre as duas alas do exército. E teria perdido a ferrovia, e é justamente ela, a ferrovia, que Johnston quer.

– Ah, bem... – disse Scarlett, para quem estratégias militares de nada importavam. – De todo modo, foi culpa dele. Ele deveria ter feito algo e acho que deveriam exonerá-lo. Por que ele não se levanta e luta em vez de recuar?

– Você é mais uma entre esse monte de gente que fica gritando "Cortem-lhe a cabeça!", simplesmente porque ele não consegue fazer o impossível. Em Dalton, o general era Jesus, o Salvador; agora, na Kennesaw, virou Judas, o Traidor. Tudo isso em um período de seis semanas. E basta que faça os ianques recuarem trinta quilômetros e, pronto, vai se transformar em Jesus de novo. Menininha, Sherman tem o dobro de homens que Johnston e pode se dar ao luxo de perder dois para cada um dos nossos moleques. Já Johnston não pode se dar ao luxo de perder um homem sequer. Precisa urgentemente de reforços e o que conseguiu? "Os bichinhos de pelúcia de Joe Brown!". Que bela ajuda, não?!

Rhett contou a Scarlett o boato de que a Guarda Nacional e a milícia seriam mesmo convocadas, dois grupos que, segundo ele, se consideravam sãos e salvos debaixo da asa do governador Brown, que enfrentara até Jeff Davis! Ele disse ainda que não corria nenhum risco porque não usava uniforme e tampouco brandia espadas por aí, portanto jamais o pegariam para a Guarda Nacional. Segundo Rhett, Johnston teria que continuar recuando para proteger a rodovia e, quando fosse empurrado montanha abaixo, seria massacrado.

– Montanha abaixo?! – indagou Scarlett, apavorada. – Você sabe bem que os ianques nunca chegarão tão longe assim!

De repente, avistaram uma multidão de pretos se aproximando às pressas, trazendo consigo uma nuvem de poeira, cantando uma espécie de hino. Na primeira fileira, estava um preto alto, retinto, dentes brancos e brilhantes, liderando a trupe enquanto entoava *Go down, Moses*. Aquela voz inconfundível era de Big Sam, o capataz de Tara. Ao avistar Scarlett, com outros três pretos tão altos quanto, ele veio ao encontro dela. O capitão Randall, com o grupo maior, os repreendeu, mas Scarlett pediu que os deixasse vir. Surpresa, ela perguntou se tinham fugido, e soube por meio deles que haviam sido convocados para cavar trincheiras por ali. Ao ouvir aquilo, ficou apavorada e perguntou:

– E o que isso significa, capitão Randall?

– Ah, é muito simples. Precisamos reforçar as fortificações de Atlanta com mais quilômetros de trincheiras e o general não pode abrir mão de seus homens para fazer isso. Então, convocamos os mais fortes para executar o serviço.

Mais trincheiras?! Por que precisaríamos de mais? Scarlett começava a sentir o coração na garganta. A princípio, Randall lhe disse que um novo recuo acarretaria a vinda dos confederados para Atlanta, mas, ao ver a reação amedrontada de Scarlett, ele tentou corrigir dizendo que as barreiras da montanha Kennesaw eram intransponíveis, tornando impossível a passagem dos ianques, e que essa era uma medida de pura precaução do velho Joe.

Tendo partido o capitão Randall com seu grupo, Scarlett conversou com Rhett sobre o que tinham escutado. Ele opinou que dali a um mês os ianques estariam em Atlanta e propôs a Scarlett uma aposta: se ele ganhasse, lhe daria uma caixa de bombons; se a vencedora fosse Scarlett, ela lhe daria um beijo. Scarlett recusou a oferta no mesmo instante e, entre farpas e provocações de ambas as partes, pediu a ele que a levasse de volta ao hospital. No caminho, Rhett comentou que um dia a beijaria, mas não por ora, porque ainda era uma menina.

Scarlett sabia que ele queria provocá-la, e, como sempre, isso a perturbava muito, porque havia muita verdade no que Rhett dizia. Ele acrescentou:

– Também há outro motivo para que não a beije por enquanto... Estou esperando que a memória do estimado Ashley se apague.

À menção do nome de Ashley, Scarlett sentiu uma dor súbita e lancinante, além de repentina necessidade de chorar. Jamais apagaria Ashley da memória, nem mesmo se tivesse morrido há mil anos. Ela ficou em silêncio, e Rhett prosseguiu dizendo que entendera tudo que havia entre os dois, que a paixonite de Scarlett por Ashley era correspondida e que a senhora Wilkes nem sequer desconfiava disso.

– Porém, algo me intriga. O honorável Ashley alguma vez arriscou sua alma imortal tentando beijá-la?

Scarlett manteve o silêncio e virou a cabeça para o lado. Rhett compreendeu o gesto como um "sim" e disse que ela superaria a lembrança do falecido quando o tal beijo desaparecesse da memória dela.

Furiosa, Scarlett o mandou parar a carruagem no meio do caminho e saltou antes que houvesse tempo de ele ajudá-la. Nesse ínterim, a crinolina enroscou na roda e, por um momento, Five Points teve um vislumbre das anáguas e das calçolas de Scarlett. Ela saiu andando às pressas, sem dizer uma palavra, sem nem sequer olhar para trás. Rhett riu baixinho e esporeou o cavalo com as rédeas.

Capítulo 18

Pela primeira vez desde o início da guerra, Atlanta escutava o ruído do combate. Os disparos dos canhões na montanha Kennesaw ressonavam a distância, semelhante ao barulho de um trovão, mas a população os ignorava, procurando abafá-los com risos, conversas e a própria rotina. Os ianques estavam a apenas trinta e cinco quilômetros de distância. A cidade estava em pânico. Sherman batia à porta de Atlanta. Mais um recuo e os confederados entrariam na cidade. Queremos um general que lute! Que se levante e lute!

Com esse espírito, a milícia estadual, os "bichinhos de estimação de Joe Brown", e a Guarda Nacional saíram pelas ruas de Atlanta rumo às pontes e às ferrovias para defender o rio Chattahoochee, na retaguarda de Johnston. Toda a cidade se reunira para assistir à partida e apoiar o grupo de anciãos e de meninos. Se foram convocados, certamente a situação era crítica. Estavam em muitos. Scarlett e Maybelle Merriwether Picard foram dispensadas dos afazeres no hospital para assistirem à partida do grupo, pois tio Henry Hamilton e vovô Merriwether estavam entre os da Guarda Nacional.

Era um dia cinzento, caía uma chuva fina, mesmo assim a multidão se reunia, e Scarlett, na ponta dos pés, sentiu um calafrio ao observar a passagem daquelas fileiras infindáveis de homens. Maybelle compadecia-se do avô que sofria de dor no ciático e caminhava protegendo-se da chuva com um xale xadrez. Tio Hamilton carregava no cinto duas pistolas da guerra mexicana e nas mãos uma maleta. Ombro a ombro com os anciãos vinham os rapazes, e nenhum deles aparentava ter mais de 16 anos. Muitos tinham abandonado os estudos para ingressar no Exército, entre eles Phil Meade, que carregava com orgulho o sabre e as pistolas que pertenceram ao irmão, agora morto. A senhora Meade reuniu forças para acenar e sorrir ao vê-lo passar, mas, logo depois, encostou a cabeça atrás do ombro de Scarlett como se por um instante tivesse perdido as forças. Como a Confederação não fornecera rifles, tampouco munição, muitos carregavam facas dentro das botas, outros empunhavam lanças compridas e pontiagudas, conhecidas como "lúcios de Joe Brown". Johnston perdera cerca de dez mil homens nas batalhas. E necessitava de outros dez mil.

Enquanto observava a multidão, Scarlett reconheceu um preto sentado em uma mula e com o semblante sério. Mose! O braço direito de Ashley! Mas o que fazia ali? Ela o interceptou e pediu que parasse. O sargento tentou impedi-lo, mas Scarlett lhe disse que só queria conversar um minuto com o rapaz.

Mose lhe contou que vinha na retaguarda do senhor Wilkes. O senhor Wilkes! "Ah, não é possível", pensou ela. Não poder ser. "O senhor Wilkes é velho demais para enfrentar uma guerra!"

Enquanto o último canhão passava, Scarlett o avistou, esguio, ereto, o cabelo grisalho e molhado da chuva colado na nuca, cavalgando com toda a tranquilidade em uma égua. Espere! Nellie! Sim, Nellie, da senhora Tarleton. A égua mais querida e estimada de Beatrice Tarleton! Ao se deparar com Scarlett, o senhor Wilkes sofreou a égua e, com um sorriso, cumprimentou a moça. Disse que tinha a intenção mesmo de encontrá-la, pois lhe trazia muitos recados de Tara, mas não teve tempo hábil de visitá-la, pois o apressaram para se apresentar. Scarlett soube pelo senhor Wilkes que a mãe, as irmãs e o pai estavam bem, e que Nellie era o único cavalo que restara à senhora Tarleton. Ele acrescentou:

– Seu pai quase veio conosco!

– Ah, não! Meu pai, não! – exclamou Scarlett apavorada. – Ele não virá para a guerra, virá?

– Não virá, mas bem que queria. Não consegue caminhar por causa do problema no joelho; mesmo assim, a princípio sua mãe concordou, desde que ele provasse que conseguia saltar a cerca do pasto, pois, com certeza, a vinda para cá exigiria coisas tão arriscadas quanto. Seu pai ficou contente, achou que seria coisa fácil, mas, quando arremeteu com o cavalo para pular a cerca, o bicho parou de repente e o arremessou longe! Por um milagre, seu pai não quebrou o pescoço! E você sabe quanto ele é teimoso. Levantou-se e tentou de novo. Bom, encurtando a história, Scarlett, ele tentou mais duas vezes, até que sua mãe e Pork decidiram levá-lo para cama. Não sinta vergonha disso, Scarlett. Alguém tem que ficar em casa e cuidar da terra para o Exército.

Mas Scarlett não sentiu a menor vergonha, e sim uma súbita sensação de alívio.

O senhor Wilkes contou ainda que enviara India e Honey a Macon para ficarem com os Burrs e que o senhor O'Hara tomaria conta de Twelve Oaks e de Tara. Com isso, despediu-se, beijou-lhe a bochecha de leve, pediu que mandasse um beijo para tia Pittypat e Melanie e, quanto à última, perguntou como estava.

– Está bem – respondeu Scarlett.

– Ah! – disse, lançando a ela um olhar profundo e cinzento, ao mesmo tempo remoto, como se não estivesse ali. – Eu gostaria de conhecer meu primeiro neto. Adeus, querida.

Só quando voltou para junto da senhora Meade e de Maybelle Scarlett processou o significado daquelas palavras. Atemorizada, fez o sinal da cruz e tentou rezar. O senhor Wilkes considerava a morte, tal como Ashley fizera. A batalha entre Dalton e Kennesaw se estendera do início de maio a meados de junho. A esperança reacendeu quando Sherman não conseguiu desalojar os confederados das encostas escorregadias. Todos se referiam ao senhor Johnston com mais gentileza agora. Em julho,

Sherman continuava acuado e a euforia pairava sobre Atlanta. Urra! Urra! Nós os encurralamos! Viajantes, refugiados, famílias de soldados feridos, viúvas e mães de soldados invadiram a cidade, que começou a promover jantares e bailes. As moças, em quantidade muito maior que os homens, os disputavam durante as danças. Scarlett não se incomodou com essa disputa exasperada de menininhas de 16 anos que, com seus vestidos surrados e sapatos remendados, não eram páreo para ela, que tinha vestidos muito mais bonitos e mais novos graças aos tecidos e às fitas que Rhett Butler lhe trouxera. E cada vez menos ela viu Wade, pois passava o dia no hospital e a noite nas festas.

As portas das casas se abriam para os soldados, que eram recebidos da Washington Street à Peachtree Street ao som do banjo, do violino e de pés dançantes. Grupos se reuniam em torno de um piano para cantar *Your letter came but came too late*, e o número de matrimônios disparou enquanto Johnston encurralava o inimigo na Kennesaw e o detinha a trinta e cinco quilômetros dali!

* * *

Depois de vinte e cinco dias de combate, o próprio general Sherman se convenceu de que as barreiras em Kennesaw eram intransponíveis, tanto que, para prosseguir com o ataque, reuniu seus homens em um grande círculo para forçar o recuo dos confederados e adentrar Atlanta. A estratégia funcionou, e Johnston foi obrigado a abandonar as colinas que dominara com tanta maestria para salvaguardar seus homens, pois naquela batalha já havia perdido um terço deles. Os confederados, então, marchando em direção ao rio Chattahoochee, perderam a posição supostamente intransponível. A ferrovia fora dominada pelos ianques, por meio da qual todos os dias chegavam reforços para as tropas de Sherman. Em Atlanta, tiveram fim os dias de festa e alegria. A cidade entrava em estado de pânico.

Os confederados, assim, cavaram fossos rasos ao norte da cidade, nas proximidades do riacho Peachtree, a apenas oito quilômetros da cidade!

Depois da travessia do Chattahoochee, Johnston fora deposto e o general Hood, que tinha a reputação de um buldogue, assumiu a posição. Ele faria os ianques recuarem, sim, voltariam para Dalton! Mas Sherman agiu antes que houvesse tempo de Hood preparar o ataque. No dia seguinte à troca de comando, o general atacou a cidadezinha de Decatur, a menos de dez quilômetros de Atlanta, e cortou a linha férrea que ligava Atlanta a Augusta, Charleston, Wilmington e Virgínia. Hood resistiu e lutou bravamente, atacando os ianques no riacho Peachtree. Em Atlanta, a notícia mais aguardada era a do recuo das tropas de Sherman.

Soldados da Confederação, alguns sozinhos, outros em grupos, começavam a aparecer. Feridos, ensanguentados, sujos de poeira e suor, exaustos, famintos.

– Água!

Era essa a palavra que se ouvia quando passavam em frente à casa de tia Pittypat, que não cessava de receber os feridos e até se esquecera que a simples visão de sangue a fazia desmaiar. Até Melanie, agora muito perto de dar à luz, se esquecera do constrangimento e trabalhava sem parar ao lado de Prissy, Cookie e Scarlett. O pequeno Wade, assistindo a tudo aquilo, sentia-se ao mesmo tempo apavorado e fascinado, e, de vez em quando, Scarlett o mandava brincar no quintal dos fundos. Carroças e até carruagens particulares, lotadas de feridos e moribundos, passavam pelas ruas.

– Água!

Scarlett molhava a boca ressecada e empoeirada dos soldados enquanto lhes amparava a cabeça.

Em uma dessas carroças, a caminho do hospital, entre os feridos estava Carey Ashburn, à beira da morte depois de um ferimento à bala, na cabeça. Mais tarde, Scarlett soube que ele morrera sem sequer ter havido tempo de ser examinado por um médico. Fora enterrado em algum lugar, ninguém sabia exatamente onde, e sem que Melanie pudesse ao menos conseguir uma mecha do cabelo dele para enviar ao Alabama, onde vivia a mãe do soldado.

– Quais são as notícias? Quais são as notícias? – perguntavam todos ao vê-los passar.

– Estamos recuando!

– Tivemos que recuar.

– Eles estão em número muito maior que nós.

– Eles estão vindo? Os ianques estão vindo? – indagaram Scarlett e Pittypat, segurando uma no braço da outra, apavoradas ao verem e ouvirem aquilo.

– Por que não vão para Macon ou para algum outro lugar seguro? As senhoras têm parentes por lá?

– É claro que os ianques não vão invadir Atlanta! Mas é mais seguro que duas damas como as senhoras não fiquem por aqui enquanto eles tentarem.

– Haverá muito bombardeio.

No dia seguinte, sob uma chuva morna, o exército derrotado chegou aos milhares a Atlanta, exausto e esfomeado, com os cavalos esquálidos, todos extenuados após setenta e seis dias de batalha. Vieram de cabeça erguida e enfileirados, levantando e brandindo suas bandeiras vermelhas e rasgadas mesmo sob a chuva. Tinham aprendido com o velho Joe a fazer do recuo uma estratégia tão grandiosa quanto o ataque. As figuras barbadas desciam a Peachtree Street entoando "Maryland! My Maryland!", e toda a cidade aparecia para recebê-los. Entre os veteranos e os novatos, Scarlett avistou Phil Meade, quase irreconhecível de tão empoeirado e sujo. Tio Hamilton vinha mancando e sem o chapéu, e vovô Merriwether vinha em uma carreta de artilharia, com os pés cobertos apenas pelas tiras de uma manta. Mas nenhum sinal do senhor Wilkes.

Os incansáveis veteranos de Johnston prosseguiram o caminho, rumo às trincheiras que circundavam a cidade, sorrindo e acenando para as moças bonitas, apesar das circunstâncias. A população os saldava como se tivessem saído vitoriosos daquela batalha. O medo assolava o coração de todos, mas agora que sabiam a verdade, que o pior acontecera, agora que a guerra batera à porta, houve uma mudança geral de comportamento.

Todos pareciam animados, ainda que fosse um sentimento forjado. Todos repetiam o mote do velho Joe, enquanto ainda ocupava seu cargo: "Posso proteger Atlanta para sempre!".

Dali a poucos dias, as batalhas de Atlanta e de Ezra Church foram travadas com atrocidade. Com o disparo das balas de canhão, tetos de construções eram arrancados, crateras se abriam nas ruas e pessoas morriam dentro das próprias casas. A população procurava abrigo em porões, cavava buracos e se escondia em túneis abertos entre a rodovia. O general Hood, havia onze dias sob comando, perdera quase o mesmo número de homens que Johnston em setenta e quatro dias entre batalha e recuo. Atlanta estava sitiada e cercada pelos três lados. O exército de Sherman controlava a ferrovia leste. Apenas a via que levava ao sul, a Macon e Savannah, permanecia ativa. Mas Sherman faria de tudo para tomá-la. Scarlett estava apavorada, pois essa era a ferrovia que levava ao condado por meio de Jonesboro. E Tara estava a apenas oito quilômetros de Jonesboro!

No dia da batalha de Atlanta, quando os canhões começaram a disparar, Scarlett e outras senhoras se prepararam para fugir às pressas. As senhoras Merriwether e Elsing se recusaram a partir, alegando que precisavam ajudar no hospital e que nenhum ianque as arrancaria de suas casas, mas Maybelle e Fanny Elsing partiram para Macon, mesma cidade de destino de tia Pittypat, que foi uma das primeiras a arrumar os baús; com os nervos sensíveis, temia desmaiar depois de uma explosão e não conseguir chegar ao porão a tempo. O destino de tia Pittypat era a casa da senhora Burr, a quem Scarlett detestava por tê-la chamado de "assanhada" depois de a flagrar beijando Willie, filho da senhora Burr, em uma das festas dos Wilkes.

Scarlett disse que iria para Tara, e Melanie lhe implorou que fosse para Macon com ela, pois a via como uma verdadeira irmã e disse que Ashley havia lhe dito que, antes de partir, pediria a Scarlett que jamais a abandonasse.

"Ah, Ashley! Deve estar morto há meses, mesmo assim devo cumprir a promessa que fiz a você!"

Quando tia Pittypat foi comunicar o doutor Meade da partida, ele a acompanhou de volta à casa e, consternado, foi enfático ao dizer que Melanie não poderia embarcar em um trem lotado, com a possibilidade de ter de desembarcar a qualquer momento da viagem se fosse necessário aos passageiros dar lugar aos feridos e acrescentou que não haveria nenhum médico no condado, pois o doutor Fontaine partira para servir o exército. Dito isso, aguardou por Scarlett na varanda e, a sós, reforçou que jamais permitiria a saída das duas de Atlanta, porque Melanie teria um parto difícil, pois, mesmo nas melhores circunstâncias, tinha os quadris estreitos e provavelmente seria necessário o uso de fórceps para trazer o bebê. O doutor Meade prosseguiu:

– Mulheres iguais a ela nunca deveriam ter filhos... De qualquer modo, arrume as malas da senhorita Pittypat e mande-a para Macon. Ela está com tanto medo que pode prejudicar os nervos da senhorita Melly, o que não será nada bom. E, agora, senhorita... – ele a encarou com olhar penetrante. – Não quero mais ouvir essa história de ir para sua casa em Tara. A senhorita deve ficar aqui com Melly até o bebê nascer. Não está com medo, está?

– Ah, não! Claro que não! – mentiu Scarlett, mas de um jeito muito convincente.

– Muito bem, menina corajosa! A senhora Meade lhe fará companhia sempre que precisar e mandarei a velha Betsy cozinhar para vocês, caso a senhorita Pitty queira levar os criados com ela. Não será por muito tempo. O bebê deve chegar em cinco semanas, mas nunca se sabe como podem transcorrer as coisas com o primeiro filho, ainda mais com todo esse bombardeio acontecendo... Pode nascer a qualquer momento.

Assim, às lágrimas, tia Pittypat partiu para Macon, levando tio Peter e Cookie consigo. Melanie e Scarlett foram deixadas sozinhas, com Wade e Prissy na casa que agora ficaria ainda mais silenciosa, apesar das rajadas lá fora.

Capítulo 19

Scarlett estava tão apavorada com os disparos dos canhões que, sem saber o que fazer, apenas tapava os ouvidos e se agachava, esperando que a qualquer momento uma daquelas explosões a levasse para a eternidade. Ao ouvir os gritos estridentes anunciando a chegada dos soldados, ela e Melanie correram para a cama e esconderam a cabeça debaixo de um travesseiro, clamando por socorro. Prissy e Wade correram para o porão e lá ficaram entre a escuridão e as teias de aranha. Com a cabeça sufocada no travesseiro, em silêncio, Scarlett amaldiçoava Melanie e a gravidez que impediriam ela, Scarlett, de estar em lugar mais seguro agora, no andar debaixo. O doutor Meade proibira Melanie de subir e descer escadas. Outra possibilidade apavorava ainda mais Scarlett: o que faria quando chegasse a hora de o bebê nascer? Como sairia caçando o médico em meio à chuva de balas e bombas lá fora? Mas Prissy a acalmou dizendo que a mãe era parteira e que aprendera o ofício com ela, portanto saberia o que fazer quando chegasse a hora.

Nunca antes Scarlett sentira tanta falta de Tara e da mãe. Rezava todos os dias para que o bebê nascesse logo e ela pudesse se livrar daquela promessa que fizera a Ashley e ao doutor. O corpo de Ashley jazia em algum lugar, e ele, onde quer que estivesse, jamais esqueceria dessa promessa. Ellen escrevia para a filha pedindo-lhe que voltasse para casa, mas Scarlett tentava minimizar as notícias sobre o cerco, explicando a situação delicada de Melanie. Ellen, então, concordou que a filha ficasse, desde que mandasse Prissy e Wade o quanto antes. Prissy, que ultimamente andava com a mania idiota de bater os dentes sempre que ouvia um barulho estranho, adorou a ideia e passava tanto tempo dentro do porão que as moças tiveram de contar com a ajuda da velha e impassível Betsy, do doutor Meade. Essa solução também agradou Scarlett, que não via a hora ver Wade fora de Atlanta, não só pela segurança do menino, mas também porque, apavorado como estava, vivia grudado na barra da saia dela, deixando-a ainda mais irritada. Prissy o levaria para Tara e voltaria antes de o bebê nascer.

Todavia, não houve tempo de mandar os dois, pois chegaram notícias de que os ianques avançavam para o Sul, e imagine só se interceptassem o trem onde Wade e Prissy viajavam... Todos sabiam que as barbaridades que os ianques cometiam com as crianças eram mais terríveis que com as mulheres. Então, os dois não viajaram, e Wade permaneceu em Atlanta feito um fantasminha calado e assustado, com medo de largar a saia da mãe. O cerco persistiu ao longo dos dias quentes de julho, e a cidade, que já se familiarizara com o pior, não tinha mais nada a temer. Apesar do perigo iminente e da consciência de estarem sobre um vulcão, todos prosseguiam com suas rotinas, quase como de hábito. Vejam como o general Hood está encurralando os ianques! Vejam como a cavalaria está protegendo a ferrovia em direção a Macon! Sherman nunca se aproximará!

Scarlett, tirando coragem do semblante corajoso das amigas e da misericórdia da natureza, para quem o que não tem remédio, remediado está, ainda tinha sobressaltos ao escutar as explosões, mas não saía mais correndo e tampouco enfiava a cabeça debaixo do travesseiro. Conseguia engolir em seco e dizer: “Esta passou perto, não?”.

A Peachtree Street vivia agitada e barulhenta a qualquer hora do dia e da noite, com canhões e ambulâncias, soldados e mensageiros circulando de um lado ao outro. À noite, trazia um pouco de silêncio, mas um silêncio perturbador, que de vez em quando era interrompido pelo disparo de mosquetões. Na madrugada, Scarlett, insone, escutava o trinco do portão abrir e batidinhas leves, mas insistentes, na porta da frente. Soldados sem identificação e com diferentes sotaques apareciam na escuridão da varanda.

– Senhora, mil desculpas por incomodá-la, mas poderia arranjar um pouco de água para mim e para o meu cavalo?

– Senhurita, meu cumpanheiru aqui precisa ir pro hospitá, mas parece que num vai guentá, a senhurita pode fica com ele aqui?

– Madame, perdoe-me o incômodo, mas... eu poderia passar a noite na varanda?

Gente pedindo água, comida, curativos, travesseiros. Só podia ser um pesadelo. Em uma dessas noites, foi tio Henry Hamilton quem veio bater à porta. Quase descalço, faminto, sujo e cheio de piolhos, as moças tiveram a impressão de que ele estava se divertindo. Precisavam dele, tanto quanto dos jovens, e tio Henry estava executando o serviço de um jovem. A visita foi breve, pois tivera apenas quatro horas de licença, duas das quais seriam gastas com a caminhada de ida e de volta. Henry contou às duas que os ianques tinham dominado não só as linhas férreas como as estradas e agora procuravam dominar também a ferrovia em direção a Macon. Tentou acalmá-las e diverti-las dizendo que nada de ruim aconteceria, pois ele estava lá. Ao despedir-se de Melanie, foi até a cozinha falar com Scarlett, que embrulhava uma broa de milho e três maçãs em um guardanapo, e disse que não havia feito aquela caminhada para se despedir das duas, mas para trazer uma má notícia a Melanie, embora não tivesse conseguido lhe falar. Scarlett ficou apavorada:

– Ashley não está... soube de alguma coisa... ele... ele... morreu?

– Ora, como eu poderia ter alguma notícia de Ashley se estou o tempo todo com o traseiro encostado naquela trincheira, sentado na lama? – indagou o velho cavalheiro impaciente. – Não. Foi o pai dele. John Wilkes morreu.

Scarlett sentou-se de repente, com o lanche embrulhado nas mãos.

Tio Henry tirou do bolso um relógio de ouro, uma pequena foto da falecida senhora Wilkes e um par de abotoaduras. Scarlett estava consternada demais para falar. Tio Henry contou que o senhor Wilkes fora atingido por uma bala de canhão, que o acertou e à perna da égua, e que o tiro de misericórdia fora dado no bicho pelo próprio tio Henry. Ele pediu que Scarlett escrevesse à senhora Tarleton para lhe contar da morte de Nellie.

"Ele jamais deveria ter ido! Deveria ter ficado para ver o neto ou a neta crescer! Detestava a guerra!"

Ainda assolada e perplexa com o que escutara, despediu-se de tio Henry, viu-o descer as escadas e ouviu o barulho do trinco do portão. Por um instante, ficou observando os pertences do falecido senhor Wilkes. Em seguida, subiu as escadas para dar a notícia a Melanie.

* * *

Ao final de julho, chegou a notícia indesejada de que os ianques avançavam rumo a Jonesboro, tentando tomar a ferrovia, mas foram impedidos pela cavalaria confederada. Scarlett ficou atordoada, aguardando notícias de Tara. Três dias depois, recebeu uma carta de Gerald dizendo que o inimigo não chegara até lá, embora tivessem escutado o alvoroço a distância. Gerald escrevera com tamanha empolgação como os ianques foram expulsos que era como se ele, sozinho e com as próprias mãos, tivesse executado a façanha. Ao final dos relatos, contava que Carreen estava doente, contraíra tifo, segundo Ellen, mas pedia que Scarlett não se preocupasse, pois jamais deveria voltar para casa naquelas condições. Ellen estava aliviada por Scarlett não ter ido a Tara com Wade e pedia à filha que fosse à igreja rezar alguns rosários e pedir pela recuperação de Carreen. Scarlett ficou com a consciência pesada, pois havia meses não ia à igreja, o que antes teria considerado um pecado mortal, mas agora não lhe incomodava tanto. Todavia, seguindo os conselhos da mãe, foi ao quarto, dobrou os joelhos e começou a orar.

Naquela noite, foi à varanda sozinha, com a carta de Gerald junto ao peito, sentindo assim, vez ou outra, a companhia de Tara e Ellen. Queria que qualquer pessoa, até mesmo a senhora Merriwether, aparecesse ali, mas ela estava de plantão no hospital, a senhora Meade ficara em casa preparando um banquete para Phil, que estava na linha de frente, e Melanie tinha ido dormir. Raramente Scarlett ficava tão sozinha, e não gostava desses momentos, porque sempre lhe traziam pensamentos desagradáveis. Naquele silêncio e quietude, pensou em Tara, em como a vida mudara, nos Tarleton falecidos, em Raiford Calvert que também partira, nos Munroe, no pequeno Joe Fontaine e... em Ashley!

Foi quando ouviu um estalo, olhou para o portão e viu Rhett Butler. Desde aquele episódio na carruagem, em Five Points, ele nunca mais aparecera. Mas aparentava ter esquecido o ocorrido ou fingido esquecer, pois chegou fazendo perguntas, querendo saber por que ela não fora a Macon e, quando soube que Scarlett estava servindo de companhia a Melanie, desdenhou e disse que aquela era a coisa mais bizarra que já vira. Ele notou que a jovem não estava bem e perguntou o motivo da tristeza. Scarlett contou da carta de Gerald, e Rhett tentou confortá-la dizendo que, em Atlanta, ela estaria muito mais segura, pois os ianques jamais lhe fariam nenhum mal, ao contrário do tifo, em Tara. Scarlett, que conhecia bem os boatos de que na Virgínia, no Tennessee e na Louisiana os ianques estupravam as mulheres, perfuravam o estômago das crianças e incendiavam as casas dos velhos, desdenhou do comentário. Rhett, ao saber que Scarlett estava sozinha na casa, ou pelo menos sem as senhoras Merriwether e Meade para vigiá-la, aproximou-se e tomou-lhe a mão.

Ele se declararia a Scarlett. Ela não tinha dúvida disso. Ah, que divertido! Se Rhett confessasse amá-la, ela poderia, enfim, depois desses três anos, vingar-se de todas as piadinhas e provocações.

Na varanda, Rhett segurou a mão de Scarlett e pressionou a palma com os lábios. O toque disparou pelo corpo dela uma sensação eletrizante, que fez o coração acelerar.

– Scarlett, você gosta de mim, não gosta? – perguntou ele.

Ela não esperava atrevimento tão grande.

– Bom, às vezes – respondeu receosa. – Quando não age feito um verme.

Ele sorriu e apertou a palma da mão dela contra a bochecha.

– Pois acho que gosta de mim justamente por eu ser um verme. Encontrou tão poucos como eu dentro da bolha em que vive que é justamente esse meu traço que a fascina.

Scarlett o corrigiu, afirmando que gostava de homens gentis e cavalheiros, e Rhett perguntou se havia alguma possibilidade de ela amá-lo um dia. Scarlett respondeu que talvez um dia, se ele revisse seus modos.

– Não tenho a menor intenção de fazer isso. Então, acha que jamais se apaixonaria por mim? Era o que eu imaginava, porque, apesar de gostar muito de você, não a amo.

– Não me ama?

– Não. Tinha esperanças de que sim?

– Não seja tão presunçoso!

Rhett confessou que, desde o dia em que a vira pela primeira vez, em Twelve Oaks, provocando o pobre Charles Hamilton, a desejava como nunca antes desejara outra mulher. Scarlett, atônita ao ouvir aquilo, perguntou-lhe se aquele era um pedido de casamento, mas Rhett negou dizendo que já deixara claro que não era homem para casamento. Então, falando baixinho, propôs que ela fosse sua amante.

Amante!

A palavra reverberou na mente de Scarlett feito um grito estridente, feito uma ofensa inadmissível. Mas a verdade é que não havia se ofendido nem um pouco. O que a ofendeu, na realidade, foi o fato de Rhett vê-la como uma imbecil, sim, uma imbecil, por que outro motivo não teria proposto o casamento?

– Amante! Que vantagens eu teria com isso além de um bando de fedelhos? – comentou ela.

No mesmo instante, Scarlett ficou boquiaberta ao se dar conta do que havia dito, e Rhett gargalhou até se engasgar.

– É por isso que gosto de você. É a única mulher autêntica que conheço, a única que vê o lado prático das coisas, que não acoberta o assunto com essas conversinhas de pecado e moralidade. Outra mulher, no seu lugar, primeiro teria desmaiado, depois me colocado para fora.

– Vou lhe mostrar a porta da rua agora mesmo! – gritou ela, sem se preocupar se Melanie ou os Meade poderiam ouvi-la. – Saia daqui! Como ousa me dizer esse tipo de coisa?

Rhett pegou o chapéu, fez uma mesura. Scarlett deu meia-volta e, marchando, caminhou para casa. Agarrou a maçaneta da porta para fechá-la com toda a força, mas esta era pesada demais para conseguir empurrá-la. Fez tanta força para puxá-la que começou a resfolegar.

– Posso ajudá-la? – ofereceu Rhett.

A ponto de explodir caso permanecesse ali por mais um minuto, ela subiu as escadas correndo. Lá de cima, escutou Rhett fechar a porta com todo o cuidado.

Capítulo 20

Com o fim de agosto, veio também o silêncio repentino dos bombardeios, deixando a cidade ainda mais tensa. Ninguém sabia o motivo daquela quietude, e a única notícia era que boa parte das tropas havia marchado para o Sul, para proteger a ferrovia. A expectativa era de que Sherman e suas tropas tivessem se retirado. Com a escassez de tinta, papel e mão de obra, os jornais deixaram de ser distribuídos. Scarlett, mesmo desesperada por notícias de Tara, mantinha um semblante corajoso. O cerco começara havia apenas trinta dias, que mais pareciam a eternidade. Fazia um mês que as carroças de boi respingando pelo chão o sangue de feridos e mortos começaram a passar, e as ambulâncias e as trincheiras haviam tomado conta das ruas da cidade. E havia quatro meses os ianques tinham saído de Dalton para invadir o Sul! Antes disso, Dalton, Resaca e Kennesaw não passavam de nomes de ferrovias, mas tinham se tornado sinônimo de batalhas. Peachtree, Decatur, Ezra Church e Utoy não mais rememoravam lugares agradáveis. Nos lânguidos córregos, agora a água fluía com cor diferente, muito mais avermelhada que a lama da Geórgia jamais seria capaz de tingir.

Por fim, chegou a notícia de que Sherman se dirigira novamente à ferrovia de Jonesboro, o que explicava o súbito silêncio dos ianques e dos confederados, pois ambos os lados tinham rumado para lá. Scarlett, que não tinha notícias de Tara fazia uma semana, finalmente recebeu das mãos de um mensageiro uma carta de Gerald nada animadora. Carreen piorara muito, e, se não bastasse, as duas outras irmãs de Scarlett e Ellen também tinham contraído a doença. O mensageiro encontrara o pai de Scarlett em Jonesboro procurando por um médico do Exército. Lá, em Jonesboro, ocorrera uma batalha violenta durante a qual os ianques queimaram a estação, cortaram os fios do telégrafo e arrancaram quase cinco quilômetros de ferrovia, mas recuaram. Tinham recuado. Não haviam chegado a Tara.

Scarlett acompanhara de perto o tifo tantas vezes no hospital de Atlanta e conhecia bem o estrago que a doença seria capaz de provocar em uma semana. Ellen estava doente, talvez à beira da morte, e ela estava ali, em Atlanta, com uma grávida e entre dois exércitos! "Maldita Melanie! Por que não foi para Macon com tia Pitty? O lugar dela é lá, com a família dela, não comigo. Nem temos o mesmo sangue! Por que esse bebê não nasce logo? O doutor Meade disse que o parto seria difícil. E se ela morrer?! Ah, tomara que esse bebê chegue logo e eu possa ir embora!", pensou inúmeras vezes. Atlanta, que ela tanto amara, não tinha mais aquele ar alegre que lhe agradara.

Na manhã de 1º de setembro, Scarlett acordou com uma sensação de pavor, a mesma que a assolara antes de pegar no sono na noite anterior. Era um dia quente, muito quente, e o silêncio imperava lá fora. Nenhuma carroça, nenhum sinal de tropas, nem o som dos pretos conversando na cozinha, nada. Todos os vizinhos haviam viajado para Macon em busca de abrigo, exceto o doutor Meade e a senhora Merriwether. Foi até a janela e, ali, escutou ao longe um barulho, semelhante à chuva, mas levou a mão em concha ao ouvido para escutar melhor e percebeu que, na verdade, o ruído era do disparo dos canhões! "Que seja de Marietta, senhor!", rezou. "Ou de Decatur, do riacho Peachtree. Mas não do Sul!" Então, ela agarrou o parapeito da janela, procurando prestar mais atenção ao som longínquo. E concluiu que vinha mesmo do Sul. Na direção de Jonesboro... de Tara. E de Ellen.

O exército de Sherman estava a poucos quilômetros de Tara. E, mesmo que os ianques estivessem acuados, poderiam recuar pela estrada que levava a Tara. E Gerald não conseguiria fugir com três mulheres doentes. Scarlett começou a andar pelo quarto de um lado para outro, descalça. Queria ir para casa. Queria ficar ao lado da mãe.

Ela escutou Prissy remexendo nos pratos lá embaixo, preparando o café da manhã, foi até as escadas do fundo, perguntou de Betsy, e Prissy respondeu que ela não viera. Scarlett foi até o quarto de Melanie, abriu uma fresta e a espiou. Melanie ainda estava deitada, com os olhos fechados, olheiras enormes, o corpo imenso e inchado. "Como queria que Ashley a viesse assim! É a grávida mais feia que já vi!"

Melanie, então, a convidou para entrar. Scarlett sentou-se na cama, Melanie estendeu o braço e segurou a mão dela.

– Querida, escutei o disparo de canhão. Veio de Jonesboro, não é? – perguntou Melanie.

– Hum – respondeu Scarlett, sentindo o coração na boca. – Veio.

– Sei quanto está preocupada. Sei que teria ido para casa quando recebeu a notícia sobre sua mãe, mas não foi por minha causa, não é?

– Sim – respondeu sem disfarçar.

– Scarlett, querida, você tem sido tão bondosa comigo. Nenhuma irmã jamais teria feito o que você tem feito por mim. Quero que sabia que eu a amo muito. E que sinto muito por atrapalhar sua vida assim.

Scarlett a observou. Amar?! Sério? Que bobinha!

– Scarlett, estive aqui pensando e... gostaria de lhe pedir um grande favor – disse, apertando ainda mais a mão de Scarlett. – Se eu morrer, você fica com o bebê?

Scarlett puxou a mão de volta.

– Ah, não seja boba, Melly. Você não vai morrer. Toda mulher acha que vai morrer durante o parto do primeiro filho. Sei porque também senti isso.

Melanie insistiu, afirmando que Scarlett nunca tinha medo de nada e que ela, Melanie, não tinha medo da morte, mas de deixar o bebê sozinho, pois tia Pittypat estava velha e Ashley...

– Prometa, Scarlett. Prometa que, se for menino, você o criará para seguir o exemplo de Ashley e, se for menina... Quero que ela seja como você!

– Pelo manto sagrado! – resmungou Scarlett, levantando da cama. – A situação já não é nada boa e você me vem falar sobre morte?

– Me perdoe, querida. Mas, por favor, prometa-me. Acho que será hoje. Tenho certeza de que será hoje. Por favor, prometa.

– Ah. Tudo bem. Prometo – afirmou Scarlett, olhando nos olhos dela e confusa.

Será que Melanie era tão ingênua assim para não perceber quanto Scarlett amava Ashley? Ou será que justamente por saber desse amor ela acreditava que Scarlett cuidaria bem da criança?

Scarlett perguntou por que Melanie achava que o bebê nasceria naquele dia, e ela respondeu que começara a sentir as dores, mas não tão fortes. Scarlett, então, disse que mandaria chamar o doutor Meade, mas Melanie a impediu dizendo que não queria ocupá-lo o dia inteiro, e pediu apenas que mandasse Prissy chamar a senhora Meade, pois ela saberia o momento certo de chamar o médico.

– Ah, está bem – concordou Scarlett.

Capítulo 21

Depois de pedir para servir o café da manhã de Melanie, Scarlett mandou Prissy até a casa dos Meade e sentou-se com Wade para o desjejum. Nunca a canjica e a mistura entre milho triturado e moído e inhame a enjoaram tanto. O xarope de sorgo, usado para substituir a falta de açúcar e o creme, mal adoçava o prato. Depois do primeiro gole, Scarlett afastou a xícara. Detestava os ianques, sobretudo por privarem-na de café, açúcar e creme. Naquele dia, Wade nem sequer reclamou da canjica, como era costume. Aceitou em silêncio as colheradas da mãe e engoliu a água com goles ruidosos. Depois de mandar o filho brincar no jardim, Scarlett sabia que deveria subir e fazer companhia a Melanie, para distraí-la do que estava por vir. Deteve-se no primeiro degrau e ficou pensando na estranha quietude da vizinhança por aqueles dias, mesmo com uma batalha tão violenta a apenas alguns quilômetros dali. Se pelo menos os outros vizinhos, com exceção dos Meade e de Merriwether, não tivessem ido embora... Como queria que tio Peter estivesse ali para ir ao quartel e trazer notícias. E por que Prissy demorava tanto?

Foi até a varanda e, depois de um tempo, avistou-a voltando sozinha, a passos calmos e balançando intencionalmente a saia. Depois de repreender

Prissy pela demora, soube por ela que a senhora Meade tinha ido ao hospital, pois Phil levara um tiro. Scarlett a encarou e em um gesto impulsivo a sacudiu. Ser o portador de más notícias sempre foi motivo de orgulho para os pretos.

– Bom, então não fique aí parada feito uma idiota! Vá até a casa da senhora Merriwether e peça-lhe que venha aqui ou que mande a criada dela. Ande, depressa! – ordenou Scarlett.

– Eles num tão lá, sinhá Scarlett. Passei lá pra vê a criada enquanto tava vinu pra casa. Num tem ninguém lá. A casa tá fechada. Acho que tão tudo no hospitár.

Tendo descoberto o motivo da demora, Scarlett repreendeu Prissy mais uma vez e, depois de refletir um pouco, concluiu que só poderia contar agora com a senhora Elsing. Mandou Prissy até a casa dela. Depois, hesitou mais uma vez antes de subir ao quarto de Melanie, pois sabia que a notícia sobre Phil a chatearia, então resolveu mentir. Ao entrar no quarto, viu a bandeja do café da manhã intacta. Scarlett viu Melanie deitada de lado, pálida, e avisou que a senhora Meade tinha ido ao hospital, mas que a senhora Elsing estava a caminho. Com o pretexto de buscar água fresca e uma esponja para refrescar Melanie, Scarlett desceu e demorou-se o máximo que pôde para voltar a subir, esperando que Prissy retornasse logo. Sem o menor sinal da criada, Scarlett não teve outra opção senão voltar a subir. Lá, passou a esponja no corpo suado de Melanie e penteou seu cabelo preto e comprido.

Uma hora depois, Scarlett escutou alguns passos lá fora e, da janela, avistou Prissy, caminhando com toda a calma. “Um dia, ainda dou umas chicotadas nessa moleca”, pensou enquanto descia as escadas. Prissy não trazia boas notícias. A senhora Elsing também tinha ido ao hospital, pois, segundo o cozinheiro, havia chegado um bando de feridos. Scarlett, então, mandou a criada ir ao hospital entregar um bilhete ao doutor Meade ou a qualquer outro médico que lá estivesse e pediu que procurasse por notícias da guerra, se tinham ido para Jonesboro ou alguma região por ali. Prissy ficou apavorada com a possibilidade de estarem próximos a Tara e soltou um grito estridente, o que irritou Scarlett ainda mais.

– Pare de gritar! A senhora Melanie pode escutar. Agora, vá depressa! Troque o avental.

Enquanto isso, Scarlett pegou a carta que o pai lhe enviara, o único pedaço de papel que restara na casa, aproveitou a margem e ali escreveu um bilhete para o doutor. Enquanto o dobrava, lembrou-se das palavras de Gerald: "Sua mãe... tifo... nem pense em voltar para casa". Não fosse por Melanie, Scarlett viajaria para casa naquele exato momento, ainda que precisasse fazer o caminho a pé.

Prissy saiu rápido, e Scarlett voltou para o andar de cima, pensando em uma desculpa para explicar por que a senhora Elsing não tinha vindo. Todavia, Melanie não fez perguntas. Estava deitada de barriga para cima, com o semblante tranquilo e sereno, o que acalmou Scarlett por ora. Ela sentou-se e tentou conversar sobre coisas banais, mas não conseguia parar de pensar em Tara, nos ianques, na mãe, e seus pensamentos eram entrecortados pelo ressoar dos canhões longe dali. Ficou em silêncio e foi para a janela, mas não viu nada além das folhas empoeiradas e imóveis dependuradas nos galhos das árvores. Melanie também estava em silêncio, mas às vezes uma careta de dor entremeava o semblante sereno e ela dizia: "Nem doeu tanto assim", porém Scarlett sabia que ela mentia. Preferia um grito de desespero àquele silêncio perturbador. Por que ela, justo ela, que não tinha nada em comum com Melanie, ela que a detestava, que desejava sua morte, por que deveria estar ali? Ao pensar nisso, sentiu um arrepio lhe percorrer a espinha, pois sabia do azar que trazia desejar a morte de alguém. Depressa, começou a rezar para que Melanie não morresse e engatou em um murmúrio exasperado, sem se dar conta do que dizia. De repente, a mão quente de Melanie lhe agarrou o braço.

– Não se incomode de falar, querida. Sei quanto está preocupada. Sinto muito por tê-la colocado nessa situação.

Scarlett voltou a ficar em silêncio e, dali a pouco, pela janela avistou Prissy, com expressão de desespero. Desceu e a viu ofegante, sentada no primeiro degrau. Prissy soube que estava ocorrendo um combate em Jonesboro e, aos prantos, perguntava o que aconteceria se os ianques chegassem a Tara. Scarlett tentou não pensar na resposta àquela pergunta e se concentrou na circunstância mais emergencial. Se começasse a pensar nos desdobramentos da guerra, gritaria igual à criada. Ela soube por Prissy que o doutor Meade tinha ido ao galpão da estação atender os soldados feridos que tinham acabado de chegar e que as senhoras Merriwether e Elsing também não estavam no hospital. Prissy disse ainda que os outros médicos mal a ouviram, alegando que com tanto homem à beira da morte não tinham tempo de cuidar do nascimento de um bebê.

Não haveria outra solução senão sair à procura do doutor Meade. Scarlett ordenou a Prissy que ficasse com Melanie e fizesse tudo exatamente como o recomendado. Pediu que não contasse nada sobre a situação da batalha, tampouco que os médicos se recusaram a vir, e mandou que a lavasse com a esponja. Assim, sentido uma pontada de medo que começava na boca do estômago e irradiava até as pontas dos dedos, sob um sol escaldante, Scarlett saiu em direção à estação. Ao chegar à casa dos Leyden, em Five Points, viu que a rua parecia um formigueiro. Pretos corriam de um lado para o outro, desesperados, crianças brancas choravam, sozinhas. Homens montados se apressavam em direção ao quartel. Ela encontrou o velho Amos em frente à casa dos Bonnell, e ele, ao vê-la, perguntou:

– Ainda não saiu daqui, senhorita Scarlett? Tamo indu nesse instante. A sinhá tá arrumando as mala. Os ianque tão chegando!

Scarlett prosseguiu caminho e perto da capela Wesley parou para tomar um pouco de ar. Se não o fizesse, desmaiaria. Agarrada a um poste de luz, conseguiu interceptar um soldado montado e soube por meio dele que o general Hardee enviara uma mensagem dizendo: "Perdi a batalha e vamos recuar totalmente". O soldado disse ainda que o Exército estava evacuando Atlanta. Deixando para trás a cidade e os moradores. Os ianques estavam chegando. E os soldados, partindo. Ah, se pelo menos Melanie tivesse dado à luz no dia anterior! De repente, Scarlett se deparou com uma cena inusitada: uma multidão de mulheres correndo, carregando presunto nos ombros, crianças tropicando ao lado delas, levando baldes de melaço, meninos com sacos de milho e batatas nas mãos e nos braços. A multidão abriu espaço para uma carruagem e quem a conduzia era ninguém menos que a senhora Elsing, rédeas em uma mão, chicote na outra. No branco de trás, ia a criada, Melissy, levando um naco de bacon na mão, tentando com a outra equilibrar caixas e sacolas à sua volta. Scarlett tentou chamá-las, mas o alvoroço e a confusão da multidão abafaram sua voz. Refletiu um pouco e chegou à conclusão de que o Exército devia ter aberto as portas do galpão de suprimentos para o povo salvar o que fosse possível enquanto ainda havia tempo.

A quase uma quadra da estação, Scarlett avistou ambulâncias, médicos, padiolas, e todos tinham pressa, muita pressa. Com sorte, ela encontraria logo o doutor Meade. Ao dobrar a esquina do Atlanta Hotel e avistar a estação e os trilhos, ficou estarrecida. Filas e mais filas de homens feridos deitados no chão, gemendo, ensanguentados, sob o sol escaldante, ataduras sujas, moscas pairando por toda parte, gritos de dor. O cheiro de suor, de sangue e de excremento quase a fez vomitar. Já vira e cuidara de feridos no hospital, mas nunca se deparara com uma cena horrenda como aquela. Os ianques estão chegando! Os ianques estão chegando!

Abraçando os próprios braços, seguiu em frente, tomando cuidado para não pisar nos feridos e nos mortos, escutando aqui e ali apelos como: "Madame, água! Por favor, madame, me dê um gole d'água!", e vez ou outra alguém lhe puxava a barra da saia. Seus olhos analisavam os que estavam de pé, procurando o doutor Meade. Se não o encontrasse logo, irromperia em uma histeria.

– Doutor Meade! O doutor Meade está por aí?

Entre o grupo, um homem virou-se para ela. Finalmente encontrara o doutor! Estava com a camisa e a calça tão ensanguentadas quanto o traje de um açougueiro e até a ponta da barba grisalha estava manchada de sangue. Meade, ao ver Scarlett, respirou aliviado:

– Graças a Deus você veio. Vou precisar de toda ajuda possível.

Atordoada e boquiaberta, ela o encarou por um instante. Passado o transe, Scarlett se aproximou mais do doutor, tocou-lhe o braço trêmulo e disse:

– Doutor, por misericórdia! – exclamou. – Precisa vir comigo, o bebê de Melanie vai nascer.

Meade olhou para Scarlett como se não tivesse registrado aquelas palavras. Enraivecido, não com Scarlett, nem com ninguém além de um mundo suscetível a circunstâncias como aquela, resmungou:

– Um bebê? Santo Deus! Ficou maluca? Não posso deixar esses homens aqui. Estão morrendo. Centenas. Não posso deixá-los aqui por causa de um bebê. Arranje uma mulher para ajudá-la. Vá atrás de minha esposa.

Scarlett chegou a abrir a boca para dizer que a senhora Meade não poderia ajudá-la, mas a tempo se lembrou de que não poderia contar ao doutor que seu filho estava ferido! Ela insistiu, suplicou, e, apesar de irredutível, o médico disse que tentaria ir à casa de Melanie tão logo atendesse todos aqueles homens, mas não prometeu nada, dizendo que a linha férrea de Macon fora invadida.

O médico não iria. Scarlett teria de resolver aquilo sozinha. Por entre os feridos no chão, ela caminhou de volta a Peachtree Street. Ora, nunca precisara dar conta de nada sozinha. Sempre houve quem fizesse tudo por ela, quem cuidasse dela, a protegesse e a amparasse. E, agora, não havia ninguém, nenhuma amiga, nem um vizinho que pudesse ajudá-la. Mas graças a Deus Prissy estava lá e podia dar conta do trabalho de parteira. Sentia-se entorpecida da cabeça aos pés. Cambaleando, tinha a impressão de estar em um pesadelo. O caminho de volta para casa parecia interminável. Se ao menos estivesse em casa, com ianques, sem ianques. Em casa, mesmo que a mãe estivesse doente.

Chegou ao ponto em que conseguiu avistar Wade no portão da frente. Ao vê-la, mostrando um dedo machucado, ele começou a chorar.

– Está doendo! – resmungava o menino entre as lágrimas. – Está doendo!

– Sssshhh! Cale a boca ou te espanco! Vá para o jardim fazer bolinhos de terra. E só saia de lá quando eu mandar! – ordenou.

Prissy estava na janela, no andar de cima, visivelmente assustada e preocupada. Scarlett fez sinal para que descesse. Ao entrar, ela escutou a porta lá em cima se abrir e ouviu o gemido fraco de Melanie no quarto. Então, deu a notícia a Prissy: as duas teriam de fazer o parto de Melanie. Ao ver a criada boquiaberta e paralisada, Scarlett, enfurecida, a repreendeu:

– Não fique aí parada com essa cara de idiota! Qual é o problema?

Prissy, então, confessou ter mentido, pois nunca fizera nenhum parto, apesar de ter assistido a um, pois a mãe não lhe permitia ver esse tipo de coisa.

O ar se esvaiu dos pulmões de Scarlett. Uma sensação de pavor precedeu a explosão de raiva. Prissy tentou escapar, esgueirando-se agachada, mas Scarlett a agarrou.

– Sua neguinha mentirosa! O qu... o que pensou? Anda pelos cantos dizendo que sabe tudo sobre parto!

Ao processar as próprias palavras e constatar que Prissy não sabia nada do trabalho de parto, a raiva se transfigurou em cólera. Scarlett nunca batera em um escravo, mas ali, pela primeira vez, com toda a força do braço cansado, meteu uma bofetada no rosto da negrinha. Enquanto Prissy gritava de dor, Scarlett escutou outro gemido, esse mais fraco e trêmulo.

– Scarlett? É você? Por favor, venha, venha!

Parada no limiar da escada, olhando para cima, Scarlett tentou se lembrar de tudo que mammy e Ellen fizeram durante o nascimento de Wade. Com o pensamento turvo, relembrou algumas coisas e de modo apressado e autoritário chamou Prissy, mandou que fervesse uma chaleira de água, trouxesse todas as tolhas que encontrasse pela casa, além de tesoura e barbante.

Ajeitando os ombros, Scarlett começou a subir as escadas. Não seria nada fácil contar que ela e Prissy fariam o parto.

Capítulo 22

Nunca houve tarde tão quente e tão extensa quanto aquela. Nuvens de moscas circundavam Melanie, pousavam em suas pernas e pés, apesar de Scarlett não parar de abanar o leque. O quarto estava quente como um forno e escuro, pois Scarlett baixara as persianas para cobrir a luz do sol escaldante. Scarlett suava sem parar, e Prissy, amuada em um canto, cheirava mal de tanto que transpirava. Melanie se remexia de um lado para o outro, tentando conter os gritos de dor, depois começou a morder os lábios, que já estavam em carne viva. Scarlett, então, ao ver que Melanie sufocava o sofrimento, pediu que não contivesse os gritos, pois era melhor vê-la berrar que aturar uma cena como aquela. Como Scarlett queria ter prestado mais atenção às matronas enquanto conversavam baixinho sobre o trabalho de parto. Se ao menos tivesse interesse pelo assunto, saberia quanto tempo o bebê ainda demoraria a vir. Imagine se Melanie continuasse naquele estado por dois dias! Mas era delicada demais, não suportaria a dor por tanto tempo assim. Morreria se o bebê não viesse logo. E como Scarlett conseguiria olhar para Ashley, se ainda estivesse vivo, e contar que Melanie morrera no parto?

A princípio, Melanie segurou as mãos de Scarlett nos momentos de dor aguda, mas ela as apertava com força suficiente para quebrar os ossos, então Scarlett fez um cordão com duas toalhas compridas, amarrou uma das pontas ao pé da cama e entregou a outra ponta para Melanie segurar. E ela segurava, puxava, esticava, rasgava, e vez ou outra, olhava para Scarlett e suplicava:

– Fale comigo, por favor, fale comigo.

Scarlett balbuciava algo, e Melanie voltava a agarrar e puxar o cordão com força.

Em certo momento, na ponta dos pés, Wade subiu as escadas e do lado de fora resmungou, dizendo estar com fome, e Scarlett se moveu para ir falar com ele, mas Melanie implorou que não a deixasse sozinha. Prissy, então, recebeu ordem para esquentar a canjica do café e dar ao menino. O relógio da prateleira havia parado, e, quando o calor começou a diminuir, Scarlett abriu a persiana e viu que o sol começava a se pôr. Será que as tropas já tinham partido? Será que os ianques estavam chegando? Com um frio no estômago, pensou nas tropas confederadas cada vez menores e mais famintas e no exército portentoso e bem alimentado de Sherman. Sherman! Nem o nome do próprio diabo a assustava tanto ultimamente.

Prissy, correndo feito um espectro negro, acendeu a lamparina, e Melanie ficou mais fraca. Como em um delírio, começou a chamar Ashley repetidamente, enfurecendo Scarlett, que teve vontade de sufocá-la com um travesseiro. Talvez o doutor viesse mesmo. Se ao menos viesse logo! Scarlett mandou Prissy à casa dos Meade verificar se um dos dois havia voltado. Da janela, Scarlett avistou Prissy correndo em disparada pela rua, andando mais depressa que um raio.

A criada retornou pouco tempo depois, com notícias desagradáveis. O doutor Meade não voltara para casa e Talbot, cocheiro da família, contou que Phil falecera. A senhora Meade estava banhando e preparando o filho para enterrá-lo antes da chegada dos ianques. Prissy disse que a cozinheira dos Meade a havia aconselhado a colocar uma faca debaixo da cama, para "cortar a dor no meio". Scarlett sentiu vontade de estapeá-la de novo, mas se deteve ao ver o rosto assustado de Melanie, que perguntou:

– Querida... Os ianques estão chegando?

– Não – respondeu Scarlett com firmeza. – Prissy é uma mentirosa.

– É, sinhá, Prissy é mermo – concordou Prissy fervorosamente.

Melanie aconselhou Scarlett a pegar Wade e fugir, sem saber que era exatamente nisso em que Scarlett vinha pensando.

– Não diga besteira. Não tenho medo. Sabe que não vou deixá-la sozinha – respondeu Scarlett.

* * *

Scarlett desceu as escadas escuras devagar, sentindo as pernas pesadas feito chumbo. Enfraquecida, foi até a varanda e desmoronou no primeiro degrau. Tinha terminado. Melanie não morrera e o bebezinho que berrava feito um gatinho recebia de Prissy o primeiro banho. Melanie adormecera. Como conseguiu depois de tudo aquilo? Teve forças até para sussurrar "obrigada" no ouvido de Scarlett depois que o bebê nasceu. Ela não se recordava que ela própria caíra no sono logo após o nascimento de Wade. Esquecera-se de tudo. Ali, na varanda, enquanto descansava, viu uma tropa de confederados passar. Estavam se retirando. Indo embora. E os ianques estavam chegando.

O que faria? Como escaparia? De repente, pensou em Rhett Butler. Como não pensara nele ainda em meio a todo esse alvoroço? Sem hesitar, ordenou a Prissy que fosse ao hotel de Rhett chamá-lo. Ele poderia tirá-las dali, levá-las para bem longe, para algum lugar, qualquer lugar. Prissy resmungou:

– Deus mi livri, sinhá Scarlett! Me arrepio todinha só di pensá di saí nesse escuro! E se esses ianque mim pegá?

– Se for depressa, consegue acompanhar o passo daqueles soldados, eles não vão deixar os ianques fazerem nada com você. Ande, depressa! Se ele não estiver no hotel, vá aos bares de Decatur e pergunte por ele. Vá à casa de Belle Watling. Encontre-o! Sua imbecil, não vê que se não se apressar os ianques vão nos alcançar?

– Sinhá Scarlett, a mãe me dá uma coça se soubé que andei em bar ou em casa de muié da vida.

Scarlett ficou de pé.

– Vá agora ou a venderei para um lugar bem longe. Nunca mais vai voltar a ver sua mãe, nem nenhum conhecido, e vou mandar colocarem você para trabalhar no campo! Depressa, sua medrosa!

E os ianques querem libertar os pretos! Que venham e os carreguem, então!

Capítulo 23

Assim que Prissy saiu, Scarlett desceu as escadas, foi até o vestíbulo e acendeu a lamparina. A casa inteira parecia um forno, e o estômago reclamava por comida. Ela pegou um pedaço de broa de milho dura que estava na frigideira e deu uma mordida, à procura de algo mais substancial para comer. Sobrara um pouco de canjica na panela, e Scarlett enfiou a colher no recipiente e levou à boca, sem sequer se preocupar em procurar um prato. Depois de quatro colheradas, não suportou o calor da casa e foi para a varanda à procura de refresco. Sabia que deveria subir e ficar ao lado de Melanie, que, caso necessitasse de ajuda, estava fraca demais para conseguir gritar. No entanto, mesmo que Melanie estivesse à beira da morte, Scarlett não conseguiria voltar àquele quarto. Não queria ver aquele lugar nunca mais. Deixando o lampião no aparador perto da janela, foi para a varanda.

Enquanto aguardava Prissy retornar, avistou um clarão distante, acima das árvores, e ficou intrigada. Dali a pouco, o céu ficou rosado, depois vermelho, e, de repente, uma labareda gigante irrompeu. Os ianques tinham chegado! Chegaram e começaram a atear fogo em Atlanta! Ela correu até o andar de cima e da janela tentou enxergar melhor. Redemoinhos de fumaça começavam a entremear as nuvens. O cheiro da pólvora ficava mais forte. Entrou em desespero, sem saber para onde correr, imaginando as chamas invadindo Peachtree Street, incendiando a casa de tia Pitty e os ianques correndo atrás dela. Todas as almas penadas do inferno pareciam berrar em seus ouvidos. Enquanto o mundo parecia mais que nunca desabar-lhe sobre a cabeça, Scarlett escutou um gemido fraco, mas resolveu ignorar. Não tinha tempo para isso agora. Sentia-se uma criança que precisava desesperadamente se enfiar no colo da mãe. Se ao menos estivesse em casa! Em casa, ao lado da mãe!

Em meio ao vendaval mental, escutou o barulho de passos apressados subindo as escadas. Prissy chegara ganindo feito um cão perdido. Scarlett pediu que se acalmasse, foi inútil, mas a criada contou que os confederados estavam queimando a fundição e o arsenal do exército. Os ianques ainda não tinham chegado! Scarlett mais uma vez mandou Prissy se acalmar e perguntou se ela encontrara Rhett. Soube que os confederados lhe tomaram o cavalo e a carruagem. Prissy contou que, enquanto conversava com ele, houve uma explosão em Decatur, a rua começou a pegar fogo, e Rhett, agarrando Prissy pelo braço, a levou até Five Points. Lá, ela lhe deu o recado como Scarlett ordenara, contando sobre o bebê e que precisavam fugir. Rhett, então, perguntou para onde pretendiam ir, e Prissy não soube responder. Ele pediu à criada que voltasse para casa e dissesse a Scarlett que ele roubaria um cavalo, nem que levasse um tiro para isso. Mas é claro que lhe tomaram o cavalo! Com o exército todo se retirando, nenhum veículo, tampouco animal, seria deixado para trás. Scarlett perguntou:

– Então, ele está vindo? Vai trazer um cavalo?

– Foi o qui ele mi disse – respondeu Prissy.

Scarlett respirou aliviada. Rhett arranjaria um cavalo, de um jeito ou de outro. Que homem esperto. Ela perdoaria todas as suas ofensas se ele conseguisse tirá-las dali. Fugir! E com Rhett não havia o que temer. Assim, mandou Prissy acordar Wade e vesti-lo e avisou que não contasse a Melanie sobre a fuga, mas enrolasse o bebê em duas toalhas bem grossas e separasse as roupinhas dele. Scarlett sabia que deveria ir ao quarto tranquilizar Melanie, sabia que ela deveria estar assustada com todos aqueles estrondos no céu. De fato, parecia o fim do mundo. Apesar disso, ainda não se sentia preparada para retornar àquele quarto. Desceu as escadas com o intuito de separar a porcelana de tia Pittypat e o restante da prataria que ela não levara para Macon, mas, quando chegou à sala de jantar, sentiu as mãos trêmulas e deixou cair três pratos. Foi até a varanda escutar o barulho lá fora, voltou à sala de jantar e deixou a prataria cair no chão. Nada parava em sua mão. Na pressa, escorregou no tapete e caiu com tudo, mas se levantou tão depressa que nem sequer houve tempo de sentir dor. Escutava os passos de Prissy lá em cima feito os de um animal selvagem correndo de um lado para o outro. Por fim, ouviu passos distantes e vagarosos de um cavalo. Por que ele não se apressa? Por que não vem a todo galope?

Ela foi até o portão e lá o encontrou, muito bem-vestido, como quem está prestes a participar de um baile, com um colete cinza de seda e um discreto jabô na camisa. Na cabeça, um chapéu panamá posto de banda; no cinto, duas pistolas presas e os bolsos dos casacos abarrotados de munição. A ferocidade meticulosamente disfarçada naquele semblante sinistro teria apavorado Scarlett se ela tivesse a destreza de notá-la. Com o semblante alvo e os olhos verdes flamejantes, ela caminhou ao encontro dele.

– Boa noite – cumprimentou Rhett com a voz rouca enquanto retirava o chapéu fazendo um floreio. – Bons ventos à vista. Soube que a senhora vai viajar.

– Não me venha com suas piadinhas! Pare com isso ou nunca mais lhe dirijo a palavra – afirmou ela com a voz trêmula.

– Não me diga que está com medo! – Ele fingiu surpresa e lançou um sorriso que a fez empurrá-lo alguns degraus para trás.

– Sim, estou! Estou morrendo de medo e se tivesse o mesmo bom senso de um bode deveria estar com medo também. Mas não temos tempo para conversa agora. Precisamos sair daqui.

– Às suas ordens, madame. Mas para onde está pensando em ir? Vim até aqui por curiosidade, só para saber para onde pretende ir. Não pode ir para o Norte, nem para o Sul, tampouco para o Leste e muito menos para o Oeste. Os ianques estão por toda parte. Há apenas uma estrada que não foi invadida por eles ainda e o exército dos confederados está indo para lá. E essa estrada logo será invadida também. A cavalaria do general Steve Lee está em combate em Rough and Ready, só para oferecer retaguarda enquanto o exército atravessa a estrada. Se seguir o exército pela McDonough, vão lhe tomar o cavalo e, embora o bicho não seja lá muita coisa, me meti em uma encrenca e tanto para roubá-lo. Então, me diga, para onde a senhora está indo?

Apesar de não conseguir raciocinar direito e mesmo trêmula, Scarlett tinha a resposta na ponta da língua.

– Vou para casa – disse.

– Para casa? Quer dizer, para Tara?

– Sim, sim! Tara! Oh, Rhett, precisamos nos apressar!

Sem conseguir conter mais a tensão, Scarlett sucumbiu ao choro e, sem menos esperar, se viu nos braços de Rhett, a cabeça apoiada no peito dele. Rhett a consolou.

– Acalme-se, minha querida, acalme-se – pediu com a voz calma, acariciando de leve os cabelos dela. – Não chore. Você voltará para casa, minha pequena corajosa. Voltará para casa. Não chore.

Dito isso, Rhett tirou um lenço do bolso e perguntou onde estava Melanie e se tivera o bebê. Sugeriu que a deixassem com a senhora Meade, pois a viagem de quarenta quilômetros não lhe faria bem. Scarlett explicou que os Meade não estavam em casa. Rhett, então, disse que acomodaria a senhora Wilkes na carroça. Scarlett o acompanhou até o andar de cima, passou no quarto de Wade e pediu para Prissy aprontá-lo e levou Rhett até o quarto de Melanie. Vendo-a naquele estado, ele a tomou nos braços com todo o cuidado; mesmo assim, a expressão de dor de Melanie não passou despercebida aos olhos de Scarlett, que pegou o bebê nos braços e depressa o envolveu em uma toalha grossa. Antes de saírem do quarto, porém, Melanie fez sinal para que pegassem o daguerreótipo de Charles. Bem típico dela não dar a mínima para a morte, mesmo depois de ficar cara a cara com ela, e mesmo com os ianques praticamente batendo à porta, ainda se preocupava em levar as coisas de Charles. Scarlett aproveitou para pegar a espada e as pistolas do falecido marido. O homem que dormira a seu lado algumas noites e com quem tivera um filho. E ela mal se lembrava dele.

A carroça que Rhett trouxera era pequena e apertada, e o cavalo, esquálido, ferido e abatido, com a cabeça quase enterrada entre as pernas. Melanie foi na parte de trás, deitada de barriga para cima. Wade e Prissy, com o bebê nos braços, foram sentados ao lado dela. Scarlett subiu na carroça, mas logo em seguida desceu, pois havia se esquecido de trancar a porta da frente. Rhett deu risada.

– Do que está rindo? – indagou ela.

– De você... Trancando os ianques para o lado de fora – respondeu.

Assim, todos partiram, deixando para trás o lampião da calçada cuja luz desvanecia cada vez mais à medida que se afastavam.

Rhett guiou o cavalo na direção oeste da Peachtree Street, e a carroça sacolejou com tanta violência que Melanie soltou um grito estridente. Enquanto avançavam, começaram a escutar o pandemônio que rugia no centro da cidade, gritos e o barulho dos carroções pesados. Um pouco mais à frente, Rhett desceu da carroça, desapareceu em meio à escuridão de um jardim, voltou com um ramo na mão e, sem dó nem piedade, o atirou no lombo do cavalo, que começava a resfolegar e cambalear. Aproximando-se da Marietta Street, as labaredas irrompiam por trás de prédios e casas, formando uma claridade tão intensa quanto a luz do dia. Scarlett batia os dentes, mas estava tão apavorada que nem sequer percebeu. Aquilo era o inferno. Se conseguisse controlar os joelhos vacilantes, saltaria da carroça e voltaria correndo para o abrigo da casa de tia Pittypat. Com os dedos trêmulos, ela agarrou o braço de Rhett e olhou para ele, aguardando uma palavra de conforto, carinho, algo que a tranquilizasse, mas ele parecia tão radiante e insolente quanto quem está se divertindo com a situação toda e ávido para atravessar as portas iminentes do inferno. Entre os prédios de Marietta, encontraram soldados sujos, esfarrapados, descalços, com ataduras pelo corpo.

– Olhe bem para eles – comentou Rhett em tom sarcástico –, para que possa contar aos seus netos que viu a retaguarda da nossa Gloriosa Causa em retirada.

Scarlett sentiu um ódio repentino, um sentimento que, por um momento, sobrepôs o medo e o tornou pequeno e insignificante. Mas prosseguiam pelo caminho sem parar por um instante e viram outros clarões, mais labaredas cortando o céu, cinzas e o cheiro da fumaça penetrando tanto as narinas a ponto de Wade tossir e o bebê espirrar de leve.

Saíram por um beco, depois entraram em outro, até chegarem a uma rua estreita e Scarlett perder o rumo completamente. Rhett estava em silêncio havia um bom tempo. Calado ou falando, Scarlett agradecia aos céus pela presença reconfortante dele. Agradecia aos céus por Rhett não integrar o exército. Um pouco mais à frente, ele rompeu o silêncio e perguntou se Scarlett ainda queria chegar a Tara, pois seria como cometer suicídio, já que a cavalaria de Steve Lee e o exército ianque estavam pelo meio do caminho. Scarlett respondeu que não mudaria de ideia.

– Ótimo – comentou ele. – Talvez você consiga passar de Rough and Ready sem problemas. O general Steve Lee passou por lá fazendo a retaguarda para a retirada. Talvez os ianques ainda não tenham chegado lá. Talvez você consiga atravessar se os homens de Lee não lhe roubarem o cavalo.

– Eu?! Ou nós?

– Sim, VOCÊ – respondeu com a voz ríspida.

– Mas Rhett... Você... Não vai levar a gente até lá?

– Não. Vou deixá-la aqui.

Atordoada, ela olhou ao redor, para a escuridão das árvores de ambos os lados que os ladeava feito uma prisão. Olhou para trás, para as figuras assustadas na carroça e... novamente para ele. Será que ela enlouquecera? Ou entendera errado?

– Está... nos abandonando? Para onde... para onde vai?

– Minha querida, estou indo para o exército.

Brincadeiras àquela hora! Não, Rhett afirmava com todas as letras que não era brincadeira, falou em patriotismo, em defesa pela Causa. Não, não podia ser verdade. Ele não poderia abandoná-la ali, naquela estrada escura, com uma mulher que poderia morrer a qualquer momento, um bebê recém-nascido, uma criança assustada e uma negrinha sonsa.

– Rhett! Isso só pode ser brincadeira!

– Egoísta até o fim, não é, minha querida? Preocupada apenas em salvar sua preciosa pele e largar a brava Confederação para trás. Pense na alegria de nossas tropas quando eu aparecer na décima-primeira hora – disse com a voz maliciosa e doce.

De repente, ele desceu da carroça e, em seguida, mandou-a descer. Scarlett não se moveu, então ele a envolveu por baixo dos braços e a colocou de pé, ao seu lado.

– "Eu não poderia amá-la mais, querida, se não amasse mais a Honra." Um discurso e tanto, não? Com certeza, muito melhor que qualquer outra coisa em que eu conseguiria pensar nesse momento. Pois te amo de verdade, Scarlett, apesar do que falei naquela noite na varanda – declarou com a voz arrastada e doce, deslizando as mãos quentes e fortes pelos braços descobertos dela. – Eu te amo, Scarlett, porque somos muito parecidos, dois renegados. Nenhum de nós está preocupado se o mundo vai acabar ou não, desde que estejamos seguros e confortáveis.

Então, ele envolveu a cintura dela, e uma onda avassaladora de sentimentos a varreu. Vergonha, medo, insegurança, levando consigo a noção de tempo, de lugar e das circunstâncias. Sentiu-se tão mole quanto uma boneca de pano. Quente, fraca e desamparada naqueles braços tão fortes e tão confortáveis.

Rhett a beijou, roçando o bigode em seus lábios, envolvendo-a devagar com sua boca quente, tão devagar quanto se tivesse a noite inteira pela frente. Charles nunca a beijara daquele modo. E nunca o beijo dos Tarleton e tampouco o dos Calvert provocara tanto calor, frio e tremor, tudo ao mesmo tempo. Rhett inclinou o corpo de Scarlett para trás e seus lábios percorreram o pescoço até onde o camafeu prendia o corpete.

Aos poucos, Scarlett recobrou a razão e recordou que Rhett a estava abandonando, abandonando-a, o maldito canalha!

Ele deu as costas, foi até a carroça e chamou por Melanie, que não respondeu, mas Prissy respondeu que a jovem desmaiara havia muito tempo.

– Melhor assim. Se estivesse consciente, duvido que conseguisse suportar toda a dor. Cuide bem dela, Prissy. Tome aqui esse dinheiro. E tente ser menos boba.

– Sim, sinhô. Agradicida, sinhô.

– Adeus, Scarlett.

E, com isso, Rhett se foi.

Por que ele decidira servir o exército agora, quando a causa estava perdida? Por que fez isso, logo ele que amava tanto a vida boêmia, o conforto, a boa comida, uma cama macia, que odiava tanto o Sul e caçoava dos idiotas que lutavam por ele? Rhett não precisava partir. A morte o aguardava ao fim daquela estrada. Era rico, estava seguro, confortável. Mesmo assim, ele se fora, deixando-a para trás, em meio ao breu e com o exército ianque pelo caminho à frente.

Scarlett apoiou a cabeça no pescoço prostrado do cavalo e começou a chorar.

Capítulo 24

Scarlett despertou com o raio quente e matutino do sol que atravessava os galhos de árvore e alvejava sua cabeça. Com o corpo todo dolorido e enrijecido por conta das tábuas da carroça, demorou para processar onde estava. Percebeu um peso sobre as pernas e, tentando se sentar, viu que era Wade, fazendo dos joelhos dela um travesseiro. Os pés descalços de Melanie estavam quase encostados em seu rosto, e Prissy estava aninhada feito um gato entre ela e Wade, segurando o bebê no colo. E foi então que se lembrou de tudo.

Não havia sinais de nenhum ianque à volta e ninguém descobrira o esconderijo durante a noite. A estrada repleta de sulcos e pedregulhos por meio da qual sacolejaram até chegar ali. As valas profundas nas quais as rodas da carroça afundaram, e o pavor e a força que levaram Prissy e ela a desatolá-la para seguirem viagem. Lembrou também de quando embrenhou a carroça depressa na mata ao escutar as vozes dos soldados, sem saber se eram confederados ou ianques. Ah, que agonia quando o cavalo abatido empacou e a cavalaria passara ao lado deles, tão perto que se Scarlett tivesse esticado o braço teria encostado em algum soldado! Por fim, aproximando-se de Rough e Ready, avistaram algumas fogueiras das tropas de Steve Lee, homens que aguardavam a ordem para recuar. Para não ser vista, deu a volta por trás em um descampado, percorrendo cerca de um quilômetro e meio, e entrou em desespero ao perceber que não conseguia encontrar a estradinha que conhecia tão bem. Quando, por fim, conseguiu encontrá-la, o cavalo empacou, recusando-se a andar. Ela o desatrelou e no mesmo instante escutou a voz de Melanie:

– Scarlett, pode me dar um pouco d'água, por favor?

– Não tem – respondeu. E caiu no sono antes mesmo de terminar a frase.

Acordou novamente com o raio de sol fustigando os olhos e ficou espantada ao ver Melanie empalidecida feito uma morta. Mas sentiu um alívio ao perceber que ela continuava respirando. Protegendo os olhos contra a luz do sol, Scarlett olhou ao redor e, um pouco mais adiante, reconheceu a propriedade dos Mallory. A repentina sensação de alegria logo deu lugar à tristeza. A casa fora abandonada. Teria acontecido o mesmo a Tara? Procurou afastar o pensamento, precisava voltar para casa. Mas, antes, tinha de arranjar água e comida. Relutante, mas obedecendo à ordem de Scarlett, Prissy desceu da carroça e as duas caminharam em direção à propriedade, à procura do poço, e o encontraram atrás de fileiras de senzalas queimadas. Felizmente, o balde e o telhado do poço continuavam lá. Scarlett e Prissy içaram a corda e, assim que a água fresca e cristalina surgiu das profundezas, Scarlett deu várias e ruidosas goladas, deixando a água cair pelo corpo todo. Prissy reclamou que também estava com sede, e, nesse momento, Scarlett lembrou-se de que havia outras bocas tão sedentas quanto a dela.

Ela mandou Prissy desfazer o nó da corda e levar água para Melanie e Wade e perguntou se não era hora de Melanie dar de mamar ao bebê. Prissy respondeu que a mãe não deveria ter leite nenhum naquelas condições. Scarlett, então, saiu pelo pomar à procura de algo para comer, mas os pés das árvores estavam vazios, os soldados tinham levado tudo. Encontrou apenas algumas maçãs no chão, a maioria podre. Encheu a saia com as melhores e voltou caminhando pela terra fofa, com as sapatilhas enchendo de pedrinhas. Por que não trouxera seu chapéu de sol? Por que não trouxera algo para comer? Agira feito tola. Claro, afinal, Rhett estaria ali para cuidar de todos eles. Rhett! A simples lembrança amarga do nome desse calhorda a fez cuspir no chão. Como o odiava! E ela ainda lhe permitira um beijo... e, pior, quase gostara desse beijo! Ela deveria estar mal do juízo. Que homem desprezível!

Voltando, dividiu as maçãs e guardou algumas no fundo da carroça. O cavalo estava de pé, mas a água parecia não o ter refrescado muito. Esquálido, com os ossos saltando para fora e o lombo todo ferido, Scarlett notou que o animal também não tinha dentes. Depois de atirar o galho de uma árvore no tronco do cavalo, ele voltou a andar, mas a passos tão vagarosos que ela chegaria muito mais rápido se fosse a pé, certeza! Não estavam a mais de vinte e cinco quilômetros de Tara, mas com o cavalo naquele estado teriam de parar várias vezes no percurso e levariam um dia inteiro! Ah, não fosse por Melanie e por aquele bebê! Scarlett levaria horas para saber se Tara continuava de pé. Horas para saber se a mãe continuava lá.

Vendo Melanie com os olhos cerrados por conta do sol, Scarlett desfez o laço do próprio chapéu, o entregou a Prissy e lhe pediu que protegesse o rosto de Melanie. Nunca antes na vida Scarlett saíra ao sol sem nenhuma proteção, nunca segurara as rédeas de um cavalo sem uma luva para proteger as mãos. Mas ali estava, debaixo de um sol escaldante, com um cavalo derreado, uma carroça avariada... Será que Tara ainda estaria de pé? Ou teria sido varrida pelo mesmo vento que arrastara a Geórgia inteira? Açoitou o lombo cansado do cavalo e tentou apressá-lo, sentindo as rodas vacilantes balançá-lo de um lado para o outro.

* * *

A morte pairava no ar e, em todos os campos e relvas, com o início do entardecer, preponderavam um silêncio e uma morbidez atemorizantes. Cada casa abandonada, cada chaminé que avultava as ruínas enegrecidas apavoravam Scarlett ainda mais. Desde a noite anterior, não tinham avistado nem uma vivalma, tampouco um animal. Pelo caminho, tudo que avistaram foram homens e cavalos mortos, caídos, assim como mulas com o corpo coberto de moscas. Nada se ouvia, a não ser o *plop-plop* esmorecido do cavalo e o choramingo fraco do bebê de Melanie. O combate próximo a Jonesboro ceifara a vida de milhares. O sol quente e escaldante lançava uma luz sinistra em bosques assombrados, olhos esbugalhados, sangue e poeira. Se ao menos ela conseguisse chegar até a mãe! Olhar para seu rosto terno, sentir o calor de suas mãos macias que sempre tinham o poder de dissipar o medo; se ao menos pudesse se agarrar às saias de Ellen e enterrar o rosto ali! A mãe saberia o que fazer. Não deixaria Melanie nem o bebê morrer. Ellen sabia como espantar todos os fantasmas e medos. Mas estava doente, quando não morta.

A moribunda, o bebê franzino, o próprio filho faminto, a negrinha assustada, todos encaravam as costas de Scarlett à procura de orientação, enxergando ali uma coragem que ela não tinha e uma força que havia muito se esvaíra. O cavalo exausto já não reagia às açoitadas do galho que Scarlett usava como chicote e cambaleava, tropeçando nas pedras, vacilando como se os joelhos fossem sucumbir a qualquer momento. Mas Tara estava a menos de dois quilômetros dali! Naquele ponto, Scarlett avistou a cerca viva que demarcava o início da propriedade dos MacIntosh. Espiando entre as árvores e sobre o crepúsculo, viu vidraças quebradas e cômodos escuros.

– Olá! – gritou, reunindo forças para a voz atravessar a garganta. – Olá!

Em um rompante apavorado, Prissy agarrou o braço de Scarlett e com os olhos esbugalhados implorou:

– Num grita, não, sinhá Scarlett! Misericórdia, num grita de novo! – sussurrou com a voz trêmula. – Nóis num sabe quem póde atendê!

“Deus meu!”, pensou Scarlett, sentindo um arrepio na espinha. “Deus meu! Prissy tem razão. Sabe-se lá quem e o que pode estar aí dentro!”

Ver a propriedade dos MacIntosh naquelas condições apagou a última centelha de esperança que restara. Queimada, arruinada, abandonada e devastada como todas as fazendas pelas quais Scarlett passara naquele dia. Tara estava a menos de um quilômetro dali, na mesma reta, no mesmo caminho do exército. Será que encontraria a propriedade nas mesmas condições? Por que, por que se metera nesta viagem? Por que arrastara Melanie e o bebê naquele caminho? Teria sido melhor morrer em Atlanta a enfrentar aquele sol escaldante em uma carroça sacolejante para morrer nas ruínas abandonadas de Tara. Mas Ashley a fizera prometer. "Você vai cuidar dela por mim, não vai? Prometa-me!" E assim ela prometera. Continuava detestando Melanie por tudo aquilo, e detestava também seu bebê choramingão. Mas a promessa estava feita. Agora, não só Melanie e o bebê, como Prissy e Wade estavam sob sua responsabilidade. Ah, Ashley! Estaria àquela hora atrás das grades em Rock Island, pensando nela, ou jazia seu corpo em alguma vala profunda junto a outros defuntos confederados?

De repente, escutaram um barulho de dentro de uma moita. Com um berro, Prissy se atirou no assoalho da carroça e Melanie mexeu o braço bem devagar, tateando ao redor à procura do bebê. Em seguida, ouviram um mugido. Uma vaca. Scarlett mandou Prissy se levantar.

– Pare de besteira! – reprimiu com a voz ríspida e firme. – Quase esmagou o bebê e ainda assustou a senhora Melly e Wade.

– Isso aí é fantasma, sinhá! – murmurou Prissy, com a cara contorcida e embrenhada nas tábuas da carroça.

Sem pensar duas vezes e decidida, Scarlett virou-se e, com o mesmo galho com que vinha açoitando o cavalo, meteu uma chicotada nas costas de Prissy. Estava exausta demais e fraca demais para tolerar fraquezas de outrem. Mandou a escrava se sentar e as duas, espiando pela lateral da carroça, viram que a vaca parecia doente, mas Prissy comentou que o animal deveria estar com as tetas carregadas. Scarlett decidiu que a levariam com eles, pois teriam como alimentar o bebê com o leite. De repente, ela se levantou, ergueu as saias, desamarrou a fita da anágua de renda e deixou-a cair. Era a última peça de roupa bonita que lhe restara, feita com o linho e a renda que Rhett lhe trouxera de Nassau. Segurando a bainha,

Scarlett puxou o tecido com os dentes até rasgá-lo e terminou de desfazer a costura com as duas mãos, formando tiras. Com os dedos sangrando e cheios de bolhas por conta das rédeas, ela deu um nó em cada ponta e mandou Prissy prender os chifres da vaca com a corda improvisada, mas a escrava se recusou, alegando ter medo de vacas. Scarlett, novamente, a repreendeu:

– Você é uma escurinha idiota, e a pior coisa que meu pai fez foi comprá-la – disse Scarlett devagar, cansada demais para se enraivecer. – E, quando recuperar a força dos braços, vou meter esse chicote em você de novo.

Quando terminou a frase, Scarlett pensou: "Minha mãe não gostaria de saber que a chamei de 'escurinha'".

Relutante, Prissy desceu da carroça, e Scarlett, que tanto quanto Prissy tinha medo de vacas, foi junto. Felizmente, o animal estava manso. Depois de enlaçar os chifres da vaca, Scarlett a levou até a carroça e a amarrou. Melanie, então, perguntou se tinham chegado "em casa", e Scarlett respondeu que não, mas que tinham encontrado uma vaca e teriam como alimentar o bebê. E dali recomeçaram o percurso, com o cavalo alquebrado e o mugido da vaca aos fundos. De que adiantaria levá-la a Tara? Scarlett não sabia ordenhar e, mesmo que soubesse, a vaca dispararia coices em quem quer que lhe tocasse os úberes doloridos.

Passaram um leve declive que Scarlett reconheceu de imediato! Lá no alto, ficava Tara. Todavia, era evidente que o cavalo decrépito não conseguiria subir. Exausta, saltou da carroça, mandou Prissy fazer o mesmo e que trouxesse Wade no colo ou o fizesse andar. Apenas Melanie e o bebê ficariam na carroça. Gemendo e reclamando das bolhas nos pés, Prissy obedeceu. Aos prantos e soluçando, o menininho se agarrava às saias de Prissy e reclamava do medo do escuro. "Por que Deus inventara as crianças?", pensou Scarlett de repente. Inoportunas, choronas, reclamonas, eram sempre a pedra no caminho. Em meio à exaustão, não havia tempo nem espaço para sentir pena de uma criança assustada.

– Sinhá Scarlett – sussurrou Prissy, agarrando o braço da patroa –, não vá pá Tara. Eles tudo já fugiru. Talvez tejam tudo morto. Minha mãe e os outro tudo.

As palavras de Prissy materializavam os pensamentos de Scarlett e a enfureceram. No mesmo instante, ela sacudiu o braço para se desvencilhar de Prissy e mandou que largasse a mão de Wade e ficasse sentada ali. Prissy se recusou e prosseguiu caminho de mãos dadas com o menino. A saliva do cavalo vagaroso respingava no braço de Scarlett, que o arrastava pelas rédeas. Naquele momento, lembrou-se do trecho de uma música que cantara certa vez com Rhett: Só mais alguns dias desse fardo pesado!

Então, começaram a avistar os carvalhos de Tara, formando uma sombra sólida e maciça sobreposta ao céu escuro. Analisando a propriedade para verificar se havia luz em algum canto, Scarlett não encontrou nenhuma. "Eles se foram!" dizia o coração, pesado feito chumbo no peito. "Se foram!" Virando a cabeça do cavalo para a entrada, sob as folhas e galhos e as trevas da meia-noite, ela pareceu ver as paredes, as cortinas, a construção erguida para durar quinhentos anos, ou estariam os olhos extenuados lhe pregando uma peça? Puxou o cavalo mais depressa. Lá estavam as paredes. Sem marcas de fogo, fuligem. Tara escapara! Fora poupada! Estava em casa! Largou as rédeas e correu, sentindo o impulso de se agarrar às paredes. Foi quando avistou um vulto surgindo entre o fundo escuro da varanda. Tara não estava abandonada! Havia alguém ali. Em meio ao silêncio e o escuro, o vulto não se mexia, tampouco falava. O que havia de errado? A propriedade estava intacta, mas ensombrecida pela mesma morbidez das outras fazendas. O vulto se mexeu e começou a caminhar na direção dela.

– Pai? – sussurrou com a voz rouca, chegando a duvidar de que fosse mesmo ele. – Sou eu... Katie Scarlett. Voltei para casa.

Tão silencioso quanto um sonâmbulo, arrastando a perna claudicante, ele se aproximou e a olhou como se aquilo fosse um sonho. Esticou os braços, apoiou as mãos nos ombros de Scarlett, e ela sentiu naquelas mãos um tremor, como o de quem acaba de despertar de um pesadelo.

– Filha – disse com esforço. – Filha.

E ficou em silêncio.

Abatido, prostrado, de ombros caídos, não era o Gerald de sempre. Trazia nos olhos o mesmo medo que havia nos do pequeno Wade. Era um velho fraco e abatido. Não podia ser o pai de Scarlett.

Paralisada, sem conseguir dizer uma palavra sequer, uma sensação de pavor a percorreu feito uma recarga elétrica, materializando os maiores temores. O grunhido enfraquecido do bebê de Melanie chamou a atenção de Gerald.

– Trouxe Melanie e o bebê dela – Scarlett explicou baixinho. – Ela está mal... trouxe para ficarem com a gente aqui.

Gerald tirou as mãos dos braços da filha, foi até a carroça, cumprimentou Melanie e lhe deu as boas-vindas. Voltar os olhos para Melanie daquele modo fez Scarlett recobrar a gravidade de seu estado de saúde. Ela disse a Gerald que Melanie não conseguiria andar e, dali a pouco, Pork apareceu. Os dois se abraçaram logo no primeiro momento, depois foi a vez de Prissy se atirar em Pork, desatar a chorar e engatar um murmúrio desconexo. Enquanto Prissy, com o bebê em um braço e segurando a mão de Wade do outro, acompanhava Pork, que carregava Melanie nos braços, Scarlett perguntou ao pai:

– Elas melhoraram, pai?

– As meninas estão se recuperando.

Um silêncio se sucedeu e com ele uma ideia abominável demais para ser dita. Scarlett não conseguia, tentava, mas não podia, as paredes da garganta pareciam coladas uma na outra. Seria esse o motivo do silêncio mórbido que se apossara de Tara?

– Sua mãe... – disse Gerald, mas se deteve.

– E... o que tem ela?

– Sua mãe faleceu ontem.

* * *

Sentindo o pai segurar-lhe firme o braço, ela saiu caminhando rumo ao gabinete, desviando da mobília, procurando, evitando não pensar. Assim que chegasse lá, encontraria a mãe sentada à escrivaninha, pena na mão, absorta em suas contas. Estranhava o fato de não sentir nada, a não ser um cansaço extremo que parecia espremer os músculos feito uma corrente de ferro e uma fome que fazia os joelhos vacilarem. Pensaria na mãe depois. Do contrário, engataria em uma gagueira estúpida como a de Gerald ou em uma mistura entre choro e soluço como Wade. Estranhando também o escuro da casa, Scarlett pediu a Pork que trouxesse vela, mas soube por ele que os soldados levaram todas as velas, tanto que mammy estava usando um trapo com gordura de porco para iluminar o quarto onde estavam Carreen e Suellen.

Scarlett tateou a mobília lúgubre ao redor e afundou no sofá. O braço suplicante e desemparado do pai continuava segurando-a. Pork voltou com o que sobrara do trapo com gordura de porco e iluminou o gabinete. Os móveis continuavam os mesmos, os escaninhos cheios de papéis com anotações da mãe, tudo continuava lá, tudo, menos a presença de Ellen com o perfume de verbena-limão e o olhar doce e oblíquo. O criado contou a Scarlett que, exceto por ele, mammy e Dilcey, todos os escravos haviam fugido. Três escravos, quando antes somavam cem. Esfaimada, Scarlett pediu a ele que trouxesse algo de comer, mas Pork contou que os ianques tinham levado cada galinha, porco, peru, cada fruta e verdura dos pomares e das hortas. Scarlett, então, perguntou sobre a plantação de batata-doce, da qual Pork havia se esquecido, e, segundo ele, os ianques a deixaram para trás porque a confundiram com simples raízes. Sem fubá, farinha, ervilha seca, Scarlett mandou Pork buscar as batatas-doces e assá-las e soube que nem vinho restara. Lembrou-se do uísque de milho que o pai certa vez enterrara num barril, debaixo de um parreiral, e mandou que fosse buscá-lo e que ordenhasse a vaca, pois o bebê de Melanie estava com fome, e que desatrelasse o cavalo e lhe desse água.

– Sinhá Scarlett, num si preocupi pruque Dilcey pode ajudá o fio da sinhá Melanie. Minha Dilcey tá de bebê novo e tem leite que dá pros dois.

– Teve outro filho, Pork?

Bebês, bebês, bebês. Por que Deus coloca tantos bebês no mundo? Não, não é Deus quem faz isso. São os ignorantes.

Scarlett pediu a Pork que fosse desenterrar as batatas e que mandasse mammy cuidar da vaca. Pork reclamou de não ter como cavar no escuro, e Scarlett, com a paciência curta, mandou que fizesse algo para desenterrar as batatas, e rápido. Sozinha com o pai, deu uns tapinhas de leve na perna dele e percebeu como as coxas torneadas tinham encolhido. Perguntou a Gerald por que Tara não fora incendiada e o pai respondeu que os ianques tinham se apossado e feito a casa de quartel. Gerald se recusara a sair por conta da doença de Carreen e Suellen, tampouco se refugiar em Macon, o que a senhorita Honey e a senhorita India haviam feito.

– Os ianques estavam indo para Jonesboro, para cortar a ferrovia. E subiram a estrada lá do rio... havia mil, mais de mil deles... com canhão, cavalo, eram milhares. Eu os encontrei na varanda da frente. Eles me mandaram sair porque queimariam a casa. Eu disse que só teriam que me queimar junto, porque não podíamos sair... suas irmãs... e sua mãe estavam...

"Ah, Gerald, o pequeno valentão de sempre", pensou Scarlett, com um peso no peito. Seu pai carregava nos ombros a descendência de muitos irlandeses que preferiram a morte a entregarem suas terras.

Tendo entre eles, segundo Gerald, um oficial muito cavalheiro, este saiu para buscar um capitão médico que trouxe ópio, graças ao qual Suellen fora salva de uma hemorragia. Haviam invadido todos os quartos, menos os das doentes; acamparam em torno da casa, invadiram as plantações de algodão e milho, os celeiros, os estábulos. Ellen, muito abatida, não se dera conta da invasão dos ianques. Quando estes foram embora, o jovem médico alertara que Carreen e Suellen se recuperariam, mas que o estado de Ellen era mais delicado.

Pork, havia quarenta anos acostumado com o mesmo hábito, do qual não se esquecera nem mesmo em uma hora como aquela, entrou pela porta esfregando os pés no chão para limpar os sapatos, trazendo à mão duas cabaças. O cheiro forte do líquido veio antes dele. Scarlett serviu o uísque em um estranho recipiente que o pai pôs à mão, e Gerald, tão obediente quanto uma criança, o engoliu fazendo ruído. Deixando as conveniências de lado, com um olhar enviesado do pai, Scarlett também se serviu do uísque e sentiu o líquido rasgar e queimar a garganta. Que sensação abençoada, que calor reconfortante, que parecia penetrar até o coração, tão frio quanto gelo no peito. Depois de Gerald beber mais algumas doses, com a ajuda de Pork, Scarlett levou o pai até o andar de cima.

O quarto onde estavam Carreen e Suellen fedia com o cheiro de trapo retorcido queimando em um pires com gordura de bacon. Ao abrir a porta, em um gesto instintivo, Scarlett quase deu meia-volta, sentindo-se a ponto de desmaiar. Sabia que o ar fresco era proibido pelos médicos e poderia ser fatal no quarto de um doente, mas não suportaria ficar ali; ou abriria as janelas ou morreria; optou pela primeira e ficou observando as irmãs macilentas e empalidecidas, em um sono entrecortado, intercalado com um ou outro devaneio, um ou outro olhar arregalado. Sentou-se ao lado das duas e começava a sentir o efeito entorpecente do uísque alternado com o murmúrio intermitente e desconexo das irmãs. Estava extenuada, seria capaz de se deitar, dormir e acordar depois de muitos dias. E como seria bom pegar no sono e acordar escutando a voz de Ellen dizendo: "Está tarde, Scarlett. Ande, coragem, vá para a cama. Não seja preguiçosa".

A porta se abriu e Dilcey entrou com o bebê de Melanie no colo, dando-lhe de mamar e segurando a cabaça de uísque na outra mão. A boca do bebê parecia um botão de rosa preso ao mamilo escuro, sugando, agarrando a carne macia com seus dedinhos minúsculos feito um filhote de gato aninhado na barriga da mãe. Scarlett levantou-se e, colocando a mão sobre o ombro de Dilcey, agradeceu-lhe por ter ficado. Dilcey disse que jamais teria ido embora depois de o patrão tê-la comprado e confortou Scarlett dizendo que Melanie só estava cansada e assustada por conta do bebê, mas que lhe dera o uísque que sobrara da cabaça e mãe e bebê estavam bem, precisando apenas se recuperar. Escutando o rangido do molinete lá fora, Scarlett soube que mammy vinha se aproximando. A mammy de

Ellen... sua mammy. Quando entrou, os olhos de mammy brilharam ao ver Scarlett, ela soltou os baldes das duas mãos e correu para abraçar a moça. "Por fim, alguma estabilidade", pensou Scarlett, "algo daquela vida de antes que não mudara." Mas a sensação de conforto durou pouco.

Mammy disse a Scarlett que preferia estar deitada naquele túmulo no lugar de Ellen. Carregando os baldes para perto da cama, entre lágrimas, ela começou a levantar as roupas de Suellen e Carreen e a banhá-las com o trapo de um avental velho.

– Mammy, quero que me conte sobre minha mãe. Não aguentei escutar meu pai falando sobre ela.

Mammy culpou os Slattery pela morte de Ellen, que fora chamada à casa deles para socorrer a família que andava com disenteria, mal que havia acometido primeiro Emmie. Quando Emmie melhorara, Carreen começou a adoecer, depois Suellen e, segundo mammy, Ellen, que já não comia bem, andava comendo menos ainda depois que os ianques começaram a levar toda a comida. A única pessoa que entrava no quarto das meninas doentes era a própria mammy, por já ter contraído tifo, mas Ellen acabara por contrair a doença também. Scarlett perguntou se alguma vez a mãe chamara pelo nome dela, e mammy respondeu que não, que não chamava mais ninguém, mas Dilcey interveio:

– Sim, sinhá, ela chamô, sim. Chamô uma pessoa.

– Fecha esse bico, sua nêga índia! – repreendeu mammy em tom de ameaça, virando-se para Dilcey.

– Shhh, mammy! Quem ela chamou, Dilcey? Meu pai?

– Não, num foi seu pai, não, sinhá. Foi na noite qui queimaru os algodão...

– Queimaram o algodão?! Conte logo!

– Foi, sim, sinhá. Atiaru fogo no celero, o fogo alumiô tudim, acordô sinhá Ellen, ela levantou da cama e soltô um grito, várias vêiz: Fiiilipiii! Fiiilipiii! Nunca ouvi esse nomi, mais ela tava chamandu ele.

Mammy ficou paralisada, fuzilando Dilcey com os olhos. Scarlett apoiou o rosto nas mãos.

Felipe... quem era e o que fizera à mãe para ela tê-lo chamado assim?

A extensa jornada entre Atlanta e Tara terminara e, no fim da estrada, em vez dos braços da mãe, Scarlett se deparava com um muro branco. Não havia ninguém em cujos ombros ela pudesse descansar seu fardo. O pai estava velho, aturdido, as irmãs, doentes. Melanie, frágil e fraca, as crianças, indefesas, e os pretos a observavam com os olhos de uma criança, na esperança de que, na ausência de Ellen, a filha representasse o refúgio que a dona da casa sempre fora.

Da janela, Scarlett observava a propriedade lá fora, vazia, os campos vazios, os celeiros arruinados feito um corpo agonizante, como o próprio corpo dela, sangrando lenta e incessantemente. Esse era o fim da estrada: mãos trêmulas, doença, bocas famintas, mãos indefesas e desamparadas clamando por socorro e não havia mais nada nela, nada a não ser Scarlett O'Hara Hamilton, 19 anos, viúva e mãe de uma criança. E o que fazer? Tia Pitty e os Burrs poderiam cuidar de Melanie e do bebê em Macon. Se as meninas escapassem da doença, a família de Ellen poderia cuidar delas, quisessem ou não. E ela, Scarlett, com o pai poderiam recorrer aos tios James e Andrew.

Olhou para a silhueta magra e embaçada diante de seus olhos. Não gostava de Suellen. Agora, isso estava ainda mais claro. Nunca gostara dela. E não se afeiçoava muito a Carreen... simplesmente se sentia incapaz de gostar de quem é fraco. Mas tinham o mesmo sangue, eram parte de Tara. Não, não poderia deixar que fossem morar de favor na casa das tias. Quando se deu por conta, alguém... mammy. Mammy lhe tirou as meias dos pés cheios de bolhas, começou a lavá-los e a dizer algo reconfortante. Que água fresca. E que sensação boa se deitar em uma cama macia, feito uma criança. Suspirou, relaxou, não se deu conta da embriaguez. Agora, via as coisas com outros olhos. Em algum lugar daquela estrada a caminho de Tara, a mocidade ficara para trás. Aquela seria a última noite em que seria cuidada como uma criança. Agora era uma mulher, e a juventude ficara para trás. Não, não poderia recorrer às famílias de Gerald e Ellen. Os O'Hara não aceitam caridade. Sabem se virar por conta própria. Não,

não abandonaria Tara. Pertencia àqueles hectares de terra vermelha como nunca antes. Tinha fincadas na própria pele as raízes daquela terra cor de sangue e dali extraía a vida que corria nas veias. Permaneceria em Tara e a manteria. Daria um jeito de manter o pai, as irmãs, Melanie e o filho de Ashley, e os escravos. Amanhã... Ah, amanhã! Teria tanta coisa para fazer! Iria a Twelve Oaks e à propriedade dos MacIntosh à procura de algo nas hortas e nos pomares desertos, procuraria porcos e galinhas dispersos pelos charcos, iria a Jonesboro e Lovejoy com as joias de Ellen, deveria haver alguém ali que as aceitasse em troca de algo para comer.

De repente, as histórias de família que tanto ouvira durante a infância e a adolescência, ora com impaciência, ora enfastiada, mas sempre captando o sentido de tudo, começavam a ficar tão claras quanto cristal. Gerald, sem nenhum tostão, erguera Tara; Ellen superara alguma misteriosa decepção; o avô Robillard sobrevivera à queda do trono de Napoleão e voltara a enriquecer no solo fértil da Geórgia; o bisavô Prudhomme cravara um pequeno reino na densa relva do Haiti, perdera-o e vivera para ver seu nome ser homenageado em Savannah; e havia ainda os Scarlett que lutaram como voluntários irlandeses para libertar a Irlanda e morreram enforcados durante a luta, e os O'Hara que morreram em Boyne, lutando até o fim pelo que lhes pertencia.

Todos sofreram infortúnios incomensuráveis e não desistiram. Não se deixaram abater pela queda de impérios, pelo facão de escravos revoltados, pelas guerras, por motins, proscrição, confisco. O destino talvez tenha lhes ceifado a cabeça, mas jamais o coração. Não lamuriaram, mas lutaram. E os que morreram o fizeram por cansaço, sem nunca se entregar. Todos esses fantasmas cujo sangue corria nas veias dela pareciam circular na penumbra, em torno do quarto silencioso. E essa visão não surpreendeu Scarlett; não, ela não se surpreendeu de ver aqueles antepassados, sangue do seu sangue, que receberam o pior do destino e o transformaram no melhor. Tara era seu destino, sua luta, e Scarlett deveria brigar por ela.

Capítulo 25

Na manhã seguinte, Scarlett sentiu tanto as dores e a tensão dos longos quilômetros percorridos em uma carroça sacolejante que cada momento se transformou em verdadeira agonia. Tinha o rosto vermelho, queimado do sol, as palmas das mãos em carne viva e a língua e a garganta tão secas que não havia água no mundo capaz de lhe saciar a sede. Mal conseguiu se sentar à mesa para comer as batatas-doces servidas no desjejum, sem sequer conseguir suportar o cheiro. Gerald teria dito que a filha sofria das consequências da primeira bebedeira, mas não notara nada. Permanecia sentado à cabeceira da mesa, imóvel, relapso, com a cabeça pendendo um pouco para o lado, à espera do conhecido farfalhar das saias de Ellen e do perfume familiar de verbena-limão. Quando Scarlett se aproximou, ele murmurou:

– Vamos esperar pela senhora O'Hara. Está atrasada.

Sem conseguir acreditar no que acabara de escutar, ela encontrou o olhar suplicante de mammy, parada atrás da cadeira de Gerald. Pasma, com a mão na garganta, Scarlett se levantou e observou o pai à luz do sol da manhã. Percebeu que as mãos e a cabeça dele tremiam. "Ah, meu Deus, será que meu pai enlouqueceu?", pensou, sentindo na pergunta o peso que faltava para a cabeça rachar ao meio. "Não, ele só está perturbado com tudo que aconteceu. É como se estivesse doente. Vai superar. Tem que superar. E o que vou fazer se isso não acontecer? Não vou pensar nisso agora. Não vou pensar nele, nem em minha mãe, e em nenhuma dessas coisas terríveis agora." E, com isso, saiu da sala sem comer e foi falar com Pork, na varanda dos fundos. Com a cabeça latejando, e fazendo todo o esforço possível para manter-se de pé, foi breve e direta, dispensando toda a cortesia e formalidade com que a mãe sempre lhe ensinara a tratar os escravos. O comportamento e as ordens bruscas espantaram Pork, que arregalou os olhos. Scarlett perguntou novamente sobre os campos, os jardins, a horta, o pomar, e Pork enxergou naqueles olhos verdes um brilho nunca antes visto.

– Sinhá, num sobrô nada, só uma leitoa e a ninhada dela. Levei ela e os fiote pro charco no dia que os ianque chegaru, mas só Deus sabe como nóis pode pegá eles. É braba aquela leitoa.

– Pois vá pegá-los. Você e Prissy podem começar a procurá-los agora mesmo.

Com os olhos marejados, Pork ficou surpreso e indignado. Ah, se ao menos a senhora Ellen estivesse lá! Ela compreendia muito bem a diferença entre o trabalhador do campo e as tarefas domésticas.

Scarlett alertou Pork e Prissy que, caso se recusassem a ir atrás da leitoa, deveriam ir embora como o fizeram todos os outros empregados da fazenda.

– Ir embora, sinhá Scarlett? E pra donde é que eu ia, sinhá?

– Não sei e não me importo. Mas, aqui em Tara, quem se recusar a trabalhar pode ir atrás dos ianques. Pode avisar aos outros também.

Ainda indagando sobre o que sucedera na fazenda, Scarlett soube por Pork que restaram apenas três fardos de algodão. Apenas três fardos! E ainda havia os impostos, que deveriam ser pagos ao governo confederado por meio de algodão, mas três fardos nem sequer cobririam essas taxas! "Não vou pensar nisso", disse a si mesma. "Impostos não são assunto de mulher. Meu pai é quem deve cuidar disso, mas meu pai... não vou pensar nele agora. A Confederação que cobre por seus impostos. O que precisamos agora é de algo para comer." Ela avisou a Pork que iria a Twelve Oaks verificar se sobrara algo nas hortas e nos pomares e que mandaria Dilcey fazer o mesmo na propriedade dos MacIntosh. Ela, Scarlett O'Hara, iria sozinha a Twelve Oaks. Pork ficou agitado. Como ela sairia por ali sozinha? E se encontrasse ianques ou pretos pelo caminho?

– Pork, já chega. Anda, diga a Dilcey que saia agora mesmo. E você e Prissy vão caçar a leitoa e a ninhada dela – ordenou e deu meia-volta em seguida.

Ao pegar o chapéu de sol de mammy, surrado, porém limpo, e colocá-lo na cabeça, Scarlett lembrou-se do chapéu com pluma verde que Rhett lhe trouxera de Paris. Com uma cesta nas mãos, desceu as escadas e saiu. As estradas e os campos estavam devastados. Plantações dissecadas e pisoteadas, árvores derrubadas, sulcos pela estrada. Em um e outro canto havia espalhados fivelas, cantis, botões, quepes azuis, meias furadas, trapos de roupa ensanguentados e tudo mais que o exército deixara para trás. Ao passar pelos cedros e pelo muro baixo de tijolos que ladeavam o cemitério da família, Scarlett tentou não pensar na nova cova que jazia ao lado da dos irmãos mais novos. Ah, Ellen... Não fosse pelos Slattery... não fosse aquela maldita Emmie ter engravidado daquele homem... Ellen estaria viva.

No meio do caminho, uma pedra pontiaguda lhe cortou o pé cheio de bolhas. O que ela fazia ali? Por que Scarlett O'Hara, a beldade do condado, vagava por aquela estrada, quase descalça? Nascera para ser bajulada, servida; no entanto, estava ali, fraca, abatida e procurando o que comer pelos pomares dos vizinhos. Apesar de os ianques terem queimado a ponte, Scarlett, por meio de um atalho que dava em uma ponte estreita, caminhou rumo a Twelve Oaks. Os carvalhos altaneiros estavam agora queimados, as colunas brancas da propriedade, chamuscadas. A casa dos Wilkes estava às ruínas. Aquele lugar que tantas vezes a recebera com cortesia, a casa da qual ela tanto sonhara ser senhora, se diluía em poeira sob seus pés. "Ah, Ashley! Espero que esteja morto. Não suportaria uma cena como essa!", pensou. Andando ao redor das ruínas, passando pelo roseiral esmagado que outrora as Wilkes cuidaram com tanto carinho, em meio à horta da senzala, avistou nabos e repolhos murchos pela falta d'água, mas reaproveitáveis, vagens e feijão-manteiga esparsos. Sentou--se e começou a encher a cesta. Naquela noite, haveria uma boa refeição em Tara, apesar de não haver carne para engrossar o caldo dos vegetais. Talvez a gordura do bacon que Dilcey estava usando para fazer fogo pudesse servir de tempero. Precisava lembrar-se de avisá-la para usar nós de pinho e guardar o bacon para cozinhar.

Sucumbindo à náusea depois de morder um rabanete que encontrara ao pé de uma cabana, Scarlett ficou zonza e caiu de rosto no chão, sentindo a terra fofa e macia feito um travesseiro de penas amparando a cabeça. Ela, Scarlett O'Hara, deitada por um bom tempo atrás de uma senzala, nauseada demais e cansada demais para conseguir se mexer, e não havia nada nem ninguém no mundo que se importasse com isso. Quando, por fim, conseguiu reunir forças para se levantar, deparou-se com as ruínas chamuscadas de Twelve Oaks mais uma vez. Ergueu a cabeça. A juventude, a beleza e toda e qualquer possibilidade de ternura tinham desaparecido para sempre. O que passou, passou. Os mortos não voltariam. Os dias de luxo e ociosidade tinham ficado para trás. Retomando o caminho para voltar a Tara, com a cesta agora pesada machucando a pele em carne viva e o estômago vazio reclamando, Scarlett pensou: "Deus é minha testemunha, Deus é minha testemunha, os ianques não vão me vencer. Vou superar tudo isso e, quando acabar, nunca mais voltarei a sentir fome. Não, nem eu, nem nenhum dos meus. Ainda que eu tenha de matar ou roubar, que Deus seja minha testemunha, nunca mais voltarei a sentir fome."

* * *

Nos dias seguintes, Tara ficou tão deserta, silenciosa e isolada do mundo quanto a ilha de Crusoé. Tendo morrido o cavalo velho que restara, não havia outro meio de transporte, e o corpo não tinha forças para percorrer os cansativos quilômetros de terra vermelha. Entre os dias de trabalho árduo, à procura desesperada por comida e cuidado incessante das três mulheres doentes, Scarlett se permitia pensar que, em algum lugar do mundo, havia famílias que comiam e dormiam tranquilamente sob o teto e a segurança de uma casa. Em algum lugar do mundo, as moças, com seus vestidos tantas vezes reformados, flertavam e cantavam *When this cruel war is over*, tal como a própria Scarlett fizera algumas semanas antes. Em outro lugar, que não ali, em Tara, estavam a guerra e o mundo. Mas naquele lugar, naquela terra, havia uma única preocupação. Comida! Comida! Ah, que saudade da fartura dos banquetes, das broas de milho, dos biscoitos, dos *waffles*, da manteiga, do presunto em uma ponta, do frango frito na outra, de três opções de sobremesa para atender a todos os gostos. Além de conviver com o estômago sempre vazio e nauseado, para onde olhava avistava rostos famintos, de brancos e pretos. Logo Carreen e Suellen teriam a fome insaciável dos convalescentes e o próprio Wade andava resmungando "Wade não quer batata-doce. Wade com fome", e Scarlett também ouvia queixas como "Sinhá, si eu num tivé outra coisa prá cumê num vô tê como dá de bebê pras criança", "Sinhá, de barriga vazia num vô consegui rachá lenha".

A única que não reclamava era Melanie; dizia não ter fome e pedia a Scarlett que desse sua porção de leite a Dilcey, que precisava amamentar os bebês. E essa resistência cortês irritava Scarlett mais que o queixume dos outros, pois se sentia impotente perante o altruísmo de Melanie. Gerald, os escravos e Wade, todos queriam ficar perto de Melanie, que, mesmo fraca, era sempre gentil e empática, quando Scarlett agia exatamente do jeito oposto. O próprio Wade não saía do quarto da "tia" Melanie, que brincava com o menino e sempre lhe contava histórias. Wade adorava a tia de voz meiga, que sempre sorria e nunca lhe dava broncas, ao contrário da mãe.

Havia algo errado com Wade, mas Scarlett andava cansada demais e preocupada demais para pensar. Escutando a opinião de mammy de que o menino tinha vermes, ela o tratou com uma mistura de ervas e cascas de árvores, a mesma com que Ellen medicava os filhos dos escravos. Mas o remédio só deixou Wade ainda mais pálido. Scarlett não percebera que o menino convivera lado a lado com o terror insuportável até mesmo para um adulto; vivia assustado, com medo constante dos ianques que o fazia acordar aos berros à noite. Ao menor barulho ou palavra mais dura, Wade começava a tremer. Desde a noite da fuga, quando a mãe lhe batera pela primeira vez, convivia com a sensação contínua de que os ianques iriam pegá-lo e cortá-lo em pedacinhos a qualquer momento. A mãe notara que o filho começava a evitá-la e nos raros momentos em que uma brecha entre as tarefas infindáveis lhe permitia pensar a respeito sentia-se muito incomodada, tanto que, certa vez, ao flagrar Wade de ponta-cabeça na cama de Melanie, repreendeu o menino e ordenou que nunca mais voltasse a importunar a tia doente. Melanie tentou acalmá-la, pedindo que lhe deixasse fazer o mínimo para ajudar enquanto não se restabelecia. Ninguém se atrevia a contrariar Scarlett. Todos temiam sua língua ferina, a figura que se apoderara dela nos últimos tempos e que ela não ignorava, vez em quando se perguntando aonde tinham ido parar todas as boas maneiras e a gentileza que Ellen tanto lhe ensinara praticar. "Ame e queira o bem às suas irmãs. E tenha compaixão pelos aflitos. Mostre que se importa com aqueles que estão tristes e sofrem", orientara Ellen, mas Scarlett sentia-se incapaz de amar as irmãs que agora representavam um verdadeiro fardo para seus ombros. Dava banho nas irmãs, penteava-lhes o cabelo e lhes dava de comer. Que seria isso senão desejar o bem? Quando Scarlett ficava ao pé da cama delas, de pé, descrevendo todas as tarefas que as aguardavam quando se recuperassem, Carreen e Suellen as olhavam como se ela fosse um espectro. Não compreendiam que já não contavam com cem escravos para executar o trabalho. Que o trabalho braçal seria feito por uma dama O'Hara. Apesar disso, Scarlett ia ao pé da cama delas todos os dias, engatando em um discurso sobre arrumar a cama, preparar a comida, carregar baldes d'água, partir gravetos e parecia se comprazer ao fazer isso. Parecia, não, comprazia-se. Sentia-se confusa e atordoada, pois nada do que a mãe lhe ensinara tinha serventia agora. Ellen não vislumbrara a possibilidade do colapso da civilização na qual criara as filhas, não pôde prever o desaparecimento dos papéis da sociedade para os quais as preparara tão bem. O mundo ordenado de Ellen se fora e dera lugar a um mundo brutal, em que todos os padrões, comportamentos, todos os valores haviam mudado.

A única coisa que permanecia igual era o sentimento de Scarlett por Tara. O amor por aquela terra, por suas colinas, pela terra vermelho--sangue, cor de tijolo, poeira, escarlate, essa era a única parte de Scarlett que se mantinha igual, enquanto todo o restante mudava. Não havia terra como aquela em nenhum outro lugar do mundo. Rhett estava errado quando dizia que o dinheiro é a motivação da guerra. Não, em uma guerra, o que há em disputa são metros e metros de hectares, são terras cuidadosamente aradas, grama verdejante e aparada, rios lânguidos e o frescor que há entre as paredes de uma propriedade erguida no meio de magnólias. Essas eram as únicas coisas pelas quais valia a pena lutar, a terra vermelha que era deles e que seria de seus filhos, a terra vermelha de onde brotaria o algodão para seus filhos e as outras gerações.

Os hectares pisoteados de Tara eram tudo que ela tinha. A mãe partira, Ashley partira, Gerald ficara senil por conta do choque, o dinheiro, os pretos, a segurança e a posição social, tudo havia desaparecido do dia para a noite. Como se fizesse parte de outro mundo, lembrou-se de uma conversa que tivera com o pai e se perguntou como pôde ter sido tão ingênua, tão ignorante por não ter compreendido quando o pai lhe dissera que a terra era a única coisa no mundo pela qual valia a pena lutar.

Sim, valia a pena brigar por Tara, e ela aceitaria isso sem questionar e sem fugir. Ninguém lhe tiraria Tara. Ninguém a tiraria daquelas terras, ninguém a deixaria à mercê de parentes. Preservaria Tara nem que para isso tivesse de sacrificar todos ali.

Capítulo 26

Depois de duas semanas do retorno a Tara, a bolha que se formara no pé de Scarlett infeccionou, para seu desespero. E se o ferimento gangrenasse como acontecera com tantos soldados, e se ela corresse o risco de morrer ali, sem ter um médico a quem pedir socorro? E quem cuidaria de Tara se ela morresse? Nos dias que se passaram, as esperanças de o pai recobrar o juízo se esgotaram por completo. Gerald mantinha-se quieto, em silêncio, como em estado de transe, e sempre gentil respondia a todas as perguntas da filha com: "Faça o que achar melhor, filha" ou, pior, "Veja com sua mãe o que ela prefere".

Naquela manhã, a casa estava silenciosa, pois todos, com exceção de Scarlett, Wade e das três enfermas, tinham saído para procurar a leitoa. Até Gerald se animara um pouco e saíra à procura do bicho, usando o braço de Pork como apoio. Melanie, pela primeira vez, sentada na cama em vez de deitada, coberta com um lençol remendado, ficara com os dois bebês, um em cada braço, e Wade estava ao pé da cama dela, prestando atenção a um conto de fadas. Suellen e Carreen pegaram no sono depois de tanto chorar, como faziam duas vezes ao dia, sempre que pensavam na mãe. A quietude incomodava Scarlett porque a lembrava do silêncio sepulcral com que atravessara o caminho de Atlanta até Tara. A vaca, que tinha dado cria a um bezerro, motivo dos úberes inchados, também não mugia, tampouco o bezerro.

Sentada à janela, com os braços apoiados no parapeito e um balde d'água no chão, onde vez em quando mergulhava o pé, Scarlett remoía a raiva por não poder andar muito justo naquele momento em que mais precisava. Sabia que, sem a ajuda dela, levariam muito tempo para laçar a leitoa, pois já tinham levado uma semana para capturar a ninhada. E quando a leitoa fosse capturada – se fosse –, e comida? E quando a cria da leitoa fosse comida? O que restaria? Precisaria de sorgo, farinha, arroz e... e de tantas outras coisas... De onde viria tudo isso e como pagaria? Qualquer que fosse a resposta, tão logo o pé sarasse, iria caminhando até Jonesboro. Seria a caminhada mais longa de toda sua vida, mas iria. Com certeza, lá encontraria alguém que lhe diria onde arranjar comida. Por um instante, o rostinho macilento de Wade lhe veio à mente. Wade não gosta de batata-doce, Wade quer comer coxa de galinha com arroz e molho. Scarlett sentiu vontade de chorar, mas se conteve. Chorar de nada adiantaria naquele momento. A única situação em que o choro compensa é quando há um homem por perto, de quem se pode obter um favor. Ali, com o corpo curvado e cerrando os olhos para refrear o choro, escutou a cavalgada de um cavalo. A princípio, nem ergueu a cabeça, pois estava acostumada a ouvir muitas coisas nos últimos dias, entre elas o farfalhar da saia de Ellen. No entanto, o ritmo da cavalgada diminuiu drasticamente. Era um cavalo... Os Tarleton! Os Fontaine! Ergueu a cabeça depressa.

Era um ianque montado.

Em um gesto instintivo, ela correu e se escondeu atrás da cortina, de onde observou o homem de barba preta, jaqueta azul desabotoada e quepe. Estava armado, com uma pistola no coldre. E ela sozinha! Com três enfermas, além das crianças. O homem caminhava em direção à entrada, ao mesmo tempo em que Scarlett recobrava as histórias contadas por tia Pittypat: mulheres atacadas, gargantas degoladas, casas incendiadas, crianças atravessadas com baionetas. Ao escutar os passos nos degraus da frente, viu que não haveria como fugir. A cada instante, os passos do intruso ficavam mais atrevidos e firmes por não encontrarem ninguém. Vendo-o se aproximar da cozinha, ficou apavorada ao pensar na caçarola cheia de vegetais trazidos a todo custo de Twelve Oaks e do jardim dos MacIntosh, e que serviria para alimentar nove bocas no jantar, embora houvesse quantidade suficiente apenas para duas. Sem titubear, tirou o sapato gasto e, descalça, caminhou até a cômoda, abriu a gaveta e retirou de lá a pistola de Charles que trouxera de Atlanta. Remexeu a cartucheira dependurada na parede abaixo do sabre, tirou uma bala e carregou a pistola com a mão que não tremia. Sem fazer barulho, desceu as escadas, com uma mão segurando o corrimão e, com a outra, a pistola, mantendo-a entre as coxas e a saia.

– Quem está aí? – gritou com a voz anasalada no meio da escada, sentindo o coração pulsar nos ouvidos. – Pare ou atiro!

O homem parou no meio da sala de jantar, com a pistola em uma mão e a caixinha de jacarandá com dedal de ouro na outra. A caixinha de costura de Ellen. Ele disse:

– Então, tem gente em casa – o ianque guardou a arma no coldre e começou a caminhar em direção à sala. – Está sozinha, senhora?

Scarlett, na mesma velocidade de um raio, empunhou a pistola por cima do corrimão e a apontou para a cara barbada. Antes que houvesse tempo de o intruso levar a mão ao coldre, ela disparou. O homem caiu de costas. Foi um tiro certeiro no nariz. Sem sequer se dar conta dos próprios movimentos, ela desceu as escadas e parou ao lado dele. Enquanto o observava, duas carreiras de sangue começaram a se formar no chão, uma perto do rosto e outra atrás da cabeça dele.

Ela matara um homem.

Por um instante imensurável, ficou ali, parada, entre a brisa quente e matinal do verão, sentindo o próprio batimento cardíaco ressoar feito um tambor. "Assassinato!", pensou. "Matei um homem. Ah, não pode ser, não pode ser!" Mas, ao olhar para a caixinha de costura no chão, ao lado da mão peluda, sentiu como se a força vital tivesse voltado a correr nas veias, uma energia fresca e revigorante. De repente, escutou passos vacilantes no andar de cima, entremeados pelo tilintar de algum objeto metálico. Recobrando os sentidos, ergueu a cabeça e viu Melanie, de pé, o camisolão surrado, com um braço combalido enquanto a mão segurava o sabre de Charles. Em silêncio, o olhar das duas se cruzou. Ora, ora... "Ela é como eu! Compreende como estou me sentindo", pensou Scarlett por um momento. "Ela teria feito o mesmo!" Agora, em contraponto ao ódio que sentia pela esposa de Ashley, surgia um sentimento de admiração e camaradagem. Em um lampejo destituído de qualquer tipo de mesquinhez, Scarlett notou que, sob a voz suave e o olhar meigo de Melanie havia uma tênue, porém reluzente e inquebrantável lâmina de aço, além de cornetas e um estandarte de coragem correndo por aquele sangue calmo. Não bastasse, ao ouvir o grito das enfermas e de Wade, Melanie pôs o dedo indicador sobre os lábios, fez sinal para Scarlett, foi ao quarto e acalmou a todos dizendo que Scarlett estava tentando desenferrujar a pistola de Charles e disparou sem querer.

"Uma mentirosa de mão cheia!", pensou Scarlett, admirada. "Eu não teria tido uma ideia melhor em tão pouco tempo. Mas por que mentir? Eles precisam saber o que fiz."

De volta, Melanie sugeriu que as duas tirassem o homem dali, pois poderia não estar sozinho e era preciso esconder o corpo antes que os demais voltassem dos charcos. Scarlett sugeriu enterrar o defunto debaixo do parreiral, mas não sabia o que fazer para levar o corpo até lá.

– Cada uma segura uma perna e nós o arrastamos – sugeriu Melanie com firmeza.

– Você não conseguiria arrastar nem um gato – retrucou com a voz ríspida, mas cada vez mais admirada com a reação de Melanie. – Volte para a cama. Ou vai acabar se matando. Nem se atreva a me ajudar ou a carrego lá para cima.

Em comum acordo, as duas o decidiram revistá-lo. Encontraram dinheiro, dólares americanos misturados com dólares confederados, uma moeda de ouro de dez dólares e outras duas de cinco dólares.

– Não pare para contar agora – disse Melanie quando Scarlett começou a mexer nas notas. – Não temos tempo...

– Melanie, percebe o que esse dinheiro significa? Que teremos o que comer?

– Sim, sim, querida. Sei disso, mas não temos tempo agora. Olhe nos outros bolsos que vou ver a mochila.

Comida! Dinheiro de verdade! O cavalo de um ianque. Comida! Deus existe, não nos desampara, mesmo agindo por linhas tortas. Encontraram um toco de vela, um canivete, um naco de fumo e um rolo de barbante, um saquinho de café, uma foto pequena de uma garotinha em uma moldura de ouro cravejada com pérolas. Havia também um broche de granada, duas pulseiras de ouro, um dedal de ouro, um anel de diamante solitário, uma tesoura de ouro, um par de brincos com pingente de brilhantes.

Um ladrão, concluíram as duas. E tinha aparecido ali para roubar mais. Mesmo com o pé machucado e o corpo fraco, aos trancos, Scarlett conseguiu arrastá-lo, deixando para trás um rastro de sangue. Vendo aquilo, pediu a Melanie a regata que usava debaixo da camisola para enrolar a cabeça do defunto e evitar que o sangue manchasse o pátio. Constrangida, Melanie tirou a camiseta e protegeu o corpo com os braços. "Que frescura se importar com recato em uma hora como essa", pensou Scarlett. Mas logo se envergonhou. Afinal... Melanie saíra da cama em tão pouco tempo e tivera a coragem de trazer uma arma pesada demais para carregar. Um ato de coragem, do tipo que a própria Scarlett admitira não ter. A mesma coragem intangível e trivial dos Wilkes, uma qualidade que ela nunca compreendeu, mas à qual muito admirava, mesmo contra a própria vontade.

Scarlett, sozinha, cavou a cova e enterrou o ianque sob o parreiral. Os paus que mantinham a videira de pé estavam podres, e, naquela noite, usando uma faca de cozinha, Scarlett os cortou até os galhos da árvore caírem sobre o túmulo. Soubessem ou não o motivo, nem os pretos nem ninguém ali nunca perguntou o que acontecera com os pedaços de madeira que sustentavam a parreira. Tampouco perguntaram de onde viera o cavalo. Nenhum remorso nem lembrança a incomodaram naquela noite e nos dias que sucederam. Perguntava-se por que ela, a senhora Hamilton, com suas covinhas e seus brincos retinintes, estourou o rosto de um homem com um tiro e sozinha o enterrou. Todavia, sempre que se via ante a uma situação difícil, ainda que de modo inconsciente, pensava: "O que significa isso para quem já matou um homem?".

* * *

Agora que tinha um cavalo, Scarlett podia sair e tentar descobrir o que acontecera aos vizinhos. Foi direto a Mimosa, a casa dos Fontaine, não porque eram os vizinhos mais próximos, mas para procurar o doutor Fontaine, pois Melanie, apesar de estar em recuperação, precisava ser examinada. Para sua surpresa, foi recebida com abraços pelas três Fontaine. Os ianques não tinham passado por Mimosa porque ficava distante da estrada principal, mas, por medo, todos os escravos haviam fugido, com exceção de quatro criadas. Na casa, havia apenas a vovó Fontaine, com seus 70 anos, sua nora, conhecida desde sempre como Sinhazinha, embora tivesse mais ou menos 50 anos, Sally, que acabara de completar 20, e o filho dela, Joe, que mal saíra das fraldas. O marido de Sally falecera em Gettysburg. Sinhazinha também estava viúva, porque o doutor Fontaine morrera de disenteria em Vicksburg. Alex e Tony, os outros dois rapazes, estavam em algum lugar da Virgínia, ninguém sabia se vivos ou mortos, e o velho doutor Fontaine estava em algum lugar com a cavalaria de Wheeler. A vovó Fontaine, apesar da aparência frágil, era mulher de língua afiada, e temida, inclusive pela própria Scarlett. Ela contou que os escravos fugitivos de Tara passaram pela casa dos Fontaine relatando sobre a chegada dos ianques e dizendo que os invasores poriam fogo na propriedade. Como viram um clarão de fogo próximo a Tara, imaginaram que a construção fora incendiada e que os O'Hara tivessem se refugiado em Macon. Scarlett contou que os ianques tinham incendiado todo o algodão, e a vovó perguntou se já tinham começado a colhê-lo novamente.

– Eu?! Colher algodão? – indagou Scarlett como se tivesse sido acusada de um crime. – Feito um trabalhador do campo? Uma branca desclassificada? Como as Slattery?

– Ora! Como uma branca desclassificada! Veja só! Essa geração é mesmo cheia dos melindres. Ouça uma coisa, mocinha. Quando eu tinha a sua idade e minha família perdeu todo o dinheiro que tinha, não senti vergonha nenhuma de trabalhar no campo com essas mãozinhas aqui, até meu pai conseguir se reerguer e comprar mais escravos. Carpi e colhi meu algodão e não teria a menor vergonha de fazer isso de novo, se preciso fosse. E tudo indica que vou precisar mesmo. Branca desclassificada, ora essa!

Depois de mais algum tempo de conversa, com Scarlett sempre tentando se esquivar para não tocarem no nome de Ellen, pois não queria chorar, não podia chorar, a vovó a puxou de canto e quis saber o que havia de errado. Para a própria surpresa, Scarlett se sentiu aliviada por contar tudo, absolutamente tudo, a viagem até Tara, o abandono de Rhett, o bebê de Melanie, a morte de Ellen e o juízo acometido de Gerald. Mas depois se arrependeu, pois a vovó não lhe deu nenhum conselho, e só fez contar todas as dificuldades que ela mesma vivenciara quando era jovem, entre elas testemunhar o assassinato da própria mãe. Por fim, a vovó pediu a Scarlett que mandasse Pork até lá com a carroça, pois dividiria com os O'Hara metade de tudo que tinham: arroz, fubá, presunto e as galinhas.

O verão se estendeu até novembro naquele ano, trazendo dias quentes e iluminados. O pior havia passado. Scarlett agradecia os dias quentes, pois, enquanto houvesse calor, não haveria motivo para se preocupar com agasalhos de inverno. Tinham um cavalo e agora podiam se locomover com mais facilidade. No café da manhã, havia presunto e ovos fritos, e em uma ou outra ocasião ainda podiam contar com galinha assada. A visita à casa dos Fontaine a acalentara mais do que imaginava. O fato de saber que havia vizinhos ali, pessoas com quem contar, aliviara um pouco as perdas terríveis e o sentimento de solidão que assolara Tara. Além dos Fontaine, podiam contar com os Tarleton, que também ficavam afastados da rua principal, portanto fora da rota do exército ianque. No condado, a tradição era a de que vizinho ajuda vizinho, e tanto os Fontaine quanto os Tarleton não aceitaram uma moeda sequer de Scarlett, pois sabiam que tão logo Tara se recuperasse ela os retribuiria. Mesmo depois da conversa com vovó Fontaine, Scarlett se recusava a aceitar que ela, uma dama O'Hara, agora senhora da propriedade, trabalhasse nos campos. Enfrentou dificuldades para obrigar os pretos e as próprias irmãs a fazerem a colheita do algodão, mas a presteza e a energia incansável de Dilcey a surpreenderam e ela prometeu retribuir o gesto tão logo o tempo das vacas gordas retornasse. A leitoa fora encontrada, bem como suas crias, e eram mantidas no chiqueiro, à espera do abate, quando chegasse o inverno.

Apesar da exaustão e de todo o trabalho que carregava nos próprios ombros, Scarlett se sentia cada vez mais animada ao ver as fileiras crescentes de algodão. Havia algo reconfortante naquelas plantações. Tara se erguera graças ao algodão, assim como todo o Sul, e Scarlett, como boa sulista, acreditava que Tara e todo o Sul se reergueriam naquela terra vermelha. Claro que a colheita renderia pouco, mas traria dinheiro confederado suficiente para ajudá-la a poupar os dólares e o ouro que encontrara na carteira daquele ianque. Na primavera, ela tentaria trazer de volta Big Sam e os outros trabalhadores do campo que o governo confederado lhe tomara e, caso não os liberassem, ela usaria o dinheiro do ianque para contratar dos vizinhos a mão de obra de que precisava. Na primeira, plantaria, plantaria... Endireitando a coluna, Scarlett ergueu a cabeça e ficou observando os campos cheios, prestes a dar frutos.

Agora havia esperança. A guerra não poderia durar para sempre. Havia pequenas plantações de algodão, comida, um cavalo, uma pequena mas significativa quantia em dinheiro. Sim, o pior ficara para trás!

Capítulo 27

Certo dia de novembro, ao meio-dia, todos estavam sentados à mesa terminando a sobremesa preparada por mammy com fubá, mirtilo seco e adoçada com sorgo. De repente, escutaram o trote apressado de um cavalo lá fora.

– Scarlett! Scarlett!

Todos reconheceram a voz de Sally Fontaine.

– Os ianques estão vindo! Eu os vi! Estão lá embaixo, na estrada. Os ianques...

Sally deu meia-volta com o cavalo, atravessou o gramado lateral e saltou a cerca viva como se estivesse em um campo de caça. Por um instante, todos ficaram paralisados. Depois, Suellen e Carreen começaram a chorar e agarraram as mãos uma da outra. Wade começou a tremer também, mas sem sair do lugar. O medo dele se consumara. Os ianques estavam vindo pegá-lo.

– Virgem Santa! – exclamou Scarlett, cruzando o olhar assustado de Melanie.

Nesse momento, recordou tudo que passara naquela noite, no trajeto até Tara, de todas as histórias de estupro, tortura e assassinato. E lembrou-se da caixinha de costura de Ellen, na mão daquele ianque invasor. "Vou morrer. Vou morrer aqui. Pensei que isso tinha acabado. Vou morrer. Não suporto mais isso", pensou. Eles levariam tudo. O cavalo, a vaca, o bezerro, a leitoa e suas crias, as galinhas e os patos que as Fontaine haviam lhe dado.

– O que faremos, Scarlett? – perguntou Melanie com a voz calma, apesar dos resmungos, do choro e dos passos apressados. Embora com o rosto empalidecido e o corpo trêmulo, a serenidade na voz de Melanie fortaleceu Scarlett, pois mostrou que todos ali estavam à espera das instruções dela.

Rapidamente, ela pediu aos escravos que levassem os porcos para o pântano; a mammy, que colocasse a prataria no poço; a Suellen e Carreen, que enchessem as cestas com o máximo de comida possível; a Pork, que levasse Gerald dali, para algum lugar, qualquer outro lugar; e a Melanie, que levasse a vaca e o bezerro para o pântano. Antes mesmo de terminar de ouvir a instrução, Melanie segurou a barra das sainhas, foi correndo até a porta e dali montou no cavalo encilhado e puxou as rédeas. Scarlett ficou observando as canelas finas esporeando o cavalo.

– Meu bebê! – gritou Melanie. – Ah, meu bebê! Os ianques vão matá-lo! Traga ele aqui.

Antes que houvesse tempo de ela se apear do cavalo, Scarlett gritou de volta dizendo que fosse atrás da vaca e do bezerro porque ela, Scarlett, cuidaria do bebê. Com o olhar desesperado, Melanie olhou para trás, mas, no segundo seguinte, partiu a todo galope. "Jamais pensei que veria Melly Hamilton montando um cavalo feito um cavaleiro!" Wade grudou nas saias de Scarlett, aos prantos. Ela subiu os degraus rapidamente. Chegando lá, abriu a primeira gaveta da cômoda e revirou tudo, até encontrar a carteira do ianque. Pegou o anel solitário e os brincos de brilhante da cesta de costura, onde os escondera, e os enfiou na carteira. Mas onde escondê-la? No colchão? Na chaminé? Jogá-la no poço? Colocá-la no corpete? Não, isso não, nem pensar! Se os ianques desconfiassem do volume, com certeza a despiriam. No andar debaixo, se ouvia o alvoroço de pés e queixume. Mesmo em meio àquele pandemônio, Scarlett desejou que

Melanie estivesse ali com ela, Melly, com sua voz calma, Melly que fora tão corajosa naquele dia em que Scarlett atirara no ianque. Melly valia mais que os outros três. Melly... o que ela pedira mesmo? Ah, sim, o bebê!

Com a carteira na mão, Scarlett foi até o quarto onde o pequeno Beau dormia em um bercinho. Ela o segurou nos braços e o bebê acordou, babando, sonolento e com as mãozinhas balançando. Da janela, Scarlett avistou mammy correndo pelo campo dc algodão, com um porquinho debaixo do braço. Logo atrás, vinha Pork, carregando dois porcos com uma mão e arrastando Gerald com a outra. Ela então correu até o próprio quarto e retirou do esconderijo os braceletes, o broche e a canequinha que retirara do ianque. Mas onde carregar tudo isso? E como segurar Beau nos braços? Foi aí que teve uma ideia. Que esconderijo melhor que a fralda de um bebê? Depressa, ela enfiou a carteira na parte lateral da fralda. Com o bebê berrando em um braço e todos os apetrechos debaixo do outro, começou a descer a escada, mas se deteve por um momento. Como a casa estava silenciosa! O que acontecera com os outros? Teriam fugido e a deixado para trás? De repente, escutou um barulho e, ao virar rapidamente, se assustou ao ver o pequeno Wade aninhado no corrimão, com os olhos esbugalhados, atemorizado. Ele abriu a boca para dizer algo, mas a voz não saiu.

– Levante-se, Wade Hampton – ordenou depressa. – Levante-se e ande. Mamãe não pode carregá-lo agora.

Ele correu até a mãe feito um animalzinho assustado, agarrou-lhe as pernas e escondeu a cara entre elas. Scarlett, tentando descer as escadas sem conseguir, ordenou a Wade que a soltasse e caminhasse, mas o menino a agarrou com mais força ainda. Ao chegar ao patamar da escada, toda a mobília tão estimada, tão familiar, parecia sussurrar: "Adeus! Adeus!". Pela fenda da porta entreaberta do gabinete onde Ellen trabalhava, ela avistou a quina da escrivaninha. Olhou para a sala de jantar, com os pratos ainda à mesa, as cadeiras afastadas. O porta-retratos antigo da vovó Robillard, tudo pertencia à sua memória de infância. "Adeus! Adeus, Scarlett O'Hara!" Os ianques queimariam tudo.

"Não posso abandoná-la, não posso. Meu pai não a abandonaria. Ele disse aos ianques que ateassem fogo, que queimassem o teto sob sua cabeça, mas não sairia dali, pois farei o mesmo que meu pai. Não vou abandoná-la."

Tomada a decisão, sentiu o medo arrefecer e no peito uma sensação diferente, como se tudo congelasse. Nesse instante, escutou o trote de muitos cavalos e uma voz rouca, emitindo o comando: "Desmontar!". Rapidamente, virou-se para Wade e, com a voz firme, mas gentil, disse:

– Pode me soltar, querido. Depressa, desça as escadas e corra até o pântano. Mammy e tia Melly estão lá. Vá depressa, querido. Não tenha medo.

Feito um coelho pego em uma armadilha, Wade olhou para a mãe. Nesse momento, Scarlett implorou a Deus que o menino não tivesse um acesso de choro na frente dos ianques. Quando Wade agarrou as saias dela com mais força, com a voz firme, Scarlett disse:

– Haja como um homenzinho, Wade. São só um bando de ianquezinhos de nada!

* * *

Sherman e seu exército marchavam pela Geórgia, e de Atlanta seguiram em direção ao mar, deixando para trás o resquício do fogo que ateavam em todos os lugares por onde passavam. E à frente dele havia quase mais quinhentos quilômetros de terra totalmente desprotegida, salvo por algumas milícias estaduais e alguns meninos da Guarda Nacional. Os ianques já tinham percorrido quase duzentos quilômetros, saqueando e incendiando tudo.

Foi assim, nos degraus da escada, com o bebê em uma mão e Wade agarrado em suas saias, que Scarlett testemunhou a invasão dos ianques, que quase a atropelaram para chegar ao andar de cima, rasgando com baionetas e punhais os estofados e os colchões, à procura de algo de valor. O sargento do exército, um homem grisalho, atarracado e de pernas grisalhas, mascando um pedaço de tabaco, disse a ela:

– Me dê o que está aí em sua mão, senhora.

Na pressa, Scarlett se esquecera de esconder a bugiganga que encontrara com o ianque. Com um sorriso desaforado, ela atirou tudo no chão e ficou observando o alvoroço e o desespero com que começaram a recolher tudo. O sargento também mandou que tirasse os brincos e o anel. Segurando o bebê com a cabeça para baixo, vermelho e aos berros, Scarlett tirou os brincos de granada que fora presente de casamento de Gerald para Ellen e o solitário de safira que ganhara de Charles, no noivado.

– Não jogue no chão. Coloque aqui – ordenou o sargento, mostrando a palma da mão. – Esses calhordas já pegaram muita coisa. O que mais a senhora tem? – perguntou, analisando o corpete.

Apavorada e sem saber como até aquele momento os joelhos tinham dado conta de sustentar o próprio corpo, Scarlett respondeu que aquilo era tudo, e o sargento se deu por satisfeito. Ela endireitou o bebê no colo e aproveitou para apalpar a fralda. Graças a Deus Melanie tivera um bebê e graças a Deus ele usava fralda. Dali, ela escutava os passos apressados, os móveis sendo arrastados, a porcelana e os espelhos quebrados, o desespero de porcos, patos e galinhas. E o guincho da leitoa. Maldita Prissy! Ela a deixara fugir. Em silêncio no vestíbulo, enquanto os soldados reviravam e escarafunchavam tudo, Scarlett sentia o corpo trêmulo do filho agarrado às suas saias, mas não conseguia dizer uma palavra sequer para tranquilizá-lo. Nem mesmo conseguia falar, fosse para implorar, reclamar ou esbravejar contra os ianques. Mas, quando um homem barbudo apareceu nos degraus com o sabre de Charles na mão, a voz atravessou a garganta sem que ela notasse:

– Não pode levar isso! – exclamou, apontando para o sabre.

O pequeno Wade, espreitando entre as saias da mãe, ao vê-la gritar, também gritou:

– Meu!

O sabre pertencera ao pai e ao avó de Wade, e Scarlett o dera de presente ao filho no último aniversário dele. Na ocasião, fizeram uma cerimônia, e Melanie chorara, chorara muito, tanto de orgulho quanto de saudade do irmão, e dissera a Wade que, quando crescesse, ele fosse um soldado tão corajoso quanto o avô e o pai. Wade tinha muito orgulho do presente e, de vez em quando, subia na mesa próxima ao sabre só para conseguir tocá-lo.

O soldado que o segurava desdenhou de Scarlett e disse que o levaria. Relutante, ela contou que o sabre era da Guerra do México e implorou ao sargento que mandasse o soldado devolvê-lo. O sargento, ao ler a frase gravada no cabo maciço "Ao coronel William R. Hamilton, em mérito à sua bravura. De seu Estado-Maior. Buena Vista. 1847", comentou que ele próprio participara daquela guerra e, satisfeito com as bugigangas que tomara de Scarlett, mandou o soldado devolver o sabre.

– Juro por Deus, vou deixar uma lembrancinha para não se esquecerem de mim – resmungou o soldado depois que o sargento, cansado da insistência, o mandou calar a boca e obedecer às ordens.

O soldado ficou em silêncio e, para alívio de Scarlett, saiu andando em direção aos fundos. O sargento perguntou se tinham encontrado algo pela casa e outro soldado respondeu que não tinham achado nada além da leitoa, umas galinhas e alguns patos e que provavelmente a "gata selvagem" que tinham encontrado pelo caminho dera com a língua nos dentes.

– Acharam alguma coisa na cabana dos pretos?

– Não, nada, só algodão. Colocamos fogo em tudo.

Por um instante, Scarlett pensou nos dias quentes e extensos nos campos de algodão e sentiu uma dor repentina e aguda nas costas. Os ombros em carne viva. Tudo fora em vão. Incendiaram todo o algodão.

Ao indagar Scarlett o fato de não terem quase nada de valor em casa, ela respondeu que o exército deles já havia passado na propriedade antes e o sargento lembrou que, de fato, andaram por aquela vizinhança em meados de setembro. Nesse instante, Scarlett avistou o dedal de ouro, o mesmo que pertencera a Ellen, que vira tantas vezes na mão delicada da mãe. Agora ele estava na mão suja e cheia de calos de um estranho, que o levaria para algum lugar do Norte, e, em breve, enfeitaria a mão de alguma ianque que se orgulharia do presente roubado!

Com a cabeça baixa para esconder as lágrimas, que respingaram na cabeça do bebê, Scarlett escutou o tilintar das espadas e os passos dos cavalos. Estavam indo embora, levando cobertores, roupas, fotos, galinhas e patos. O cheiro de fumaça chegou às narinas, e, da janela da sala, ela avistou a cabana dos escravos em chamas. Não havia nada a fazer. De repente, virando em direção ao cobertor, avistou fumaça saindo da cozinha. Em algum lugar a caminho de lá, deixou o bebê. Em algum lugar a caminho de lá, se desvencilhou das mãozinhas trêmulas de Wade. Entrou na cozinha, onde pequenas chamas espalhadas rumavam para a parede, e sentiu os olhos lacrimejarem pelo contato com a fumaça. Voltou correndo à sala de jantar, pegou um tapete e o jogou no chão, derrubando pelo caminho duas cadeiras. "Não vou conseguir apagar esse fogo... não vou! Ah, meu Deus, se ao menos houvesse alguém para ajudar! Ah, por que fui pedir a ele o sabre? Por quê?! Acabou. Acabou. Tara será consumida pelo fogo."

No corredor, ela passou pelo filho agachado, com o sabre na mão e os olhos fechados. "Meu Deus. Ele morreu! Morreu de susto!", pensou, mas passou direto e foi pegar o balde d'água que sempre ficava no corredor que dava para a cozinha. Molhou a ponta do tapete e, com a respiração profunda, arremessou-se mais uma vez à cozinha, batendo o tapete contra o fogo. Por duas vezes, viu a barra da saia em chamas e teve de pagar o fogo com as próprias mãos. Sentia o cheiro do cabelo chamuscado, o fogo que parecia querer engoli-la, lutou, debateu-se. De repente, a porta da cozinha se abriu, inflamando e espalhando ainda mais as chamas. Por entre o clarão, com a vista embaçada, Scarlett conseguiu distinguir o rosto de Melanie, batendo o pé no chão, acertando as chamas com algum objeto escuro e pesado. O corpinho pequeno e macilento se mexia para a frente e para trás, batendo o tapete; o rosto pálido vez ou outra aparecia entre as labaredas que ficavam cada vez menores. Foi então que Melanie, de súbito, virou-se para Scarlett e, com um grito, acertou-lhe os ombros com toda a força que conseguiu reunir naquele momento. Scarlett desvaneceu em meio à cortina escura de fumaça.

Quando abriu os olhos, estava na varanda, com o sol resplandecendo no rosto e a cabeça apoiada no colo macio de Melanie. A fumaça enevoava a cozinha, a senzala.

– Não levante, querida. O fogo está apagado – acalentou-a Melanie.

E ali, com os olhos fechados, deteve-se por um momento e respirou aliviada. As crianças! Escutou o grunhido do bebê e os soluços de Wade. Então, ele não tinha morrido. Abriu os olhos e viu o rosto de Melanie, coberto de fuligem. Soube que Melanie precisou acertá-la porque suas costas estavam em chamas e contou que os ianques tinham lhes levado tudo.

– Podem ter levado, mas temos uma à outra. Nossos bebês estão bem e ainda temos um teto para morar – disse Melanie com a voz acalentadora. – E isso é tudo de que precisamos agora... Meu Deus, Beau está molhado! Aposto que os ianques levaram até as fraldas dele. Ele... Scarlett, o que é isso na fralda dele? – Enfiando a mão na fralda, Melanie caiu na gargalhada. – Só você mesmo para ter uma ideia dessas! – disse, envolvendo o pescoço de Scarlett em um abraço, beijando-lhe a bochecha. – Você é a irmã mais incrível que eu poderia ter!

Scarlett não impediu o abraço, não se desvencilhou. Porque estava cansada demais para isso, porque aquelas palavras soavam como bálsamo para a alma e também porque, naquela cozinha toda chamuscada, nascera um respeito ainda maior pela cunhada, um laço ainda mais forte de companheirismo.

"Tenho de admitir", pensou contra a própria vontade, "ela está sempre por perto quando mais preciso."

Capítulo 28

O frio chegou trazendo uma geada brusca, e o vento congelante se infiltrava em cada fenda das portas e ricocheteava as vidraças. Naquele dia, com pesar, Scarlett recordou-se da conversa que tivera com vovó Fontaine havia dois meses, quando imaginara que o pior já passara. Depois da segunda passagem da tropa de Sherman por Tara, todo o algodão se fora, bem como todas as reservas de comida, e o dinheiro de nada valia, pois não havia suprimento disponível para comprar, e os vizinhos estavam em condição pior que a dela. Pelo menos, restavam ainda a vaca e o bezerro, os porquinhos e o cavalo. Fairhill, a propriedade dos Tarleton, fora incendiada por completo e a senhora Tarleton e as quatro filhas estavam vivendo na casa do capataz. O mesmo acontecera com a casa de Munroe, perto de Lovejoy. Não fosse pelo esforço descomunal das Fontaine e de suas escravas, que contiveram o fogo com colchas e cobertores molhados, e da estrutura de estuque, Mimosa também não teria escapado de ser consumida pelo fogo. O problema maior de Tara e de toda a redondeza era a escassez de comida. A maioria sobrevivia de sobras de batata-doce, amendoim e do que conseguiam (quando conseguiam) obter por meio da caça. O que cada um tinha compartilhava com os amigos menos afortunados, como fora nos dias mais prósperos. Mas logo chegou o tempo em que não havia nada para compartilhar. Em Tara, quando Pork tinha sorte, comiam coelho, gambá e bagre. Outras vezes, contavam com um pouco de leite, nozes, bolotas assadas e batata-doce. Passavam fome o tempo todo.

Scarlett mandou matar o bezerro, pois ele consumia muito do precioso leite, e naquela noite todos comeram tanta vitela fresca que passaram mal. Pensava em mandar matar os porquinhos, mas sabia que era melhor esperar, pois renderiam muito mais se fossem abatidos depois. Todas as noites, conversava com Melanie se deveria ou não mandar Pork sair com o cavalo e um pouco de dinheiro para procurar algo de comer, mas desistia da ideia, com medo de que capturassem o escravo e o dinheiro. A própria Scarlett considerara sair sozinha para procurar o que comer, mas a família a deteve. Para encontrar comida, Pork caminhava longas distâncias, e, certa vez, apareceu com um galo que contou ter encontrado no meio do mato. A família comeu a ave com certa culpa, ciente de que Pork o roubara, tal como fizera com as ervilhas e o saco de milho que trouxera uma vez. Certa noite, depois que todos tinham ido dormir, ele mostrou a Scarlett a perna cheia de chumbinho e contou que o acertaram quando ele tentava roubar umas galinhas em Fayetteville. "Às vezes, os pretos nos tiram do sério, são preguiçosos e tolos, mas não há dinheiro no mundo que pague a lealdade deles", pensou na ocasião, com os olhos marejados. Em outra circunstância, o comportamento de Pork provavelmente teria rendido algumas chicotadas.

"Nunca se esqueça, querida, de que é responsável pelo bem-estar físico e moral dos escravos que Deus confiou em suas mãos", dizia Ellen. "Precisa entender que eles são como crianças, devem receber a mesma proteção que uma criança. E sempre lhes dê o bom exemplo." Todavia, a moral era o que menos importava agora. Em vez de puni-lo e repreendê-lo, Scarlett lamentava o fato de Pork ter sido atingido.

– Tome mais cuidado, Pork. Não queremos perdê-lo. O que seria de nós sem você? Tem sido tão bondoso, tão leal... Quando as coisas melhorarem, vou comprar um relógio de ouro bem bonito para você e mandar gravar nele uma passagem bíblica. E também a frase: "Muito obrigada, servo bondoso e leal".

Pork perguntou à senhora da casa quando chegaria esse tempo, e, ela, sem saber o que dizer, apenas respondeu que, quando esse tempo chegasse, nunca mais voltariam a sentir fome, tampouco frio.

Em um passado não muito distante, a vida lhe trouxera tantos problemas complexos, tantas complicações, como conquistar o coração de Ashley e manter mais uma dúzia de admiradores insatisfeitos por perto, ter de ocultar dos mais velhos desvios de conduta, provocar ou apascentar moças ciumentas, escolher tipos e desenhos de vestidos para usar, e tantas, tantas outras coisas por decidir! Agora, a vida se tornara incrivelmente simples. Tudo que importava era conseguir comida para não morrer de fome, ter o que vestir para não morrer de frio e um teto sobre a cabeça. Foi durante essa época que Scarlett começou a ter um pesadelo apavorante e recorrente. A casa estava gelada e úmida, com as correntes de ar infiltrando cada brecha. Naquele dia, não haviam comido nada o dia inteiro, pois as batatas-doces tinham acabado e as linhas de pesca de Pork não haviam fisgado absolutamente nada. Para piorar ainda mais, Wade estava doente, com febre e dor de garganta, e não havia nem médico nem remédio para tratá-lo. Deitada, com os pés congelados, virando de um lado para o outro, Scarlett não conseguia dormir, atormentada por pensamentos como: O que faço? A quem devo recorrer? Há alguma alma neste mundo que possa me ajudar? Por que não há alguém, uma pessoa mais forte e mais experiente, que possa aliviar meu fardo?

Quando engatou em um cochilo perturbado, o pesadelo começou. Scarlett entrava em um campo gelado, deserto e enevoado, perdida, faminta e tão assustada quanto uma criança. Às vezes, em meio à neblina, aparecia o vulto de dedos tentando lhe agarrar a saia. Então, de relance, em meio àquela escuridão toda, havia um abrigo, um refúgio, um socorro, mas de repente ele desaparecia, sem que ela conseguisse alcançá-lo. Se ao menos chegasse até lá, estaria protegida! Acordou assustada e se deparou com o rosto de Melanie, que a sacudia, pedindo-lhe que acordasse. O episódio se repetia a ponto de Scarlett temer pegar no sono, então passou a dormir com Melanie, que a despertava sempre que Scarlett dava sinais de estar no mesmo pesadelo; com isso, foi ficando mais magra e pálida e passou a comer a ração diária antes de ir para a cama.

* * *

No Natal, Frank Kennedy e uma pequena tropa de intendentes apareceram em Tara, em vão, à procura de comida e de animais para o Exército. Soldados e cavalaria estavam em péssimas condições, a maioria usava casacos azuis, confiscados dos ianques, e, por um breve mas horripilante momento de terror, todos em Tara acharam que os soldados de Sherman tinham voltado. Apesar da aparência suja e abatida, os visitantes trouxeram conversas agradáveis e divertidas, piadas e elogios. Todos estavam felizes por ter um assoalho onde dormir depois de tantas noites na mata e a companhia de mulheres bonitas como nos tempos antigos. Suellen estava nas nuvens por ter um admirador em casa outra vez e mal conseguia tirar os olhos de Frank Kennedy. "Acho que ela gosta mesmo dele", pensou Scarlett. "E acho que ela até poderia se tornar gente de verdade se um dia tivesse um marido, mesmo que fosse esse esnobe do Frank." Melanie surpreendeu muito durante o "jantar", deixou a timidez de lado e quase chegou a se animar com um soldado caolho que a cortejou com muitos elogios. Scarlett sabia quanto ela deveria estar se esforçando naquele momento, pois Melanie, com sua timidez, sofria muito, mental e fisicamente, sempre que se via com uma presença masculina. Sem falar que continuava mal de saúde, apesar de insistir que era uma mulher forte e de trabalhar mais até que Dilcey. Naquela noite, porém, Melanie, Suellen e Carreen estavam empenhadas em permitir que os soldados aproveitassem ao máximo o Natal. Scarlett era a única a quem as visitas pareceram não animar.

Às ervilhas secas, ao cozido de maçãs secas e ao amendoim que mammy serviu à mesa os soldados acrescentaram sua ração de milho seco e um pouco de carne e disseram que aquela fora a melhor refeição que tiveram nos últimos meses. Scarlett estava inquieta, receando que os soldados descobrissem que Pork abatera um dos porquinhos na noite anterior. Aquela tropa faminta seria capaz de devorar o porquinho inteiro de uma vez. Também temia que descobrissem a vaca e o cavalo e os levassem para o Exército. Naquele dia, Scarlett conheceu a famosa "bengala de vareta" que os soldados ofereceram para contribuir com a sobremesa, uma mistura de milho sem sal, moído e torrado, e que tinha a aparência de uma vareta de madeira. Os soldados misturavam a ração de fubá com água e, quando conseguiam, também com sal, formando uma massa espessa. Depois, punham essa massa na vareta da arma e a assava nas fogueiras pelos acampamentos. Era tão dura quanto bala de açúcar e tão insípida quanto serragem. Na primeira mordida, Scarlett a devolveu, provocando risos. Como podem continuar guerreando se só têm isso para comer?, era a pergunta que pairava no pensamento de Melanie e Scarlett. A refeição pareceu agradar até mesmo Gerald, que evocou dos confins da mente as artimanhas de um anfitrião e um sorriso vacilante.

As garotas ansiavam por notícias. Desde que Atlanta fora tomada, não havia serviço de correio, e Frank, que vivia de um lado para o outro nesse meio-tempo, trazia tantas notícias quanto um jornal. Ele contou que, depois da saída de Sherman, os confederados retomaram Atlanta, mas de nada adiantou, porque a cidade fora totalmente incendiada. Scarlett perguntou se o general mandara matar a população, e Frank respondeu que alguns foram mortos, não à bala, mas morreram de frio depois de serem despejados no meio do mato, perto de Rough and Ready, entre eles centenas e centenas de senhoras. Sherman e seus homens expulsaram os moradores para se alojarem na cidade. Melanie parecia inconformada, pois nascera e crescera em Atlanta, e Scarlett sentiu um aperto no peito, pois aprendera a gostar de Atlanta como sua segunda casa.

Frank preferiu não lhes contar sobre os hectares e mais hectares de chaminés chamuscados que pairavam sobre as cinzas, nem sobre as pilhas de lixo, as árvores derrubadas e queimadas, e omitiu, sobretudo, as atrocidades que foram cometidas no cemitério, o mesmo em que Charlie Hamilton, a mãe e o pai de Melanie estavam enterrados. A cena ainda rendia pesadelos a Frank. Sepulturas foram escarafunchadas e corpos exumados pelos ianques na esperança de encontrarem ali joias. Esqueletos e cadáveres estavam espalhados por todo o canto. As damas também não suportariam saber dos animais que, abandonados pelos donos que fugiram às pressas, viviam assustados, famintos e tão selvagens quanto as criaturas da floresta, atacando uns aos outros. Ver os animais daquele modo apavorava Frank tanto quanto a cena do cemitério, pois Frank amava gatos e cachorros. Tentando acalmar as moças, Frank procurou por alguma notícia mais branda. Contou, então, que a igreja e a maçonaria permaneciam de pé, além de algumas lojas, mas não pôde mentir quando Scarlett perguntou sobre o armazém que Charlie deixara de herança para ela; também fora incendiado.

– Animem-se, senhoras! A casa de tia Pittypat continua de pé. Sofreu danos, mas continua de pé.

– E como escapou do fogo? – inquiriu Scarlett.

Frank palpitou que a casa não fora abaixo porque era feita de tijolos e, além disso, era a única de Atlanta com teto de ardósia. Ele contou também que encontrara tia Pittypat, e que ela tinha planos de retornar para casa se "aquele escurinho" Peter consentisse. Muitos moradores de Atlanta começavam a retornar para suas casas, porque corria o boato de que Macon seria invadida, não por Sherman, mas pela tropa de Wilson. A população estava morando em cabanas, barracas e choças de madeira, pois se recusava a abandonar a própria terra; era, nas palavras de Frank, "uma população teimosa e insolente". Apesar disso, admitia que os que voltavam eram os mais espertos, porque os que viessem depois não encontrariam um bloco de tijolo sequer para reconstruírem as próprias casas. Melanie e Scarlett souberam ainda que Merriwether, Maybelle e a velha negra delas foram vistas com um carrinho de mão recolhendo tijolos, e que a senhora Meade estava considerando construir uma cabana com troncos de madeira, tão logo o doutor voltasse.

"Sou como Atlanta", pensou Scarlett. "Um bando de ianques e o fogo não são capazes de me derrubar. É preciso muito mais que isso." Nesse momento, Melanie sugeriu que ela e Scarlett voltassem para Atlanta para fazer companhia a tia Pittypat.

– Como posso sair daqui, Melly? – questionou Scarlett, irritada. – Se está tão ansiosa para ir, vá. Não vou impedi-la.

– Ah, não quis dizer isso, querida – corrigiu Melanie depressa, com as bochechas coradas. – Que insensatez de minha parte! É claro que não pode deixar Tara, e... E acho que tio Peter e Cookie podem cuidar da tia.

– Não há nada que a impeça de ir – afirmou Scarlett friamente.

– Você sabe que eu não iria sem você – declarou Melanie. – E... Sem você comigo, eu morreria de medo.

Frank contou, então, que não havia possibilidade de Sherman retornar a Atlanta porque ele e seus homens tinham ocupado Savannah e começavam a subir para a Carolina do Sul. Quando os ianques marchavam para Milledgeville, os confederados convocaram todos os cadetes das forças militares, independentemente da idade, e até abriram as portas da penitenciária em busca de homens para reforçar suas tropas, prometendo a absolvição de seus crimes se sobrevivessem à guerra. Scarlett se revoltou ao saber que os condenados foram libertos. Melanie concordou com Frank que um criminoso poderia render um bom soldado e perguntou pelo general Hood e sua tropa, que poderiam ter defendido Savannah. Frank contou que estavam no Tennessee, tentando expulsar os ianques da Geórgia.

– Parece que a estratégia dele não deu em nada, não é?! – indagou Scarlett com ironia. – Ele deixou esses ianques malditos invadirem a cidade, contando com quem? Meninos que deveriam estar na escola, condenados e a Guarda Nacional.

– Filha, vigie como fala – resmungou Gerald. – Sua mãe não gosta que fale desse jeito.

A menção a Ellen entristeceu os ânimos, e a conversa cessou de repente. O silêncio foi rompido por Melanie, que perguntou a Frank se vira India e Honey Wilkes e se elas tinham notícias de Ashley. Frank vira as duas, mas não tinha notícias do marido de Melanie. Tentou acalmá-la dizendo que não se poderia esperar por notícias de um homem que estava preso e que as coisas nas prisões ianques não eram tão ruins assim, pois havia comida, medicamento e cobertor, mas Melanie não se alegrou, pois sabia que nada daquilo era verdade, porque os ianques, sim, tinham tudo isso, mas os prisioneiros morriam de frio e fome e agonizavam até a morte à espera de um médico e de medicação.

Em seguida, Melanie convidou todos à sala, pois lá ela tocaria uma canção de Natal. O piano, apesar de muito desafinado, sobrevivera aos ataques dos ianques. Enquanto todos caminhavam em direção à sala, Frank se deteve e puxou Scarlett pela manga.

– Posso lhe falar a sós um minuto?

Ali, de pé ao lado da lareira, Scarlett percebeu que o rubor dissimulado desaparecera do rosto de Frank. O rapaz tinha a pele tão ressecada e amarelada quanto uma folha seca. Estava velho e abatido. Pigarreando, ele primeiro ofereceu os pêsames pela morte de Ellen, assunto que Scarlett fazia de tudo para evitar, depois comentou sobre o estado de Gerald, pois queria lhe falar, mas não sabia se o homem tinha condições de ouvi-lo. Frank confessou que queria pedir a mão de Suellen em casamento. Scarlett ficou surpresa por ele não ter feito o pedido depois de cortejar a moça por tantos anos. Visivelmente constrangido, ele respondeu:

– Bem... eu... eu não tinha certeza de que ela me aceitaria. Sou mais velho que ela e... havia tantos rapazes bonitos rondando Tara que...

"Ora! Eles vinham por minha causa, não por causa dela!", pensou Scarlett.

Frank confessou que amava Suellen e que agora nada lhe restara a não ser um cavalo e as roupas do corpo, pois, quando se alistou, vendeu todas as terras e investiu todo o dinheiro em títulos confederados, que não valiam quase nada agora. Disse saber que um pedido como aquele em uma circunstância como aquela era um atrevimento, mas, como não sabiam os rumos que a guerra tomaria, o noivado certamente serviria de consolo aos dois apaixonados. E acrescentou:

– Eu não pediria a senhorita Suellen em casamento, senhorita Scarlett, antes de me certificar de que poderia cuidar dela, mas não sei quando esse tempo chegará. Em relação a essa guerra, não sabemos como as coisas vão terminar. Parece o fim do mundo para mim. Mas, se o amor verdadeiro possui algum valor para a senhorita, tenha certeza de que, quanto a isso, minha pretendida será rica.

As últimas palavras de Frank soaram tão dignas que comoveram Scarlett, até então estupefata, pois não conseguia compreender como alguém poderia se apaixonar por Suellen, um monstro egoísta, queixoso e individualista. Scarlett disse que falaria com o pai, que sempre fez muito gosto do casal, que certamente consentiria. Quando Scarlett saiu para chamar Suellen, Melanie começou a tocar. Apesar de o piano estar muito desafinado, os acordes de *Hark, the Herald angels sing!* começaram a soar, e a voz de Melanie, a embalar as demais.

– Senhor Kennedy, me explique uma coisa. Disse que essa guerra lhe parece o fim do mundo. O que isso significa? – perguntou Scarlett.

Frank pediu a ela que não comentasse com ninguém, mas a guerra não poderia durar muito tempo mais, pois as tropas cada vez tinham menos homens, o número de deserções era alto e o Exército não teria como se manter sem comida.

– Sei disso porque conseguir comida é o meu trabalho. Tenho andado pelos quatro cantos, de cima a baixo, desde que retornamos a Atlanta e não há comida para um passarinho sequer. E o mesmo acontece por uns quinhentos quilômetros ao sul de Savannah. Os colegas estão morrendo de fome, as vias estão destruídas, não há armamento nem munição, tampouco couro para fazer sapatos. Então, como vê... o fim está próximo.

As parcas esperanças da Confederação foram o que menos preocupou Scarlett. A verdadeira preocupação era a falta de comida. Ela tinha a intenção de mandar Pork com o cavalo e o dinheiro vasculhar a zona rural à procura de suprimentos. Sim, correria o risco de perder o cavalo para o Exército. Mas, se o que Frank dissera fosse verdade... Macon não fora invadida. Deveria haver comida lá.

– Bem, não vamos falar de coisas ruins esta noite, senhor Kennedy – disse Scarlett. – Por favor, vá ao gabinete de minha mãe. Vou chamar Suellen, assim vocês dois poderão ter um pouco de privacidade.

"Que pena que ele não possa se casar com ela agora", pensou Scarlett. "Seria uma boca a menos para alimentar."

Capítulo 29

Em abril, o general Johnston se rendeu na Carolina do Norte e a guerra chegou ao fim. Mas a notícia só chegou a Tara duas semanas depois. Todos ali andavam muito ocupados para sair à procura de novidades. A viagem de Pork a Macon fora bem-sucedida, e as sementes de algodão e da horta que ele trouxera estavam sendo plantadas. Pork conseguira trazer a carroça cheia de vestimenta, sementes, aves, presunto, carne e fubá e, envaidecido, contava repetidamente das esgueiradas, dos atalhos e das estradas que encontrara no caminho de volta a Tara. Cinco semanas se passaram desde a saída de Pork, e Scarlett ficara desesperada, mas não o repreendeu na volta, porque, além de retornar com a carroça cheia, Pork trouxe de volta boa parte do dinheiro que Scarlett lhe dera, e ela suspeitava de que ele, por vergonha de si mesmo, não comprara as aves e os mantimentos, já que havia galinhas dispersas e fumeiros pela estrada. Agora que tinham um pouco de comida, todos em Tara viviam ocupados, tentando restabelecer o ritmo de antes. Havia trabalho, muito trabalho para cada par de mãos que ali vivia. Capinar a plantação de algodão para plantar as sementes novas, rachar lenha, começar a refazer os quilômetros e mais quilômetros de cerca que os ianques tinham incendiado, supervisionar duas vezes por dia as armadilhas que Pork preparara para os coelhos, além de camas para arrumar, chão para varrer, comida por fazer e pratos para lavar. A vaca, além de ser ordenhada, precisava ser vigiada o tempo todo, pois temiam que os ianques ou a tropa de Frank Kennedy voltassem e a levassem. Até Wade tinha a tarefa de sair todas as manhãs com sua cesta à procura de gravetos para acender o fogo.

A notícia sobre o fim da guerra chegou por meio dos Fontaine, os primeiros soldados a regressarem da guerra. Alex chegou a pé, ainda calçando botas, e Tony veio descalço, no lombo de uma mula. Estavam a caminho de Mimosa e fizeram uma breve parada em Tara para dar a notícia. "Acabou", foi tudo o que disseram, aparentemente sem querer falar muito sobre o assunto. Tudo que queriam saber era se Mimosa fora incendiada. Scarlett lhes contou tudo, inclusive da cavalgada alucinante de Sally, e os irmãos, aliviados, riram.

– Dimity Munroe está bem? – perguntou Alex, afoito e um pouco constrangido. Foi quando Scarlett se lembrou do interesse dele pela irmã caçula de Sally.

– Está bem, sim. Está morando com a tia em Fayetteville. A casa deles em Lovejoy foi incendiada. E o restante da família foi para Macon.

– O que ele quer saber, Scarlett... é se Dimity se casou com algum coronel da Guarda Nacional – provocou Tony, e Alex quase o fuzilou com os olhos.

– Claro que não se casou – respondeu Scarlett, surpresa.

Alex, então, comentou que teria sido melhor se Dimity tivesse se casado, pois ele agora nada tinha nos bolsos para lhe oferecer. Como Alex Fontaine nunca fora um de seus pretendentes, Scarlett o tranquilizou dizendo que isso jamais seria um problema para Dimity.

Enquanto Scarlett conversava com os rapazes na varanda, Melanie, Suellen e Carreen entraram em casa caladas logo que souberam sobre o fim da guerra. Scarlett, depois de se despedir dos Fontaine, entrou e ouviu as três aos prantos no sofá, no gabinete de Ellen. Acabou. O sonho tão promissor, tão esperado, a Causa que levara seus amigos, entes queridos, maridos. A Causa que nunca, jamais fracassaria, havia fracassado. Scarlett, por outro lado, sentia-se aliviada. "Graças a Deus! Não preciso me preocupar mais, não vão me roubar a vaca, o cavalo está a salvo, podemos tirar a prataria do poço, todos terão um garfo e uma faca com que comer!" Nunca mais tremeria ao ouvir o trote de um cavalo, nunca mais acordaria no meio da noite prendendo a respiração para tentar decifrar um barulho, e o melhor de tudo: Tara estava livre do perigo! A guerra sempre lhe parecera uma tolice. Nunca seus olhos cintilaram quando a bandeira dos confederados foi erguida no mastro, tampouco sentira calafrios quando escutava "Dixie". Acabou! A guerra que parecia interminável chegara ao fim. Ela se perguntava se poderia ser a mesma Scarlett de antes, a de sapatilhas de pelica e que cheirava a lavanda. Em algum lugar dos quatro anos nesta longa e sinuosa estrada, a menina dera lugar a uma mulher de olhar esverdeado arguto, uma mulher que conta os centavos, cujas mãos eram capazes de executar tantas tarefas serviçais. Enquanto as outras moças se debulhavam em lágrimas, a mente de Scarlett fervilhava:

"Vamos plantar mais algodão, muito mais! Vou mandar Pork a Macon amanhã para comprar mais semente. Agora os ianques não vão queimá-lo e nossas tropas não precisarão dele. Bondoso Deus! O algodão valerá ouro este outono!" A guerra chegara ao fim, e Ashley... Ashley! Se estivesse vivo, voltaria para casa! "Em breve receberemos uma carta... não, carta, não estamos recebendo cartas. De alguma maneira, ele nos fará saber."

No entanto, os dias se passaram, e não houve notícias de Ashley.

Agora que não havia o perigo de os ianques voltarem, Suellen e Scarlett viviam em pé de guerra por causa do cavalo. Suellen queria o cavalo para visitar os vizinhos, pois sentia falta da vida social de outros tempos, mas Scarlett fora taxativa: o cavalo era para o trabalho; se a irmã quisesse fazer visitas, que fosse a pé. Entre lágrimas e queixas, Suellen resmungou certo dia: "Ah, se mamãe estivesse aqui!", e, com isso, Scarlett desferiu na irmã o tapa havia muito protelado; foi tão forte que Suellen saiu correndo para a cama e todos na casa ficaram consternados. A verdade é que a própria Scarlett usava o cavalo vez em quando para fazer visitas, e ver os velhos amigos e as antigas plantações no pós-guerra a abalara mais do que imaginava.

Os Fontaine estavam em condições melhores que os demais vizinhos, graças à cavalgada desenfreada de Sally, mas a vovó Fontaine ainda não se recuperara do infarto que sofrera no dia em que incendiaram a casa, quando tentou ajudar as outras a apagar o fogo; o velho doutor Fontaine convalescia de um braço amputado; Alex e Tony aravam de um jeito desengonçado quando Scarlett chegou e riram da carroça velha, mas ela também riu ao ver aqueles dois ex-dândis com uma enxada na mão. Ela fora até Mimosa comprar semente de milho dos Fontaine; eles insistiram em dá-las a ela sem receber nada em troca, mas Scarlett deu um jeito e colocou a nota de um dólar na mão de Sally, que parecia uma moça diferente daquela que vira havia alguns meses, como se a rendição tivesse lhe arrancado todas as esperanças.

Saindo de Mimosa, Scarlett foi a Pine Bloom e lá foi recebida por Cade Calvert, cujo semblante fúnebre e macilento chamou a atenção dela. "É só um resfriado", disse ele, mas a verdade é que Cade adoecera de tanto dormir na chuva. Cathleen Calvert olhou para Scarlett e pareceu espantada. Cade podia não saber, mas Cathleen sabia. Os dois, com a madrasta ianque, as quatro meia-irmãs e Hilton, o capataz ianque, viviam na casa silenciosa onde ao mesmo tempo se ouviam ecos estranhos. Scarlett nunca simpatizara com Hilton, agora menos ainda, quando ele apareceu para cumprimentá-la de igual para igual. Com a morte do senhor Calvert e de Raiford, e estando Cade doente, Hilton abrira mão de todo o servilismo. E Scarlett percebia que um sentimento de raiva e impotência consumia todos ali por deverem favores ao capataz ianque.

Depois dessas duas visitas, Scarlett não queria ir à casa dos Tarleton, não suportaria ver a propriedade incendiada e a família dilacerada; mesmo assim, foi, por insistência de Carreen e Suellen, que queriam dar as boas-vindas ao senhor Tarleton. Chegando lá, avistaram Beatrice Tarleton, com um traje surrado de montaria e um chicote debaixo do braço, sentada na cerca de frente para o campo dos cavalos, olhando para o nada. Qualquer um diria que o motivo da tristeza era a morte dos filhos, mas a verdadeira causa do abatimento era a perda dos cavalos, sobretudo da égua, Nellie. Jim Tarleton, com barba comprida e acompanhado das quatro filhas ruivas, cumprimentou as moças com um beijo. O contentamento dissimulado dos Tarleton provocou em Scarlett uma sensação ainda pior que tivera em Mimosa e em Pine Bloom. Por insistência de Melanie, Carreen e Suellen ficaram para almoçar. Scarlett mal conseguia conversar, sentindo profundamente a ausência dos quatro rapazes conversando, fumando, fazendo piadas. Em certo momento, Carreen e a senhora Tarleton saíram, e, Scarlett, sem suportar permanecer dentro da casa, as seguiu e viu Careen arrastando Beatrice em direção ao túmulo dos rapazes. O que se passava na cabeça de Careen para insistir tanto quando Beatrice visivelmente evitava olhar para aquilo?

– Compramos na semana passada – explicou a senhora Tarleton, orgulhosa. – O senhor Tarleton foi para Macon e trouxe as lápides na carroça.

Lápides?! Quanto deveriam ter custado? Quem em sã consciência se preocuparia em gastar com lápides, quando faltava dinheiro para tanta coisa?! Aquela família deveria estar louca! Além das lápides, havia frases entalhadas nelas, que custaram ainda mais, sem falar no custo para trazer os corpos dos três rapazes. Na lápide de Brent e Stuart, lia-se: "Foram queridos e amados em vida, e a morte não os separará", e, na outra lápide, com os nomes de Boyd e Tom, havia uma frase em latim: *Dulce et...*, cujo significado Scarlett ignorava, pois fugira das aulas de latim na Fayetteville Academy.

Na volta para casa, Scarlett refletiu sobre tudo o que vira, em como eram aquelas propriedades e aquelas famílias antes da guerra e estava decidida a recuperar Tara. Mesmo sem os pretos, sem os trabalhadores do campo. Ela própria capinaria se fosse preciso. Não desperdiçaria seu dinheiro com lápides, tampouco seu tempo, chorando o leite derramado da guerra. A grande perda, para ela, fora a morte dos rapazes. Os Tarleton, Joe Fontaine, Raidford Calvert, os irmãos Munroe, e todos os rapazes de Fayetteville e Jonesboro cujos nomes ela vira nas listas de baixa. "Se ao menos pudéssemos contar com a ajuda de alguns rapazes...", pensou. E outra ideia lhe ocorreu: e se quisesse se casar de novo? Não, impossível. O único homem com que se casaria seria Ashley. Refletindo sobre isso, perguntou a Melanie o que seria das moças do Sul, agora que tantos rapazes tinham partido, e, com a pergunta, Suellen começou a chorar no fundo da carroça. É claro que aquela pergunta pairava sobre a cabeça dela, sobretudo porque não recebera mais nenhuma notícia de Frank Kennedy desde o Natal, sem saber se brincara com seus sentimentos ou se havia morrido naqueles últimos dias de guerra.

Certo dia, não muito tempo depois, Cathleen Calvert foi a Tara ao entardecer. Chegando à entrada, Scarlett e Melanie foram recebê-la. Sem apear do cavalo, empalecida e abatida, mas com a cabeça erguida e a postura ereta, disse que viera para avisar que se casaria no dia seguinte, em Jonesboro. Scarlett e Melanie souberam que o noivo era o senhor Hilton. Cathleen, vendo os olhos marejados de Melanie, pediu que não chorasse, pois não suportaria. Ela contou a Scarlett que Cade tinha poucos dias de vida, mas que morreria em paz por saber que a irmã não ficaria sozinha neste mundo. A madrasta deles e as quatro filhas viajariam também, no dia seguinte, para o Norte, onde passariam a morar. Sem dizer muito mais, Cathleen despediu-se, deu meia-volta e partiu. Melanie sugeriu a Scarlett que mandasse Pork atrás dela, que a impedisse de cometer tal loucura e a trouxesse para morar com eles, em Tara. Afinal, não havia nada de mal na solteirice, como era o caso de tia Pittypat. Chocada, Scarlett a repreendeu, mas sem revelar o verdadeiro motivo: não tinha a menor intenção de alimentar mais uma boca.

– Não adiantaria, Melanie. Ela não viria – disse. – É muito orgulhosa e não suportaria viver de caridade.

– Tem razão, tem razão! – concordou Melanie sem pensar muito no que dizia.

"Está morando comigo há meses", pensou Scarlett. "Mas nunca passou pela sua cabeça que está vivendo de caridade. Nem nunca vai passar. Você é uma daquelas pessoas a quem a guerra não mudou, e que vai continuar pensando e agindo como se nada tivesse acontecido. Acho que vou ter de aturar você pelo resto da vida. Mas não sou obrigada a aturar Cathleen também."

Capítulo 30

Estabelecida a paz, sucedeu um verão quente, e Tara foi tomada por uma enxurrada de homens maltrapilhos, barbudos, descalços e famintos que subiam a colina vermelha para descansar à sombra dos degraus, procurando comida e um lugar para passar a noite. Os soldados confederados começavam a voltar para casa. Os que restaram da tropa de Johnston eram trazidos pela ferrovia, da Carolina do Norte até Atlanta, onde eram deixados e terminavam o caminho a pé. Na sequência, vieram os veteranos do exército da Virgínia, as tropas do Oeste, todos caminhando para o Sul, em direção a casas e famílias que poderiam nem mais existir. Voltar para casa! Voltar para casa! Era tudo que queriam. Alguns estavam tristes, calados, mas poucos ressentidos. Deixavam o ressentimento para as esposas e os velhos. Tinham combatido o bom combate, foram derrotados e queriam sossego para lavrar a terra sob a bandeira pela qual tinham lutado. A alguns faltava um braço, a outros, uma perna ou um olho, muitos tinham cicatrizes, mas havia algo em comum entre todos eles: piolho e disenteria. Quatro anos à beira da inanição, quatro anos de ração imprópria para consumo tinham feito um estrago grande em cada soldado que parava em Tara. Mas mammy não permitia que um só soldado com piolho entrasse na fazenda: levava-os para trás dos arbustos, banhava-os com sabão de lixívia desinfetante e fervia suas roupas em uma panela grande, mandando que se cobrissem com um cobertor. As moças tentavam inutilmente convencer mammy a não submeter os soldados a tal constrangimento, mas ela as reprimia alegando que constrangimento elas sentiriam quando encontrassem piolhos na própria cabeça. O receio de mammy de os piolhos infestarem os quartos fez Scarlett transformar o tapete vermelho de veludo e felpudo do vestíbulo em dormitório. A cada soldado que aparecia, tentavam obter notícias de Ashley ou do senhor Kennedy, mas ninguém sabia dos dois. A família tentava acalmar Melanie dizendo que já teriam recebido a notícia da morte, pois algum capelão ianque teria mandado o aviso.

– Não chore, Melanie! Ashley está vindo para casa. – consolou-a Scarlett. – A caminhada é longa e... talvez... talvez ele esteja sem as botas.

Ao imaginar Ashley descalço, Scarlett quase se debulhou em lágrimas.

Em uma tarde de junho, quando todos em Tara estavam reunidos na varanda dos fundos, ansiosos, prestando atenção em Pork enquanto ele cortava a primeira melancia madura da estação, ouviram os passos de um cavalo se aproximando da entrada. Sem pensar duas vezes, Scarlett mandou esconderem a melancia, pois não teriam como saciar a fome de um bando de soldados famintos.

– *Crei* em Deus Pai! Sinhá Scarlett! Sinhá Melly! Corre aqui! – gritou Prissy.

Ashley!, pensou Scarlett. Ah, talvez...

– É o tio Peter! O tio Peter da senhorita Pittypat!

Todos correram para a varanda da frente e viram o velho grisalho e tirano apeando de um pangaré com rabo de rato em que um punhado de cobertores fora amarrado. Todos, brancos e pretos, vieram cumprimentá-lo e começaram a fazer perguntas, mas a voz de Melly sobrepôs todas as demais:

– A tia não está doente, está?

– Num tá, não, ela tá boa de saúde, graças a Deus – respondeu tio Peter, olhando feio primeiro para Melly, depois para Scarlett, tanto que as duas sentiram uma culpa repentina, sem saber bem por quê. – Mas tá passada cum ocês duas, sinhazinha, e, já que tucaru no assunto, eu também tô!

– Por que, tio Peter?! O que foi que...

Tio Peter as repreendeu por terem deixado tia Pittypat sozinha, pois ela nunca morara só e estava com medo.

– Como ocês duas, sinhá, abandonaru sinhazinha Pitty num momento de tanta precisão, pra ficá aqui, num sítio véi desse?

– Agora, chega! – repreendeu mammy de repente, furiosa por um preto ignorante não saber a diferença entre uma fazenda e um sítio. – E nóis não tamu num momento de precisão? Se tá precisada, pru que sinhá Pitty num pede ajuda pro irmão?

Tio Peter a fulminou com os olhos.

Scarlett e Melanie tinham se controlado até então, mas, ao verem que tia Pittypat mandara Peter a Tara para repreendê-las, caíram na gargalhada. Pork, Dilcey e mammy caíram no riso também, assim como Suellen e Carreen, e até Gerald deu uma risadinha. Depois de mais algumas reprimendas de Peter, que se disse preocupado com o falatório, pois Pittypat era uma mulher solteira morando sozinha, que no fundo não passava de uma criança, Scarlett e Melanie gargalharam ainda mais.

– Pobre tio Peter! Me desculpe por rir. De coração, me perdoe! A senhorita Scarlett e eu não podemos ir para casa agora. Talvez em setembro, depois da colheita do algodão. A tia mandou o senhor até aqui só para levar a gente para casa no lombo desse saco de ossos? – disse Melanie.

Ao ouvir a pergunta, tio Peter ficou boquiaberto, e o rosto negro de repente se encheu de culpa e consternação.

– Sinhá Melly, devu tá ficanu caduco, pruque já tava me esquecenu do motivo da sinhá ter me mandado inté aqui. É coisa importante. Tô com uma carta pra sinhá. A sinhá Pitty não cunfia no correio nem em outro sujeito pra trazê, a não ser eu e...

– Uma carta? Para mim? De quem?

Aturdida com a possibilidade de a carta trazer notícias de Ashley, Melanie desfaleceu. E Peter contou que a carta trazia a notícia de que Ashley estava vivo e a caminho de casa. Houve um alvoroço, todos se aglomeraram em torno de Melanie para socorrê-la, todos, menos Scarlett.

Ela e tio Peter ficaram ali, sozinhos, imóveis. Sem conseguir falar nem se mexer, sentia a mente gritar: "Ele não morreu! Está vindo para casa!". A carta fora trazida por Willie Burr, que estava na mesma prisão que Ashley. Willie voltara para casa antes por ter conseguido um cavalo, e Ashley vinha a pé. Sem pensar duas vezes, Scarlett puxou a carta da mão de tio Peter. No envelope, com a letra de Ashley, estava escrito: "Sra. George Ashley Wilkes, A/C: Srta. Sarah Jane Hamilton, Atlanta, ou Twelve Oaks, Jonesboro, Ga".

Com os dedos trêmulos, abriu-a e leu:

"Querida, estou voltando para casa... para você".

Com lágrimas escorrendo pelo rosto, Scarlett passou direto pelo alvoroço, caminhou até o gabinete de Ellen, entrou, fechou a porta, trancou-a a chave, se jogou no sofá aos prantos, risos e, beijando a carta, sussurrou:

– Querida, estou voltando para casa... para você.

* * *

Era consenso que, a menos que tivesse a capacidade de voar, Ashley levaria semanas, ou mesmo meses, para percorrer o trajeto entre Illinois e Geórgia, mas nem por isso os corações de Tara deixavam de palpitar toda vez que um soldado batia à porta da propriedade. Durante o mês seguinte à notícia da carta, o trabalho foi interrompido, na esperança de que Ashley pudesse chegar a qualquer momento; no entanto, com o passar do tempo, voltaram a retomar suas atividades, e Ashley ainda não aparecera. Os corações angustiados não suportavam mais a espera, sobretudo o coração de Scarlett. Ela temia que algo tivesse acontecido pelo caminho, pois Rock Island era uma região muito distante, e Ashley poderia estar fraco ou doente, além de sem dinheiro e vagando por uma região em que os confederados não eram benquistos. Ah, se soubesse onde ele estava! Mandaria dinheiro, cada centavo que lhe restara, deixaria a família com fome para que Ashley pudesse chegar mais rápido em casa, de trem.

"Querida, estou voltando para casa... para você".

A princípio, no calor da emoção, quando os olhos se depararam com aquela frase, Scarlett compreendeu que Ashley estava voltando para ela, mas, no atual momento, com a frieza do raciocínio, percebera que a "querida" da carta era Melanie, que agora vivia contente e cantando pelos cantos da casa. Às vezes, Scarlett se pegava pensando: por que Melanie não morreu durante o parto, em Atlanta? Teria sido perfeito. Depois de um tempo, ela, Scarlett, se casaria com Ashley e se tornaria madrasta de Beau. Quando esses pensamentos lhe ocorriam, ela não mais começava a rezar, pedindo a Deus que os reprimissem, porque não temia mais a Deus.

Quando os soldados chegavam aos montes, Scarlett praguejava e, contrariando a própria vontade e atendendo ao pedido dos outros, recebia cada um feito hóspede. Os homens famintos consumiam toda a comida destinada às bocas de Tara, e o dinheiro que encontrara na carteira do ianque morto não duraria para sempre. Deu ordens a Pork para que servissem pratos menos generosos e logo viu Melanie começar a pedir para diminuir sua porção e ofertar o restante aos soldados. Enraivecida, Scarlett reprimiu Melanie dizendo que ela ainda não se recuperara totalmente e que poderia ficar acamada, mas a esposa de Ashley pedia que tivesse paciência, pois esperava que alguma mulher na estrada do norte estivesse fazendo o mesmo pelo marido. Depois dessa conversa, Melanie percebeu que os hóspedes passaram a fazer refeições mais substanciais, mesmo que Scarlett o fizesse de má vontade. Quando chegavam soldados muito convalescentes, Scarlett os punha na cama, meio a contragosto. Um rapaz, quase um menino, cujos primeiros pelos louros da barba começavam a nascer, chegou a Tara atravessado no lombo de um cavalo, trazido por um soldado que estava a caminho de Fayetteville. Fora encontrado desacordado e morrera antes de recobrar a consciência. Não souberam o nome dele. Tinha boa aparência, e certamente alguma mulher no Sul aguardava seu retorno, tal como Scarlett e Melanie esperavam por Ashley. O cadete foi enterrado no campo-santo, ao lado dos três meninos O'Hara, e Melanie se debulhou em lágrimas enquanto Pork cobria o túmulo, perguntando-se se alguém não fazia exatamente o mesmo naquele momento diante do corpo de Ashley.

Will Benteen, tal como o cadete de identidade desconhecida, também chegou a Tara atravessado na sela do cavalo de um soldado. Estava com pneumonia, e as moças logo imaginaram que, em breve, haveria mais um corpo no campo-santo da família. De fisionomia típica do sul da Geórgia, cabelo ruivo e olhos azuis, Will tivera uma das pernas amputadas e uma prótese improvisada com uma estaca de madeira e presa ao coto do joelho. Evidentemente, era um caipira, assim como o cadete que acabara de enterrar era filho de um fazendeiro, disso as moças tinham certeza, sem saber ao certo por quê. Will passou dias na cama, contorcendo-se e gemendo, tentando se levantar, enfrentando outras batalhas sem nunca chamar pela mãe, esposa, irmã. Carreen permanecera ao lado do rapaz durante todas as longas tardes quentes, abanando-o, sem dizer nada. Rezava muito, pois sempre que Scarlett entrava no quarto sem bater encontrava-a de joelhos, cena que a aborrecia muito, pois, para ela, o tempo de oração terminara. Se Deus julgara oportuno puni-los daquele jeito, então poderia muito bem curá-los sem que fossem necessárias orações. A religião sempre servira a Scarlett como moeda de troca; prometia a Deus bom comportamento em troca de favores. Will disse a Scarlett que Carreen rezava pelas almas de Brent, um pretendente, e de Ellen.

– Pretendente dela? – questionou Scarlett imediatamente. – Uma ova! Ele e o irmão eram meus pretendentes.

– Sim, ela me contou. Parece que todos os homens do condado eram seus pretendentes. Que seja. Ele se interessou por ela depois que foi dispensado por você, porque os dois ficaram noivos quando ele veio para casa, na última licença. Ela disse que ele foi o único rapaz por quem se interessou, então rezar por ele serve como conforto.

Então era por isso que Carreen andava amuada pelos cantos, rezando o tempo todo. Aquele rapaz magricela, de ombros prostrados e cabeça de fogo sabia coisas a respeito da família O'Hara que a própria Scarlett desconhecia. Scarlett gostava de conversar com Will, que, apesar de ter pouco assunto, era um bom ouvinte. Ela soube que Will estava sozinho no mundo agora, pois os escravos tinham fugido e o sítio nada mais produzia. A irmã, única parente, mudara-se para o Texas com o marido havia alguns anos. Ainda assim, nada parecia incomodá-lo, a não ser a perna amputada. Com o tempo, todos iam ao quarto de Will desabafar, até mammy, que a princípio o evitava por ser um caipira que só tinha dois escravos. Quando ele, ainda cambaleante, começou a andar pela casa, passou a fazer cestas e a consertar os móveis quebrados pelos ianques, e Wade vivia ao lado do rapaz, que arrumava seus brinquedos. Todos se sentiam seguros em deixar Wade e os outros dois bebês com Will em casa e, assim, saíam para cumprir cada um suas tarefas. Grato pela hospitalidade e pelo cuidado recebido em Tara, Will aos poucos foi assumindo com os próprios ombros o fardo que Scarlett carregava.

Setembro chegou, início do outono, tempo de colheita do algodão. Sentado nos degraus da entrada de Tara, Will comentava com Scarlett os custos exorbitantes para descaroçar o algodão na nova máquina perto de Fayetteville, mas ele conseguiria reduzir bastante esse custo ao emprestar por duas semanas o cavalo e a carroça ao dono do descaroçador e aguardava a permissão de Scarlett para isso. Sem dúvida, como mammy já dissera, Will fora enviado dos céus e Scarlett não sabia como Tara teria sobrevivido aos últimos meses sem ele. Will falava pouco, trabalhava muito, sabia tudo de Tara, era mais produtivo e mais rápido que Pork, e conseguia fazê-lo trabalhar, para alívio de Scarlett. Era um negociador de primeira, saía pela manhã com caixas de maçã, batata-doce e vegetais e voltava com sementes, tecido, farinha e outros itens que ela jamais teria conseguido, apesar de também ser uma boa negociante. Aos poucos, Will ganhou o *status* de membro da família e começou a dormir em um pequeno catre, no vestiário do quarto de Gerald. Não falou de ir embora, e Scarlett tomou todo o cuidado para não tocar no assunto, com medo de Will partir, e rezava com todo o fervor para que o rapaz ficasse ali para sempre. Achava que se Carreen tivesse o cérebro de um rato, teria percebido que Will gostava dela e o casamento entre os dois seria muito conveniente, mesmo sabendo que Ellen desmaiaria só de imaginar a filha casada com um caipira ignorante, propenso a erros gramaticais, fazendeiro de pequeno porte. Melanie defendia Will com fervor dizendo que qualquer um com o coração bondoso e a empatia dele poderia ser considerado homem de berço. Havia poucos homens pelas redondezas, as mulheres tinham de se casar com alguém, e Tara necessitava de uma figura masculina. De todo modo, Carreen, cada vez mais absorta no livro de orações, tratava Will como um irmão e com a mesma gentileza com que tratava Pork. Scarlett aprovou o empréstimo do cavalo, mesmo sabendo que a família ficaria duas semanas sem meio de transporte.

Melanie foi à varanda fazer companhia a eles, com o bebê no colo. Estirou um cobertor no chão, onde colocou o pequeno Beau para engatinhar. Desde a carta de Ashley, ora parecia feliz, cantando, ora ansiosa e apreensiva. Mas continuava magra, pálida, abatida. O velho doutor Fontaine emitiu um diagnóstico de problema feminino, confirmou a opinião do doutor Meade de que Melanie jamais deveria ter engravidado e, com franqueza, disse que outra gravidez a mataria.

Ali na varanda, Will contou que, quando foi a Fayetteville naquele mesmo dia, encontrara algo que resolvera trazer para casa, algo que poderia interessar às moças. Revirou a carteira que Carreen fizera para ele e tirou dela uma nota confederada.

– Se acha o dinheiro confederado coisa digna de admiração, Will, saiba que eu não – retrucou Scarlett no mesmo instante, pois o simples fato de ver uma nota como aquela a aborrecia. – Temos três mil dólares dessas notas no baú do meu pai, mammy anda me pedindo essas notas para tapar os buracos da parede do sótão e impedir a entrada da corrente de ar... Acho que vou fazer isso. Pelo menos, esse dinheiro vai acabar servindo para alguma coisa. O que Scarlett não sabia e que Will mostrou foi que atrás da nota havia um poema que dizia:

Sem valor algum nessa terra divina agora
Tampouco nas águas que correm sob seus pés,
como a promessa de uma nação de outrora,
guarde-a, caro amigo, e mostre-a.
Mostre-a àqueles que darão ouvidos
à história que este rifle tem para contar.
Sobre Liberdade, fruto do sonho dos patriotas,
Sobre uma nação derreada por uma tempestade.

Comovida ao escutar o poema, Melanie implorou a Scarlett que não desse a nota a mammy, e as duas engataram em uma altercação sobre o dinheiro confederado e os dólares, enquanto Will distraía o pequeno Beau com a nota. Dali, ele avistou alguém se aproximando.

– Temos companhia – anunciou, semicerrando os olhos por conta do sol. – Outro soldado.

Scarlett olhou em direção à estrada e avistou um homem barbudo, uma fisionomia familiar que se aproximava a passos lentos, a cabeça prostrada. Melanie se levantou e ficou imóvel. Scarlett olhou para ela e viu as veias sobressaltadas sob a pele branca. "Ela vai desmaiar", pensou, levantando-se para ampará-la. Mas, no mesmo instante, Melanie se desvencilhou e desceu os degraus da escada depressa. Voou pela trilha de cascalho feito um pássaro, as saias surradas farfalhando com o vento, os braços esticados. Foi quando Scarlett se deu conta e teve a sensação de um golpe. Vacilou e cambaleou para trás, apoiando o corpo em uma das pilastras da varanda. O coração palpitou, parou, depois pareceu a ponto de atravessar a garganta, quando Melly, com gritos ensandecidos, se atirou nos braços do soldado sujo e ele curvou a cabeça, amparando-a. Num gesto impulsivo, Scarlett deu dois passos à frente, mas foi interceptada por Will, que a puxou pela saia.

– Não vá – disse com a voz baixa.

– Me solte, seu bobo! Me solte! É o Ashley!

Mas Will não a soltou.

– Ele é marido DELA, não é? – perguntou Will com a voz gentil. Olhando para ele, envolvida em uma mistura de alegria, raiva e impotência, Scarlett enxergou nas profundezas silenciosas daquele olhar compreensão e pena.

Quarta Parte

Capítulo 31

Janeiro de 1866, em uma tarde fria, Scarlett, no gabinete, escrevia uma carta a tia Pittypat para explicar em detalhes, e pela décima vez, por que nem ela, nem Melanie e tampouco Ashley poderiam voltar a Atlanta. Ela sabia que Pittypat mal leria as primeiras linhas e escreveria de volta, queixando-se: "Tenho medo de morar sozinha!". Scarlett sentia as mãos geladas e tentava aquecer os pés envolvendo-os na tira de uma colcha velha. Naquela manhã, Will levara o cavalo a Jonesboro para mandar trocar as ferraduras. "Que tempos eram aqueles", pensou Scarlett, em que pessoas andavam descalças feito cachorros enquanto os cavalos trocavam as ferraduras. Chegando em casa, Will, com as orelhas vermelhas devido ao frio, o cabelo de fogo desgrenhado e um sorriso meio sem graça, perguntou a Scarlett:

– Quanto tem em dinheiro, senhora Scarlett?

– Está querendo me propor casamento por causa do meu dinheiro, Will? – perguntou meio mal-humorada.

– Não, senhora, só gostaria de saber.

Scarlett explicou que tinha dez dólares em ouro, quantia que restara do ianque. Em outras conversas com Will, com quem Scarlett sentia que podia falar sobre tudo, ela contara sobre o assassinato do soldado e ficara contente quando o rapaz dissera apenas: "Fez muito bem!". Mas, naquele dia, Will, que quase sempre tinha o semblante sério, parecia sério demais. Por fim, contou a Scarlett o que ouvira dizer por onde andara: que ela pagara menos impostos do que deveria. Ela estranhou a notícia, pois já havia pago os impostos, mas Will explicou:

– A senhora não vai a Jonesboro com tanta frequência, ainda bem. Aquilo não é mais lugar para uma dama. Mas, se fosse, saberia que há um bando de *scallawags*, Republicanos e *carpetbaggers* mandando nas coisas nos últimos tempos. A senhora ficaria doida da vida se visse aquela gente. E tem ainda os pretos que ficam dando empurrão nos brancos para jogar eles para fora da calçada e...

– Mas o que isso tem a ver com nossos impostos?

Will então explicou. Os impostos de Tara foram elevados como se a propriedade tivesse produzido mil fardos de algodão e, em alguns bares, comentava-se que alguém queria comprar a fazenda por um preço baixo, em leilão judicial, caso os impostos não fossem pagos. E todos sabiam que Scarlett não teria como pagar a quantia. Will tentara descobrir quem era o interessado na propriedade, mas não conseguiu, apesar de ter sondado o marido de Cathleen Calvert, Hilton, que sorriu de um jeito estranho quando Will tentou lhe arrancar a informação.

"Leilão judicial? Para onde iriam? Tara nas mãos de outro proprietário? Não, inadmissível!"

Scarlett passava tanto tempo compenetrada no trabalho que mal prestou atenção ao que acontecia no mundo lá fora. Agora que contava com Will e Ashley para resolver questões administrativas, fosse em Jonesboro ou em Fayetteville, ela mal saía de Tara. Assim como mal prestara atenção às conversas do pai sobre a guerra antes de ela de fato acontecer, agora também mal escutava as conversas entre Will e Ashley, após o jantar, quando falavam sobre o início da Reconstrução. É claro que sabia sobre os *scallawags*, sulistas que tinham se afiliado aos republicanos por puro interesse, e sobre os *carpetbaggers*, ianques que começaram a vir para o

Sul feito um bando de urubus depois da rendição, com tudo que tinham dentro de uma *carpetbag*[8]. E tivera algumas experiências desagradáveis com o Departamento dos Libertos[9], assim como tomara conhecimento de que alguns escravos libertos andavam com comportamento insolente, o que era muito difícil de acreditar, porque nunca, jamais, Scarlett vira coisa como essa. Mas havia muitas conversas entre Will e Ashley sem o conhecimento dela. Os dois tinham concordado que era melhor não falar sobre os detalhes mais preocupantes quando estivessem em casa. Scarlett ouvira Ashley comentar que o Sul vinha sendo tratado como província conquistada e Will dizer que o Norte estava decidido a não permitir que o Sul se reerguesse. Mas, para ela, política era assunto de homem e, se os ianques não a tinham derrubado uma vez, não seria agora que o fariam. O melhor a fazer era trabalhar dia e noite e deixar de se preocupar com o governo ianque. Afinal de contas, a guerra chegara ao fim. Scarlett não percebera que todas as regras do jogo haviam mudado e que o trabalho honesto não mais renderia a justa recompensa. A Geórgia estava praticamente sob lei marcial, os soldados ianques guarneciam as redondezas, o Departamento dos Libertos tinha o controle de tudo e criava leis que convinham a ele.

O Departamento dos Libertos, organizado pelo governo federal para cuidar dos ex-escravos, agora ociosos e animados, levava-os aos milhares para os vilarejos e as cidades. Dava de comer aos pretos enquanto lhes envenenava a cabeça contra os antigos proprietários. O antigo capataz de Gerald, Jonas Wilkerson, era o responsável local pelo Departamento, e o assistente dele era Hilton, marido de Cathleen Calvert. Os dois espalharam o boato de que os sulistas e os democratas só estavam esperando o momento certo para voltar a escravizar os pretos e que a única forma de se proteger disso era manter-se junto ao Departamento e ao partido republicano. Wilkerson e Hilton punham ainda mais lenha na fogueira

---

[8] Tipo de bolsa utilizada por viajantes, muito comum nos Estados Unidos durante o século XIX. Feita com o tecido reaproveitado de carpetes, a *carpetbag* era uma bolsa de baixo custo. (N.T.)

[9] *Freedmen's Bureau.* (N.T.)

afirmando que, em breve, o casamento entre pretos e brancos seria permitido e que logo as terras de seus antigos proprietários seriam divididas e cada preto receberia sua parte, além de uma mula. O Departamento fora apoiado pelos soldados, e os militares emitiram muitas ordens quanto à conduta dos conquistados, abrangendo escolas, saneamento, o tipo de botão utilizado nos ternos, a venda de mercadorias e quase todo o restante. Wilkerson e Hilton poderiam interferir em qualquer negociação feita por Scarlett, assim como tinham poder para definir o preço que quisessem do que ela vendesse ou trocasse. Will, com seu temperamento conciliatório, conseguia negociar com *carpetbaggers* e ianques e poupar Scarlett de muitas dificuldades, mas agora se deparara com um problema complicado demais para dar conta sozinho. Precisavam de trezentos dólares para pagar o total de impostos.

Will explicou que os *carpetbaggers* e os *scallawags* tinham poder de voto, mas a maioria dos democratas não podia votar, ninguém que constasse com mais de dois mil dólares nos livros fiscais em 1965, o que deixava de fora Gerald O'Hara, o senhor Tarleton, os McRae e os Fontaine. Também não poderia votar quem tivesse ocupado a posição de coronel durante a guerra, nem quem tivesse trabalhado para o governo confederado, o que excluía praticamente todo mundo, de tabeliães a juízes. Will teria poder de voto se tivesse prestado juramento aos ianques. Ele não tinha posses em 1965, tampouco ocupara cargo de coronel, mas se recusou a prestar o juramento de fidelidade por discordar dos ianques, e jamais prestaria esse juramento, mesmo que perdesse para sempre o direito de voto. Todavia, *scallawags* como Hilton, Jonas Wilkerson e brancos pobres como os Slattery e os MacIntosh podiam votar. Em suma, Tara poderia ser posta à venda por eles, assim como os pretos podiam fazer qualquer coisa contra quem ali morasse. Scarlett pensou na possibilidade de hipotecar a propriedade, mas Will a aconselhou que não haveria como, pois ninguém por ali tinha dinheiro para se interessar pelo negócio.

Sem saber o que fazer, Scarlett pediu a Will que não comentasse nada daquilo com Gerald e perguntou por Ashley. Will a olhou de um jeito que ficou claro: ele percebera tudo desde o dia em que Ashley chegara. Então, avisou que Ashley estava no pomar, rachando lenha. Finalmente, uma oportunidade de ficar a sós com Ashley! Desde o dia em que ele chegara, Scarlett não tivera uma chance sequer de ficar sozinha com ele. Melanie vivia ao lado do marido, tocando-lhe a manga da camisa vez em sempre para ter certeza de que ele estava lá, gesto que reacendeu em Scarlett a chama do ciúme havia meses aparentemente adormecido.

* * *

Sob os galhos desfolhados e sentindo o frio e a umidade do mato nos pés, Scarlett acompanhou o eco do machado e caminhou em direção a Ashley. Tudo era pesado demais, extenuante demais, e ela estava cansada, enfadada de tudo. Se ao menos Ashley fosse seu marido... como seria bom correr até ele, abraçá-lo, apoiar a cabeça no ombro dele, chorar, desabafar e entregar-lhe o fardo que não suportava mais carregar. Dando a volta por um arvoredo de romãs, ela o avistou debruçado sobre o machado, limpando o suor com o dorso da mão, vestindo o que restara da calça marrom e uma camisa de Gerald, a mesma que o pai reservara para os dias de festa, agora curta demais no corpo de Ashley. Diante daquela cena, o coração de Scarlett se encheu de amor e, ao mesmo tempo, de raiva, raiva do destino. Suportava ver o próprio filho vestindo avental feito com pano de saco, as meninas com guingão velho e surrado, Will trabalhando mais que um trabalhador do campo, mas não Ashley. Era refinado demais para o trabalho braçal, amado demais por ela. Scarlett preferiria ela própria rachar aquela lenha a suportar o sofrimento de vê-lo ali, fazendo aquele trabalho.

– Dizem que Abe Lincoln começou rachando lenha – comentou Ashley enquanto Scarlett se aproximava dele. – Imagine só como posso chegar longe!

O hábito de Ashley de atenuar as dificuldades por que passavam irritava Scarlett. Ela contou a ele as notícias de Will e se sentiu aliviada, pois Ashley certamente saberia o que fazer. Mas, contrariando as expectativas de Scarlett, Ashley lhe disse que desconhecia como poderiam conseguir a quantia necessária para pagar os impostos e comentou que, nos últimos meses, ouvira falar sobre uma pessoa que andava em boas condições financeiras, a única, na verdade: Rhett Butler. De fato, tia Pittypat escrevera a Scarlett contando que Rhett voltara a Atlanta com dois belos cavalos e os bolsos cheios de dinheiro, e o comentário na cidade era que Rhett teria fugido com os lendários milhões do tesouro confederado.

– Não vamos falar desse sujeito – pediu Scarlett, interrompendo a conversa. – Ele é o maior patife que já conheci. O que será da gente agora?

– No fim, vai acontecer o mesmo que acontece quando uma civilização vem abaixo. Aqueles que são inteligentes e corajosos vencem e, os que não são, perdem. Pelo menos tem sido interessante, eu diria até cômodo, testemunhar esse *Götterdämmerung*.

– Esse o quê?

– Um crepúsculo dos deuses. Infelizmente, nós, sulistas, achamos que éramos deuses.

– Pelo amor de Deus, Ashley Wilkes! Não fique aí parado me dizendo essas coisas sem pé nem cabeça se quem vai perder somos nós!

Naquela mesma conversa, Ashley segurou as mãos de Scarlett, beijou-as, disse que cada calo representava uma verdadeira medalha. Agradeceu a ela por tudo que vinha fazendo por eles, pelas meninas, por Melanie, pelo bebê, desculpou-se por não poder ajudá-la, falou das coisas que pensava e acrescentou:

– É uma maldição... não querer enxergar a realidade nua e crua. Antes da guerra, a vida havia sido tão real para mim quanto um teatro de sombras. E eu a preferia assim. Não suporto o contorno acentuado das coisas. Gosto deles esfumaçados, um tanto nebulosos... – Ashley hesitou, ficou em silêncio por um minuto e concluiu: – Em outras palavras, Scarlett, sou um covarde.

Scarlett não compreendia a questão do contorno acentuado e do teatro de sombras, mas a da covardia, sim, e discordava, discordava completamente. Se havia algo que Ashley não tinha era covardia. Ashley confessou a Scarlett alguns de seus medos, e que depois da guerra ele passara a enxergar tudo muito nitidamente, pessoas, situações, diferentemente de antes, quando tentava evitar tudo que fosse real demais, vital demais, até a própria Scarlett, tão cheia de vida, tão real. Ashley não sabia exatamente em que momento o teatro de sombras se fora para sempre, se em Bull Run, quando matara pela primeira vez e também vira seus amigos tão jovens se partirem aos pedaços.

Em desespero, Scarlett pensou que Melanie sabia o que Ashley queria dizer com tudo aquilo. Ele e Melly sempre conversavam sobre essas coisas sem importância, poesia, livros, sonhos, raios de luar e poeira das estrelas. Ashley não tinha os mesmos medos que Scarlett, não temia a fome, o inverno; mas, afinal, o que o amedrontava ela não conseguia compreender. Entre suas confissões, Ashley disse ter vontade de fugir e que Scarlett, com seu coração de leão e absoluta falta de imaginação, nunca sentiria o mesmo, pois jamais se importaria em encarar a realidade tal como ela era e nunca sentiria vontade de fugir das coisas como ele.

– Ah, Ashley! – exclamou ela. – Está errado. Eu também quero fugir. Estou tão cansada disso tudo! Vamos fugir!

Scarlett o lembrou daquele dia em Twelve Oaks, disse que se fugissem ela poderia fazê-lo muito feliz, que Melanie não poderia ter mais filhos, como dissera o doutor Fontaine. Mas Ashley a reprimiu dizendo que deveriam deixar para trás o que acontecera aquele dia em Twelve Oaksap e que jamais abandonaria Melanie e o filho, que estavam sob sua responsabilidade, assim como Gerald e as irmãs de Scarlett estavam sob a responsabilidade dela. Frustrada e cansada demais para insistir, Scarlett levou a cabeça às mãos e começou a chorar. Ashley jamais imaginou que uma mulher com tamanha força pudesse chorar. Profundamente comovido e sentindo remorso, ele se aproximou no mesmo instante, abraçou e consolou Scarlett.

– Querida! Minha querida... tão corajosa! Não chore. Não chore!

Ao tocá-la, a primavera voltou a resplandecer no coração de Ashley, e os anos invernais e amargos se diluíram quando ele olhou para aqueles lábios rubros e trêmulos. Naquele dia, os dois se beijaram. Ashley admitiu que amava Scarlett, que a desejava a ponto de possuí-la ali mesmo, ultrajando a hospitalidade da casa que abrigara ele e a família, de tal modo que a possuiria ali, no lamaçal, mas não, não podiam fazer isso. Iria embora para sempre, pegaria Melanie e o bebê e saíram dali. Mesmo que aquilo o matasse, jamais abandonaria Melanie. Mesmo que as chamas do amor por Scarlett o consumissem pelo resto de seus dias, Ashley jamais a possuiria e faria o possível para mantê-la distante. Ela jamais atravessaria de novo aquela armadura. Não restara mais nada. Palavras, hospitalidade, lealdade e honra tinham valor muito maior para ele que para ela.

Ashley abaixou-se, pegou um punhado de terra e o colocou na mão de Scarlett.

– Existe algo que ama mais que a mim, embora não saiba. Você ainda tem Tara.

– Sim – disse Scarlett. – É o que tenho.

Capítulo 32

Scarlett ainda segurava o punhado de terra vermelha na mão quando começou a subir os degraus da frente. Tomou o cuidado de evitar a porta dos fundos para não encontrar mammy, que, com seu olhar afiado, certamente desconfiaria de que havia algo errado. Scarlett não queria ver mammy nem mais ninguém. Não sentia vergonha, frustração, tampouco amargura naquele momento, apenas uma fraqueza nos joelhos e um vazio enorme no peito. Cerrou o barro na palma da mão com tanta força que ele começou a escapar por entre os dedos.

– Sim, ainda tenho isto. Ainda tenho isto.

Aquela terra vermelha era tudo que tinha, e amava tanto aquele chão que, mesmo que Ashley tivesse aceitado abandonar a família e fugir com ela sem olhar para trás, Scarlett sabia que o coração ficaria despedaçado ao deixar aquelas colinas rubras, os sulcos infindáveis e os pinheiros secos e fustigados. Não deixaria de pensar neles nem um dia sequer. Nem mesmo Ashley teria sido capaz de preencher o vazio do coração dela caso deixasse Tara para trás.

Já no corredor, quando se preparava para fechar a porta, Scarlett escutou os passos de um cavalo e olhou para a entrada. Visitas em um momento como aquele eram demais para suportar. Correria até o quarto e fingiria uma dor de cabeça. Mas, quando a carruagem se aproximou, Scarlett ficou atônita. Era uma carruagem envernizada, polida, com uma peça aqui e ali de cobre polido. Algum desconhecido, certamente. Àquela altura, ninguém que ela conhecia tinha dinheiro para andar em um veículo como aquele. Quando a carruagem parou em frente à casa, Jonas Wilkerson desceu, com um sobretudo tão requintado que Scarlett mal pôde acreditar nos próprios olhos. Will contara a Scarlett que o antigo capataz de Tara andava em boas condições desde que começara a trabalhar no Departamento dos Libertos, ganhando muito dinheiro, fosse trapaceando os pretos, ou o governo, ou confiscando o algodão das pessoas alegando ser propriedade do governo confederado. Junto dele veio uma mulher com um vestido de cor vibrante, chamativo quase a ponto de ser vulgar, o que não deixou de aguçar os olhos de Scarlett, pois havia muito tempo não via o luxo de um traje como aquele.

Quando a mulher desceu e olhou em torno da casa, Scarlett começou a reconhecer o rosto de coelho coberto de pó de arroz.

– Ora, veja só, é Emmie Slattery! – exclamou em voz alta, tamanha surpresa.

– Sim, eu mesma – disse Emmie, jogando a cabeça para trás com um sorriso dissimulado, caminhando em direção aos degraus.

Emmie Slattery! Sim, a vagabunda, a loira azeda cujo bebê ilegítimo Ellen batizara; Emmie, de quem Ellen contraíra o tifo que a levara à morte. A branca ordinária, metida a rica, com esse vestido vulgar, começou a subir os degraus de Tara toda sorridente, como se estivesse em casa. Scarlett pensou na mãe e, de repente, foi tomada pela cólera.

– Desça já desses degraus, sua imbecil! – esbravejou. – Saia daqui. Saia!

Emmie ficou boquiaberta e olhou para Jonas, que subiu os degraus fazendo careta, esforçando-se para manter a dignidade, apesar da raiva.

– Não deve falar assim com minha esposa – afirmou.

– Esposa? – indagou Scarlett, engatando em uma gargalhada desdenhosa. – Já era hora de se casar com ela. Quem batizou seus outros pirralhos depois que matou minha mãe?

Emmie soltou um "ah!" e voltou correndo para a carruagem, mas Jonas a deteve, segurando-a com firmeza pelo braço.

– Viemos aqui para fazer uma visita... uma visita amistosa – resmungou. – E para falar um pouco de negócios com nossos velhos amigos...

– Amigos?! – indagou Scarlett, cuja voz soou tão cortante quanto uma chicotada. – Quando foi que fizemos amizade com gente da laia de vocês? Os Slattery viveram da caridade da minha família e retribuíram tirando a vida da minha mãe... e você... você... Meu pai o mandou embora porque engravidou Emmie, sabe muito bem disso. Saia daqui agora mesmo ou vou chamar o senhor Benteen e o senhor Wilkes.

Desta vez, Emmie se desvencilhou de Jonas e voltou para a carruagem depressa, com o rosto tão vermelho quanto um peru. Jonas acusou Scarlett de arrogante e prepotente, disse saber que ela andava sem sapatos e que o pai se tornara debiloide. E acrescentou que logo ela seria despejada por não pagar os impostos, pois ele compraria a propriedade inteira, com móveis e tudo que houvesse ali.

Então, era Jonas o comprador misterioso.

Jonas e Emmie que, de um jeito torto, pretendiam se vingar de certas desfeitas, morando na mesma casa em que tinham sido menosprezados. Com os nervos à flor da pele, Scarlett desejou, e muito, ter em mãos aquela pistola com que atirara no ianque. Quando Jonas voltou para a carruagem e os dois começaram a partir, ela teve vontade de cuspir neles. E cuspiu. Esses malditos adoradores de escurinhos! Como ousaram vir até ali debochar da pobreza dela! De repente, a raiva deu lugar a uma sensação de pavor. Santo Deus! Tomariam Tara e viriam morar ali! Não havia o que fazer, apossariam-se de tudo, de cada mesa, de cada espelho, da mobília de Ellen, da prataria dos Robillard. Como aquelas criaturas insignificantes poderiam morar em uma propriedade como Tara! Quem sabe até convidariam esses macacos para jantar e dormir. Will contara que Jonas vinha provocando um alvoroço com essa história de direitos iguais para os pretos, fazendo refeições com eles, visitando-os em casa, convidando-os para passear de carruagem. Mas como impedir isso? O que fazer? Alguém deveria ter aquele montante. Foi quando se lembrou das palavras de Ashley: "Só há uma pessoa... Rhett Butler... é o único que anda bem de vida".

Scarlett correu para a sala e fechou a porta. Como não pensara nisso antes?

"Vou vender os brincos de brilhante para ele. Ou pegar o dinheiro emprestado e deixar os brincos com ele, como garantia, até conseguir saldar a dívida."

Todavia, ela logo se deu conta de que teria de pagar impostos todos os anos e que teria de viver com a ameaça constante de lhe tomarem a propriedade a qualquer custo. Queria se livrar desse problema de uma vez por todas, deitar a cabeça no travesseiro à noite sem ter com o que se preocupar com o amanhã, com o mês seguinte, com o ano seguinte. Em meio à confissão mental, um pensamento lhe ocorreu. Pensou em Rhett, naqueles dentes brancos, no olhar sarcástico com que a apreciava. "Vou me casar com ele", decidiu friamente. E nunca mais vou voltar a me preocupar com dinheiro. De repente, se sentiu velha demais. Os acontecimentos daquela tarde lhe drenaram por completo. Primeiro, a notícia dos impostos, depois Ashley e, por último, a visita inoportuna de Jonas Wilkerson.

Esposa. Senhora Rhett Butler. Uma certa repulsa emergiu de repente das profundezas de seu pensamento frio, revolveu-a discretamente e se acalmou. Lembrou-se dos acontecimentos embaraçosos e repugnantes da breve lua de mel com Charles, das mãos desajeitadas e do constrangimento dele... e de Wade Hampton. "Não pensarei nisso agora", decidiu. "Deixarei isso para depois que me casar com ele"... Sim, ela o procuraria, mas jamais o deixaria perceber a verdade, jamais mostraria que estava em dificuldades financeiras. É verdade que em outra conversa Rhett lhe dissera que não era homem para casamento. E, mesmo que não se casasse com ela, já havia lhe proposto a condição de amante. Scarlett sabia que seus pensamentos deixariam a mãe apavorada, mesmo no paraíso distante e confortável onde descansava. Sabia que a fornicação era um pecado mortal. E sabia que, mesmo amando Ashley do modo como amava, seu plano era uma dupla prostituição. Mas Ashley... Ashley não a queria. Sim, ele a queria. Mas jamais fugiria com ela. Estranho que fugir com Ashley não parecia um pecado, já com Rhett... Tudo isso lhe atravessava a mente com uma frieza impiedosa e o aguilhão do desespero.

Naquela nebulosa tarde de inverno, chegou ao fim uma longa jornada que se iniciara na noite em que Atlanta fora invadida. A garota que se lançara naquela estrada era mimada, egoísta, inexperiente, uma moça na flor da juventude, de emoção acalorada e facilmente ludibriada pela vida. Agora, ao fim da jornada, não restara nada daquela garota. A fome, o trabalho incessante, o medo e a tensão constantes, o terror da guerra e da Reconstrução lhe tirara a juventude, a ternura e a delicadeza. Ela tomara uma decisão e, graças a Deus, não sentia medo. Não tinha nada a perder e estava decidida. "Mas não vou abordá-lo feito uma pedinte. Vou como uma rainha disposta a conceder favores. Ele nunca descobrirá." Observando o espelho, viu uma mulher magra, de bochechas murchas; não, essa não era Scarlett O'Hara! Scarlett tinha um rosto bonito, coquete, iluminado. Não poderia aparecer com um vestido esfarrapado! Mas onde e como conseguir um traje novo? Foi quando lhe ocorreu uma ideia.

Sem pensar duas vezes, subiu à mesa que havia abaixo da janela, agarrou a barra das saias e, na ponta dos pés, caminhou até alcançar o varão da cortina de veludo. Mal conseguindo alcançá-la, puxou o tecido com tamanha impaciência que os pregos se soltaram da madeira, e tudo veio ao chão: cortinas, varão, fazendo um barulho. Feito um passe de mágica, a porta da sala se abriu e o rosto redondo e preto de mammy apareceu, esboçando grande curiosidade e evidente suspeita.

– Que a moça tá pensanu fazê com as cortina de sinhá Ellen? – questionou.

Scarlett explicou que iria a Atlanta conseguir dinheiro e que, para isso, precisaria de um vestido novo, mas mammy não pareceu convencida e continuou reprimindo Scarlett por arrancar a cortina da sala. Scarlett, então, explicou que também iria ao casamento da senhorita Fanny Elsing, pois tia Pittypat escrevera comunicando sobre a cerimônia que aconteceria no sábado próximo. Ainda a contragosto, mammy foi buscar a caixa de moldes conforme Scarlett pediu, mas avisou que iria com ela. Scarlett insistiu para que ficasse e cuidasse de Tara, pois precisariam dela ali, mas mammy estava irredutível. "Era só o que me faltava!", pensou Scarlett, desanimada. "Um cão de caça grudado em mim, agora."

Naquela noite, depois do jantar, Scarlett e mammy espalharam os moldes pela mesa de jantar, enquanto Suellen e Carreen tiravam os forros de cetim da cortina e Melanie escoava o veludo, tirando a poeira com uma escova de cabelo limpa, provocando gargalhadas ao dizer que o galo, naquele dia, teria de se despedir de suas penas de cauda. Uma sensação agradável, certo tipo de empolgação que envolvia Scarlett, pareceu contagiar a todos, mesmo que não conseguissem entender de onde exatamente vinha aquele sentimento. Scarlett ria, e seu sorriso agradou a todo mundo, pois havia meses não a viam sorrir. E agradou a Gerald, especialmente.

"Não fazem ideia do que está acontecendo comigo, nem com eles, muito menos com o Sul. Continuam pensando, apesar de tudo que já aconteceu, que nada de terrível pode acontecer a eles, simplesmente porque têm o sobrenome O'Hara, Wilkes, Hamilton. Até os negrinhos se sentem assim. Ah, bando de imbecis! Nunca vão perceber, nunca!"

Ashley trocou uma olhadela com Will, sem dizer nada, mas se perguntando se Will teria a mesma suspeita que o apavorava. Era impossível que tivesse. Will não fazia ideia do que acontecera no pomar aquela tarde e do quanto Scarlett ficara desesperada. Apesar disso, desde que chegara a Tara, Ashley percebera que Will, tal como mammy, parecia saber das coisas sem que lhe contassem, senti-las antes que se consumassem. Havia um clima sinistro no ar. Qualquer que fosse o motivo, Ashley o desconhecia, e não poderia salvar Scarlett. A suspeita que o dilacerava por dentro era terrível demais para ser dita. Ele não tinha o direito de ofender Scarlett e perguntar a ela se era verdade aquilo de que suspeitava. Cerrou os punhos. Não tinha nenhum direito sobre ela. Não poderia ajudá-la. Mas a companhia que mammy faria a Scarlett o reconfortava. Mammy cuidaria dela, Scarlett quisesse ou não.

Enquanto olhava para Will naquele corredor sombrio, Ashley pensou que nunca, jamais vira tamanha coragem como a de Scarlett O'Hara, a ponto de partir para conquistar o mundo usando as cortinas de veludo da mãe e as penas de um galo.

Capítulo 33

Na tarde seguinte, entre um vento gelado e sob um céu nublado e cinzento, Scarlett e mammy desembarcaram do trem, em Atlanta. A estação não fora reconstruída depois que incendiaram a cidade, e elas desceram do veículo em meio às cinzas e à lama. Por força do hábito, ao descer, Scarlett olhou ao redor, procurando a carruagem de tio Peter e de Pittypat, pois sempre a via por ali quando voltava de Tara para Atlanta durante os anos de guerra. Mas, naturalmente, tio Peter não estava ali, pois Scarlett não avisara a tia Pitty que viria. Olhou em volta daquela região esburacada e retalhada, à procura de algum amigo ou conhecido que pudesse levá-la à casa da tia Pitty, mas não encontrou ninguém. Ademais, se tudo que tia Pittypat havia contado por carta fosse verdade, nenhum amigo, tampouco conhecido, teria uma carruagem agora. Havia alguns carroções sendo arrastados por vagões, e algumas charretes enlameadas e conduzidas por desconhecidos, mas apenas duas carruagens. Em uma delas, havia uma mulher bem-vestida e um homem com uniforme de ianque. Scarlett estremeceu ao ver a farda azul. Sabia que Atlanta estava guarnecida, como tia Pittypat lhe contara, mas ainda assim era difícil lembrar que a guerra terminara e que aqueles homens não lhe fariam nenhum mal. O vazio em torno do trem a fez lembrar daquela manhã de 1862, quando ela, viúva, chegou a Atlanta coberta de crepe e entediada. Lembrou-se de como a cidade estava movimentada naquele dia, com carruagens e ambulâncias, dos gritos e do falatório entre as pessoas. No entanto, tinha esperanças de encontrar algum conhecido quando chegassem a Peachtree Street e conseguir uma carona. Enquanto olhavam ao redor, um mulato de meia-idade se aproximou com uma carruagem e perguntou:

– Procuranu carruage, sinhá? Dois conto pra qualqué lugar de Atranta.

Mammy quase fuzilou o rapaz com os olhos.

– Uma carruage di aluguer? – resmungou. – Nêgo, ocê sabe quem nóis é?

Mammy era uma negra do campo, mas nem sempre fora e sabia bem que nenhuma mulher decente nunca, jamais, andaria em um veículo alugado, ainda mais fechado, como era o caso da carruagem, e sem a companhia de um homem da própria família. Ao ver Scarlett interessada na oferta, mammy a reprimiu com o olhar. Ela mandou que o "nêgo livre" as deixasse em paz e o rapaz explicou que não era livre, pois pertencia a sinhá Suzannah Talbot, de Milledgeville, mas Scarlett disse não conhecer a senhora e preferiu não discutir com mammy. Fariam o caminho a pé.

Andando pela calçada estreita em direção a Peachtree Street, Scarlett ficou perplexa com a devastação da cidade, tão diferente de quando a vira ao chegar pela primeira vez. Passaram ao lado do que restara do Atlanta Hotel, onde Rhett e tio Peter tinham morado, e daquela elegante hospedaria restara apenas o esqueleto, uma parte das paredes chamuscadas. Sem as paredes dos prédios de ambos os lados e o desaparecimento da estação, os trilhos da ferrovia ficaram desprotegidos e expostos. Em algum lugar entre aquelas ruínas, havia o que restara do armazém que Charles lhe deixara. Tio Peter pagara os impostos do ano anterior para ela. Em algum momento, teria de lhe devolver esse dinheiro. Mais uma preocupação para ela.

Dobrando a esquina da Peachtree Street, Scarlett olhou em direção a Five Points e ficou chocada. Jamais imaginara que tudo estivesse tão destruído daquele modo. Prédios, casas, tudo viera ao chão, e a rua estava tão carente de referências que pareceu a Scarlett um lugar totalmente desconhecido. Embora tivessem construído muitos prédios novos desde o retorno dos confederados, depois que Sherman saíra da cidade, deixando-a para trás em chamas, havia ainda muitos espaços vazios em Five Points, onde um amontoado de tijolos espalhado se misturava com o lixo e o mato alto. Na fachada de lojas e escritórios novos, Scarlett viu alguns nomes conhecidos, outros lhe pareciam familiares, e havia dúzias deles, médicos, advogados e comerciantes de algodão. Antes, conhecia praticamente todos os que moravam ali, mas ver agora o nome de tanta gente desconhecida a entristeceu.

"Eles a incendiaram", pensou. "Levaram-na ao chão. Mas não a venceram. Não poderiam. Voltará a crescer e se transformará de novo naquela cidade grande e cheia de vida de antes!"

Ainda em Peachtree Street, um pouco mais à frente, encontrou a rua tão agitada quanto os tempos passados. Muitos veículos circulando, as rodas atoladas na lama como antes, nenhuma ambulância confederada, mas muitos cavalos e mulas amarrados debaixo do toldo das lojas. Mas Scarlett não conhecia nenhum dos rostos que circulavam aqui e ali. Muita gente nova, mulheres malvestidas, homens de aparência boçal, pretos desocupados recostados nas paredes ou sentados no meio-fio observando a passagem dos veículos com a ingenuidade de uma criança em um desfile de circo. Mammy comentou não ter gostado de nada que vira até aquele momento, um bando de ianque e de preto desocupados. Quando chegaram à capela Wesley, mesmo lugar em que Scarlett parara para recuperar o fôlego naquele dia, em 1864, quando saiu às pressas à procura do doutor Meade, ela se recordou do pavor e do desespero que sentiu. "Como poderia ter ficado tão assustada feito uma criança quando ouve um grito?", se perguntava. E como foi ingênua de pensar que os ianques, o fogo e a perda eram tudo de pior que poderia lhe acontecer! Não, aquilo não era nada se comparado à morte de Ellen, ao esquecimento de Gerald, à fome, ao frio e ao trabalho pesado!

Um pouco mais adiante, depararam-se com uma carruagem, e depressa Scarlett espreitou para ver quem estava ali. Quase chamou ao ver a cabeça familiar de uma mulher lá dentro, cabelo ruivo protegido por um chapéu de pele. Belle Watling. Curioso ter sido Belle a primeira conhecida que Scarlett encontrava. Mammy perguntou quem era, e Scarlett explicou que Belle era uma mulher da vida, e mammy ficou indignada por ela conhecer uma mulher assim.

– Dou-lhe minha palavra, mammy, juro que não conheço essa mulher, só sei que é mulher da vida – disse Scarlett prontamente. – Então, deixe esse assunto para lá.

– Crei em Deus padre! – sussurrou mammy, boquiaberta, enquanto observava a carruagem com certa curiosidade. – Essa muié toda bem-vestida, com um cochero e tudo. Num sei que se passa na cabeça de Deus pra deixá uma muié vivê bem assim enquanto nóis que somo bão tamo passandu fome e andanu sem tê o que carçá.

– Deus se esqueceu da gente há anos – afirmou com a voz ríspida. – E não me venha com essa conversa de que minha mãe está se revirando no túmulo de ouvir isso.

Scarlett bem que queria se sentir superior a Belle, mas não podia. Se tudo desse certo, ela entraria no mesmo barco que Belle e dependeria do mesmo homem que ela. Logo o telhado de ardósia de tia Pittypat apareceu e o coração de Scarlett palpitou. Caminhando em direção ao jardim, veio tio Peter, com uma cesta de compras pendurada no braço. Ao ver Scarlett e mammy, abriu um sorriso incrédulo, de orelha a orelha.

* * *

Naquela noite, jantaram a inevitável canjica com ervilhas secas, e Scarlett jurou a si mesma que aqueles dois ingredientes nunca mais seriam servidos quando ela voltasse a ter dinheiro. E, não importava qual fosse o preço, voltaria a ter dinheiro, muito mais que o suficiente para pagar os impostos de Tara. À luz da lamparina, na sala de jantar, sem muitas esperanças de que a família de Charles pudesse lhe emprestar dinheiro, sem rodeios, perguntou a Pittypat como andava sua situação financeira, e a senhora contou a ela, entre lágrimas e em detalhes, seus infortúnios. Tinham perdido tudo, com exceção daquela casa cujos impostos Henry mal conseguia arcar, e ele dava à tia Pittypat uma pequena quantia em dinheiro, o suficiente para sobreviver, situação humilhante da qual Pittypat não tinha como escapar. Scarlett sabia que era verdade; tio Henry vinha brigando para salvar a casa e o pequeno lote no centro da cidade, onde ficava o armazém deixado por Charles, assim Wade e ela não ficariam sem nada. "É claro que eles não têm nada", pensou Scarlett. "Bom, não me resta outra opção a não ser Rhett. Vou ter de procurá-lo. Preciso fazê-la tocar no assunto. Então, vou sugerir uma visita dele amanhã."

Apertando as mãos gordas de tia Pittypat, Scarlett pediu que falassem de coisas boas. Pediu à tia que contasse as novidades e perguntou dos vizinhos. Soube que as senhoras Merriwether e Maybelle, antes que Rene Picard voltasse da guerra, vinham fazendo e vendendo torta para os soldados ianques. O casal Meade perdera a casa, incendiada pelos ianques, e não tinham dinheiro nem ânimo para reconstruí-la depois de perderem Phil e Darcy; por isso, tinham ido morar com os Elsing, que haviam conseguido reerguer parte da casa destruída; o senhor e a senhora Whiting também estavam morando com os Elsing; e a senhora Bonnell vinha falando em se mudar, caso tivesse a sorte de conseguir alugar a casa para a família de um ianque. Sendo assim, nas palavras de tia Pittypat, a senhora Elsing transformara a casa em uma "pensão", pois cobrava a estada dos hóspedes. Como Scarlett gostaria de ter feito o mesmo. Assim, não teria abrigado tanta gente de graça.

Logo as duas começaram a falar do casamento de Fanny Elsing, que ocorreria na noite seguinte. Sim, Fanny, a viúva de McLure, morto em Gettysburg, casaria-se com Tom Parkinson, homem íntegro, mas que fora ferido nas pernas durante a guerra e andava mancando. Tia Pittypat tagarelava alegremente, feliz feito uma criança por ter uma plateia. Segundo ela, as coisas em Atlanta andavam de mal a pior, pois os republicanos vinham incutindo certas ideias na cabeça dos pretos, entre elas a do direito ao voto. Enquanto contava da insolência dos escravos e de outros absurdos que vinham acontecendo na cidade, tia Pittypat disse:

– Minha querida, eu lhe contei que o capitão Butler foi preso?

– Rhett Butler? – indagou Scarlett, que, mesmo surpresa com a notícia, deu graças por tia Pittypat tê-la poupado de tocar no assunto por conta própria.

Ela soube que Rhett fora preso por ter matado um preto e que corria o risco de ser enforcado. Nada havia sido provado, mas o preto assassinado ofendera uma branca, e os ianques andavam enfurecidos porque muitos pretos vinham sendo mortos. Butler, então, segundo o doutor Meade, seria assassinado como uma espécie de bode expiatório, para dar o exemplo aos demais. Por um momento, Scarlett sentiu o ar preso nos pulmões e a única coisa que pôde fazer foi continuar olhando para a cara gorda de tia Pittypat, que estava visivelmente satisfeita com o que contava. Pittypat acrescentou:

– E em pensar que, há apenas uma semana, o capitão Butler me trouxe de presente a codorna mais bonita que já se viu e me perguntou de você. Disse que temia tê-la ofendido durante o cerco e que você jamais o perdoaria.

– E quanto tempo ele vai passar na cadeia?

– Quem sabe? Talvez até o enforcamento, mas talvez não consigam provar que foi ele o culpado. Mas parece que os ianques não estão preocupados em comprovar ou não a culpa dos suspeitos, desde que consigam enforcar alguém. Estão muito enfurecidos – comentou tia Pittypat, diminuindo a voz, falando agora com um tom misterioso – com a Ku Klux Klan. Lá no seu condado tem Klan? Querida, tenho certeza de que estão por lá também, e Ashley não quer contar a vocês, que são moças. Esses homens da Klan ficam meio às escondidas. Saem à noite pelas ruas feito fantasmas, vão atrás dos *carpetbaggers* que roubam dinheiro e dos escurinhos arrogantes. Às vezes, só ameaçam e mandam sair de Atlanta, mas, quando alguém se recusa a obedecer, dão chicotadas e... – Pittypat começou a sussurrar. – ... E deixam o corpo em um lugar fácil de ser encontrado, com um cartão da Ku Klux Klan em cima dele. E os ianques estão furiosos com isso e procurando uma vítima para servir de exemplo... Mas Hugh Elsing me disse que acha que não vão enforcar o capitão Butler porque os ianques acham que ele sabe onde está o dinheiro e não quer contar. Estão tentando arrancar a informação dele.

– Dinheiro? Que dinheiro?

Tia Pittypat explicou que o capitão Butler, tendo retornado a Atlanta com um belo cavalo, uma carruagem e os bolsos cheios de dinheiro, causou certa revolta geral e todos queriam saber onde aquele especulador, que tanto ofendera a Confederação, conseguira tanto dinheiro enquanto todos passavam fome. É claro que conseguira uma boa quantia como atravessador, como Scarlett apontou, mas Pittypat disse que todos, inclusive os ianques, acreditavam que Butler tinha milhões de dólares em ouro, dinheiro que pertencia ao governo confederado e que ele escondia em algum lugar. Afinal, para onde fora todo o dinheiro confederado? A suspeita aumentara porque, a princípio, os ianques pensaram que o presidente Davis tinha levado todo o dinheiro confederado quando saiu de Richmond, mas, quando o capturaram, não encontraram nem um centavo com o pobre. Quando os ianques prenderam Butler pela morte do preto, souberam do boato sobre o dinheiro e, por isso, vinham pressionando-o a confessar. Não restara nenhum dinheiro no fundo confederado ao término da guerra, ou assim imaginavam, e Butler jurava não saber de nada. O doutor Meade defendia que enforcassem o sujeito de um modo ou de outro, pois o enforcamento seria uma pena leve demais para um ladrão oportunista como Butler.

Scarlett ouvia a tagarelice incessante de tia Pittypat, mas já não prestava atenção a nada. Na mente, só se passavam duas coisas: que Rhett tinha mais dinheiro do que ela pensava e que estava preso. O fato de ele estar na cadeia e a possibilidade de enforcamento mudavam um pouco as coisas. A bem da verdade, as tornavam melhores. Scarlett pouco se importava com o possível enforcamento. Estava desesperada demais, afoita demais, preocupada demais com o dinheiro para dar importância a isso. Além disso, concordava com o doutor Meade que o enforcamento não era nada para um sujeito como aquele; qualquer homem capaz de deixar uma mulher sozinha, no meio do fogo cruzado entre dois exércitos, na calada da noite, sob o pretexto de lutar por uma causa já perdida, merecia o enforcamento. Se ao menos conseguisse se casar com Butler enquanto ele estivesse na prisão, herdaria todos esses milhões, e sozinha, caso ele fosse executado. E, se o casamento não fosse possível, talvez conseguisse um empréstimo com ele sob a promessa de casamento quando fosse libertado, ou qualquer outra promessa! E, se de fato o enforcassem, o dia de cumprir a tal promessa jamais chegaria! Uma viúva, sim, uma viúva graças à gentil intervenção do governo ianque. Milhões em ouro! Com esse dinheiro, poderia reconstruir Tara inteira, contratar mão de obra e plantar fardos e mais fardos de algodão. E poderia comprar as roupas mais bonitas, tudo o que tinha vontade de comer, assim como poderia fazer o mesmo por Suellen e Carreen. E Wade teria comida decente, o suficiente para preencher as covas das bochechas murchas, ter uma governanta e ir para a universidade quando chegasse o tempo. E também poderia contar com um bom médico para cuidar do pai, e, quanto a Ashley... ah, o que ela não faria por Ashley?!

A tagarelice de tia Pittypat foi interrompida pela chegada inesperada de mammy, que parecia querer fuzilar Scarlett com o olhar e recomendou que ela fosse descansar, pois parecia cansada. Scarlett pediu licença a Pittypat, disse que se sentia resfriada e queria descansar bem para o casamento de Fanny no dia seguinte. Mammy ficou preocupada ao tocar e sentir as mãos geladas de Scarlett e a apressou escadas acima. Se conseguisse burlar a desconfiança de mammy, na manhã seguinte, Scarlett iria ao posto do corpo de bombeiros para visitar Rhett. Enquanto subia aqueles degraus, escutou o ribombo sutil de um trovão. Ali, parada naquele patamar, do qual jamais se esquecera, pensou em como o barulho se parecia com o disparo de um canhão. Estremeceu. Para o resto da vida, os trovões sempre a lembrariam dos canhões e da guerra.

Capítulo 34

A noite foi chuvosa, mas, ao amanhecer, Scarlett ficou animada ao ver o sol, pois sabia que a chuva estragaria todos os seus planos para o vestido vermelho e o chapéu novo. Quando tia Pittypat, mammy e tio Peter saíram para visitar a senhora Bonell, Scarlett deu um pulo da cama, cansada de fingir o resfriado. Apesar de não ter sido fácil, conseguiu se vestir sozinha, colocou o chapéu ornamentado com as penas de galo, correu até o quarto de tia Pittypat, que tinha um espelho enorme, e parou para se contemplar. Como estava linda! O vestido era impecável. Como era bom ter um vestido novo depois de tanto tempo. Era tão bom se sentir bonita e provocante de novo que, em um impulso, Scarlett inclinou o corpo à frente, beijou o próprio reflexo no espelho e riu daquela bobagem. Trouxera o xale de lã de Ellen, mas achou que a cor esmaecida não combinaria com o verde-musgo do vestido e ofuscaria a beleza do traje. Então, abriu a porta do guarda-roupa de tia Pittypat e tirou de lá uma capa preta de casimira, um acessório fino de outono que Pittypat reservava para usar aos domingos. Colocou nas orelhas os brincos de brilhante que trouxera de Tara e mexeu a cabeça de um lado ao outro para conferir o efeito. O barulhinho agradável das pedras era muito bem-vindo, e nesse momento

Scarlett se lembrou de que não poderia se esquecer de mexer a cabeça vez em quando para chamar a atenção de Rhett. Brincos balançantes, além de sempre chamar a atenção dos homens, deixam qualquer moça com a aparência mais animada. Que pena tia Pittypat não ter outro par de luvas além das que cobria suas mãos gordas naquele momento! Sem luvas, nenhuma mulher pode se sentir uma verdadeira dama, mas, desde que saíra de Atlanta, Scarlett não usara nem um par sequer, sem falar que suas mãos viviam ásperas agora por conta do trabalho árduo em Tara; não lhe restava outra alternativa a não ser cobrir as mãos com o pequeno regalo de pele de foca que ganhara de tia Pittypat. Na ponta dos pés, desceu as escadas, tomando cuidando para passar despercebida por Cookie, que cantarolava na cozinha.

Lá fora, fazia mais frio do que ela imaginava, e se enrolou na capa fina de tia Pittypat enquanto esperava impacientemente que alguma carruagem aparecesse. Quando já se preparava para ir caminhando até o alojamento ianque, uma carruagem surrada apareceu, conduzida por uma mulher velha com a boca cheia de rapé e a pele do rosto calejada. A mulher seguia em direção à prefeitura e de má vontade deu uma carona a Scarlett, mas ficou evidente que o vestido, o chapéu e o regalo contribuíram para causar a má impressão. "Ela me acha uma assanhada", pensou Scarlett. "E talvez tenha razão."

Ao chegar ao destino, ela olhou em direção ao posto de bombeiros e avistou duas portas grandes e arqueadas, fechadas e bem trancadas, com dois seguranças andando de um lado para o outro, do lado de fora. Rhett estava ali. Mas o que ela diria aos soldados ianques? E o que eles lhe diriam?

– Como posso ajudá-la, madame? – perguntou o soldado com sotaque estranho, do centro-oeste, mas foi educado e respeitoso.

– Quero visitar um homem que está aí dentro... está preso.

– Bem, não sei... – disse o guarda, coçando a cabeça. – São muito criteriosos com visitas e... – Ele parou de falar de repente e ficou olhando para o rosto dela, apavorado. – Santo Deus! Não chore, não chore! Vá ao posto central e fale com os oficiais. Vão permitir a visita, aposto que vão!

Scarlett, que não tinha a menor intenção de chorar, sorriu para o homem que chamou o colega, Bill, e pediu a ele que a acompanhasse até o quartel-general.

– Cuidado para não torcer o tornozelo nessas pedras – disse o soldado, segurando-a pelo braço. – E é melhor segurar a barra das saias, senão vão ficar sujas de lama – recomendou o soldado de voz anasalada, porém firme e respeitosa.

Ora, ora, até que os ianques não são tão maus assim. Chegando ao quartel-general, Scarlett sentiu vontade de chorar ao reconhecer aquela construção encantadora, onde participara de tantas festas durante a guerra... Havia, agora, uma bandeira dos Estados Unidos tremulando no telhado. Subindo os degraus, acariciando o corrimão branco e rachado, ela abriu a porta da frente e imediatamente sentiu uma mistura de cheiro de mofo, fumaça e couro com a umidade dos uniformes e dos corpos sujos havia tempos sem banho. Engoliu em seco e encontrou a própria voz. Não poderia deixar os ianques perceberem que estava com medo. Precisava parecer a pessoa mais linda e despreocupada do mundo.

– O capitão?

– Sou um deles, madame – respondeu um homem gordo com uma jaqueta militar desbotada.

– Gostaria de ver o prisioneiro, capitão Rhett Butler.

– De novo o Butler? Puxa, que homem popular esse – comentou o capitão rindo, tirando o charuto da boca. – É parente dele, madame?

– Sim... sou... sou irmã dele.

O homem riu de novo.

– Ele tem muitas irmãs, uma delas esteve aqui ontem.

Scarlett enrubesceu. Provavelmente, o capitão se referia a um dos casos de Rhett, talvez a tal de Watling. Enfurecida com a suposição de que era apenas mais uma dessas mulheres, Scarlett virou-se para ir embora, mas, nesse momento, o capitão se aproximou dela, lhe ofereceu uma cadeira para se sentar e pediu que aguardasse. Satisfeita, Scarlett aproveitou para esticar os pés gelados em direção à fogueira e, pela primeira vez, lamentou não ter coberto com um pedaço de papelão o buraco da sola da sapatilha. Depois de algum tempo, uma porta foi aberta, vozes murmuraram do lado de fora e Scarlett escutou a risada de Rhett. Lá estava ele, sem chapéu e com uma capa de lã cobrindo de modo desajeitado os ombros. Estava sujo, com a barba por fazer e sem gravata, mas seus olhos pretos se alegraram ao vê-la.

– Scarlett! – Antes mesmo de ela perceber, Rhett já se inclinara e lhe beijara a bochecha. – Minha querida irmãzinha!

Santo Deus! Ela teria que conversar com ele ali, na frente de seis soldados ianques! Seria Rhett um prisioneiro tão perigoso assim, a ponto de permanecer o tempo todo sob vigilância? Ao ver o rosto afoito de Scarlett, o soldado mais simpático abriu a porta, murmurou alguma coisa a outros dois e os três saíram.

– Posso beijar você de verdade, agora?

– Na testa, como um irmão que me quer bem – respondeu com discrição.

Ali conversaram por um bom tempo. Rhett disse a Scarlett que ela era a primeira visita decente que recebia desde a prisão e perguntou quando ela chegara à cidade. Scarlett respondeu que veio o mais rápido que pôde, depois de saber da prisão, e se disse aflita com a situação.

– Só de ouvi-la falar assim, valeu a pena vir parar atrás das grades. Não botei fé nos meus ouvidos quando disseram seu nome. Sabe, confesso que jamais esperaria que me perdoasse por aquela atitude patriota de minha parte, naquela noite, na estrada, perto de Rough and Ready. Mas entendo essa visita como sinal do seu perdão?

– Não, não o perdoei – afirmou ela, fazendo beicinho.

Rhett se disse frustrado, ainda mais depois de ter oferecido a própria vida em nome do país, de ter batalhado descalço em Franklin e sofrido com a pior disenteria de que já se teve notícia. Scarlett o reprimiu por tê-la abandonado naquelas condições, sozinha, e Rhett se justificou alegando saber que ela chegaria em casa a salvo. Ela, então, questionou por que ele cometera a loucura de se alistar no último minuto, sabendo que a guerra estava perdida. Rhett respondeu:

– Scarlett, me poupe disso! Sinto vergonha toda vez que penso nisso!

– Bom, fico feliz de ver que sente vergonha do que fez comigo naquela noite.

Rhett a corrigiu dizendo não ter vergonha de tê-la deixado, mas de ter se alistado com um mero par de pistolas, com as botas gastas e nada para comer; disse que deveria ser perdoado por não ter desertado; afinal, os sulistas nunca resistiam a uma causa perdida. Scarlett repetiu que não o havia perdoado, mas Rhett redarguiu alegando que nenhuma dama vinha a uma cela tão bem-vestida, com penas e regalos de foca, para visitar um mero prisioneiro.

– Graças a Deus apareceu alguém sem aquele crepe preto de luto. Você parece ter vindo da Rue de la Paix. Dê uma voltinha, minha querida. Deixe-me ver como está.

Então, ele reparou no vestido... Claro que repararia, não poderia ser diferente em se tratando de Rhett. Na ponta dos pés, Scarlett deu uma voltinha.

– Você me parece muito bem-sucedida e muito, muito arrumada. Quase no ponto para comer. Não fosse pelos ianques aí fora... mas não se preocupe, minha querida. Sente-se. Não vou me aproveitar de você como fiz na última vez em que nos vimos. – Fingindo arrependimento, ele esfregou o rosto. – Sinceramente, Scarlett, não acha que foi um tanto egoísta aquela noite? Pense em tudo que fiz por você, arriscando minha vida... roubando um cavalo... e que cavalo! Saindo em defesa da Nossa Gloriosa Causa! E o que recebi em troca? Palavras duras e um safanão na cara!

Scarlett se sentou. A conversa não estava tomando o rumo que ela esperava. Ao perguntar a Rhett por que ele sempre esperava algo em troca, ele respondeu que era um monstro egoísta que sempre esperava uma recompensa pelo que fazia.

– Ah, você não é esse monstro todo, não, Rhett. Só gosta de se exibir.

– Santo Deus! Como você está mudada! – comentou com uma risada. – Que bicho a mordeu para ter se tornado essa cristã? A senhorita Pittypat tinha me falado sobre você, mas eu não fazia ideia de que tivesse se tornado essa criatura tão doce. Conte-me mais das novidades, Scarlett. O que tem feito desde a última vez que nos vimos?

Scarlett contou que tinham conseguido se virar bem, que tiveram algumas dificuldades após a passagem de Sherman, mas a casa não fora incendiada e os escravos tinham conseguido poupar a maior parte da criação, escondendo-a no pântano, e que as expectativas de Gerald eram as melhores para o ano seguinte. E seguiu dizendo que andava entediada porque ninguém mais fazia churrascos nem bailes e que por isso viera a Atlanta, para se distrair um pouco, e tinha planos de ir a Charleston visitar a tia. "Pronto", pensou ela. "Dei conta do recado. Sem aumentar muito nem diminuir os fatos. Nem tão rica nem tão pobre."

– Você fica linda nesses vestidos, minha querida, sabe muito bem disso, infelizmente! Suponho que o verdadeiro motivo da visita seja o fato de já ter passado por todos os pretendentes do condado, mas está à procura de um brinquedo novo.

Rhett jamais faria um comentário desse se não tivesse passado tantos meses no exterior. Não sabia que a maioria dos homens passava o tempo todo arando terra, rachando lenha e cuidando da criação doente, tanto que não se falava mais em bailes e muito menos em flertes.

– Ah, bem... – respondeu com certo desprezo.

– Que criatura mais sem coração, você, Scarlett. Mas talvez isso faça parte do seu charme. – Rhett sorriu daquele jeito de sempre, esgueirando os lábios para o lado, mas ela sabia que aquilo era de fato um elogio. – Pois é óbvio que sabe que é mais charmosa do que a lei poderia permitir. Sempre me pergunto o que há em você, porque nunca a esqueço, porque já conheci mulheres mais belas que você, e certamente mais inteligentes, e, talvez, até mais certinhas e gentis. Mas, não sei por que, sempre acabo me lembrando de você. Mesmo nos meses depois da rendição, quando estive na França e na Inglaterra, e fiquei sem vê-la e sem ouvir falar de você, rodeado da companhia de belas damas, sempre me pegava pensando em você, no que estaria fazendo.

Apesar de indignada ao ouvi-lo comentar que conhecera mulheres mais belas, mais inteligentes e mais gentis que ela, o prazer de saber que era sempre lembrada desfez toda a raiva. No entanto, os planos de Scarlett logo começaram a ruir, quando Rhett a segurou pelas mãos, virou as palmas para cima e sentiu os calos e a aspereza delas. As mãos calejadas, manchadas de sol, a denunciaram. Scarlett não teve outra alternativa a não ser dizer toda a verdade. Contou sobre os impostos, sobre a situação da propriedade e do pai, Gerald. Pediu os trezentos dólares emprestados, explicou que precisaria do montante para pagar os impostos, e Rhett perguntou que garantias ela tinha a lhe oferecer. Ela mencionou a hipoteca de Tara, os brincos de brilhante, e ele recusou tudo. Scarlett, então, disse que estaria disposta a tudo, lembrou-o da conversa que tiveram na varanda de tia Pittypat e confessou estar disposta a se tornar amante dele. Rhett desdenhou da certeza de Scarlett, do que a levava a pensar que ele ainda a desejava.

– Vai me emprestar o dinheiro? – indagou ela.

Rhett parecia se divertir com a situação toda. Respondeu com certa rispidez:

– Não, não vou. Não poderia, mesmo que quisesse. Não tenho um centavo sequer aqui comigo. Nenhum dólar em Atlanta. Tenho dinheiro guardado, sim, mas não aqui. E não vou dizer quanto nem onde. Mas, se tentasse passar um cheque, cairia feito um patinho nas mãos dos ianques e tanto você como eu nos daríamos mal. O que acha disso?

De repente, Scarlett ficou com a fisionomia esverdeada, as sardas em torno do nariz pareciam a ponto de saltar para fora e a boca se contorceu do mesmo jeito que acontecia com Gerald durante seus acessos de raiva. Em um rompante, ela se levantou e soltou um berro que de repente fez cessar o burburinho da sala ao lado. Tão rápido quanto uma pantera, Rhett veio ao encontro de Scarlett e lhe tapou a boca com a mão, envolvendo firmemente sua cintura com a outra mão. Ela tentou se desvencilhar de todos os modos, debateu-se, mordeu a mão dele, chutou-lhe as pernas, gritou, sem conseguir conter a raiva, o desespero e a agonia da frustração. Debateu-se e contorceu-se tanto que lhe faltou o ar e desfaleceu. Com dificuldade, Rhett conseguiu fazê-la recostar-se na cadeira, e o jovem e simpático capitão que saíra da sala ao lado ao escutar o grito, na tentativa de despejar um gole de conhaque na boca dela, deixou o líquido escorrer pelo pescoço. Os outros oficiais ficaram ali em torno deles, imponentes, sussurrando e abanando as mãos.

Aos poucos, ela recobrou a consciência.

– Acho que está se sentindo melhor agora, cavalheiros – explicou Rhett. – E agradeço muito a ajuda. Saber que serei enforcado foi demais para ela. Não conseguiu suportar. – Os oficiais, pigarreando, saíram da sala. Rhett fez Scarlett beber mais um gole do conhaque.

– Tire suas mãos de mim. Vou embora.

– Ainda não. Espere um pouco. Pode desmaiar na rua de novo.

– Prefiro isso a ficar aqui com você.

Estava cansada, muito cansada. Cansada demais para sentir ódio ou para se importar muito com o que quer que fosse. A derrota pesava tanto quanto chumbo. Apostara tudo e perdera tudo. Não restara nem mesmo o orgulho. Esse era o beco sem saída de sua última esperança. Era o fim de Tara, de todos que moravam ali. Ficou ali, sentada na cadeira por um bom tempo, olhos fechados, escutando a respiração pesada de Rhett e sentindo o efeito do conhaque, que, pouco a pouco, forjava uma sensação de calor e força. Quando, por fim, tornou a abrir os olhos e se deparou com o rosto dele, a raiva voltou a despertar. Nem sequer reparou que ele mantinha os punhos cerrados dentro dos bolsos, como se com o gesto pudesse conter a própria impotência.

– Ânimo! – disse ele enquanto ela amarrava as fitas do chapéu de sol. – Venha assistir ao enforcamento, tenho certeza de que vai se sentir melhor. Vai ter a oportunidade de se vingar de tudo que lhe fiz... inclusive do que aconteceu hoje. E vou colocar seu nome no meu testamento.

– Obrigada, mas acho que não vai à forca antes que seja tarde demais para eu pagar os impostos – rebateu com repentino tom malicioso, tão semelhante ao dele. E igualmente sincero.

Capítulo 35

Chovia, e Scarlett começou a fazer o percurso de volta sob um céu anuviado, a pé, já que não havia o menor sinal de um veículo por perto. O ódio por Rhett ardia no peito enquanto ela se arrastava pelo caminho escorregadio. "Que calhorda! Tomara que o enforquem, assim jamais vou voltar a ver a cara dele", pensou, depois de ter confessado as próprias desgraça e humilhação. É claro que, se quisesse, ele teria conseguido o dinheiro de que ela precisava. Como ela voltaria para Tara, como olharia para aqueles rostos, como lhes diria que precisavam ir... para outro lugar? Como deixaria tudo para trás, os campos vermelhos, os pinheiros altaneiros, a terra pantanosa e escura, o campo-santo silencioso onde Ellen jazia sob a sombra densa dos cedros?

Os pretos que passavam riam e gargalhavam enquanto ela se apressava pelo chão escorregadio, parando para recuperar o fôlego e ajustar as sapatilhas nos pés. Como ousaram, como?! Como ousaram tirar sarro de Scarlett O'Hara, de Tara! Como ela queria encher cada um deles de chibatas, até ver o sangue escorrer pelas costas. Malditos ianques, malditos que soltaram os escurinhos e os deixaram livres para debochar da cara dos brancos!

Enquanto caminhava pela Washington Street, viu a paisagem tão entristecida quanto seu coração; toda a animação da Peachtree Street desaparecera. Entre aquelas casas antes vistosas, muitas continuavam de pé, mas poucas tinham sido reconstruídas. Pilastras e esqueletos enegrecidos e chaminés chamuscadas, que passaram a ser chamadas "Sentinelas de Sherman", apareciam com frequência desoladora. Mato alto, lama, árvores desfolhadas, vento, chuva e silêncio. Como seus pés estavam molhados e como aquele percurso era extenso! Escutou o barulho de passos vindos logo atrás e se embrenhou um pouco na calçada estreita para evitar sujar ainda mais a capa de tia Pittypat. Um cavalo vinha puxando uma charrete devagar. Scarlett olhou para trás, decidida a pedir uma carona caso o condutor fosse branco. À medida que a charrete se aproximou, uma voz familiar gritou:

– Não pode ser! Será que é a senhorita Scarlett?

– Ah, senhor Kennedy! – gritou de volta, atravessando a rua correndo, os pés chapinhando a lama em direção à charrete. – Nunca me senti tão feliz na vida de encontrar alguém!

Kennedy ajudou Scarlett a subir na charrete, perguntou o que fazia ali sozinha e lhe ofereceu um manto para cobrir os pés. Enquanto ele a mimava, cacarejando ao seu redor feito uma galinha, Scarlett se permitiu o luxo de ser cuidada. Como era bom ter um homem a seus pés paparicando-a, mesmo que se tratasse daquela "solteirona" de ceroulas, Frank Kennedy. O tratamento era especialmente reconfortante depois daquela grosseria de Rhett. E, ufa, como era bom ver um rosto conhecido naquela circunstância, tão distante de casa! Kennedy estava bem-vestido, Scarlett reparou, e a charrete era nova também. O cavalo parecia jovem e bem alimentado, mas Frank parecia muito mais velho do que de fato era, mais ainda do que parecera naquela véspera de Natal, em que esteve em Tara com seus soldados. Apesar da magreza e do rosto macilento e calejado, e da barba manchada de marrom devido ao tabaco, e desgrenhada como se estivesse sendo arranhada sem parar, Frank parecia animado e contente, diferentemente dos semblantes tristes e preocupados que Scarlett encontrara pelo caminho. Ao longo do percurso, Frank perguntou sobre Tara, e Scarlett se disse surpresa por encontrá-lo ali, em Atlanta, pois alguém lhe dissera que Frank estava em Marietta.

- Sim, ando fazendo negócios por lá, um bom negócio, acho. A senhora Suellen não lhe contou que estou morando em Atlanta? Abri uma loja. O pessoal comenta que sou um bom comerciante - contou com a risadinha irritante de sempre, a mesma que tanto aborrecia Scarlett.

"Velho idiota e convencido", pensou ela.

- Ah, o senhor se sairia muito bem com qualquer tipo de negócio, senhor Kennedy. Mas, me diga, como foi que começou com essa loja? Quando nos encontramos naquele Natal, o senhor disse que não tinha nem um centavo sequer.

- Bem, é uma longa história, senhorita Scarlett.

Frank contou que, logo depois daquele Natal, resolveu voltar a atuar na linha de frente do exército, porque se sentia apto fisicamente. Foi quando levou um tiro no braço, um ferimento superficial, e o enviaram a um hospital no Sul. Os confederados sofreram um ataque inesperado dos ianques, que invadiram o hospital, e aqueles que conseguiram ajudaram a salvar os suprimentos e o material hospitalar, levando-os para a estação de trem, mas tiveram de deixar boa parte para trás, empilhada ao longo dos trilhos, porque o inimigo os alcançou. Frank e os demais, sentados em cima do trem, assistiram aos ianques queimando tudo. O trem que conseguiram carregar com parte dos suprimentos veio para Atlanta com muita porcelana, colchões e cobertores, e, como os "donos", supostamente os ianques, não apareceram, Frank decidiu que as cargas deveriam retornar à Confederação e aos confederados, que tinham pago um valor alto por tudo aquilo, mas Frank vivia com a consciência pesada, sem saber se tomara a decisão certa. Scarlett se sentia entediada com a conversa toda, pois, para ela, um homem da idade de Frank já deveria ter aprendido a não se aborrecer com coisas sem importância, mas vivia tenso e preocupado feito uma velha solteirona.

Ele contou a Scarlett que, depois da rendição, lhe restaram dez dólares em moeda de prata, nada além disso. Sem saber o que fazer, pois perdera a casa e a loja em Jonesboro, Frank decidiu usar o dinheiro para colocar um teto sob uma loja em Five Points, levou o material que restara do hospital para lá e começou a vender porcelana, camas e colchões a um preço baixo. Mesmo assim, conseguira levantar o montante de mil dólares naquele ano, sendo metade para custear o material e o aluguel da loja. Frank tinha a expectativa de faturar dois mil dólares no ano seguinte e contou ter outra carta na manga. Ao ouvi-lo falar sobre dinheiro, Scarlett ficou interessadíssima, arregalou os olhos e se aproximou um pouco mais dele.

– O que quer dizer com "outra carta na manga", senhor Kennedy?

Ele sorriu, meteu as rédeas no lombo do cavalo e respondeu:

– Acho que estou aborrecendo a senhorita com essa conversa sobre negócios. Uma mulher tão bonita não precisa saber dessas coisas – disse.

Velho babaca.

– Ah, sei que não compreendo nada de negócios, mas estou tão interessada no assunto! Por favor, me conte e me explique o que não consigo entender.

– Bom, a outra carta na manga é uma serraria.

– Uma o quê?

Frank explicou a Scarlett que a serraria era o lugar onde se cortava e aplainava madeira e que um senhor chamado Johnson, dono de uma na Peachtree, queria vender o negócio, um dos poucos estabelecimentos do tipo na região. Frank tinha a melhor das expectativas, pois, segundo ele, como as casas haviam sido incendiadas pelos ianques, todos vinham procurando por madeira para reconstruir suas casas e, além do mais, muitos da zona rural vinham se mudando para Atlanta, que, em breve, se tornaria uma grande cidade. Ele acrescentou:

– A essa altura do ano que vem, devo estar respirando mais tranquilo, pelo menos em relação ao dinheiro... Eu... eu... acho que sabe por que estou tão ansioso para ganhar dinheiro, não é?

Frank enrubesceu e soltou aquela risadinha irritante de novo. "Está se referindo a Suellen, claro", pensou Scarlett. Por um instante, ela pensou em pedir a ele os trezentos dólares emprestados, mas Frank ficaria constrangido, daria mil desculpas, não emprestaria o dinheiro. Trabalhara muito na primavera para conseguir aquilo e pedir Suellen em casamento, e, mesmo que Scarlett propusesse a ele um empréstimo, Suellen, muito preocupada com a solteirice, jamais aceitaria, pois o empréstimo atrasaria ainda mais o matrimônio. O que esse velho babaca viu em uma menina chorona como Suellen para querer lhe dar um ninho? Ela não merecia um marido amoroso tampouco o lucro de uma loja nem de uma serraria. Assim que pusesse a mão no dinheiro, empinaria o nariz e não daria à família nem um centavo sequer. Não, Suellen, não! Ela tiraria o corpo fora e não daria a mínima se Tara fosse tomada pelos cobradores de impostos ou queimada até virar pó, desde que garantisse roupas bonitas e o título de "senhora".

Enfurecida com aqueles pensamentos, Scarlett virou o rosto e olhou para a rua, para evitar que Frank percebesse seu estado de raiva. Ela perderia tudo que tinha, enquanto Sue... De repente, tomou uma decisão. Suellen não ficaria com Frank, nem com a loja e tampouco com a serraria! Suellen não merecia tudo isso. Seriam dela. Sim, dela, Scarlett. "Será que consigo fisgá-lo?", pensou. Ela voltou a olhar para ele. Com certeza, Frank não era o tipo bonito, tinha os dentes podres, bafo de onça e era tão velho quanto Gerald. E, para piorar, era tenso, tímido e tinha boas intenções, as piores características que um homem deveria ter, na opinião de Scarlett. No entanto, Frank era um cavalheiro e ela se imaginava convivendo melhor com ele que com Rhett.

Sem pestanejar, sentiu as esperanças renovadas, endireitou a coluna e esqueceu que os pés estavam frios e gelados. Encarou Frank e ficou observando-o de tal modo que ele pareceu preocupado.

– O que foi, senhorita Scarlett? Será que pegou um resfriado?

Scarlett perguntou se Frank se importaria que ela pusesse as mãos no bolso dele, pois o regalo de foca estava ensopado. Ele consentiu e, durante o percurso, quando Frank perguntou a Scarlett o que ela fazia em Atlanta, sem pensar ela respondeu que tinha ido ao quartel dos ianques, mas lançou mão de uma mentira tão logo conseguiu, dizendo que viera para vender bordados aos ianques, na esperança de que comprassem para as esposas. Foi repreendida por Frank, como já esperava, começou a chorar quando ele disse que Gerald, com certeza, não sabia do motivo da viagem e depois mencionou o nome de Pittypat. O efeito foi muito mais impactante que o esperado. Frank ficou constrangido, preocupado, sem saber o que fazer. Scarlett O'Hara, uma mulher tão corajosa, tão linda, ali, chorando em seu ombro, naquela charrete. Scarlett O'Hara, a mais orgulhosa das orgulhosas, tentando vender bordados para os ianques. Aquilo era demais para o coração dele. Frank imaginou que as coisas não andavam bem em Tara, que não havia comida suficiente e que por isso Scarlett viera a Atlanta, tentando conseguir um meio de sustentar a si mesma e o filho. Que coisinha desamparada, meiga e feminina era ela. E que coragem e ingenuidade tentar ganhar dinheiro com a agulha de bordado. Com timidez, Frank lhe deu uns tapinhas no ombro, tentando consolá-la, e como Scarlett não fez nenhuma objeção passou a afagar a moça com mais liberdade. Depois de conversarem um pouco mais, Frank prometeu que não contaria à senhorita Pittypat o motivo da visita de Scarlett, elogiou-a pela coragem e a fez prometer que jamais voltaria a fazer algo como aquilo.

– Senhorita Scarlett, nunca se esqueça do que vou lhe dizer. Quando a senhorita Suellen e eu nos casarmos, sempre haverá um lugar para a senhorita e Wade Hampton debaixo do nosso teto – afirmou Frank.

Era chegada a hora. Só mesmo os santos e os anjos poderiam ter lhe enviado uma oportunidade como aquela. Scarlett fez cara de surpresa, seguida de constrangimento, fez que ia dizer algo, mas de repente fechou a boca.

– Não me diga que não sabia que estou para me tornar seu cunhado nesta primavera – comentou com uma mistura de nervosismo e brincadeira. Ao ver as lágrimas nos olhos de Scarlett, ficou alarmado e perguntou: – O que houve? A senhorita Sue não está doente, está?

– Ah, não, não!

– Tem alguma coisa errada. Precisa me dizer.

– Ah, não posso! Não sabia! Achei que ela tinha escrito para o senhor... Ah, que maldade!

– Senhorita Scarlett, a que se refere? Escrito o quê? – indagou trêmulo.

– Ah, que maldade fazer isso com um homem como o senhor!

– O que ela fez?

– Ela vai se casar com Tony Fontaine no mês que vem. Ah, eu sinto muito, Frank. Sinto muito ter de dar essa notícia. Suellen se cansou de esperar e ficou com medo de morrer solteirona.

* * *

Mammy aguardava na varanda quando Frank ajudou Scarlett a descer da charrete. Era evidente que estava ali havia algum tempo. O semblante negro e rugoso, imbuído de raiva e preocupação, se encheu de alegria e surpresa ao ver quem era o acompanhante de Scarlett. Mammy se aproximou dos dois, cumprimentou Frank com alegria e gentileza e mostrou preocupação com o traje molhado de Scarlett. Pediu a ela que buscasse uma roupa seca e preparasse um chá. Scarlett convidou Frank para o jantar e pediu que não comentasse com tia Pittypat sobre Suellen. Depois, agradeceu a Frank por ter sido tão gentil e por tê-la feito se sentir tão bem naquele dia. Mammy, que esperava na porta, lançou um olhar de desconfiança a Scarlett e saiu bufando em direção às escadas. Em silêncio, ajudou Scarlett a tirar as roupas, a ajeitou na cama e, depois de trazer o chá e um tijolo quente enrolado em uma flanela, com a voz apaziguadora quase próxima a um pedido de desculpas, disse:

– Cabritinha, cumé que ocê num contô pra mammy por causa di quê veio pra cá? Daí num tinha precisão di eu vim pra Atlanta, fia. Tô véia demais e gorda demais prá corrê feito doida.

– Do que está falando, mammy?

– Docim, ocê num mim engana. Sei di tudo, que num sô cega. Vi a cara do seu Frank agorinha e consigu lê a sua como quarqué um por aí lê a Bríbia. E iscutei tudim que ocês dois tavam cuchichanu sobre sinhá

Suellen. Se ocê tivesse dito que tava atrais do seu Frank, eu tinha ficadu em minha casa, que ganhava era mais.

As duas conversaram por algum tempo e a calma e a condescendência de mammy a surpreenderam. Sem exigência de explicações, sem reprimendas. Mammy compreendeu tudo e ficou em silêncio. Nela, Scarlett encontrou uma realista mais intransigente que ela própria. Scarlett era a bebê de mammy, e o que sua bebê desejava, mesmo que pertencesse a outra pessoa, mammy faria o que fosse necessário para ajudá-la a conquistar. Nem sequer ocorreu a mammy os direitos de Suellen e Frank Kennedy, trazendo no máximo uma risadinha interior nefasta. Ali, Scarlett pediu a mammy o espelho, contemplou-se e depois mandou que fosse buscar água de colônia para lavar os cabelos e um pote de pasta de semente de marmelo para alisá-lo. Pediu que comprasse também ruge, provocando a revolta de mammy, que, como de costume, dizia que "sinhá Ellen divia tá se revirandu na tumba di ouví a fia falá aquilo". Por fim, contra a própria vontade, mammy saiu dizendo que tentaria encontrar uma loja onde não a reconhecessem para evitar a vergonha de ser vista comprando pintura.

* * *

Naquela noite, na casa dos Elsing, depois que Fanny estava devidamente casada e o velho Levi e os outros músicos começavam a afinar os instrumentos, Scarlett se sentiu animada. Como era bom voltar a participar de uma festa! Também se sentiu especialmente satisfeita com a recepção calorosa que recebeu. Assim que chegou, de braço dado com Frank, todos correram para cumprimentá-la com saudações animadas de boas-vindas, beijos e apertos de mão e disseram ter sentido sua falta e pensado que ela nunca mais voltaria de Tara. Os homens pareciam ter-se esquecido do quanto sofreram por Scarlett não ter correspondido às suas investidas e, para as mulheres, os dias em que Scarlett fizera de tudo para lhes roubar os pretendentes pareciam ter ficado para trás. Até as senhoras Merriwether, Whiting e Meade e as outras matronas que haviam sido tão duras com Scarlett nos últimos dias da guerra esqueceram-se daquelas desavenças e pareciam valorizar apenas o sofrimento em comum que as unia e o fato de ela ser sobrinha de Pitty e viúva de Charles. Apesar disso tudo, o vestido velho e ainda úmido incomodava Scarlett, desconforto que ela tentava disfarçar. Sentiu certo conforto ao perceber que a maior parte dos vestidos das outras convidadas parecia pior que o dela. Recordou-se do que tia Pittypat havia lhe contado sobre a condição financeira dos Elsing e ficou se perguntando como tinham conseguido o dinheiro para aquele vestido de cetim, a comida, a decoração e a música que possivelmente tinham custado uma fortuna. Para ela, um casamento como aquele parecia uma extravagância, tal como lhe parecera a lápide no túmulo dos Tarleton. Por que as pessoas insistiam em manter a mesma atitude dos velhos tempos, se os velhos tempos tinham ficado para trás?

Descobriu que conhecia o noivo, Tommy Wellburn, muito bem. Cuidara dele em 1863, quando sofreu um ferimento no ombro. Era um rapaz de Sparta, muito bonito, de 1,80 metro de altura, mas que agora parecia um velho, pois caminhava curvado, com muita dificuldade, por conta da perna manca, um "aleijado", como tia Pittypat se referira vulgarmente ao jovem. Mas Tommy parecia não se importar com isso, ou sequer ter se dado conta da própria aparência. Ex-estudante de medicina, perdera todas as esperanças de retomar o curso e agora trabalhava como empreiteiro, liderando uma equipe de irlandeses na construção de um hotel. Scarlett se perguntou como um homem naquelas condições conseguia executar um trabalho tão pesado, mas não fez perguntas, percebendo que quase tudo é possível quando a necessidade bate à porta.

Tommy, Hugh Elsing e o pequeno Rene Picard, que parecia um macaco, conversavam com ela enquanto as cadeiras e os móveis eram arrastados para dar início ao baile. Hugh continuava o mesmo desde que Scarlett o vira pela última vez, em 1862, o mesmo rapaz magricelo, sensível e de cabelo castanho-claro. Mas Rene mudara muito desde o casamento com Maybelle Merriwether; havia certa resistência na fisionomia dele, fruto da guerra, e o ar altivo e imponente da farda desaparecera totalmente.

Foi na cesta de Rene que Scarlett lançara sua aliança durante aquele baile dos soldados.

Continuaram conversando sobre a guerra, sobre as tortas que Rene carregava em uma carroça para vender, e Scarlett ficou atônita ao ver que o marido de Maybelle não se importava de fazer aquilo enquanto a família dele tinha milhares de hectares em torno do Mississippi e uma casa enorme em Nova Orleans. Rene confessou a ela a alegria que sentiu quando soube que o filho de Melanie se chamava Beauregard e, com brilho no olhar ao mencionar o nome do herói da Louisiana, pediu a Scarlett que dissesse a Melanie que, afora "Jesus", ela não poderia ter escolhido nome melhor; Tommy comentou que seu primeiro filho se chamaria Bob Lee Wellburn, em homenagem a Robert Edward Lee. Quando os músicos começaram a tocar as primeiras notas de *Old Dan Tucker*, Tommy convidou Scarlett para dançar, mas ela recusou o convite alegando estar ainda em luto pela mãe.

Ela olhou ao redor, à procura de Frank Kennedy, e, ao encontrá-lo, pediu que lhe trouxesse uma bebida. Enquanto Scarlett se sentava no canto da sala, onde havia um banco duro em vez do sofá circular de que tanto gostava, ajeitou as saias, e Frank se apressou, trouxe uma taça de vinho e um pedaço de bolo tão fino quanto uma folha de papel. Dali, ela observou as pessoas dançando e lembrou-se do quanto a beleza daquele cômodo lhe chamara a atenção quando chegara a Atlanta pela primeira vez. Tudo agora era diferente, o lustre estava escuro, um lampião e algumas velas iluminavam a sala, e a maior parte da luz se dava graças ao fogaréu que ardia na lareira. As chamas tremeluzentes mostravam quão arranhado e irremediavelmente riscado estava o assoalho. A mesa maciça e velha de mogno, coberta de fatias de bolo e decantadores, continuava sendo o elemento mais importante do ambiente, mas estava arranhada, e as pernas quebradas mostravam sinais de tentativa de conserto. O aparador, a prataria e as cadeiras de encosto fino e alongado tinham desaparecido. As rachaduras enormes no gesso rememoravam o dia do cerco, quando uma bomba explodiu na casa, arrancando e dilacerando fragmentos do telhado e do segundo andar. Depois de tantos meses de dificuldade em

Tara, como lhe fizera bem voltar a ouvir música, os pés se movendo de um lado para o outro no assoalho, tantos rostos conhecidos sorridentes à luz esmaecida. Era como voltar à vida depois de ter morrido. Mas, enquanto observava tudo isso, os homens, as mulheres, a dança, de repente lhe ocorreu um pensamento frio e assustador de que tudo havia mudado muito, como se aquelas criaturas dançantes tivessem se transformado em fantasmas. Pareciam os mesmos, mas estavam diferentes. E o que tinham de diferente? Cinco anos a mais de idade? Não, havia algo muito maior que a simples passagem de tempo. Algo desaparecera daquelas pessoas, desaparecera do mundo delas. Scarlett sabia que ela também mudara, mas não como eles, e isso a intrigava. Mas que diferença era essa? Talvez fosse o fato de não haver nada que Scarlett não pudesse fazer, enquanto havia muita coisa que aquelas pessoas prefeririam morrer a ter de fazer. Ou quem sabe o fato de não lhes restar nenhuma esperança, mas continuarem sorrindo para a vida, cumprimentando-a com graciosa mesura e deixando-a passar. O que Scarlett simplesmente não poderia fazer. Depois de refletir enquanto observava os dançarinos de bochecha corada embalados pelo ritmo da escocesa, viu as mulheres se comportando feito damas, e sabia que eram damas, apesar das atividades domésticas que vinham fazendo e de não saberem de onde viriam seus próximos vestidos. Mas, ali, chegou a uma conclusão.

Era essa a diferença! "Embora estejam pobres, essas mulheres posam de damas, mas não são. Essas idiotas ingênuas não percebem que não é possível ser uma dama sem dinheiro!" Scarlett sabia que Ellen teria desmaiado se escutasse essas palavras da boca da filha. Nem mesmo a pobreza, quiçá a miséria, teria envergonhado tanto Ellen quanto aquilo. Vergonha! Mas, sim, era isso que Scarlett sentia. Vergonha de estar pobre e de ter de virar as roupas do avesso para usar e de executar o serviço que pertencia aos pretos. Todavia, não seria pobre para o resto da vida. Não ficaria ali, esperando sentada para ser salva por um milagre. Seu pai fora um imigrante pobre e conquistara todos os hectares de Tara. O que Gerald fizera, a filha também poderia fazer. Scarlett não era como aquela gente que apostara tudo em uma Causa da qual se orgulhava ter perdido, porque o sacrifício valera a pena. Extraíam coragem do passado, enquanto Scarlett projetava a sua em relação ao futuro. E Frank Kennedy, naquele momento, era o futuro dela. Pelo menos, ele tinha uma loja e dinheiro vivo. Naquele instante, os confins da memória lhe trouxeram aquelas palavras de Rhett, antes do início da guerra, quando falavam do dinheiro que ele conseguira no bloqueio. Na época, Scarlett não dera muita importância a elas, mas nunca lhe soaram tão claras.

"Pode-se ganhar tanto dinheiro com os destroços de uma civilização quanto com a construção de uma."

"E esses são os destroços que Rhett previu", pensou ela. "E ele tinha razão. Ainda há muito dinheiro a ganhar para quem não tiver medo de trabalhar... ou de roubar."

Capítulo 36

Duas semanas depois, ela se casou com Frank Kennedy, após uma corte incisiva à qual, com as bochechas coradas e faltando-lhe o ar, ela confessou ao noivo que não conseguiria resistir por muito mais tempo. Entre a corte e o casamento, Frank não fazia a menor ideia que a noiva passava as noites andando de um lado para o outro, preocupada com a possibilidade de receber uma carta de Suellen e com o fato de ter recebido uma carta lacônica de Will dizendo que Jonas Wilkerson fora a Tara mais uma vez e que, ao saber da viagem de Scarlett para Atlanta, se enfurecera. O prazo para o pagamento dos impostos, sem juros maiores, ficava cada vez mais curto. Frank não desconfiou de absolutamente nada; enxergava apenas o que havia na superfície: uma moça bonita e indefesa, a viúva de Charles Hamilton, que o cumprimentava todas as noites na sala de visitas da senhorita Pittypat e que, aos suspiros e com admiração, escutava seus planos para o futuro e quanto planejava ganhar tão logo conseguisse abrir a serraria. A solidariedade e a generosidade daqueles olhos cintilantes serviam como bálsamo para a suposta ferida aberta por Suellen. Com o coração partido e confuso com a atitude de Suellen, e com o orgulho ferido de um solteirão de meia-idade que não se considerava atraente para as mulheres, Frank sentia-se profundamente magoado, mas também incapaz de escrever para Suellen e repreendê-la pela traição; rejeitava essa possibilidade e preferia acalmar o coração conversando com Scarlett sobre a irmã dela.

A pequena senhora Hamilton era uma figura tão linda, de bochechas rosadas, cinturinha fina e um perfume tão agradável que impregnava o lenço e o cabelo! Como poderia uma mulher tão delicada e fina viver sozinha em um mundo cuja crueldade ela jamais seria capaz de compreender? Sem marido, sem irmão e, agora, até mesmo sem o pai para protegê-la! Frank visitava Scarlett todas as noites, pois a atmosfera na casa de Pitty era agradável e confortante. Às vezes, à tarde, ele a levava para passear de charrete quando saía para cuidar dos negócios, e esses passeios eram sempre divertidos e regados a perguntas tolas, "como a de todas as mulheres", pensava ele. Frank não conseguia conter o riso ante a ignorância de Scarlett em relação aos negócios, e ela ria junto dizendo: "Ora, claro, como poderia uma mulherzinha tão boba quanto eu entender de negócios que dizem respeito aos homens?". Ela o fez sentir, pela primeira vez em toda sua vida de solteirão, um homem forte e íntegro, feito por Deus em um molde mais nobre que os demais, feito para proteger mulheres tolas e indefesas.

Quando, por fim, os dois estavam lado a lado no dia do casamento, Frank ainda não sabia ao certo como aquilo tudo acontecera; sabia apenas que, pela primeira vez na vida, fazia algo romântico e empolgante. Nenhum amigo nem parente participou da cerimônia, a pedido de Scarlett, que recusou até mesmo a sugestão do noivo de fazer uma pequena recepção entre amigos na casa da senhorita Pittypat, sem suportar ouvir e muito menos ver a mulher em sua frente.

– Só nós dois, Frank – implorou ela, apertando o braço do noivo. – Como uma fuga. Sempre quis fugir e me casar! Por favor, querido, faça isso por mim!

E, antes de se dar conta, estava casado.

* * *

Frank deu a Scarlett os trezentos dólares, a princípio contra a própria vontade, pois isso significava adiar os planos de compra da serraria, mas não poderia permitir que a família da esposa fosse despejada, e a frustração logo desapareceu ao ver a alegria radiante de Scarlett e a ternura com que ela lhe agradeceu por tamanha generosidade. Scarlett despachou mammy para Tara de imediato, com o triplo propósito de mandá-la levar o dinheiro, de avisar sobre o casamento com Frank e de trazer Wade para Atlanta. Dois dias depois, ela recebeu uma carta suscinta e breve de Will dizendo que Jonas Wilkerson "reagira muito mal" à notícia do pagamento da dívida, mas que não havia feito outras ameaças por ora. Scarlett sabia que Will compreendia os motivos dela, mas como Ashley teria reagido à notícia? O que estaria pensando a respeito dela? Suellen também lhe enviara uma carta enraivecida, colérica, manchada de lágrimas, tão venenosa e tão cheia de observações verdadeiras a respeito do caráter da irmã que Scarlett jamais a perdoaria. Mas nem mesmo as palavras ácidas de Suellen estragariam a alegria de saber que Tara fora salva, ou que, pelo menos, não corria nenhum risco iminente.

Não foi fácil para Scarlett perceber que agora Atlanta, e não Tara, era sua casa permanente. As senhoras de Atlanta, que muito se interessavam pela vida dos vizinhos, sabiam que Frank Kennedy tinha um "entendimento" com Suellen O'Hara e que pretendia se casar com a moça na primavera. Portanto, não foi de surpreender o burburinho e o cochicho que se sucederam ao anúncio do casamento discreto com Scarlett. A senhora Merriwether, que nunca deixava de satisfazer à própria curiosidade tão logo tivesse a oportunidade, à queima-roupa perguntou a Frank o que ele queria se casando com uma irmã quando, na verdade, estava noivo de outra. Mas os mexericos não incomodavam Scarlett, de quem ninguém tinha coragem de se aproximar e fazer perguntas. Ela estava mais preocupada em, com muita discrição, convencer Frank a conseguir mais dinheiro com a loja. Depois das ameaças de Jonas Wilkerson, Scarlett não sossegaria até conseguir ver Frank prosperar. Queixava-se consigo mesma do fato de o dinheiro do marido não ter sido suficiente para pagar os impostos de Tara e comprar a serraria. Se fosse homem, compraria aquela serraria, mesmo que precisasse hipotecar a loja para conseguir o dinheiro. Contudo, ao sugerir com todo o cuidado esse plano ao marido no dia seguinte ao casamento, Frank sorriu e pediu a Scarlett que não preocupasse sua doce cabecinha com assuntos de negócios e ficou surpreso ao ver que a esposa sabia o que era uma hipoteca; depois, até achou graça da situação. Mas a graça durou pouco e uma sensação de choque o acometeu durante os primeiros dias de casamento. E ele se arrependeu de ter contado a Scarlett, certa vez, que algumas "pessoas" (Frank tomou o devido cuidado de não mencionar nomes) lhe deviam dinheiro, pois a esposa, desde então, não parava de perguntar sobre o assunto. Aos poucos, ele percebeu que aquela doce cabecinha era boa com números, na verdade, melhor que a dele, o que começou a incomodá-lo. Ficou atônito ao descobrir que Scarlett conseguia somar de cabeça uma coluna inteira, quando ele precisava de papel e lápis para fazer contas com três algarismos. E frações não eram o menor problema para ela. Frank sentia que deveria haver algo errado em uma mulher que entendia de frações e de negócios e que, se uma mulher tivesse o azar de compreender todo aquele assunto de homens, deveria fingir que desconhecia. Agora, Frank detestava conversar sobre negócios com Scarlett, com a mesma força com que antes do casamento aquilo tanto lhe agradara. Agora, percebia que ela entendia muito bem de muitas coisas e sentia a costumeira indignação masculina diante da duplicidade das mulheres, além de sentir a igualmente costumeira indignação masculina por descobrir que uma mulher tem cérebro.

Em que momento exatamente Frank se dera conta da farsa usada por Scarlett para se casar com ele, ninguém jamais soube. Talvez tenha sido quando Tony Fontaine, claramente desimpedido, veio a Atlanta tratar de negócios, ou por meio das cartas que recebia da irmã, que morava em Jonesboro, e sempre se mostrava indignada com o casamento. Mas, com certeza, não soube por meio da própria Suellen, que nunca escreveu para ele. E de que adiantariam explicações agora que ele já estava casado? Frank se sentia perturbado por saber que Suellen jamais saberia da verdade e sempre o julgaria um insensível. Apesar disso tudo, Scarlett era sua esposa e, como tal, merecia a lealdade do marido. Além do mais, ela deveria sentir algum afeto por ele, do contrário jamais teria aceitado o casamento; o orgulho masculino jamais permitiria a Frank cogitar o contrário. Mas Frank era um cavalheiro e manteve a perplexidade para si. Scarlett era sua esposa e ele não poderia ofendê-la com perguntas esquisitas, que, no final, não remediariam nada. Ademais, ele acreditava que teria um casamento feliz. Scarlett era a mais charmosa e atraente das mulheres, e ele a achava perfeita em tudo, exceto pela teimosia. Logo no início do casamento, Frank percebeu que, desde que as coisas fossem feitas ao modo de Scarlett, a convivência seria agradável: ela brincava feito uma criança, ria, divertia-se, fazia piadas, sentava-se no joelho dele e lhe puxava a barba a ponto de fazê-lo se sentir vinte anos mais jovem. Às vezes, sem que ele esperasse, o surpreendia com gestos carinhosos e afetuosos, aquecendo os chinelos do marido quando ele chegava em casa à noite, preocupando-se com seus pés úmidos e com os infindáveis resfriados, lembrando que ele gostava de moela de frango e de três colheres de açúcar no café.

* * *

Duas semanas após o casamento, Frank pegou uma gripe e o doutor Meade o deixou de cama. Na primeira semana da guerra, Frank passara quinze dias no hospital por conta de uma pneumonia e, desde então, tinha pavor de pegar a doença de novo, por isso aceitou a cama de bom grado, os três cobertores e o caldo quente que mammy e tia Pitty lhe traziam de hora em hora. Andava preocupado com a loja, que ficara sob a responsabilidade do balconista, e, mesmo com as visitas diárias do rapaz, que ia à casa todas as noites para falar com o chefe, estava aflito. Scarlett se aproveitou da agonia e da fraqueza do marido para ir até lá e ver como andavam os negócios. A loja ficava perto de Five Points, e por dentro era muito parecida com a Bullard, em Jonesboro, embora fosse muito maior e muito mais escura. Os toldos de madeira impediam a entrada da luz do sol, o chão estava coberto de lama e poeira, e, apesar da aparência organizada da vitrine e da fachada, por dentro o estabelecimento era um verdadeiro caos. Caixas com louças, tigelas e conjuntos de jarras estavam espalhada por toda a parte do chão, e havia recipientes tão fundos que Scarlett precisou apontar o lampião dentro de cada um deles e descobriu que havia ali sementes, pregos, parafusos e ferramentas de carpinteiro. "Pensei que um homem tão metódico e com ares de solteirão fosse mais organizado", matutou. "Este lugar está parecendo um chiqueiro. Belo jeito de levar um negócio! Se ao menos tirasse a poeira dessas coisas e as deixasse na prateleira, venderia tudo muito mais rápido." E, se o estoque estava nessas condições, imagine só como estava a contabilidade!

Sem pensar duas vezes, ela foi verificar o livro de contabilidade. Willie, o balconista, o entregou após muita insistência, e era evidente que concordava com Frank que os negócios não eram assunto de mulher. Scarlett examinou as páginas com calma e viu que as coisas estavam exatamente como ela imaginara, e que Frank, de fato, não levava o menor jeito para os negócios. Havia ali muitas dívidas registradas com os respectivos nomes, entre eles os Merriwether e os Elsing, além de outros conhecidos. Os Elsing, que tinham dado um vestido de cetim e um casamento tão luxuoso à filha, tinham condições de saldar a dívida, bem como muitos outros ali. Frank tinha o coração mole demais, e as pessoas se aproveitavam disso. Se cobrasse aos que lhe deviam, com certeza teria dinheiro para comprar a serraria e teria cedido com muito mais tranquilidade a quantia para pagar os impostos de Tara. Nesse momento, ocorreu a Scarlett que ela poderia gerir aquela loja de forma muito melhor que o marido, bem como a serraria. Que reflexão incrível essa de que uma mulher poderia gerir um negócio tão bem, ou quem sabe até melhor, que um homem. Nunca antes ela pusera em palavras essa ideia incrível. Ali, com o pesado livro de contabilidade apoiado no colo, pensou nos meses difíceis de Tara em que executara tão bem o serviço de um homem. Fora criada para acreditar que uma mulher sozinha jamais seria capaz de conquistar nada; no entanto, cuidara de tudo em Tara sem a ajuda de um homem, até a chegada de Will. "Ora, ora, acredito que uma mulher seria capaz de fazer absolutamente tudo sem a ajuda de um homem... menos ter filhos", pensou. E, sabe-se lá Deus, nenhuma mulher em sã consciência teria filhos se pudesse evitá-los. Crente de que era tão capaz quanto um homem de ganhar dinheiro, dinheiro esse que seria seu, que jamais teria de pedir, nem de prestar contas a nenhum homem, teve uma repentina e latente sensação de orgulho.

Estava absorta escrevendo, o rosto franzido e a língua entre os dentes quando a porta da frente se abriu e uma forte corrente de ar frio invadiu a loja. Um homem alto entrou, caminhando a passos vagarosos. Scarlett ergueu o rosto e viu de quem se tratava: Rhett Butler.

– Minha cara senhora Kennedy! – disse enquanto caminhava em direção a ela. – Minha caríssima senhora Kennedy! – repetiu, desta vez com uma gargalhada.

A princípio, Scarlett ficou tão horrorizada quanto se um fantasma tivesse invadido a loja, mas logo tratou de endireitar a coluna e o encarou com olhar frio.

– O que faz aqui?

– Vim fazer uma visita à senhorita Pittypat e soube do seu casamento. Vim o mais depressa que pude para cumprimentá-la.

Ali os dois tiveram uma longa e tensa conversa, regada a troca de farpas. Scarlett disse lamentar por não o terem enforcado e soube que Rhett conseguiu se livrar da prisão depois de chantagear um amigo de Washington que ocupava um cargo de alto escalão no governo federal. Ele contou que realmente matara o preto, depois de ver o sujeito maltratando uma dama, e aproveitou o momento da confissão para contar que atirara em um ianque da cavalaria depois de uma discussão em um bar e que, de fato, estava com o dinheiro que tanto despertara a curiosidade dos ianques. Rhett disse ainda que não dera a Scarlett o dinheiro de que ela precisava porque teriam rastreado o cheque e chegariam ao montante.

– Então... Isso quer dizer que você... você está mesmo com o ouro confederado? – perguntou ela.

– Não, tudo não! Santo Deus! Deve ter uns cinquenta ou mais bloqueadores com uma bela quantia guardada em Nassau, na Inglaterra ou no Canadá. Ficaremos com uma fama bem ruim entre os confederados que não foram tão espertos quanto a gente. Fiquei com quase meio milhão. Veja só, Scarlett, meio milhão de dólares! Se tivesse contido essa sua natureza impulsiva e não tivesse se afobado tanto para se casar de novo!

Meio milhão de dólares. Rhett tirou um charuto do bolso e o acendeu depois de explicar que parte do dinheiro era fruto do investimento da compra de algodão, algodão esse que pôde vender a um preço muito maior que o de custo, além de ter conseguido bons rendimentos por meio da especulação com os alimentos. Rhett quis saber se os recursos de Frank permitiram o pagamento dos impostos de Tara. Scarlett contou que fizera o acerto da dívida, mas que precisava obter outra quantia antes que lhe cobrassem outros impostos. Foi quando lhe ocorreu a ideia de sugerir um empréstimo a Rhett. Ele perguntou de quanto ela precisava e para que, advertindo-a de que não toleraria mentiras. Scarlett contou dos planos de comprar a serraria e que precisaria de duas carroças, duas mulas, um cavalo e uma charrete. Ela ofereceu pagar os juros sobre o empréstimo, e Rhett, de brincadeira, propôs cinquenta por cento. Scarlett contou de que se travava a compra da serraria e dos planos do marido.

– Pobre Frank! – comentou Rhett. – E o que ele vai dizer quando você contar que comprou a serraria antes dele? E como, sem que comprometa a sua reputação, Scarlett, pretende explicar que eu lhe emprestei o dinheiro?

Scarlett nem sequer tinha pensado nisso, de tão concentrada que estava no dinheiro que a serraria renderia.

– Bom, simplesmente não vou contar.

– Ele vai saber que o dinheiro não brotou de uma árvore.

Ela, então, teve a ideia de dizer que vendera os brincos de brilhante em troca do empréstimo. Rhett quis saber de quem eram os brincos, e Scarlett apenas disse que uma pessoa falecida os deixara com ela. Durante a conversa, Rhett lembrou-se do dia em que vira Scarlett pela primeira vez, na casa dos Wilkes, quando ela só tinha olhos para Ashley, e ela pediu que não falasse dele, pois sempre brigavam quando tocavam no assunto.

Rhett disse que abdicaria de receber os juros do empréstimo, mas nunca de falar sobre Ashley.

– Diga, ele ainda gosta de você ou Rock Island o fez esquecê-la? Ou talvez Ashley tenha aprendido a apreciar a joia de esposa que tem? – indagou Rhett.

Ao ouvir o nome de Melanie, Scarlett ficou sem fôlego e mal conseguiu conter o choro. Abriu a boca para falar, mas se deteve. Rhett prosseguiu com as provocações, desdenhou de Scarlett por ela acreditar que Ashley a amava pelo intelecto, pela alma e pela nobreza de caráter, quando, na verdade, a cobiçava pela carne.

– Você julga a mente dos outros porque acha que são maliciosas como a sua! – redarguiu Scarlett.

– Ah, não, nunca neguei meu desejo carnal por você, se é isso que quis dizer. Mas, graças a Deus, pudor é algo que não me preocupa nem um pouco. Tudo que quero, consigo, se estiver ao meu alcance, assim não brigo com anjos nem demônios. Mas que bela confusão você armou na cabecinha de Ashley! Quase chego a sentir pena dele!

– Eu... eu armei confusão para ele?

– Claro, você! Lá está, uma tentação constante perto do homem, mas, como a maior parte da própria estirpe, prefere resguardar a honra a satisfazer ao amor que sente. E me parece que não restou nem honra nem amor para confortar o pobre-diabo agora!

– Ele tem amor!... Digo, ele me ama!

– É mesmo? Então, me responda uma coisa. Depois disso, conversa terminada, e você pode pegar o dinheiro e atirá-lo na sarjeta, que não me importo. – Rhett levantou-se e atirou o charuto metade intacto ainda na escarradeira. – Se ele a ama, então por que diabos a deixou vir para Atlanta conseguir o dinheiro dos impostos? Antes de permitir que a mulher que amo fizesse uma coisa dessas, eu...

– Ele não permitiu! Não fazia ideia de que eu...

Scarlett sabia que Ashley a teria impedido se soubesse de suas reais intenções. Mas, de súbito, pensou que ele poderia tê-la impedido; bastaria um gesto naquele pomar, uma simples insinuação de que um dia as coisas poderiam ser diferentes para que Scarlett jamais pensasse em procurar Rhett. Uma palavra de carinho, ou mesmo uma carícia de despedida enquanto ela entrava no trem a teria impedido. Mas Ashley só falara em "honra". Rhett teria razão? Rapidamente, Scarlett afastou o pensamento traiçoeiro. É claro que ele nem sequer suspeitava. Rhett estava tentando azedar o amor dela por Ashley. Depois de todas as ofensas e provocações, depois de arrancar dela coisas tão preciosas e pisoteá-las, Rhett ainda acreditava que Scarlett aceitaria o dinheiro! E como seria bom dispensar o empréstimo e expulsá-lo da loja! Todavia, só mesmo os verdadeiramente ricos e seguros poderiam se dar a esse luxo. Enquanto fosse pobre, ela teria de suportar coisas como essa.

Quando a porta da frente se abriu e o balconista entrou, Scarlett se levantou, ajeitou o xale em torno das costas e dos ombros e ajustou embaixo do queixo o laço da fita do chapéu. Estava decidida. Puxou Rhett pelo braço e pediu que a acompanhasse até a serraria.

– Debaixo dessa chuva? – indagou ele.

– Sim, quero que vá comigo agora, antes que mude de ideia.

– Esqueceu-se de que está casada? A senhora Kennedy não pode se dar ao luxo de sair por aí com o difamado Butler. Esqueceu-se de que tem uma reputação a preservar?

– Reputação uma ova! Quero comprar aquela serraria antes que você mude de ideia ou que Frank descubra o que vou fazer. Anda, não faça corpo mole, Rhett. O que é uma garoa? Vamos, rápido!

* * *

A serraria! Frank se queixava toda vez que pensava nela, arrependendo-se amargamente do dia em que tocou no assunto com Scarlett. Se o fato de ter vendido os brincos ao capitão Butler (logo para ele!) para comprar uma loja sem consultar o marido já era péssimo, deveras pior foi não ter entregue a ele a administração do estabelecimento. Frank, bem como todos os homens que ele conhecia, acreditava que a esposa deveria se submeter às orientações do marido, aceitar suas opiniões sem as refutar e nunca agir pela própria cabeça. Mulheres eram criaturinhas tão pequenas e divertidas que não havia mal nenhum em satisfazer aos seus caprichos. Mas as coisas que Scarlett metia na cabeça eram inimagináveis. A compra da serraria foi um verdadeiro choque para Frank. "Vou entrar para o negócio da madeira sozinha", foi o que Scarlett disse, e ele jamais se esqueceria do pavor que sentiu naquele momento. Totalmente inimaginável. Não havia uma mulher em Atlanta à frente de negócios. A bem da verdade, Frank nunca ouvira falar de nenhuma mulher administrando nenhum negócio. Quando se deparavam com o infortúnio de ter de ajudar a própria família nesses tempos difíceis, as mulheres o faziam com discrição e feminilidade: assando bolos, como a senhora Merriwether, pintando porcelana, costurando ou oferecendo hospedagem, como a senhora Elsing, ou dando aulas nas escolas, caso da senhora Meade. O que os vizinhos diriam? E o que falariam dele? Scarlett fazia tantas coisas que um marido jamais deveria permitir, mas, se Frank lhe mandasse parar, brigasse ou criticasse a esposa, uma tempestade desabaria na cabeça dele. Scarlett levantava antes do marido, saía pela Peachtree e, muitas vezes, só chegava em casa muito tempo depois de Frank já ter fechado a loja e voltado à casa de tia Pittypat para o jantar. Ela percorria toda a estrada até a serraria contando apenas com a proteção do resmungão tio Peter, e os bosques vivam cheios de escravos livres e de ianques mal-intencionados. Frank não podia acompanhar Scarlett, a loja lhe tomava todo o tempo, e a esposa dizia que precisava ficar de olho naquele "patife do Johnson", para que não roubasse a madeira, vendesse e embolsasse o dinheiro. "Quando eu conseguir um homem de confiança para cuidar da serraria, não vou precisar sair com tanta frequência e poderei passar mais tempo na cidade vendendo a madeira", dizia ela. Vender madeira na cidade! Sua esposa vendendo madeira na cidade!

Para completar, Scarlett vinha mesmo ganhando dinheiro com a serraria e nenhum homem se sentiria confortável ao ver a própria esposa se sair tão bem em uma atividade tão masculina. E ela nem sequer prestava contas ou repassava o dinheiro a ele; boa parte do lucro era enviado a Tara, e Scarlett escrevia cartas intermináveis a Will Benteen, com as recomendações do que fazer com o dinheiro. Além disso, ela disse a Frank que, se conseguisse concluir todos os reparos de Tara, pretendia emprestar dinheiro por hipotecas. Também tinha planos de abrir um *saloon* na propriedade onde ficava o antigo armazém que Charles lhe deixara de herança e fora queimado por Sherman. Apesar de não ser abstêmio, Frank foi totalmente contra a ideia. Um *saloon* era um péssimo negócio, um negócio azarento, quase tanto quanto alugar uma casa para prostituição, mas Scarlett, ante os argumentos fracos do marido, bateu o pé:

– Os donos de *saloons* são ótimos inquilinos. Foi tio Henry quem me disse isso. Sempre pagam o aluguel, e, veja só, Frank, eu poderia construir um *saloon* com baixo custo, com a madeira de segunda mão que não consigo vender, e conseguir um bom aluguel por ele, e, com o dinheiro do aluguel, o da serraria e o que eu conseguir com as hipotecas, poderia comprar mais serrarias.

Frank tentou fazê-la desistir da ideia, disse que a serraria a deixava exausta e que corria muitos riscos com tantos escravos livres trabalhando para ela; Scarlett concordou com o marido em relação a esse último ponto:

– Esses escurinhos soltos são mesmo uns imprestáveis. O senhor Johnson diz que nunca sabe se vão aparecer para trabalhar ou não, que todo dia de manhã não sabe se vai poder contar ou não com a equipe completa. Não dá mais para depender desses pretos. Trabalham um dia ou dois, aí resolvem tirar folga, gastam tudo que ganharam e sobrecarregam a equipe, que acaba virando a noite. Quanto mais vejo o resultado da emancipação, mais me convenço do quanto foi um verdadeiro crime. Simplesmente acabou com todos esses pretinhos. Milhares não trabalham mais e os que conseguimos para trabalhar na serraria são tão preguiçosos e fazem tanto corpo mole que seria melhor não contar com eles. E você não pode sequer xingá-los, muito menos meter umas três chibatadas naquelas costas pelo bem de suas almas... Se fizer isso, o Departamento dos Libertos vem com sete pedras para cima de você.

– Docinho, você não está deixando o senhor Johnson dar chicotadas naqueles...

– É claro que não! – retrucou impaciente. – Não acabei de dizer que aqueles ianques me colocariam na cadeia se eu fizesse isso?

Frank não só estava perplexo com o ponto de vista e os planos da esposa como também com a mudança de comportamento dela nesses poucos meses de casamento. Não era mais a pessoa amável, doce e feminina com quem se casara. Agora, ela agia e reagia como um homem, apesar das bochechas coradas, das covinhas e do sorrisinho amável. Mesmo tendo conhecido mulheres duronas e mandonas, como as senhoras Elsing, Merriwether e Whiting, sempre as vira se curvar e se guiar ao que os homens diziam, mas Scarlett era diferente. Não se curvava a nada nem a ninguém além dela própria e agia sempre como homem, tanto que a cidade inteira comentava a seu respeito. Para piorar, Frank ainda tinha de suportar Butler e suas frequentes visitas à casa de tia Pitty, e como ele se arrependia amargamente daquele dia em que trouxera Rhett a Twelve Oaks e o apresentara aos amigos. Detestava o capitão pelo sangue-frio que tivera durante as especulações no período da guerra e por não ter servido ao Exército. Scarlett era a única que sabia dos oito meses que Rhett servira à Confederação, pois o capitão, fingindo medo, implorou a ela que mantivesse segredo, sem querer revelar essa "vergonha" a ninguém. As visitas de Rhett incomodavam Frank sobretudo porque não era a senhorita Pittypat quem o sujeito vinha ver, sem falar no apego que o pequeno Wade, sempre tímido com os outros, tinha pelo homem a quem chegava a chamar de "tio Rhett".

Fosse como fosse, Frank buscava sossego e tranquilidade. A guerra a que servira de modo tão conscencioso arruinara sua saúde, custara-lhe a fortuna e o transformara em um velho. No entanto, não se arrependera de nada, e, após quatro anos nos campos de batalha, tudo que Frank desejava era paz e tranquilidade, rostos gentis por perto e a aprovação dos amigos. Logo descobriu que a paz doméstica tinha preço, que era deixar Scarlett fazer as coisas do modo dela, qualquer que fosse esse modo.

Às vezes, ele acordava no meio da noite ouvindo um choro abafado no travesseiro. Na primeira vez em que a viu aos prantos, soluçando a ponto de chacoalhar a cama, assustado, perguntou à esposa:

– Meu doce, o que foi?

E ela respondeu:

– Me deixe em paz!

Um bebê, sim, um bebê faria muito bem a Scarlett e desviaria sua mente de coisas com as quais ela não deveria se preocupar. Às vezes, aos suspiros, Frank se pegava pensando que agarrara um pássaro tropical, vibrante e colorido feito uma joia, quando uma cambaxirra teria lhe servido tão bem quanto. Na verdade, muito melhor.

Capítulo 37

Foi em uma noite fria e úmida de abril que Tony Fontaine apareceu montado em um cavalo resfolegante e quase morto de exaustão e bateu à porta de Scarlett e Frank, fazendo-os despertar com o coração na garganta. E foi nesse momento que Scarlett, pela segunda vez em quatro meses, sentiu de maneira profunda o verdadeiro significado da Reconstrução e suas implicações, bem como o que Will quisera dizer quando escrevia nas cartas: "Nossos problemas só estão começando", e compreendeu a fala desoladora de Ashley, naquele dia, em meio à ventania que açoitava o pomar de Tara, quando entre aquelas palavras confusas disse que o que enfrentavam era pior que a guerra... pior que a prisão... pior que a morte. A primeira vez em que Scarlett ficou cara a cara com a Reconstrução foi ao saber que Jonas Wilkerson, resguardado pelos ianques, poderia desapropriá-la de Tara. Mas a vinda de Tony trouxe o assunto à tona de modo ainda mais claro e muito mais aterrorizante. Tony chegou na calada da noite e sob uma tempestade, trazendo notícias nada boas, e partiria dali a poucos minutos.

– Eles estão atrás de mim... estou indo para o Texas... meu cavalo está quase morto... e eu quase morto de fome. Ashley disse que você... Não acenda a vela! Não acorde os negrinhos... Não quero arrumar encrenca para vocês!

Scarlett apressou-se em preparar um prato de comida para Tony e agradeceu aos céus por ouvir o ronco de tia Pittypat no andar de cima. Enquanto bebia o uísque oferecido por Scarlett, Tony disse:

– Um maldito de um *Scallawag* a menos. – Ele ergueu o copo, pedindo outra dose. – Vim o mais rápido que consegui, e pode ser que não saia daqui vivo se não me apressar, mas vai ter valido a pena. Santo Deus, se vai! Vou tentar chegar ao Texas e ficar por lá. Ashley estava comigo em Jonesboro e foi ele quem me disse para vir aqui falar com vocês. Preciso de outro cavalo, Frank, e de um pouco de dinheiro. Meu cavalo está quase morto...

– Pode ficar com o meu cavalo – ofereceu Frank com a voz calma. – Só tenho dez dólares aqui comigo, mas se puder esperar até amanhã...

– Abriram as portas do inferno, não posso esperar! – explicou Tony. – Devem estar bem perto, não consegui tomar muita distância deles. Se não fosse o Ashley me tirar de lá e me fazer montar no cavalo, teria ficado ali feito um tonto e provavelmente a essa hora estaria enforcado. Boa gente esse Ashley.

Então, Tony contou que assassinara Jonas Wilkerson e o deixara em pedaços. Scarlett congelou. Tony mencionara o nome de Ashley. E a reação de Frank a surpreendeu. Por que o marido não perguntou o que houve? Por que Frank reagiu com tanta frieza? Estaria Ashley envolvido nessa confusão? Logo Scarlett soube que Ashley teria matado o homem com as próprias mãos, mas Tony o impediu, alegando que aquele era um direito dele, pois Sally era cunhada de Tony.

– Vou lhe contar tudo enquanto Frank encilha o cavalo – prosseguiu Tony. – Aquele maldito Wilkerson vinha causando problema demais. Sei o que ele fez com você com a história dos impostos. Essa foi só uma das tantas maldades que ele vinha fazendo. O pior de tudo era o jeito com que vinha atiçando os negrinhos... Jamais na vida imaginei que um dia detestaria essa gente preta! Malditas sejam aquelas almas escuras, acreditam em tudo que aqueles canalhas falam e se esquecem de tudo que a gente fez por eles. Imagine só, agora os ianques estão falando em permitir o direito de voto a esses pretos. E não vão deixar a gente votar. Ora, deve haver um bando de democratas no condado todo que não está impedido de votar, agora que descartaram todos os homens que lutaram no Exército confederado. E, se permitirem que esses escurinhos votem, é o fim da linha para todos nós. Que droga é nosso Estado! Não pertence aos ianques! Por Deus, Scarlett, a gente não pode aceitar isso. E não vamos! Não vamos ficar de braços cruzados, nem que para isso seja preciso começar outra guerra. Daqui a pouco vão aparecer juízes crioulos, legisladores crioulos... macacos crioulos saindo da selva...

Scarlett ficava cada vez mais afoita para saber o que tinha acontecido. Tony contou que Wilkerson, com sua história de igualdade de direitos a esses macacos, passara dos limites ao espalhar o boato de que esses negrinhos tinham direito às mulheres brancas. Naquele mesmo dia, Eustis, antigo capataz dos Fontaine, foi até a porta da cozinha onde Sally preparava o jantar e lhe disse algo que a fez gritar e sair correndo. Tony correu até lá, encontrou o homem bêbado e deu um tiro nele. Depois, montou no cavalo e saiu em direção a Jonesboro, à procura de Wilkerson, por ser ele o culpado de incutir essas ideias na cabeça dos escurinhos. Ao passar por Tara, encontrou Ashley, que o acompanhou, e os dois seguiram discutindo pelo caminho, Ashley insistindo para dar conta de Wilkerson, mas Tony não permitiu, pois Sally era a esposa de seu irmão morto e ele se sentia na obrigação de resolver o caso. Encontraram Wilkerson em um bar. Tony o levou para um canto enquanto Ashley detinha os demais. Depois de atirar em Eustis, na pressa, ao partir, Tony esquecera a arma no estábulo e por isso matara Wilkerson a facadas. Antes de se dar conta, Ashley o levou até o cavalo e mandou que viesse à casa de Frank e Scarlett.

Após ouvir tudo aquilo, Scarlett sugeriu a Tony que voltasse para casa e explicasse tudo, mas ele ficou admirado com sua ingenuidade, pois os ianques jamais reverenciariam um homem por ter impedido um escurinho de abusar de uma mulher branca. E, com isso, Frank acompanhou Tony até a porta, e os dois ficaram lá fora, conversando por alguns minutos, antes de Tony partir. Scarlett fechou a porta e, sentindo os joelhos trêmulos, sentou-se. Agora sabia o que significava a Reconstrução, sabia bem. Era como se a casa toda estivesse cercada de selvagens nus, agachados, prontos para atacar a qualquer momento. Agora compreendia as conversas masculinas que entreouvia em um cômodo ou outro, coisas até então sem importância; compreendia os alertas insistentes de Frank para não ir à serraria acompanhada do frágil tio Peter. Os pretos estavam na linha de frente, resguardados pelas baionetas ianques. Scarlett corria o risco de ser morta, estuprada e, provavelmente, muito provavelmente, nada jamais seria feito em relação a isso.

Havia algo no semblante de Tony que se refletia na fisionomia de Frank, algo em que nos últimos tempos ela vinha reparando nos rostos masculinos de Atlanta. Uma expressão muito diferente do cansaço e da derrota daqueles que voltavam para casa após a rendição. Agora, os nervos entorpecidos pareciam revigorados e o velho espírito recomeçava a irromper. "A gente não pode aceitar isso!", foi o que ouviu da boca de Tony. Pela primeira vez, sentia uma afinidade com as pessoas ao redor, identificou-se com seus medos, com sua amargura e determinação. Não, a gente não pode aceitar isso! O Sul era um lugar bonito demais para ser entregue de bandeja aos ianques que odiavam os sulistas o suficiente para pisoteá-los, uma terra adorada demais para ser deixada nas mãos de um bando de pretos ignorantes, embriagados de uísque e liberdade.

O sangue de Gerald corria nas veias dela, o sangue violento. O sangue violento também corria nas veias de todos os homens que Scarlett conhecia. Com entusiasmo, ela se lembrou do dia em que atirara no ianque saqueador. Mesmo Rhett, um patife totalmente despreocupado como era, matara um preto por ter feito mal a uma dama. Quando Frank voltou a entrar em casa, encharcado por conta da chuva, ela perguntou por quanto tempo aquilo duraria.

– Docinho, vá para a cama. Deve estar congelando. Está tremendo – disse Frank.

– Quando isso vai acabar?

– Quando a gente puder votar de novo. Quando cada homem que lutou pelo Sul puder depositar na urna o voto por um sulista e um democrata.

– Voto?! – exclamou em desespero. – E de que vale o voto se os pretos perderam a cabeça... se os ianques estão os envenenando contra a gente?

Frank acreditava que a solução seria o voto. E que importância teria o voto? As pessoas boas do Sul nunca mais teriam o direito de votar. Só havia uma coisa no mundo capaz de remediar qualquer calamidade que o destino trouxesse: o dinheiro. Scarlett pensou em Wade e no segredo que vinha carregando consigo havia alguns dias. Não, ela não queria que os filhos crescessem nesse cenário de ódio e incerteza, de amargura e violência. Obstinada, refletiu que eles precisavam de dinheiro, muito dinheiro, para se protegerem de um desastre.

De repente, contou a Frank que estava esperando um bebê.

* * *

Após a fuga de Tony, por várias semanas, a casa de tia Pittypat foi invadida por soldados ianques que apareciam a qualquer hora do dia e da noite, sem aviso prévio. Vasculhavam os cômodos, faziam perguntas, abriam os armários, olhavam debaixo das camas. Os militares receberam a informação de que Tony fora aconselhado a ir para a casa de Pittypat e tinham certeza de que ele estava escondido ali ou pela vizinhança. Consequentemente, tia Pittypat vivia o tempo todo "perturbada", nas palavras de tio Peter, mas não corriam o risco de ela delatar nada, pois estava dormindo durante a breve visita de Tony, e Scarlett e Frank tampouco lhe contaram o que acontecera. Scarlett, nauseada e consternada durante os primeiros meses de gravidez, ora sentia ódio daquelas fardas azuis que invadiam sua privacidade quando bem queriam, ora se apavorava com o tamanho medo de que Tony pudesse se tornar a razão da desgraça da família. Afora isso, em Washington se falava em confiscar todas as "propriedades rebeldes" para pagar a dívida de guerra dos Estados Unidos, e, em Atlanta, corria o boato de confisco das propriedades daqueles que infringissem a lei militar, deixando Scarlett ainda mais atemorizada, com medo de que ela e Frank não só fossem presos, mas acabassem perdendo a casa, a loja e a serraria. Por semanas após a visita de Tony, ao menor barulho na rua lá fora, ela acordava à noite em meio a pesadelos, com medo de que pudesse ser Ashley tentando fugir. Não tiveram notícias dele, tampouco escreveram para Tara com receio de que interceptassem a carta no meio do caminho e os ianques fossem para lá também. Mas, como várias semanas se passaram e não receberam nenhuma notícia ruim, presumiram que Ashley conseguira se safar. E os ianques finalmente pararam de aborrecê-los.

Naquela primavera fria de 1866, Scarlett se deu conta do que ela e o Sul inteiro teriam de enfrentar. Apesar de todo o trabalho, sacrifício e esforço, a qualquer minuto, poderiam lhe tirar tudo o que conquistara e não haveria direitos, leis, nada que pudesse salvaguardá-la. A Geórgia estava fortemente guarnecida por tropas, e, em Atlanta, havia muito mais que a quantidade necessária. Os comandantes ianques tinham o poder total sobre todas as cidades, entre eles o de vida e morte; podiam prender por qualquer motivo, confiscar propriedades, enforcar quem quisessem. Decidiam até que canções as filhas e esposas de ex-confederados poderiam cantar. *Dixie* e *Bonnie blue flag* se tornaram quase tão ofensivas quanto uma traição. Ninguém podia sequer postar uma carta sem fazer o juramento e, em alguns casos, até casamentos eram proibidos se os noivos se recusassem a fazê-lo. As cadeias estavam cheias. A simples suspeita de declarações contra o governo, ou de aliança com a Ku Klux Klan, ou a queixa de um preto que se sentiu ofendido por um homem branco, era o suficiente para colocar qualquer cidadão na prisão. Provas e evidências eram desnecessárias. Bastaria a acusação. Os pretos ainda não tinham o direito de votar, mas o Norte estava decidido a conquistá-lo e torná-lo favorável a si. Com isso, para um branco que quisesse se meter em encrenca, bastaria uma reclamação de qualquer tipo contra um preto. Os antigos escravos, com o apoio dos ianques, agora mandavam e desmandavam.

Milhares de trabalhadores domésticos haviam escolhido permanecer ao lado dos donos brancos, mas agora faziam serviços braçais antes relegados à mão de obra inferior à deles. A maior parte dos pretos libertos que vinham causando balbúrdia fazia parte da antes classe trabalhadora dos campos, eram os que se mostravam mais preguiçosos, menos responsáveis e dispostos a aprender. Atlanta já estava cheia desses pretos, e outros, tão perigosos e preguiçosos quanto, não paravam de chegar. Apinhados em cabanas sujas, a varíola, o tifo e a tuberculose começaram a se espalhar entre eles. Antes acostumados a receber os cuidados de suas senhoras, esses pretos não sabiam cuidar de si nem dos outros quando adoeciam. E o Departamento dos Libertos estava muito mais interessado em questões políticas que em oferecer o cuidado que os ex-escravos recebiam dos antigos donos. Crianças negras eram abandonadas nas ruas e perambulavam feito animais assustados, até que algum coração branco e bondoso as adotasse e levasse para criá-las em sua cozinha. Escravos velhos, abandonados como as crianças, apavorados e perdidos em meio à agitação da cidade, sentados no meio-fio, imploravam às senhoras que passavam nas ruas que escrevessem a seus antigos donos e pedissem que viessem buscá-los. O próprio Departamento dos Libertos, sem conseguir dar conta da grande procura, orientava os pretos a procurar os antigos donos, sob a promessa de que agora seriam trabalhadores livres protegidos pela assinatura de contratos.

Pela primeira vez na vida, os pretos podiam beber uísque à vontade. Nos dias de escravidão, só recebiam uma pequena dose da bebida no Natal, junto do presente. Agora, homens brancos eram ofendidos nas ruas por pretos bêbados; casas e estrebarias eram incendiadas à noite; cavalos, gado e galinhas eram levados à luz do dia; crimes de todo tipo aconteciam, mas nada se comparava ao perigo que corriam as mulheres brancas, muitas delas morando sozinhas e sem poder contar com a proteção de um homem. A grande quantidade de mulheres estupradas e o risco constante a que esposas e famílias estavam expostas foram o que despertou a cólera e a frieza dos homens sulistas e culminou no repentino surgimento da Ku Klux Klan. E era contra essa organização originada do dia para a noite que os jornais do Norte vociferavam, sem nunca citar a trágica necessidade que a concebeu. Nesse espetáculo assombroso, metade da nação tentava, com a ponta da baioneta, impor à outra metade a regra dos pretos, que deveriam receber o direito de voto, direito esse negado aos antigos donos. Consternada e de mãos atadas, sem poder se ajudar, tampouco ajudar os amigos e o Sul como um todo, nesses dias Scarlett com frequência se lembrava das palavras de Tony, ditas com tanta eloquência. "A gente não pode aceitar isso, Scarlett! Não vamos aceitar!"

Apesar da guerra, do incêndio e da Reconstrução, Atlanta voltara a ser uma cidade progressista, em muitos sentidos lembrando a cidade agitada dos primórdios da Confederação. O problema era que os soldados que circulavam vestiam o uniforme errado, o dinheiro estava nas mãos erradas e os escravos viviam livres e desocupados, enquanto os antigos donos passavam fome e trabalhavam duro. Ao que parecia, Atlanta era a cidade que nunca podia parar, independentemente das circunstâncias, ao contrário de Savannah, Charleston, Augusta, Richmond e Nova Orleans, que não tinham a menor pressa. Gente nova chegava por todos os cantos, carruagens lustrosas trazendo as esposas de ianques, e os novos-ricos *carpetbaggers* se aproximavam chapinhando a lama a bordo de suas charretes dilapidadas dos moradores da cidade. As ferrovias pelas quais Sherman tanto brigara o verão inteiro e onde matara milhares voltara a estimular a vida da cidade. Atlanta voltava a ser o centro de tudo, como antes da destruição, e recebia um fluxo imenso de novos moradores, bem-vindos ou não. Os *carpetbaggers* invasores transformaram Atlanta em um quartel-general e nas ruas faziam questão de trombar com os representantes das famílias mais antigas do Sul, também recém-chegados à cidade. Famílias do Tennessee e das Carolinas, onde a mão da Reconstrução pesara mais que na Geórgia, chegavam todos os dias. A cidade rugia feito uma fronteira aberta, sem se esforçar para encobrir seus vícios e pecados. *Saloons* apareciam do dia para a noite, dois, às vezes três, no mesmo quarteirão, homens bêbados, brancos e pretos, circulavam pelas ruas, cambaleando de um lado ao outro. Casas de jogos funcionavam a todo vapor, e, para a surpresa dos cidadãos mais respeitáveis, uma ampla zona de prostituição se instalou. Belle Watling era a mais afamada das madames. Abrira uma nova casa de prostituição, um sobrado que causava inveja às vizinhas concorrentes. Todos sabiam que Belle não teria dinheiro para custear sozinha um negócio como aquele, e Rhett não fazia a menor questão de esconder a afinidade que tinha com ela, então estava claro que o patrocinador não era outro senão ele.

Atrás das portas surradas das casas antigas moravam a pobreza e a fome, sendo inúmeros os relatos do doutor Meade sobre famílias que antes moravam em mansões e agora viviam em pensões, e de pensões, muitas vezes, saíam para morar em quartos escuros e sombrios. Ele tinha muitas pacientes diagnosticadas com "fraqueza", mas o doutor sabia, e como sabia, que a inanição era a causa do problema. Bebês de pernas raquíticas nasciam, e as mães não tinham condições de amamentá-los. O médico, que antes agradecia a Deus por cada vida trazida ao mundo, agora já não via mais o nascimento como uma dádiva. Lado a lado a essas casas remendadas com tábuas velhas de madeira e tijolos enegrecidos, erigiam-se as belas casas dos *carpetbaggers* e dos especuladores da guerra, com mansarda, cumeeira, gramado amplo e janelas panorâmicas. Noite após noite, à janela dessas casas recém-construídas, via-se a luz do lampião a gás e ouvia-se o barulho da música e dos pés dançantes.

Luzes, vinho, violinos e dança, brocado e casimira nas casas grandes e vistosas, e, logo ali, na esquina, a fome vagarosa e o frio. Arrogância e insensibilidade para os conquistadores; resistência amarga e ódio para os conquistados.

Capítulo 38

Scarlett sabia que, por causa de Tony, ela e Frank estavam na lista negra dos ianques e que uma tragédia poderia se abater sobre a família a qualquer momento. Mas ali, em meio à ruína e ao caos da primavera de 1866, com um bebê a caminho e Tara dependendo dela para sobreviver até a época de colheita do algodão, Scarlett concentrou suas energias em fazer a serraria render. E havia dinheiro em Atlanta. A onda de reconstrução era a oportunidade de que precisava e ela sabia que poderia ganhar muito se conseguisse se manter longe da prisão. Então, tomava o devido cuidado para não ofender ninguém, fosse preto ou branco, caso a provocassem. Detestava os negrinhos livres e insolentes tanto quanto qualquer outro, mas continha a raiva, sem nunca sequer lançar um olhar atravessado a eles. Detestava os *carpetbaggers* e os *scallawags* que enchiam os bolsos com tanta facilidade enquanto ela trabalhava duro, mas não os ofendia, nem dizia nada a eles que pudesse soar como julgamento. Que os outros chorassem pelo que passou e pelos mortos que não vão voltar. Que a raiva pelos ianques e a revolta pela perda do direito de votar os corroessem. Que aquele bando de língua solta perdesse a cabeça e fosse parar na forca por se aliar à Ku Klux Klan (ah, que nome terrível, quase tão terrível quanto os pretos para Scarlett). Que as esposas se orgulhassem dos maridos que faziam parte disso. Graças a Deus, Frank não se envolvera nessa encrenca! "Por favor, meu Deus, só até junho! Preciso trabalhar até junho." Era o tempo de que ela precisava para formar uma reserva. A partir desse mês, Scarlett deixaria a serraria e ficaria reclusa na casa de tia Pittypat, aguardando o nascimento do bebê. Já vinha sendo alvo de críticas por aparecer em público, dadas suas condições. Nenhuma mulher grávida aparecia em público.

Graças às cutucadas que dera em Frank, a loja caminhava melhor e ele já vinha até cobrando algumas dívidas antigas. Mas era na serraria em que Scarlett depositava as maiores esperanças. Atlanta renascia feito uma árvore gigantesca que fora podada e começava a brotar com cada vez mais folhas e galhos. A demanda por material de construção era muito maior que a oferta. Os preços da madeira, do tijolo e do concreto subiram, e Scarlett abria a serraria bem cedo e fechava no início da noite. Em pouco tempo, a bordo de uma charrete conduzida de má vontade por um preto, Scarlett se tornou figura familiar pelas ruas de Atlanta. Não fora a única a enxergar a oportunidade no negócio da madeira, mas não temia os concorrentes, pelo contrário; a princípio, teve de enfrentar o escárnio dos comerciantes que não aceitavam a ideia de ver uma mulher gerindo os negócios, mas logo tiveram de se acostumar. A bem da verdade, o fato de ser mulher a favorecia, pois Scarlett se aproveitava da imagem de dama indefesa e atraente para fechar negócios. Mas, quando essa estratégia não funcionava, ela podia ser tão dura e fria quanto os concorrentes para conquistar clientes. Vendia mais barato que eles, sem se importar em perder dinheiro se isso lhe garantisse a venda. Também não se importava em vender madeira ruim pelo preço da boa, se achasse que não descobririam, e não tinha pudores para atacar a concorrência. Na primeira vez em que mentiu, sentiu vergonha e culpa ao pensar: "O que minha mãe diria?". É claro que Ellen reprovaria todas essas atitudes da filha, mas, depois dos dias difíceis em Tara e diante das incertezas da vida, a figura da mãe enfraquecia cada vez mais. Sempre que era acometida pela memória da mãe, Scarlett repetia para si mesma: "Vou pensar nisso depois". Ademais, sabia que a cortesia sulista a protegia. Uma dama sulista poderia mentir sobre um cavalheiro, mas um cavalheiro jamais poderia mentir em relação a uma dama ou, pior ainda, chamá-la de mentirosa.

Um branco pobre, dono de uma serraria em Decatur, tentou derrotar Scarlett com o próprio veneno dela, chamando-a de mentirosa e vigarista, mas a estratégia se voltou contra ele, pois não houve quem não ficasse chocado com o fato de um homem branco dizer coisas tão chocantes a respeito de uma dama de boa família, ainda que ela agisse de forma tão contrária ao que se esperava de uma dama. Scarlett observou tudo em silêncio e, aos poucos, voltou toda a atenção aos clientes desse homem, e também em silêncio corroeu-se de dor ao vender madeira de excelente qualidade muito abaixo do preço, tanto que não tardou para esse mesmo concorrente abrir falência. E, para horror de Frank, Scarlett comprou a serraria do homem pelo preço que ela queria. Com isso, teve de lidar com a complexa dificuldade de arranjar um homem de confiança para cuidar da nova serraria. Não queria outro funcionário como o senhor Johnson, pois sabia que, mesmo com toda a vigilância, ele vendia escondido dela. Sabia que não seria difícil arranjar alguém; afinal, havia muito homem sem trabalho, inclusive muitos que foram ricos e tinham perdido tudo. Mas não queria nenhum fatigado, e sim um homem esperto, inteligente e cheio de energia como Renny, ou Tommy Wellburn, ou Kells Whiting, ou talvez um dos Simmons... alguém semelhante a eles, que não tivesse aquela cara de "não-me-importo-com-mais-nada-nesse-mundo" dos soldados após a rendição. Todavia, para surpresa de Scarlett, os Simmons, os Kells Whiting e mais uma dúzia de outros garotos que ela abordou sorriram, agradeceram a oferta, mas se recusaram a aceitá-la. Certa tarde, Scarlett parou a charrete ao lado da carroça de tortas de Rene Picard e viu que Tommy Wellburn estava com ele, aproveitando uma carona.

– Ei, Rene, não quer trabalhar comigo? Administrar uma serraria é trabalho muito mais respeitável que entregar tortas. Eu, no seu lugar, sentiria vergonha.

Scarlett completou que ele não nascera para vender torta e que Tommy igualmente não viera ao mundo para viver espremido entre um monte de pedreiro irlandês.

– E imagino que você tenha sido criada para administrar uma serraria – comentou Tommy, contorcendo os lábios. – Claro! Parece que estou vendo a pequena Scarlett sentada no colo da mãe, balbuciando: "Nunca venda madeira boa se conseguir um preço melhor por madeira ruim!".

Scarlett o repreendeu pelo atrevimento, Rene riu, e Tommy explicou que só queria mostrar que todos naquele momento não trabalhavam com o que tinham planejado, apesar de executarem o serviço bem, como era o caso da própria Scarlett, na serraria. Tommy sugeriu que ela contratasse um ianque, e Scarlett disse que queria um homem de confiança, de família, que fosse honesto, cheio de energia. Tommy opinou que pelo salário que oferecia ela não conseguiria ninguém, sem falar que os homens preferiam continuar com o que vinham fazendo a trabalhar para uma mulher. Scarlett refletiu e percebeu que Tommy tinha razão. Afinal, ela abordara muitos sem conseguir resposta positiva de nenhum deles. Na mesma conversa, Tommy lhe pediu a gentileza de considerar o cunhado, Hugh Elsing, para ocupar o cargo. A princípio, Scarlett recusou a sugestão, pois Hugh não vinha se saindo bem com a venda de lenha. Hugh fora um oficial arrojado e engenhoso durante a guerra, mas dois ferimentos profundos e quatro anos de luta pareciam ter esgotado todas as suas energias, pois ele vendia lenha pelas ruas com o olhar de um cachorro perdido e abandonado.

"Ele é burro", pensou Scarlett. "Não entende nada de negócios e aposto que mal sabe dizer quanto é dois mais dois. E duvido que consiga aprender um dia. Mas pelo menos é honesto e não vai me passar para trás." Por fim, acatou a sugestão de Tommy. Ela queria mesmo que Johnnie Gallegher assumisse esse cargo de confiança, mas ele estava trabalhando com Tommy na construção. Johnnie tinha o tipo que Scarlett procurava, rígido quanto um prego e sorrateiro feito uma cobra, agiria com honestidade se fosse pago para isso. Ficaria encarregado da serraria nova e Johnson continuaria cuidando da antiga. Scarlett teria de correr o risco de ser trapaceada se tivesse que ficar o tempo todo na cidade. Se ao menos o homem não fosse ladrão! Se ao menos Frank não se opusesse à ideia do *saloon*! Se ao menos ele não fosse tão sensível! Ah, meu Deus, se ao menos eu não tivesse engravidado bem agora! Se, se, se!

Sem ter certeza de nada, e se sentindo totalmente insegura, com o medo constante de perder tudo, e de voltar a sentir frio e fome, Scarlett não podia contar muito com o marido, que, apesar de estar lucrando mais com a loja agora, vivia resfriado e precisava passar dias de cama. E se ficasse inválido? Não, ela não poderia muito com Frank. Nem com nada nem ninguém além dela própria. Metade do que ganhava todo mês era enviado a Will, para cuidar de Tara; outra parte era entregue a Rhett, para pagar o empréstimo; e o que sobrava ela guardava. Não guardava o dinheiro no banco, com medo de que falisse ou de que os ianques confiscassem tudo; carregava as notas escondidas no corpete, fazia rolinhos com outras e os espalhava em cantos ocultos da casa. Frank, Pitty e os criados aguentavam seus acessos de raiva com resignada gentileza, atribuindo-os ao estado de gravidez, sem nunca perceber o verdadeiro motivo. Frank sentia-se constrangido com a postura da mulher, mas sabia que, depois da chegada do bebê, ela voltaria a ser a mesma moça doce e gentil que ele cortejara. Ninguém parecia notar o que se apossava dela, o que a deixava tão ensandecida: a preocupação de deixar tudo em ordem antes que precisasse se recolher, juntar o máximo de dinheiro possível caso uma desgraça se abatesse novamente sobre ela. O dinheiro se tornara uma obsessão, o único pensamento que rondava sua mente.

"Morte, impostos e bebês. Sempre inconvenientes! Não importa quando."

* * *

Atlanta ficara escandalizada quando Scarlett, uma mulher, começou a administrar a serraria, mas, com o passar do tempo, a cidade se acostumou com o fato de que não haveria limites para ela. A conduta imoral nos negócios chocava, especialmente sendo ela filha de uma Robillard, e ainda mais chocante era o fato de Scarlett andar pelas ruas estando grávida. A simples suspeita da gravidez bastaria para que nenhuma mulher branca de respeito se atrevesse a sair de casa, e poucas negras na mesma condição o fariam. Indignada, a senhora Merriwether declarou que, a julgar como Scarlett vinha agindo, ela provavelmente daria à luz nas ruas. Mas essas críticas nem sequer se comparavam ao mexerico que corria pela cidade de que Scarlett vinha negociando com ianques e, pior, parecia gostar disso! A própria senhora Merriwether e tantos outros sulistas vinham fazendo negócios com os recém-chegados do Norte, mas a diferença é que detestavam, faziam-no por necessidade. Alguns acreditavam que Scarlett seria capaz até de os chamar para tomar um chá na casa dela, não fosse por tia Pitty e Frank. Ela sabia que a cidade comentava a seu respeito, mas não se importava. Continuava detestando os ianques com a mesma ira do dia em que tentaram incendiar Tara, mas conseguia dissimular o ódio em nome dos negócios. Um dia, quando fosse muito rica e seu dinheiro estivesse bem longe do alcance dos ianques, aí, nesse dia, poderia dizer a eles o que pensava e quanto os odiava. Logo descobriu que não seria difícil se aproximar dos soldados ianques; eram criaturas solitárias, tratadas com hostilidade pela maioria e carentes do contato feminino, pois todas as mulheres de respeito desviavam deles e até seriam capazes de cuspir quando encontravam um. Somente as prostitutas e os pretos os tratavam bem. A postura acolhedora de Scarlett lhe rendera muitos lucros, pois vários desses oficiais, sem saber por quanto tempo ficariam em Atlanta, trouxeram as esposas e a família e, com a lotação dos hotéis e das pensões, estavam construindo pequenas casas e preferiam comprar madeira da graciosa senhora Kennedy, que os tratava com muito mais cortesia que a maioria do pessoal da cidade. E o mesmo acontecia em relação aos *carpetbaggers* e os *scallawags*, que, com o dinheiro que tinham, construíram belas casas e hotéis.

Relacionar-se com os soldados ianques foi muito mais fácil do que Scarlett imaginara, pois todos pareciam encantados com as sulistas, mas não se pode dizer o mesmo em relação às esposas deles, com quem Scarlett não fazia a menor questão de manter contato e evitava encontrar, sempre que possível. Muitas vezes, quando a charrete de Scarlett parava em frente à casa de um ianque e ela descia para falar de pilastras e sarrafos com o marido, a esposa aparecia para participar da conversa ou a convidava para tomar uma xícara de chá. Por mais que a desagradasse, Scarlett dificilmente recusava o convite, enxergando ali uma oportunidade para sutilmente sugerir à família que fizesse compras na loja de Frank. Todavia, as perguntas pessoais e a atitude presunçosa e condescendente em relação a tudo que envolvia os sulistas quase a fizeram perder o controle, muitas vezes.

Tomando *A cabana do Pai Tomás*[10] como revelação menos importante apenas que a Bíblia, essas mulheres queriam saber dos cães de caça que os sulistas punham para correr atrás dos pretos e nunca acreditavam quando Scarlett dizia ter visto um cachorro desses apenas uma vez na vida, e que era um bichinho dócil e meigo. Perguntavam também sobre os ferros que os fazendeiros usavam para marcar o rosto dos pretos e do chicote de nove tiras com que os sulistas açoitavam os escravos até a morte, e mostraram interesse nojento pelo concubinato escravo. Qualquer mulher de Atlanta teria tido um ataque de raiva diante de tanta ignorância e desprezo, mas Scarlett conseguiu se controlar e as ofensas a seu estado, às pessoas e a seus costumes não a abalaram o suficiente para reagir; afinal, aquelas mulheres eram ianques e de ianques não se poderia esperar nada diferente. Certa tarde, enquanto voltava para casa com tio Peter conduzindo a carruagem, passaram em frente a uma casa onde havia famílias de três oficiais clientes da serraria de Scarlett. Três esposas que estavam na calçada acenaram para Scarlett e vieram cumprimentá-la com aquele sotaque ianque que ela tanto detestava. Uma delas, pedindo ajuda a Scarlett, perguntou se ela sabia como poderia conseguir uma babá para o filho.

---

[10] Referência à obra *Uncle Tom's Cabin*, escrita por Harriet Beecher Stowe, cujo personagem principal é um escravo negro, humilde e religioso. O abolicionismo é um dos temas presentes nesse livro publicado em 1851 e que teve grande repercussão nos Estados Unidos. (N.T.)

– Ah, não vai ser difícil conseguir uma – respondeu Scarlett, sorrindo. – Se conseguir encontrar uma escurinha do campo que não tenha sido contaminada pelo Departamento dos Libertos, vai ter a melhor criada que poderia encontrar. Basta ficar aí em frente ao portão e perguntar para cada preta que passar... tenho certeza de que...

As três mulheres exclamaram indignadas.

– Acha que eu confiaria meu filho nas mãos de uma escurinha? – redarguiu a esposa de Maine. – Quero uma boa moça irlandesa. Uma negrinha na minha casa? Deus me livre! Eu não colocaria uma na minha casa jamais! Não confiaria nenhuma nem debaixo dos meus olhos, que dirá segurando meu filho no colo...

Scarlett pensou nas mãos macias e prestativas de mammy, calejadas de tanto cuidar de Ellen, da própria Scarlett e de Wade. E o que essas estranhas conheciam das mãos negras? Não sabiam quão prestativas eram, reconfortantes, capazes de acalmar, acalentar, afagar?

– É estranho ouvir isso logo de vocês, que os libertaram.

– Deus me livre! Eu mesmo não, queridinha – resmungou a esposa de Maine. – Nunca tinha visto um neguinho antes de vir para o Sul e não ligo nem um pouco se não voltar a ver outro. Eles me dão calafrios. Não confiaria em nenhum deles. Olha só esse neguinho velho aí empinado feito um sapo – prosseguiu, apontando em direção a tio Peter. – Aposto que é seu bichinho de estimação faz tempo. Vocês do Sul não sabem como tratar esses escurinhos. Mimam eles demais!

Peter prendeu a respiração e franziu o cenho, mas em nenhum momento tirou os olhos do cavalo. Nunca na vida fora chamado de "escurinho" por uma pessoa branca. Por outros pretos, sim. Mas nunca por um branco. E ainda fora chamado de "bichinho de estimação", logo ele, Peter, havia anos o pilar principal da família Hamilton!

Scarlett sentiu, mais do que viu, o queixo negro começar a tremer, o orgulho ferido de Peter, e uma sensação de cólera irrompeu dentro dela, que suportara muitas ofensas, acusações, mas saber que aquelas mulheres tinham ofendido aquele escravo tão leal, tão dedicado, com comentários estúpidos, acendeu a raiva nela feito um fósforo em contato com a pólvora.

– Tio Peter faz parte da família. Boa tarde. Vamos embora, Peter.

Foi tudo que conseguiu dizer com a voz trêmula. Aquelas insolentes, ignorantes, conquistadoras arrogantes mereciam a morte. Mas ainda não chegara o tempo em que poderia dizer aos ianques o que pensava deles. Um dia, sim. Um dia. Ah, Deus, um dia! Mas não ainda.

Perguntaram como ele poderia ser da família tendo aquela cor. Scarlett viu uma lágrima escorrendo pela narina de Peter. Partiram em disparada. No caminho, Peter disse a Scarlett que ninguém nunca o chamara daquele jeito e que o falecido coronel Hamilton deixara sob sua confiança a família toda, inclusive tia Pittypat. Scarlett disse que ninguém além dele poderia ter cuidado melhor da família. Prosseguiram o caminho calados. Quando Peter rompeu o silêncio, queixou-se de uma dor nas costas, falou que tia Pittypat não gostaria nada de saber daquela conversa, e Scarlett tentou apaziguar as coisas alegando que o tinha defendido, que dissera que ele fazia parte da família, mas Peter refutou dizendo que ela permitira que aquelas mulheres o insultassem.

– Issu num é defendê, sinhá. É só dizê a verdade – afirmou. – Sinhá Scarlett, vois micê num tem que ficá fazenu negócio com ianque. Nenhuma muié boa faiz isso. Sinhá Pitty nunca que ia fazê uma coisa dessa. E ela num vai gostá de sabê dessa cunversa, nem vai querê eu levanu a sinhá pra cima e pra baixo de charrete... Sinhá Scarlett, num adianta nada a sinhá se dá bem com os ianque e os brancu ordinário se os da famia num aprová a sinhá.

A última frase de Peter resumiu a situação de forma exímia, tanto que Scarlett entrou em uma espécie de transe durante um silêncio perturbador. Sim, Peter tinha razão. Ela sabia bem o que andavam falando dela pela cidade. E agora até Peter reprovava seu comportamento, a ponto de não querer aparecer em público ao lado dela. Era a gota d'água. Até então, Scarlett não dera a menor importância para o que diziam dela, e até desdenhava dos comentários. Mas as palavras de Peter lhe causaram profunda dor. Não confiar em uma escurinha! Scarlett confiava neles mais que na maioria dos brancos e muito mais que confiava em um ianque! Nada se comparava à lealdade, ao vigor e ao amor deles. Ela pensou em Dilcey trabalhando nos campos de algodão ao lado dela; em Pork, arriscando a própria vida para lhes arranjar o que comer; e em mammy acompanhando-a a Atlanta para impedi-la de tomar decisões erradas.

Peter tinha razão em tudo. Tia Pitty, de fato, não gostou nada de saber do que acontecera, e a dor da qual ele se queixara piorou a ponto de impedi--lo de voltar a conduzir a charrete. A partir de então, Scarlett passou a dirigir o veículo sozinha, e os calos nas mãos, que até então tinham sumido, voltaram a aparecer.

E assim os meses de primavera se foram, e as chuvas e o frescor de abril deram lugar ao clima quente e balsâmico de maio. As semanas estavam cada vez mais carregadas de trabalho, preocupação e das limitações da gravidez. Scarlett via os amigos antigos se afastarem cada vez mais e a família se tornara incrivelmente mais gentil, notavelmente mais cortês, enlouquecidamente mais solícita e cada vez mais cega ao que se passava com ela. Durante esses dias de ansiedade e luta, havia apenas uma pessoa leal e compreensiva nesse mundo, e essa pessoa era Rhett Butler, que continuava com suas misteriosas viagens a Nova Orleans, cuja motivação ele não revelava, mas que Scarlett sentia, e com certo ciúme, ser uma mulher. Mas depois que tio Peter se recusou a levar Scarlett de charrete, Rhett passava mais tempo em Atlanta e, nessas estadas, ficava a maior parte do tempo na casa de jogos da sobreloja do Period Saloon, ou no bar de Belle Watling, com os abastados dos ianques e dos *carpetbaggers*, confabulando sobre como ganhar dinheiro, o que alimentava ainda mais o ódio dos moradores da cidade. Rhett deixou de visitar Scarlett em casa, provavelmente em deferência a Frank e Pitty, que teriam se indignado com a presença dele, considerando a condição delicada de Scarlett. Mas ela o encontrava quase todos os dias, e, quando isso acontecia, ele lhe tomava as rédeas do cavalo e levava a charrete. Nos últimos dias, embora não fosse fácil admitir, Scarlett se cansava mais rápido, então, quando o encontrava, ficava aliviada. Rhett sempre a deixava antes de se aproximarem muito da casa, mesmo assim Atlanta comentava da aparição dos dois juntos, como se não bastante a longa lista de motivos pelos quais comentavam a respeito da conduta de Scarlett.

Ela sempre se perguntava se esses encontros eram mesmo acidentais. Qualquer que fosse o motivo, Rhett sempre escutava as queixas de Scarlett quanto a clientes que se foram, às dívidas, às trapaças do senhor Johnson e à incompetência de Hugh. Rhett aplaudia os triunfos de Scarlett, enquanto tudo que Frank sabia fazer era sorrir, e tia Pitty exclamava: "Ai, meu Deus!". Quando Rhett subia na charrete e tomava as rédeas das mãos de Scarlett, ela se sentia jovem e atraente de novo, apesar de todas as preocupações e do peso cada vez maior. Com ele, ela poderia conversar sobre quase tudo, sem ter de se preocupar em esconder seus verdadeiros motivos, tampouco sua verdadeira opinião. Certo dia, em uma dessas conversas, falaram sobre o modo terrível com que a cidade tratava Scarlett, sobre o fato de ela gostar de trabalhar, contrariando a opinião pública de que a mulher deveria ficar em casa. Rhett comentou que gostar de dinheiro tinha suas consequências, entre elas a solidão. Scarlett refletiu e concordou, pelo menos no que se referia à companhia feminina. Nos anos da guerra, ela podia visitar Ellen quando se sentia só. E, desde a morte da mãe, podia contar com Melanie, embora as duas não tivessem nada em comum, a não ser o trabalho duro em Tara, e, quanto à tia Pitty, a referida senhora não fazia ideia do que era a vida para além de sua pequena redoma de mexericos.

– Eu acho... – disse ela hesitante. – Acho que sempre fui sozinha... Pelo menos em relação às mulheres. Não é só por causa do meu trabalho que as mulheres de Atlanta me detestam. Elas simplesmente não gostam de mim. Nenhuma mulher nunca gostou de mim de verdade, exceto minha mãe. Nem minhas irmãs gostam de mim. Não sei por que, mas, mesmo antes da guerra, antes de me casar com Charlie, o que faço ou fiz nunca pareceu agradar às mulheres...

– Entenda, você precisa se decidir. Se você é uma pessoa diferente, vai ficar isolada, não só das pessoas com a mesma idade que você, mas das que pertencem à geração dos seus pais e à dos seus filhos também. Nunca vão entendê-la e sempre ficarão chocados com o que fizer, não importa o que seja. Mas seus avós provavelmente sentirão orgulho de você e dirão: "tal avó, tal neta!", e seus netos vão invejar você, vão tentar imitá-la.

Rhett tinha razão. Scarlett recordou-se de quando a mãe a comparava à vovó Robillard, que se casou três vezes, foi motivo de inúmeros duelos, usava ruge, vestidos com decotes enormes e... quase nada debaixo deles. Naquela mesma conversa, Scarlett soube que o avô de Rhett fora pirata dos mais impiedosos, o tipo obcecado por dinheiro, que vivia embriagado e morrera durante uma briga em um bar. Rhett contou que sempre procurara imitar o avô, muito mais que ao próprio pai, sujeito preocupado com a honra e a moral. Também naquela mesma conversa, Scarlett se sentiu enjoada durante o percurso, e Rhett parou o cavalo de repente, lhe ofereceu dois lenços e segurou a cabeça dela. Depois de vomitar, Scarlett escondeu o rosto entre as mãos e chorou de constrangimento, não só por ter vomitado diante de um homem, mas também pelo fato de ter revelado sua gravidez. Para ocultar sua condição, sempre que subia na charrete, Scarlett se cobria com uma colcha.

– Não seja boba – disse Rhett com a voz branda. – E que bobagem chorar de vergonha. Ora, Scarlett, não aja como uma criança. Deve saber que não sou cego... Eu sabia da sua gravidez.

Scarlett soltou um "Ah", com a voz abafada e os dedos cravados no rosto constrangido. A palavra em si a aterrorizava. Frank sempre se referia à gravidez como "sua condição", e com muita vergonha, e Gerald costumava dizer que ela estava "fazendo a família aumentar" quando se referia a esse assunto.

– Não está orgulhosa porque vai ter um filho? – perguntou Rhett.

– Ah, meu Deus, não! Eu... eu... detesto bebês!

– Você quis dizer... o bebê de Frank?

– Não... qualquer bebê.

– Então, nesse ponto, somos diferentes. Gosto de criança.

– Gosta? – exclamou ela, tirando as mãos do rosto, tão perplexa com o que ouvira que até se esquecera da vergonha. – Mentiroso!

– Gosto de bebês e de criança pequena também, até eles começarem a crescer e ficarem parecidos com os adultos... Começam a mentir, trair, trapacear... Não sei por que se surpreende. Você sabe que gosto muito do Wade, por mais que ele não seja o menino que deveria ser.

"Isso é verdade", pensou Scarlett, maravilhada com a constatação. Rhett de fato parecia gostar de brincar com Wade e sempre lhe trazia presentes. Rhett aproveitou o momento para alertá-la sobre duas coisas. Primeiro, que era muito perigoso dirigir sozinha, pois corria muitos riscos, entre eles o de ser atacada e estuprada. De acordo com Rhett, se a Ku Klux Klan desse fim a muitos outros pretos, os ianques fechariam o cerco contra Atlanta a ponto de fazer Sherman parecer um anjo. Segundo, o cavalo que levava a charrete de Scarlett era muito teimoso e tinha a boca tão dura quanto ferro, por isso ela e o bebê corriam risco de morte caso atolassem em uma vala ou algo assim. Então, Rhett sugeriu que ela arranjasse outro freio ou deixasse que ele próprio conseguisse um cavalo de boca mais maleável.

Chegando a certo ponto da estrada, Rhett saltou da charrete, desatrelou o cavalo dele, preso na traseira do veículo de Scarlett, e ficou ali, parado, sob a luz tênue do entardecer, sorrindo de um jeito provocador enquanto ela partia. Scarlett não pôde evitar e sorriu de volta, prosseguiu e seguiu caminho. Sim, Rhett era grosseiro, trapaceiro, imprevisível, mas era sobretudo... estimulante. Tanto quanto uma dose de conhaque!

Nos últimos meses, Scarlett descobrira a utilidade do conhaque. Ao chegar em casa ao final da tarde, ensopada por conta da chuva e dolorida depois das longas horas na charrete, nada a confortava a não ser a garrafa escondida na gaveta de uma cômoda, trancada para não correr o risco de ser pega pelo olhar investigativo de mammy. O doutor Meade nem considerara a hipótese de adverti-la de que uma mulher em suas condições não deveria beber, pois nunca ocorrera ao médico que uma mulher decente poderia ingerir algo mais forte que um vinho branco. Claro que, para a desgraça de suas famílias, havia mulheres que bebiam, assim como havia mulheres ruins do juízo, desquitadas ou que acreditavam, caso da senhorita Susan B. Anthony, por exemplo, que mulheres deveriam ter o direito ao voto. Mas, por mais que o doutor Meade reprovasse o comportamento de Scarlett, jamais suspeitara de sua bebedeira.

Scarlett descobriu que uma boa dose de conhaque antes do jantar a ajudava incomensuravelmente e ela sempre mascava grão de café ou fazia gargarejo com água de colônia para disfarçar o cheiro. Por que as pessoas encrencavam tanto com mulheres que bebiam, quando os homens podiam se embebedar como bem quisessem? Às vezes, enquanto Frank roncava ao lado dela e o sono não vinha, enquanto se via deitava ali, desesperada, com medo da pobreza, dos ianques, com saudade imensa de Tara e, maior ainda, de Ashley, Scarlett pensava que, não fosse pelo conhaque, já teria enlouquecido. Depois de três goles, sempre conseguia dizer a si mesma: "Vou pensar nessas coisas amanhã". Mas havia noites em que nem mesmo o conhaque era capaz de abrandar a dor, o medo de perder a serraria, a vontade de visitar Tara. Atlanta, com todo seu ruído, prédios novos, rostos estranhos, ruas abarrotadas de cavalos e charretes, às vezes a sufocava. Amava Atlanta, mas... ah! Aquela sensação de paz e quietude do interior, a terra vermelha e os pinheiros de Tara! Ah, voltar para Tara, por mais que a vida fosse difícil! E ficar perto de Ashley, mesmo que fosse apenas para vê-lo, para vê-lo falar... Vou para casa em junho. Em junho, não poderei fazer mais nada por aqui. "Ficarei em casa alguns meses", pensou, sentindo o coração bater mais forte. Ela realmente foi para casa em junho, mas não porque queria; no início desse mês, chegou uma breve mensagem de Will contando que Gerald falecera.

Capítulo 39

Scarlett chegou a Jonesboro em um trem atrasado e sob o azul intenso do crepúsculo de junho. A estrada empoeirada estava vazia e sem vida, e o único barulho que se ouvia pelo vilarejo eram alguns gritos e risadas embriagadas que irrompiam dos *saloons* e flutuavam pelo ar crepuscular, chegando às ruas. Casas com o teto destruído por conta das bombas e paredes fragmentadas encontravam-se entre o silêncio e o escuro. Em frente à loja da Bullard, havia um ou outro cavalo e algumas mulas encilhadas. A estação não fora reconstruída desde o incêndio e a única coisa que a protegia eram algumas toras de madeira que sustentavam um teto improvisado, nada mais. Scarlett sentou-se em um dos barris que obviamente estavam ali para substituir os assentos e esperou por Will Benteen. Ele deveria estar ali. Com certeza, sabia que Scarlett pegaria o primeiro trem assim que recebesse a notícia da morte de Gerald.

Ela deixara Atlanta às pressas, tanto que só houve tempo para trazer uma bolsa de mão com uma camisola e a escova de dentes, nem uma peça sequer de roupa íntima. Pegara emprestado o vestido preto de luto da senhora Meade e sentia-se desconfortável nele, estava muito apertado, pois a senhora Meade emagrecera, e o estágio avançado da gravidez de

Scarlett tornava a peça duplamente desconfortável. Mesmo entristecida com a morte do pai, não deixava de se queixar da própria aparência, percebendo que as curvas tinham sumido, o rosto e os calcanhares estavam inchados. Preocupava-se sobretudo porque, em breve, encontraria Ashley e ele a veria naquele estado, carregando o filho de outro homem. Amava Ashley e ele a amava, e essa criança indesejada parecia agora uma prova de infidelidade. Impaciente, percutindo o pé no chão, continuava aguardando Will, sem querer ir à loja pedir a alguém que a levasse a Tara, pois, provavelmente, metade dos homens do condado estaria lá e a veriam naquele estado. Além do mais, teria de receber votos de pêsames pela morte do pai e não desejava a compaixão de ninguém. Tinha medo de começar a chorar caso alguém tocasse no nome do pai. E ela não choraria. Não, não choraria! Mas porque ninguém, Will ou Melanie, ou alguma das meninas, lhe escrevera para contar que Gerald não estava bem? Cambada de inúteis! Todos! Não conseguiam cuidar de nada sozinhos? Precisavam dela o tempo todo?

Escutando alguns passos no carvão da ferrovia, ela olhou para trás e viu Alex Fontaine caminhando em direção a uma carroça, com um saco de aveia nos ombros.

– Meu Deus! Scarlett, é você? – exclamou ele, deixando o saco escorregar até o chão, apressando-se para apertar a mão dela, visivelmente feliz. – Estou tão contente de encontrá-la! Encontrei Will no ferreiro, mandou ferrar o cavalo. Como o trem estava atrasado, ele achou que daria tempo. Quer que vá atrás dele?

– Sim, por favor, Alex – pediu Scarlett, sorrindo apesar da dor. Como era bom reencontrar um conhecido.

Alex aproveitou para expressar os pêsames pela morte de Gerald, e Scarlett agradeceu, preferindo que ele não tivesse tocado no assunto. Alex prosseguiu:

– Não sei se pode lhe servir de conforto, Scarlett, mas todos aqui estamos muito orgulhosos dele. – Ele soltou a mão dela. – Ele... bem, acreditamos que ele morreu como um soldado.

"O que Alex queria dizer com isso?", pensou Scarlett, confusa. Um soldado? Teria o pai levado um tiro? Teria se metido em alguma encrenca com *scallawags*, como Tony? Scarlett novamente pediu a Alex para não falarem sobre o assunto, ele disse que compreendia, mas depois acrescentou:

– Se fosse minha irmã, eu teria... bom, Scarlett, eu jamais usei nenhuma palavra grosseira contra nenhuma mulher, mas, cá entre nós, acho que Suellen merecia umas chicotadas.

Que bobagem era essa agora? E o que Suellen tinha a ver com isso tudo? Como Scarlett queria que Alex não a olhasse de forma tão direta. Ela sentia que ele reparara na gravidez, e isso a constrangia. Mas, a bem da verdade, Alex observava quão o rosto dela mudara, talvez pela gravidez? Sim, as mulheres nessas condições pareciam o demônio. Mas havia algo a mais na fisionomia dela. Scarlett tinha cara de quem vinha fazendo três refeições por dia. Além disso, o medo e o desespero haviam desaparecido, e surgiu um quê de autoridade no olhar dela, mesmo quando sorria. Continuava uma mulher muito bonita, com toda certeza, mas toda a meiguice e doçura se foram. Ora, ninguém ali continuava o mesmo. À noite, já deitado, mas acordado, o próprio Alex pensava em como a mãe conseguiria fazer aquela cirurgia, se o filho do pobre Joe falecido conseguiria estudar, e em como ele, Alex, conseguiria comprar outra mula. Nessas horas, desejava que a guerra não tivesse terminado. Naquela época, eram felizes e não sabiam. No Exército, havia sempre o que comer, nem que fosse broa de milho. E também pensava em Dimity Munroe. Queria se casar com ela, mas com tantos que já dependiam dele sabia que não poderia. Se ao menos Tony não tivesse fugido para o Texas... Um homem a mais na casa faria toda a diferença. Alex aproveitou o momento para agradecer ao que ela e o marido fizeram pelo irmão, perguntou-lhe se devia algum dinheiro, e Scarlett respondeu que não. Quando Alex estava prestes a partir para chamar Will, ele apareceu, saltou carroça e cumprimentou Scarlett com um beijo na bochecha.

– Desculpe-me o atraso, Scarlett.

Will nunca a beijara antes, nunca a chamara pelo nome, apenas como "senhorita". Apesar de ela estranhar o tratamento, o gesto confortou e acalentou seu coração. Ela reparou que a carroça de Will era a mesma com que ela, Scarlett, viera de Atlanta, e a memória daquela noite terrível lhe trouxe um sentimento ruim. Mesmo que lhe custasse um par de sapatos ou comida da mesa de tia Pittypat, Scarlett daria um jeito de arranjar uma carroça nova e mandaria queimar essa.

A princípio, para alívio de Scarlett, Will não disse mais nada, apenas jogou o chapéu de palha no fundo da carroça, pegou as rédeas do cavalo e eles partiram. Enquanto seguiam caminho em direção a Tara, Scarlett se perguntava como conseguira passar tanto tempo sem sentir o ar fresco dos campos, o cheiro da terra arada e a doçura inebriante das noites de verão. O cheiro da terra úmida era tão bom, tão familiar, tão acolhedor que Scarlett sentiu vontade de descer e pegar um punhado com as próprias mãos. A madressilva que acortinava a encosta vermelha da estrada, formando um emaranhado verdejante, exalava um perfume intenso, como sempre tão aromático após a chuva, a fragrância mais doce que havia no mundo. Em meio a essas sensações, Will rompeu o silêncio e disse que contaria tudo a Scarlett, mas que antes precisava pedir consentimento dela em relação a uma questão, já que ela, Scarlett, era a chefe da família O'Hara agora.

Will contou que precisava da autorização dela para se casar com Suellen. Scarlett ficou chocada, pois sabia que ele tinha uma queda por Carreen. Scarlett soube por Will as coisas que haviam se passado em Tara desde que ela voltara para Atlanta. Carreen nunca esquecera o falecido por quem um dia se apaixonara e estava se preparando para ir morar em um convento, em Charleston; Melanie e Ashley pretendiam ir embora, pois ali não era a casa deles, e Ashley, por mais que tentasse, não era fazendeiro, não nascera para o trabalho no campo e pretendia arranjar outra ocupação; Suellen, nas palavras de Will, "precisava de um marido e de filhos, como toda mulher precisa", e ele, Will, que amava cada tijolo de Tara como a própria casa, sem nunca ter conhecido outro lugar para chamar como tal, não poderia morar sozinho ali, sem se casar com Suellen. Tentando processar tudo aquilo, imaginar a irmã como freira, a queixosa Suellen se casando com um rapaz como Will, a notícia que mais abalou Scarlett foi a da partida de Ashley.

– Ashley quer arranjar outro trabalho? Que trabalho? Onde? – indagou ela.

– Não sei exatamente o que ele pretende fazer, mas ele disse que está indo para o Norte. Tem um amigo ianque em Nova Iorque que escreveu falando sobre trabalhar em um banco por lá.

– Ah, não! – exclamou Scarlett com toda força, e o grito fez Will a olhar daquele mesmo jeito de antes.

– Talvez seja melhor que ele vá para o Norte mesmo.

Ashley não poderia ir para o Norte! Scarlett pensou em muitas possibilidades para evitar aquilo. Falaria com Frank, pediria a ele que dispensasse o balconista da loja, mas não... Ashley trabalhando como balconista? Um Wilkes balconista? Ah, não, nunca! Deveria haver outra solução... A serraria, claro! Mas será que Ashley aceitaria a oferta? Veria isso como caridade? Scarlett demitiria o senhor Johnson e colocaria Ashley para cuidar da serraria enquanto Hugh cuidaria da outra. Pensaria nisso depois. Perguntou a Will o que se passou com Suellen, pois Alex dissera que a irmã merecia umas chicotadas. Will, então, contou toda a história.

Jonesboro inteira dizia que, da próxima vez que a encontrasse, fingiria não a conhecer. Aos poucos, com Scarlett cada vez mais afoita pelo desenrolar da conversa, Will contou que todos em Tara estavam satisfeitos com o que podiam fazer com o dinheiro que Scarlett mandava; todos, menos Suellen, que, além de não se contentar com os vestidos velhos e maltrapilhos, nunca aceitara o casamento de Scarlett com Frank. Depois de certa visita que fizera à senhorita Cathleen Calvert, Suellen começou a elogiar a inteligência de Hilton, visto por todos como um covarde calhorda. Depois desse dia, Suellen começou a levar o pai para passear a pé, à tarde, e Will, em uma tarde, enquanto voltava do campo, viu Suellen sentada ao lado do pai, no muro do campo-santo, gesticulando, vociferando. Outra dia, encontrou os dois por ali, ela apontando para o túmulo da mãe e Gerald chorando. Pouco tempo depois, Will soube que Suellen contara a Melanie seus planos de fazer os ianques pagarem pelo algodão que haviam queimado. O governo ianque vinha oferecendo indenização aos sulistas simpatizantes da União cujas propriedades foram destruídas durante a guerra. Durante uma visita, Suellen notara as roupas finas que a senhora MacIntosh vinha usando e soube por meio dela que os MacIntosh tinham recebido uma indenização do governo federal. Seguindo os conselhos de Hilton, e os argumentos de que Gerald nem sequer nascera ali, não lutara na guerra e nem filhos homens tinha, Suellen começou a tentar convencer o pai a fazer o juramento de lealdade, requisito para receber a indenização. Scarlett sabia, e como sabia, que o pai jamais aceitaria fazer um juramento como esse. Todavia, como bem destacou Will, Gerald não estava bem da cabeça, e Suellen sabia bem disso.

A quantia oferecida pelos ianques era alta: cinquenta mil dólares. E bastaria um juramento de lealdade aos Estados Unidos, um juramento atestando que o signatário sempre apoiara o governo e nunca apoiara nem ajudara os inimigos. Scarlett ficou assombrada com a quantia. Tanto dinheiro em troca de uma mentirinha boba! Ora, Scarlett não poderia condenar a irmã. Mas seria por isso que o condado todo vinha julgando Suellen? Will descobriu que o patife de Hilton, que tinha influência tanto sobre os *scallawags* quanto sobre os republicanos da cidade, propôs a Suellen que lhe desse parte desse dinheiro. No dia anterior, viram Suellen subindo na carroça acompanhada do pai. Melanie desconfiava do que poderia acontecer, mas jamais imaginou que Suellen teria coragem de levar o plano até o fim. Tudo que Gerald precisava era fazer o juramento e assinar o documento que iria para Washington. Recitaram o juramento depressa, e tudo correu como Suellen e Hilton queriam, até o momento da assinatura, quando Gerald pareceu cair em si e se recusou a assinar o documento. O gesto despertou a ira de Suellen de tal modo que ela arrancou o pai do gabinete e começou a andar com ele de carroça para cima e para baixo, dizendo que Ellen estava chorando no túmulo ao vê-lo se recusar a ajudar as filhas. Will soube que Gerald chorava feito um bebê na carroça, como sempre fazia quando escutava o nome de Ellen. Todos na cidade presenciaram a cena, e Alex Fontaine foi até ela para saber o que estava acontecendo, mas ela esbravejou e disse que aquilo não era da conta dele. Voltando para casa, Suellen pegou uma garrafa de conhaque, levou o pai de volta para o gabinete e começou a servi-lo. Fazia um ano que ninguém ingeria bebida forte ali, inclusive o próprio Gerald, que se embriagou de verdade e, depois de tanto ouvir Suellen falar, concordou em assinar o tal documento. Fizeram o juramento de novo, mas quando Gerald estava com a caneta na mão, prestes a assinar, Suellen cometeu um erro; disse que dali em diante os Slattery e os MacIntosh não poderiam mais se vangloriar nem andar de nariz empinado na frente deles. Ao ouvir esses nomes, como Will soube, Gerald endireitou o corpo, estufou o peito e os ombros e perguntou:

– Os Slattery e os MacIntosh assinaram o mesmo documento que vou assinar? Me digam! Aquele maldito *orange* e aquele desgraçado branco pobretão assinaram isso?

– Sim, senhor, assinaram e receberam uma ótima quantia em dinheiro. Como o senhor vai receber – respondeu Hilton.

Disseram que um brado semelhante ao de um touro irrompeu da garganta do antigo cavalheiro, e Alex Fontaine, na rua, perto do *saloon*, o ouviu dizer:

– E vocês, aí, acharam que um O'Hara de Tara seguiria os passos nojentos de um maldito *orange* e de um desgraçado branco pobretão? – Depois disso, Gerald rasgou o papel, o arremessou na cara de Suellen e disse: – Você não é minha filha!

Deixando o gabinete trôpego, Gerald encontrou a rua, viu ali o cavalo de Alex, montou no animal sem pedir permissão e partiu a todo galope. Em Tara, enquanto Ashley e Will aguardavam na varanda, atentos e preocupados, e Melanie ficara no quarto, aos prantos, avistaram Gerald, cantando bem alto *Peg in a low-backed car*, fustigando o cavalo com o próprio chapéu, tanto que o bicho galopava feito louco. Ao perceberem que Gerald ia saltar a cerca, Ashley e Will levantaram-se em um pulo.

– Olhe só, Ellen! Olhe como vou pular essa! – exclamou Gerald.

Mas o cavalo parou de repente e arremessou o corpo de Gerald longe. O pai de Scarlett não sofreu nada. Já estava morto quando Ashley e Will vieram socorrê-lo.

– Acho que com a queda quebrou o pescoço – explicou Will.

Ele fez silêncio, esperando que Scarlett dissesse algo. Mas ela não disse nada.

Capítulo 40

Scarlett mal conseguiu dormir naquela noite. Ao amanhecer, levantou-se da revirada cama, sentou-se em um banquinho perto da janela, apoiou a cabeça no próprio braço e ficou observando o pátio e o pomar, na direção dos campos de algodão. O clima fresco, orvalhado, silencioso, a atmosfera verdejante e a paisagem dos campos de algodão trouxeram certa dose de bálsamo e conforto para o coração dilacerado. Tudo estava muito bem-cuidado. O galinheiro de madeira estava devidamente protegido contra ratos e doninhas, limpo e caiado, tal como o estábulo. Fileiras de milho, abóbora, feijão-manteiga e nabos preenchiam a horta, protegidas por estacas de carvalho. O coração de Scarlett se embeveceu de gratidão e carinho por Will, que cuidara de tudo aquilo. Ashley não teria conseguido o mesmo, pois o trabalho do campo jamais poderia ser obra de um aristocrata, mas de um "pequeno fazendeiro" que amava sua terra. O coração de Scarlett palpitou quando se lembrou de quanto Tara estivera perto de se tornar um matagal infértil. Sim, ela e Will fizeram um bom trabalho. Venceram os ianques, os *carpetbaggers* e a intromissão da natureza. E, o melhor de tudo, Will dissera a Scarlett que, após a colheita do algodão, no outono, ela não precisaria mais enviar dinheiro, a menos que algum outro aproveitador pusesse os olhos em Tara e subisse injustamente os impostos da propriedade. Scarlett sabia que Will teria de se esforçar muito para se manter sem a ajuda dela, mas, ainda assim, admirava e respeitava a atitude e a independência dele. Enquanto ocupava a posição de assistente contratado, aceitaria o dinheiro dela, mas, agora que estava prestes a se tornar seu cunhado e homem da casa, pretendia sobreviver por conta própria. Sim, Will fora uma verdadeira providência divina.

Pork cavara a cova na noite anterior, ao lado do sepulcro de Ellen, e lá estava o criado, de pé, com a pá na mão, atrás da pilha de terra vermelha e úmida que, em breve, seria posta de volta no mesmo lugar. Scarlett ficou atrás dele, à sombra de um galho baixo e sinuoso do cedro, tentando se proteger do sol quente e evitando olhar para a cova vermelha bem ali à frente dela. Jim Tarleton, o pequeno Hugh Munroe, Alex Fontaine e o neto mais novo de McRae traziam o caixão de Gerald, sustentado por duas tábuas compridas de carvalho. Logo atrás deles, a uma distância respeitosa, vinha uma multidão de vizinhos e amigos, vestidos com roupas simples, todos em silêncio. Enquanto se aproximavam, Scarlett flagrou Pork de cabeça baixa, chorando, e nesse momento percebeu alguns fios grisalhos naquele cabelo que era tão preto quanto azeviche meses antes da partida dela para Atlanta.

Exausta, agradeceu a Deus por ter derramado todas a lágrimas na noite anterior, assim poderia se manter recomposta e com os olhos secos. Os soluços de Suellen, bem atrás dela, a irritaram de tal maneira que Scarlett esteve a ponto de virar e meter um tapa naquela cara inchada. Naquela manhã, todos ignoraram Suellen. Scarlett, Carreen e até Pork receberam os pêsames dos vizinhos, mas ninguém sequer olhou para Suellen, simplesmente agindo como se ela não estivesse lá. Para aquelas pessoas, Suellen cometera um erro pior que provocar a morte do próprio pai; tentara convencê-lo a trair o Sul. Era como se ela tivesse traído a honra de todos ali. Suellen quebrara a sólida imagem do condado perante o mundo. A revolta fervilhava entre os enlutados, especialmente entre três deles: o velho McRae, amigo de Gerald desde que ele chegara ao interior de Savannah; vovó Fontaine, que o admirava porque ele era casado com Ellen; e a senhora Tarleton, que era mais próxima a Gerald que qualquer outro vizinho, porque, como ela própria dizia, ele era o único homem do condado que sabia diferenciar um garanhão de um cavalo castrado. Will e Ashley, vendo aquelas três fisionomias particularmente enfurecidas, foram ao gabinete de Ellen para conversar a sós. Ashley conhecia melhor que Will o temperamento dos vizinhos e sabia que alguns dos tiroteios que aconteciam nos tempos anteriores à guerra aconteciam devido ao hábito de se dizer algumas coisas diante do caixão dos vizinhos. E as palavras nem sempre eram ofensivas. Às vezes, mesmo os dizeres mais elogiosos eram mal interpretados.

Na ausência de um padre, Ashley teve de conduzir a cerimônia com o auxílio do livro de orações de Carreen, pois a ajuda dos pastores das igrejas metodista e batista de Jonesboro e de Fayetteville fora recusada com diplomacia. Carreen se aborrecera muito por Scarlett não ter trazido com ela um padre de Atlanta e só se contentou quando lhe disseram que ela poderia pedir a devida bênção ao falecido pai quando o padre viesse celebrar o casamento de Will e Suellen. Quanto a Will, também muito preocupado com a raiva da multidão diante da presença de Suellen, estava disposto a não permitir que ninguém a ofendesse. De comum acordo com Ashley, combinaram que ele, Will, se manifestaria tão logo Ashley encerrasse seus dizeres. Quando os carregadores acomodaram o caixão no túmulo, pela primeira vez, Scarlett se deu conta da multidão que acompanhava o enterro. Mesmo com o sistema de transporte tão restrito, havia cinquenta ou sessenta pessoas ali, e alguns vieram de tão longe que ela nem sequer imaginava como tinham conseguido chegar; famílias de Jonesboro, Fayetteville e Lovejoy, acompanhadas de alguns criados pretos; pequenos fazendeiros do outro lado do rio; brancos pobres da roça e alguns residentes do pântano. E todos os vizinhos também estavam presentes: vovó Fontaine (o velho doutor, marido dela, não estava presente porque morrera dois meses antes); Sally Munroe Fontaine, a jovem senhorita Fontaine; Cathleen Hilton veio sozinha, como era de esperar, pois o marido fora um dos que tinham contribuído para aquela tragédia. Scarlett, vendo o vestido sujo de gordura, as mãos calejadas e as unhas pretas de Cathleen, não deixou de pensar que estaria no mesmo estado que ela, não fosse o fato de ter tomado certas decisões.

Ashley deu um passo à frente, segurando o livro de orações. Por um momento, manteve-se cabisbaixo, a luz do sol resplandecendo na cabeça. Um silêncio profundo recaiu sobre a multidão. Quando Ashley começou a ler as orações, todas as cabeças se prostraram à medida que a voz ressoante e harmoniosa dele emitiu poucas e dignas palavras. Ao chegar à parte das almas no purgatório, parte essa que Carreen marcara para ele ler, Ashley interrompeu a leitura de repente e fechou o livro. Ele sabia que, entre os presentes, aqueles que já conheciam a palavra tomariam aquilo como afronta, como possível insinuação de que um homem de alma tão nobre como o senhor O'Hara não fora direto para o céu. Por isso, evitou qualquer menção ao assunto. Todas as vozes se uniram à dele na oração do Pai-Nosso, mas estranharam e vacilaram quando, ao término dessa, Ashley deu início à Ave-Maria; e todos olharam de canto para as O'Hara, Melanie e os criados de Tara quando chegaram à parte do: "Santa Maria, mãe de Deus, rogai por nós, pecadores, agora e na hora de nossa morte, amém!". Terminada a oração, Ashley ergueu a cabeça e pareceu indeciso por um instante. Todos ali esperavam que ele continuasse, pois não faziam ideia de que aquela era a frase final da oração católica. Além disso, os funerais do condado eram sempre extensos. Os pastores batistas e metodistas, que celebravam cerimônias como aquela, costumavam discursar conforme as circunstâncias e dificilmente paravam antes de verem os enlutados se debulhando em lágrimas e soluços. Ashley, ciente de que os vizinhos ficariam chocados, indignados e revoltados com aquelas duas breves orações sobre o caixão do amigo, e que o assunto seria debatido por semanas à mesa do jantar daquelas famílias, lançou um olhar pedindo desculpas a Carreen, voltou a abaixar a cabeça e começou a recitar a oração episcopal que sabia de cor e que, tantas vezes, lera sobre o caixão dos escravos de Twelve Oaks.

– "Eu sou a Ressureição e a Vida... e quem crê em mim... ainda que esteja morto, viverá."

Ashley foi se lembrando da oração aos poucos, intercalando-a com momentos de silêncio que tornavam o discurso ainda mais impressionante, e aqueles que ainda não tinham chorado começaram a procurar seus lenços. Ao terminar a oração, Ashley abriu os olhos arregalados e cinzentos e olhou para a multidão. Feita uma pausa, olhou fixamente para Will e perguntou:

– Há entre os presentes alguém que queira dizer algo?

A senhora Tarleton, agitada, começou a se mover, mas, antes que houvesse tempo hábil de se pronunciar, Will deu um passo à frente e, à cabeceira do caixão, disse:

– Amigos – começou com a fala triste e abatida. – Pode ser que alguns achem atrevimento meu tomar a palavra primeiro... logo eu, que conheci o senhor O'Hara há coisa de um ano, sendo que vocês conheciam ele havia vinte anos ou mais. Mas tenho um motivo para fazer isso. Se o senhor O'Hara tivesse vivido um mês ou mais, eu teria tido o direito de chamá-lo de pai. – Um burburinho começou a se espalhar entre a multidão. Todos olharam para Carreen, de cabeça baixa, pois sabiam que Will tinha interesse na moça. Mesmo percebendo aquele movimento, Will fingiu ignorá-lo e prosseguiu. – Sendo assim, como vou me casar com a senhorita Suellen assim que o padre chegar de Atlanta, achei que talvez isso me desse o direito de tomar a palavra primeiro.

As últimas palavras de Will se perderam no burburinho que se transformou quase em um alvoroço. A multidão zunia feito um bando de abelhas. Por um momento, a tensão pairou no ar. Mas a voz de Will falou mais alto. Ele se referiu ao senhor O'Hara como um irlandês combativo e um dos sulistas mais fiéis à Confederação que já existira. Um homem que, apesar de ter nascido em outro país, era mais georgiano que qualquer um dos enlutados ali presentes.

– Ele viveu nossa vida, amou nossa terra e, verdade seja dita, morreu pela Causa, assim como os falecidos soldados. Era um de nós, tinha nossos defeitos e nossas qualidades, nossa força e nossa fraqueza.

Will prosseguiu em um discurso comovente e intenso, citando as origens pobres de Gerald, a terra fértil que construíra em Tara, a resistência à invasão dos ianques, a coragem de encarar a pobreza mais uma vez, a força com que resistia a tudo que vinha de fora e não permitia que nada o abalasse.

– Mas, quando a senhora O'Hara morreu, o coração dele morreu com ela. E aquele que víamos andando por aqui não era ele – completou Will. – E não quero que nenhum de vocês se lembre do senhor O'Hara como um derrotado. Todos vocês e eu somos iguais a ele. Temos as mesmas forças e as mesmas fraquezas. Não há nada que possa nos derrotar, nenhum ianque, nenhum *carpetbagger*, nem mesmo os tempos mais difíceis, nem as taxas mais altas de impostos, nem mesmo a fome pode nos derrotar. Mas a fraqueza do nosso coração pode nos derrotar em um piscar de olhos. E nem sempre a perda de quem amamos é o que atinge essa fraqueza, como aconteceu com o senhor O'Hara. Cada um conhece as próprias fraquezas.

Will prosseguiu com outras palavras tão comoventes quanto essas e, em certo momento, olhou para a senhora Tarleton e, com a voz branda, disse:

– Será que a senhora faria a gentileza de levar Scarlett para dentro de casa? Não vai fazer bem a ela ficar debaixo desse sol por muito tempo. E a vovó Fontaine também não parece muito bem, com todo o respeito.

Perplexa com a súbita mudança de assunto de Will, e com todos os olhos voltados para ela, Scarlett se perguntou por que Will tinha de alardear a gravidez tão óbvia? Ela o olhou com indignação, mas se deixou levar pelas duas senhoras ao ler nos olhos dele: "Por favor. Sei o que estou fazendo".

Em uma conversa profunda com Scarlett sobre Cathleen Calvert, Melanie, Ashley, os McRae e outros da vizinhança, e depois de mandar a senhora Tarleton buscar um copo de leite para Scarlett, vovó Fontaine disse que Will era um homem esperto, pois as mandara para dentro porque não queria que ela e a senhora Tarleton arranjassem confusão no momento do sepultamento, mas também porque não queria que Scarlett visse a terra sendo arremessada sobre o caixão. Vovó perguntou a Scarlett se Will falava sério em relação à intenção de casamento com Suellen e Scarlett, confirmou. A princípio, vovó contestou a atitude de Will, sujeito de bom coração, mas um caipira prestes a se casar com uma O'Hara. No entanto, percebendo que Scarlett aprovava o casamento, disse que admirava a capacidade de Scarlett de não fazer drama em relação àquilo para que não havia remédio.

– Você salta suas cercas de cabeça erguida, feito um caçador – disse a vovó. – Durante aquela mesma conversa, Scarlett se revoltou ao ouvir a vovó dizer que Melanie era o pilar da família Wilkes, não Ashley, que nascera exclusivamente para os livros. – O jeito dela é diferente do seu, Scarlett, e do meu. Ela age como a sua mãe agiria se estivesse viva. Melly me faz lembrar sua mãe, quando era jovem... E talvez seja ela quem vai fazer os Wilkes se recuperarem.

Capítulo 41

Depois da última despedida e quando o último barulho de roda e do casco de cavalo desapareceu, Scarlett foi ao gabinete de Ellen e retirou algum objeto reluzente de onde o escondera na noite anterior, entre a papelada amarela do escaninho da mesa. Ao ouvir Pork fungando enquanto preparava a mesa do jantar, ela o chamou e ele veio imediatamente, com o semblante tão desamparado quanto o de um cão abandonado.

– Pork – disse ela com a voz dura. – Se você chorar mais uma vez, eu... eu vou chorar também. Precisa parar com isso.

– Sim, sinhá. Tô tentanu, mais toda veiz que penso no sinhô Gerald e...

– Bom, então não pense. Posso suportar o choro de todo mundo, menos o seu. É que... – explicou com a voz mais gentil. – Não percebe, Pork? Não consigo suportar suas lágrimas porque sei que você amava meu pai. Enxugue esse nariz, Pork. Tenho um presente para você. Lembra-se daquela noite em que o pegaram em flagrante roubando um galinheiro e deram um tiro em você?

– Arre, Deus nosso sinhô, sinhá Scarlett! Eu nun...

– Ande, pare com isso, sei que roubou, sim. Não me venha com mentira a essa altura. Lembra-se de que naquela noite eu disse que lhe daria um relógio como retribuição à sua lealdade?

– Sim, sinhá, tô alembrado, sim. Imagino que sinhá num esqueceu.

– Não, não esqueci. Aqui está.

Scarlett entregou a Pork o relógio que pertencera a Gerald. Pork reconheceu o relógio, ficou surpreso e disse que aquilo era coisa de homem branco, que deveria ficar com o menino Wade, mas Scarlett não arrefeceu.

– Pertence a você. O que Wade Hampton fez pelo meu pai? Cuidou dele enquanto estava doente e com febre? Deu banho e vestiu meu pai, o barbeou, por acaso? Ficou ao lado do meu pai quando os ianques chegaram? Roubou por ele? Não seja bobo, Pork. Se alguém merece esse relógio, é você. E sei que meu pai aprovaria o que estou fazendo. Tome.

Quando Scarlett esticou o braço e pousou o relógio na palma de Pork, ele, ainda sem conseguir acreditar, perguntou novamente se aquele presente era para ele mesmo. Scarlett confirmou e ele agradeceu mais uma vez. Ela perguntou se ele gostaria que ela levasse o relógio a Atlanta para gravar o nome dele e a dedicatória que lhe prometera, mas Pork recusou a oferta.

– Qual é o problema, Pork? Não confia em mim? Acha que não vou trazê-lo de volta?

– Não, sinhá, confio, é que... bão, tenho medo que sinhá mude de ideia.

– Eu não faria isso.

– Bão, mas vosmecê pode vendê o relógio. Deve valê um *dinherão*.

– Acha que eu venderia o relógio que foi do meu pai?

– Em caso de pricisão... se sinhá pricisasse de dinhero.

– Você merecia uns tapas por dizer isso, Pork. Estou pensando em tomar o relógio de você.

– Arre, faça isso não, sinhá! – Era a primeira vez naquele dia que um sorriso singelo aparecia no rosto abatido de Pork. – Conheço vosmecê e... sinhá Scarlett?

– Sim, Pork?

– Se sinhá tratasse os brancu tão bem quanto trata os nêgo, acho que o mundo ia tratá vosmecê mió.

– Já estou sendo bem tratada. O suficiente – disse. – Agora, procure o senhor Ashley e diga que venha falar comigo. Agora.

Sentado à pequenina mesa de Ellen, as pernas compridas de Ashley faziam a mobília parecer ainda menor enquanto Scarlett lhe oferecia metade do lucro da serraria. Por nem um momento sequer ele ergueu a cabeça, muito menos olhou nos olhos de Scarlett, e tampouco disse uma palavra que a interrompesse. Scarlett argumentou que precisaria da ajuda dele em Atlanta, pois, em alguns meses... Ashley se levantou de repente e ficou olhando pela janela, e Scarlett lhe perguntou se era por causa do estado dela que ele evitava olhar em seus olhos. Voltando-se para ela, Ashley respondeu:

– Você sabe que, para mim, está sempre linda. Qualquer que seja a situação.

Scarlett sentiu uma alegria repentina e seus olhos se encheram de lágrimas no mesmo instante. Ashley disse que se sentia envergonhado por tudo que acontecera, que se não fosse por causa dele ela jamais teria precisado se casar com Frank.

– Eu nunca deveria ter permitido que saísse de Tara naquele inverno. Ah, como fui tolo! Deveria ter percebido... percebido que você estava desesperada, desesperada a ponto de... eu deveria... deveria... No mínimo, ter me metido na estrada por aí, roubado, matado se preciso fosse, para conseguir o dinheiro dos impostos para você; afinal, recebeu a mim e minha família quando estávamos com uma mão na frente e outra atrás... Ah, estraguei tudo!

Scarlett ficou com o coração partido e a sensação de alegria se foi, pois não eram aquelas as palavras que ela esperava ouvir. Disse que teria ido de um jeito ou de outro, e Ashley argumentou dizendo que ela se vendera para um homem que não amava e agora carregava no ventre um filho desse homem, tudo para que a família de Ashley não morresse de fome. Percebendo a fisionomia envergonhada de Scarlett, ele mudou o tom e com gentileza perguntou:

– Não acha que estou culpando você, acha? Santo Deus, Scarlett! Não! Você é a mulher mais corajosa que conheci em toda a vida. O culpado disso tudo sou eu.

Scarlett insistiu, pediu a ele que não se culpasse por nada e repetiu que precisava muito de sua ajuda em Atlanta. Disse ainda que soubera por Will dos planos de se mudar para Nova Iorque e morar no meio dos ianques, e Ashley contou que decidira ir para o Norte porque um amigo lhe arranjara um trabalho em um banco e que, de todo modo, não teria muita serventia em Atlanta porque não entendia nada de madeira.

– Mas você entende muito menos ainda de banco, o que é muito mais difícil! E sei que eu consideraria muito mais sua inexperiência que os ianques!

Ashley fez uma expressão de desagrado, e Scarlett se deu conta do erro que cometera ao dizer tudo aquilo. Ele voltou a olhar para a janela e disse:

– Não quero viver de pensão nem de favores. Quero andar com minhas próprias pernas, ganhar por quanto valho. O que fiz da vida até o momento? Está na hora de fazer algo por mim mesmo ou encarar o fracasso e assumir a culpa por ele. Já sou seu pensionista há muito tempo.

– Mas estou lhe oferecendo cinquenta por cento do lucro da serraria, Ashley! Isso seria andar com as próprias pernas, como você diz, não percebe? Cuidaria de um negócio seu.

Mas Ashley continuava irredutível, recusando de todos os modos a oferta de Scarlett, afirmando que já recebera dela comida, um teto e até roupas para ele, a esposa e o filho deles, sem nunca ter retribuído. Sem compreender a postura dura e irredutível dele, Scarlett lhe perguntou o que acontecera depois da partida dela para Atlanta.

– O que aconteceu? Algo muito singular, Scarlett. Estive pensando. Acredito que nunca fiz uma reflexão tão profunda quanto essa desde o momento da rendição até sua partida. Eu estava em uma espécie de animação suspensa e me contentava com o fato de ter algo para comer e uma cama para dormir. Mas, quando você viajou para Atlanta, carregando nas costas o fardo de um homem, me vi como um ser muito inferior a um homem... na verdade, muito inferior a uma mulher. Não é nada agradável conviver com esses pensamentos e não quero mais ter de suportá-los. Outros homens saíram da guerra com muito menos que eu e olhe só como estão agora. Por isso, estou indo para Nova Iorque.

Ahsley recusou até mesmo a sugestão de Scarlett de aos poucos comprar a serraria dela e tornar-se o dono exclusivo do negócio, disse que se fizesse aquilo estaria perdido para sempre, pois havia outros motivos para rejeitar a oferta.

– E que motivos são esses? – perguntou ela.

– Você sabe melhor que ninguém a resposta – respondeu.

Desesperada, angustiada, Scarlett o encarou. A conversa terminara e ela perdera. Sentindo de repente a fraqueza do acontecimento anterior, somada à frustração daquele momento, em um acesso de nervos, um grito irrompeu da garganta de Scarlett.

– Ah, Ashley!

E, com isso, ela se jogou no sofá gasto e afundado e começou a chorar feito uma criança. Dali, Scarlett escutou os passos vacilantes dele em direção à porta e também ouviu o ruído de outros passos apressados, saindo da cozinha, e, de repente, Melanie entrou correndo no quarto, com os olhos esbugalhados e assustados.

– Scarlett... o bebê... você não...

Scarlett enterrou a cabeça no estofado empoeirado e voltou a gritar.

– Ashley... tão egoísta! Tão malvado... tão mesquinho!

– Ashley! O que você fez para ela? – inquiriu Melanie, jogando-se no chão ao lado do sofá, amparando Scarlett nos braços. – O que disse? Como pôde fazer uma coisa dessas? Se ela tiver o bebê antes da hora, será culpa sua! Venha aqui, minha querida, apoie a cabeça aqui no meu ombro. O que houve?

Scarlett contou que oferecera o cargo de gerente da serraria a Ashley, que precisaria muito de sua ajuda agora com o bebê a caminho e que teria de vender a serraria porque ele recusara a oferta, e com isso perderia muito dinheiro e talvez morresse de fome. Mas Ashley parecia não se importar!

– Ashley! Como pôde recusar uma oferta dessas? E depois de tudo o que Scarlett fez por nós! Como pôde trazer essa imagem de ingratidão à nossa família! E bem agora, vendo Scarlett assim, tão indefesa por causa do beb... Que atitude mais descortês! Ela nos ajudou quando precisávamos de ajuda e agora que precisa de nós simplesmente vira as costas?! – indagou Melanie.

Melanie voara em direção a Ashley feito uma pombinha branca e pela primeira vez na vida lhe dera umas bicadas. Ashley tentou argumentar, citou os planos de ir para o Norte, do quanto aquilo fora motivo de alegria para Melanie, mas ela disse que não haveria alegria maior que voltar a morar em Atlanta, entre os seus, em vez de morar no meio dos ianques, como seria em Nova Iorque! Além do mais, estaria perto de tia Pittypat, de tio Henry, de todos os amigos, e Beau teria muitos colegas de escola com quem brincar. Scarlett sugeriu que ficassem na casa de tia Pittypat, que ali era a casa deles.

– Não tenho palavras para agradecer por essa oferta, querida. Mas a casa fica pequena para tanta gente. Vamos conseguir uma casinha nossa... Ah, Ashley, por favor, diga que sim!

– Scarlett... Vou para Atlanta... Não posso lutar contra vocês duas – disse ele.

E, com isso, Ashley se virou e saiu do quarto. A sensação de vitória que intumescia o coração dela foi entorpecida por um medo inoportuno. "Ir para Atlanta será minha perdição", estava entre os argumentos de Ashley para recusar a oferta.

* * *

Depois do casamento de Suellen e Will, e depois da ida de Carreen para o convento em Charleston, Ashley, Melanie e Beau partiram para Atlanta levando Dilcey como cozinheira e babá. Prissy e Pork ficariam em Tara até que Will conseguisse outros pretos para ajudá-lo no campo; depois disso, os dois também iriam para a cidade.

A casinha de tijolos que Ashley arranjara para morar com a família ficava na Ivy Street, bem atrás da casa de Pitty, e os quintais das duas casas faziam divisa, separados apenas por uma cerca alta e irregular de alfeneiros. A escolha de Melanie foi proposital, tendo alegado que ficara tanto tempo longe dos entes queridos que nem toda a proximidade possível seria o suficiente. A casa de dois andares fora atingida pelas bombas durante a guerra, e o proprietário, após a rendição, não conseguira dinheiro para reconstruí-la, então contentou-se em improvisar um teto ao primeiro andar, deixando a construção com o aspecto de uma casa de boneca. Apesar dos dois carvalhos enormes que faziam sombra e da magnólia carregada de flores brancas que havia na entrada, Scarlett considerava a casa ridícula, mas, para Melanie, nem Twelve Oaks, com toda a magnificência, era mais bonita que aquela casa.

India viera de Macon, onde ela e Honey viveram desde 1864, para morar com o irmão, espremendo ainda mais os moradores da casinha, mas Melanie a recebeu de braços abertos. Os tempos eram outros, o dinheiro era escasso, mas nada mudava o hábito sulista das famílias de oferecerem de bom grado espaço a parentes em dificuldades ou às solteiras. Segundo India, Honey se casara com um grosseiro do Mississippi que fora morar em Macon e, como India não aprovara a união, vivia infeliz na casa do cunhado e recebera com alegria a notícia da mudança de Ashley para Atlanta. India tinha 25 anos e agora o manto da solteirice definitivamente recaíra sobre seus ombros. Não havia mais a necessidade de parecer atraente, mas o ar de dignidade e orgulho em sua fisionomia a tornavam melhor que aquela menina meiga e determinada dos tempos de Twelve Oaks. Assumia quase a posição de uma viúva. E todos sabiam que Stuart Tarleton teria se casado com ela se não tivesse morrido em Gettysburg; portanto, era respeitada por todos como uma mulher que fora desejada, apesar de não ter se casado.

Os seis cômodos da casa dos Wilkes foram decorados com móveis baratos, pois Ashley recusara todas as ofertas de Scarlett e Frank de lhe ceder o melhor mogno ou o melhor jacarandá da loja. A casa não tinha tapetes, tampouco cortinas, mas isso não parecia incomodar Ashley e Melanie. Pela primeira vez, ela se sentia dona da própria casa desde que se casara. Scarlett teria morrido de vergonha e humilhação ao receber os amigos em uma casa sem tapetes, cortinas, almofadas e com cadeiras, talheres e xícaras contados, mas Melanie fazia as honras da casa como se tivesse cortinas aveludadas e brocado. Apesar de toda a alegria, Melanie não estava bem. Sua saúde se esvaíra com a chegada do pequeno Beau e o trabalho árduo em Tara, realizado desde que o menino nascera, roubara-lhe o restante das energias. Apesar da magreza extrema e dos ossos quase expostos, na fisionomia minúscula, os olhos tornavam-se enormes devido às olheiras, mas a doçura e a serenidade deles perduravam, tendo resistido à dor incessante da guerra e ao trabalho duro. Eram olhos de uma mulher feliz, uma mulher cuja serenidade nenhuma tormenta jamais poderia abalar. "E como consegue manter esse olhar?", pensava Scarlett, olhando-a com inveja.

A casa pequena vivia cheia. Desde criança, Melanie fora muito querida e a cidade toda se apressava para visitá-la e lhe dar as boas-vindas. Todos lhe traziam presentes, quadros, uma ou outra colher de prata, fronhas de linho, guardanapos, qualquer preciosidade que tinham conseguido poupar das mãos de Sherman, mas que agora juravam não ter nenhuma utilidade para eles. Velhos que tinham servido à guerra do México com o pai dela vinham visitá-la e traziam consigo outras pessoas para conhecer "a filha simpática do coronel Hamilton". As amigas da mãe de Melanie se aglomeravam em torno dela, pois Melanie tinha uma deferência ímpar pelos idosos, coisa tão rara naqueles dias difíceis em que os jovens pareciam ter se esquecido das boas maneiras. Em torno da sensibilidade e da discrição de Melanie, rapidamente se consolidou um grupo de jovens e idosos representantes do que restara de melhor de Atlanta no período pré-guerra, todos sem dinheiro no bolso, todos orgulhosos da família, todos obstinados e aguerridos de ímpar variedade. Apesar de jovem, Melanie tinha todas as qualidades que os oprimidos remanescentes prezavam: pobreza, orgulho, coragem, alegria, hospitalidade e, acima de tudo, lealdade a todas as tradições. Nessa lealdade inflexível de Melanie, podiam se esquecer, por um momento, dos traidores da própria classe, de variados tipos: homens de boa família que se deixaram levar pelo desespero e pela miséria, se aliaram aos inimigos, tornaram-se republicanos e aceitaram cargos dos conquistadores para não verem a família viver de caridade; ex-soldados acovardados ante aos longos e necessários anos de trabalho duro para reconstruir suas fortunas; e, o pior de tudo, filhas de famílias tradicionais de Atlanta que se interessavam pela beleza, pelas roupas finas e pelos belos cavalos dos ianques.

Nunca ocorrera a Melanie que estava se tornando a líder de uma nova sociedade. Via como gentileza a visita das pessoas à sua casa, bem como o convite para participar de círculos de costura, clubes de cotilhão e associações musicais. Sentiu-se um pouco constrangida ao se ver na direção do mais recente Círculo Musical do Sábado à Noite e conseguira diplomaticamente amalgamar o Damas Harpistas, o Coral dos Cavalheiros Jubilosos, o Juvenil Damas do Bandolim e o Clube do Violão. Com isso, Atlanta agora podia contar com música de qualidade. De fato, muitos consideravam a versão de *The bohemian girl* do Círculo muito melhor que aquelas apresentadas em Nova Iorque e Nova Orleans. Melanie também fora eleita secretária tanto da Associação de Embelezamento dos Túmulos dos Gloriosos Falecidos quanto do Círculo de Costura de Viúvas e Órfãos da Confederação, tendo recebido esta última conquista depois de uma acalorada reunião em que defendera não só capinar o túmulo de ianques sepultados próximos aos confederados como depositar ali uma flor. Melanie também fazia parte do conselho de senhoras do orfanato e auxiliava na coleta de livros para a recém-criada Associação da Biblioteca Juvenil, e até os atores do grupo Tespianos, que apresentavam peças amadoras uma vez por mês, faziam questão da presença dela. Apesar de ser tímida demais para aparecer, Melanie conseguia fazer fantasias até com sacos de farinha, se fosse esse o único material disponível. E foi dela o voto decisivo no Círculo de Leitura de Shakespeare para que as palavras do bardo fossem intercaladas com as de Dickens e de Bulwer-Lytton, e não com os poemas de Lord Byron, como fora sugerido por um jovem do círculo, a quem Melanie, secretamente, suspeitava ser um belo de um atrevido.

Nas noites de verão, a casa de Melanie ficava abarrotada de visitas. Nunca havia cadeiras o suficiente para todos, então as senhoras se ajeitavam nos degraus da varanda, e Scarlett, vendo os convidados ali, bebendo chá (única bebida que os Wilkes tinham condição de servir), se perguntava como Melanie era capaz de expor a própria pobreza daquele jeito. O general John B. Gordon, herói da Geórgia, o padre Ryan, poeta da Confederação, Alex Stephens, ex-vice-presidente da Confederação, enfim, toda pessoa importante que chegasse a Atlanta fazia questão de visitar os Wilkes e não raramente passava a noite por lá, obrigando India a se ajeitar em um colchão de palha que servira de berço a Beau e Dilcey a buscar ovos emprestados da vizinha para o café da manhã.

Enquanto o xale preto permitia esconder a silhueta de Scarlett, ela e Frank atravessavam a cerca e iam aos encontros noturnos na varanda dos Wilkes. Scarlett procurava se manter na penumbra para evitar chamar a atenção e, a bem da verdade, a única coisa que a atraía era Ashley, pois a conversa por ali era sempre a mesma: os tempos difíceis, a situação política e, inevitavelmente, a guerra; quanto ao primeiro, todos sabiam que tinham vindo para ficar. Sempre que um grupo de confederados se encontrava, o assunto principal era o "se". Se a Inglaterra tivesse reconhecido a gente, se Jeff Davis tivesse pego todo o algodão e ido para a Inglaterra antes de o bloqueio apertar, se Vicksburg não tivesse caído, se a gente tivesse resistido mais um ano, se, se, se! "Só sabem falar disso", pensava Scarlett. "Não têm outro assunto. Sempre a guerra." E se entediava toda vez que escutava Melanie pintando-a como heroína ao contar da invasão e de como ela, Scarlett, defendera a espada de Charles e como agira depressa. Scarlett não sentia prazer tampouco orgulho daquilo, queria esquecer tudo. Ninguém parecia disposto a esquecer, ninguém, a não ser ela. Portanto, ficou aliviada quando teve a ideia de dizer a Melanie que se sentia constrangida de aparecer grávida àquela altura, mesmo à noite, e Melanie compreendeu prontamente, sobretudo porque todo e qualquer assunto relacionado à gravidez a comovia muitíssimo. Ela desejava outro filho, mas era consenso entre o doutor Meade e o doutor Fontaine que o bebê lhe custaria a vida. Então, não restava a Melanie alternativa a não ser se conformar com o destino e passar o maior tempo possível ao lado de Scarlett, deleitando-se com uma gravidez que nem sequer era sua. Scarlett, que aguardava o nascimento de um filho indesejado, irritava-se com essa atitude que julgava ser o cúmulo da estupidez sentimental, mas sentia um misto de prazer e culpa por saber que a recomendação dos doutores Meade e Fontaine impossibilitava qualquer tipo de intimidade entre Ashley e a esposa.

Scarlett via Ashley com frequência, mas nunca tinha a oportunidade de ficar a sós com ele, pois Frank, Pitty, Melanie ou India estavam sempre por perto. Conversavam, então, apenas sobre negócios. Se ao menos não estivesse grávida! Se ao menos esse bebê nascesse logo e eles pudessem fazer um passeio pela rua e conversar... O confinamento não era o único motivo que a deixava impaciente. As serrarias precisavam dela. Scarlett vinha perdendo dinheiro desde que se afastara e deixara os negócios nas mãos de Hugh e Ashley. Por mais que se esforçasse, Hugh era incompetente, pois, além de não ser um bom vendedor, ainda era péssimo patrão. Os pretos insistiam no pagamento diário, não raramente gastavam tudo com bebedeiras e não apareciam para trabalhar no dia seguinte. Diante da incompetência de Hugh e da insolência dos pretos, Scarlett teve a ideia de contratar detentos para trabalhar nas serrarias, sugestão que ouvira de Johnnie Gallegher, capataz de Tommy Wellburn, pois os detentos trabalhariam praticamente a troco de nada, a não ser um prato de comida, e com isso Scarlett também se livraria do Departamento dos Libertos.

Detentos! Frank ficou em estado de choque. Contratar detentos certamente era o pior dos estratagemas mirabolantes de Scarlett, pior até que a ideia do *saloon*. Ou pelo menos assim parecia a Frank e ao círculo conservador de que fazia parte. Essa prática de arrendar detentos surgira por conta da pobreza em que o Estado se viu após a guerra. Sem conseguir manter os detentos, a mão de obra desses homens era cedida à construção de ferrovias, à extração de terebintinas e às madeireiras. Embora Frank e os amigos religiosos reconhecessem a necessidade de mão de obra, assim também reconheciam a medida como um descalabro. Muitos deles nem sequer apoiavam a escravidão e julgavam esse sistema muito pior que ela.

Assim, Frank reuniu toda a coragem necessária para proibir a esposa de fazer aquilo e foi tão enfático que não restou alternativa a ela a não ser se conformar. Se ao menos uma das serrarias estivesse caminhando bem, ela poderia suportar. Mas Ashley caminhava quase tão mal quanto Hugh na administração da outra serraria. A princípio, Scarlett ficou chocada e frustrada por Ashley não ter conseguido dobrar o lucro da serraria em comparação à administração dela. Era tão esperto e lera tantos livros na vida que não havia nenhum motivo para não se sair bem e ganhar muito dinheiro. Mas a inexperiência, os erros, a falta de traquejo e o excesso de escrúpulos para fechar negócio eram quase semelhantes aos de Hugh.

Mas o amor de Scarlett por Ashley rapidamente encontrou pretextos para não colocar os dois homens no mesmo balaio; Hugh era quase um burro, enquanto Ashley apenas não tinha experiência no negócio. Mesmo assim, contra a própria vontade, ocorreu-lhe que Ashley jamais conseguiria fazer uma conta rápida de cabeça, tampouco preparar um bom orçamento como ela fazia. E, às vezes, ela se perguntava se ele saberia a diferença entre uma tábua e um peitoril. Como cavalheiro de confiança que era, confiava em todos os patifes que apareciam e inúmeras vezes teria perdido dinheiro se Scarlett não tivesse interferido com sutileza. E, se gostasse de alguém – e parecia gostar de muita gente! – vendia fiado sem nem sequer cogitar se o cliente tinha dinheiro no banco ou alguma propriedade. Nesse aspecto, era tão ruim quanto Frank!

Mas Ashley aprenderia! E, apesar de toda a paciência maternal de Scarlett, toda noite quando ele a visitava, cansado e desanimado, ela não poupava esforços e gentileza para oferecer suas sugestões. Apesar de todo o incentivo e a compreensão de Scarlett, havia uma letargia no olhar de Ashley, algo que Scarlett não conseguia compreender e a assustava. Ele estava diferente, muito diferente do homem que costumava ser. Essa preocupação rendera a Scarlett muitas noites de insônia. Preocupava-se com Ashley porque sabia que ele estava infeliz e que essa infelicidade o impedia de executar um bom trabalho. Que torturante ver as duas serrarias nas mãos de dois homens que não entendiam de negócios! Se ao menos ela pudesse retornar ao trabalho imediatamente! Pegaria na mão de Ashley e o ensinaria, enquanto Johnnie Gallegher ficaria responsável pela outra serraria. Hugh poderia ficar encarregado das entregas, se ainda quisesse continuar trabalhando com ela.

Todos vinham prosperando. Tommy Wellburn, apesar da corcunda, era o empreiteiro mais ocupado e bem-sucedido da cidade, ou assim diziam. A senhora Merriwether e Rene vinham prosperando e abriram uma confeitaria no centro da cidade. Rene administrava o negócio com a parcimônia francesa, e vovô Merriwether, satisfeito por sair do canto da chaminé, dirigia a carroça de tortas de Rene. Os Simmons andavam tão ocupados que a olaria funcionava dia e noite. E Kells Whiting vinha ganhando dinheiro com seu alisador de cabelo, porque dizia aos pretos que com o cabelo encarapinhado nunca conquistariam o direito de votar nos republicanos. O mesmo se passava com todos os jovens espertos que Scarlett conhecia, os médicos, os advogados, os comerciantes. A apatia do pós-guerra desaparecera totalmente e agora todos estavam ocupados demais para poder trabalhar com ela, ocupados demais construindo a própria fortuna. Os únicos aparentemente desocupados eram o tipo de Hugh... ou Ashley.

E que encrenca tentar administrar um negócio e ter um filho ao mesmo tempo! "Nunca mais terei outro", pensou Scarlett, decidida. "Não vou ser como as outras mulheres que têm um filho por ano. Deus me livre! Isso significaria me ausentar do trabalho seis meses por ano, me afastar das serrarias! Vou dizer a Frank que não quero nenhum outro filho." Frank desejava uma família grande, mas Scarlett daria um jeito de fazê-lo mudar de ideia.

Estava decidida. Aquele seria seu último filho. As serrarias eram muito mais importantes.

Capítulo 42

A bebê de Scarlett era uma menina, de cabecinha careca, tão feia quanto um macaco sem pelo e absurdamente parecida com Frank. Ninguém a não ser o pai coruja via beleza na criatura, mas todos os vizinhos eram caridosos para dizer que todo bebê feio acabava se tornando uma criatura bonita. Recebera o nome de Ella Lorena, Ella por causa da avó, Ellen, e Lorena porque era o nome de menina que estava na moda na época, assim como Robert E. Lee e Stonewall Jackson tinham se tornado populares entre os meninos e Abraham Lincoln e Emancipation entre os filhos dos pretos.

Na ocasião do nascimento de Ella, um clima de tensão e de desastre pairava no ar de Atlanta. Um preto que se vangloriava por ter cometido estupro fora preso, mas antes que fosse a julgamento a Ku Klux Klan invadiu a prisão e o enforcou, sob o pretexto de que com isso poupariam a vítima, ainda em anonimato, de testemunhar no tribunal. Os soldados vinham prendendo gente por todos os lados, jurando que acabariam com a Klan, nem que para isso tivessem de colocar na cadeia todos os homens brancos de Atlanta. Os pretos, assustados e irritados com a situação, ameaçavam retaliar, incendiando casas. Corriam fortes rumores de que muitos seriam enforcados pelos ianques caso os culpados fossem encontrados, assim como se falava muito da revolta desenfreada dos pretos contra os brancos. Os moradores ficavam em casa, portas e janelas fechadas, os homens com medo de sair para trabalhar e deixar esposa e filhos sozinhos. Scarlett, exausta e de cama, em silêncio, agradecia a Deus o fato de Ashley ser sensato o suficiente para não fazer parte da Klan e de Frank ser velho demais e ter pouca energia. Como seria terrível viver sob a ameaça de que os ianques poderiam aparecer a qualquer momento e prendê-los! Por que os jovens de miolo mole da Klan tinham que cutucar a onça com vara ainda mais curta e atiçar os ianques daquele jeito? Era provável que a moça nem tivesse sido estuprada de fato. Provavelmente, era alguma boba assustada, e, por causa dela, muitos homens poderiam perder a vida.

E essa tensão toda reacendeu as energias de Scarlett feito o estopim de um barril de pólvora. Passadas duas semanas do nascimento de Ella, Scarlett recuperara as forças o suficiente para sair da cama e, mais uma semana depois, sentia-se forte o suficiente para voltar ao trabalho e cuidar das serrarias, que andavam paradas porque Ashley e Hugh não iam trabalhar temendo deixar as respectivas famílias sozinhas o dia inteiro. Mas a paternidade recente enchera Frank de orgulho e lhe dera forças para reunir coragem suficiente de proibir a mulher de sair de casa em condições tão perigosas. A ordem não teria preocupado Scarlett, que sairia mesmo assim, mas Frank colocara a charrete e o cavalo em cocheira de aluguel com ordens estritas de que não fossem entregues a ninguém, a não ser ele. Para piorar ainda mais as coisas, ele e mammy fizeram revista rigorosa na casa enquanto Scarlett estava acamada, encontraram o dinheiro cuidadosamente escondido, e Frank o depositara no banco, impedindo a esposa de alugar qualquer tipo de veículo. Em um acesso de raiva, depois de se debulhar em lágrimas e fúria, Scarlett atravessou o quintal e foi à casa de Melanie, onde desabafou a plenos pulmões dizendo que iria a pé às serrarias e que contaria a quem encontrasse pelo caminho que se casara com um verme, e levaria uma arma e atiraria em quem a ameaçasse. Sim, atiraria, já fizera isso uma vez e gostara muito da coisa, gostaria mais ainda de fazer de novo. Melanie percebera que aquilo não era a simples histeria de uma mulher sensível após o parto; vira no semblante de Scarlett a mesma determinação perigosa e desenfreada de Gerald O'Hara quando tomava uma decisão sem voltar atrás. Ela tentou acalmar Scarlett, disse que pediria a Ashley que voltasse à serraria, que ficaria com tia Pitty, que não estava com nem um pingo de medo de ficar sozinha. Scarlett achou aquilo um absurdo, disse que Ashley não renderia nada no trabalho se ficasse preocupado com a família. Por fim, frustrada e enfurecida, Scarlett voltou para casa.

Naquela tarde, uma figura estranha atravessou a cerca de Melanie e foi até o quintal de Pitty. Obviamente, era um daqueles homens a quem mammy e Dilcey se referiam como "o zé-povinho que sinhá Melly pega da rua e bota pra durmí no porão". No porão de Melanie, havia três quartos onde os antigos criados da propriedade dormiam e uma adega. Dilcey ocupava um desses quartos e, nos outros dois, dormiam ocupantes transitórios, gente miserável e maltrapilha. Ninguém além de Melanie sabia de onde vinham e para onde iam, assim como ninguém sabia de onde ela os retirava. Talvez fosse mesmo das ruas. Então, ali sentada na varanda, sob o brilho esmaecido do sol de novembro e com o bebê no colo, Scarlett imaginou que aquela figura deveria ser um dos cachorros abandonados de Melanie. O homem que passeava pelo quintal, tal como Will Benteen, tinha uma perna amputada. Figura alta, magra, careca, aparência suja, de barba grisalha, grande e que, mesmo com a perna de pau, se movia com a rapidez de uma cobra. Tinha uma cicatriz que atravessava o rosto em diagonal, da sobrancelha à barba, carregava uma pistola presa ao cós da calça e, por dentro do cano da bota, podia-se ver o cabo de uma faca. A figura estranha se aproximou dela, apresentou-se como Archie e disse que vinha a mando da senhora Wilkes para dirigir para Scarlett. Ela, indignada tanto com a grosseria do sujeito quanto com a intromissão de Melly, desdenhou. O homem, cujo sotaque montanhês Scarlett reconheceu desde o primeiro momento, disse:

– Uma mulhé não pode negá a ajuda de um camarada que só qué protegê. Se a dona tá querendo andá por aí, tem de ser comigo. Não suporto essa negaiada... e odeio os ianque. – Mascando um naco de tabaco, sem ser convidado, ele se sentou no último degrau da escada e acrescentou: – Num digo que gosto de saí levando mulhé por aí, mas a dona Wilkes foi boa pra mim, deixando eu dormi no porão dela, e me mandou acompanhá a senhora.

Scarlett, apesar de não ter gostado da aparência de bandido do homem, refletiu e chegou à conclusão de que aquela seria uma boa saída, pois, ao lado dele, poderia ir à cidade, às serrarias, visitar os clientes e ninguém se atreveria a mexer com ela, pois a simples aparência do sujeito era de causar espanto. Depois de ter uma conversa em particular com Archie, Frank acabou consentindo, pois sabia que Scarlett estava determinada a voltar a trabalhar. Archie e Scarlett formavam uma dupla dissonante; ele, um velho truculento e sujo; ela, uma senhora elegante e bem-vestida. Eram vistos a qualquer hora e em todos os lugares de Atlanta, e, apesar do espanto inicial, era melhor ver Scarlett andando com aquele homem que com Butler, assim diziam as senhoras da cidade. Ninguém vira Rhett por aqueles dias, pois fazia três meses que saíra da cidade e nem mesmo Scarlett sabia onde ele estava.

Archie vivia calado, nunca falava nada, a menos que lhe dirigissem a palavra, e sempre respondia com grunhidos. Jamais precisara sacar a arma, tampouco empunhar a faca. Tio Peter o temia um pouco menos que o diabo e a Ku Klux Klan, e até mammy, quando perto dele, vigiava os próprios passos. Archie detestava pretos, e todos sabiam disso. Atlanta logo se acostumou a ver Scarlett acompanhada de seu guarda-costas, e as damas da cidade passaram a invejá-la por poder se deslocar à vontade. Desde que a Ku Klux Klan começou a executar linchamentos, as mulheres não podiam sequer fazer compras, a menos que fossem em algum grupo. Deixando o orgulho de lado, começaram a pedir Archie emprestado a Scarlett, que agia com gentileza e o cedia, caso não precisasse dele. Em pouco tempo, Archie se tornou um hábito de Atlanta, e as damas passaram a disputá-lo. Era evidente que, tanto quanto aos pretos e aos brancos, ele odiava todas as mulheres, com exceção de Melanie. Apesar de sujo, grosseiro e mal-encarado, gradativamente as damas de Atlanta passaram a se acostumar com a presença dele. Em outras épocas, antes da guerra, a presença de Archie jamais seria permitida nem sequer na cozinha dessas damas. Mas Archie não era nenhum amigo, tampouco criado, mas um guarda-costas de aluguel, responsável por proteger as senhoras enquanto seus homens saíam para trabalhar. Scarlett teve a impressão de que até Frank passava mais noites fora desde a chegada de Archie, dizendo estar preocupado com o balanço da loja e tendo de cuidar de outras questões de negócios, além de precisar visitar amigos doentes. Frank também participava da organização de democratas, que se reunia todas as quartas-feiras à noite para discutir o direito de voto e nunca perdia um encontro sequer. Mas Scarlett desconfiava de que essa organização não fazia muito além de discutir os méritos do general John B. Gordon em comparação a todos os outros generais, menos o general John Lee, e rediscutir a guerra. Ashley também vinha visitando doentes e participava dos mesmos encontros dos democratas. Nessas noites, Archie acompanhava Pitty, Scarlett, Wade e a pequena Ella do jardim até a casa de Melanie, onde as duas famílias passavam a noite juntas.

Às vezes, Scarlett se perguntava sobre a procedência de Archie e sobre como vivia antes de morar no porão de Melly, mas nunca perguntava nada; sabia apenas que ele tinha o sotaque montanhês do Norte, que servira o exército e perdera a perna e o olho pouco antes da rendição. Foi durante um acesso de raiva de Scarlett contra Hugh Elsing que a verdade a respeito do passado de Archie viera à tona. Cansada dos erros e da insolência de Hugh, Scarlett desabafava e dizia que não via a hora de contratar Johnnie Gallegher e arrendar alguns detentos. Archie, então, disse que, o dia em que Scarlett contratasse detentos, não andaria mais com ela e contou que ficaria preso por quarenta anos por ter assassinado a esposa, que o traíra com o irmão dele. Estava na prisão de Milledgeville, em 1964, quando Sherman vinha chegando. O carcereiro reuniu todos os presos, avisou que os ianques se aproximavam e disse que os detentos teriam a "liberdade" caso aceitassem servir ao Exército, que carecia de soldados. Todos tiveram o direito de escolha, menos os assassinos, mas Archie conseguiu a liberdade ao dizer que matara a mulher porque ela merecera, e que queria lutar contra os ianques, de quem já tinha ouvido falar bastante, mesmo estando preso. O relato de Archie fez Scarlett rememorar algo que Frank mencionara sobre esse assunto naquele Natal de 1864, e ela voltou a sentir o pavor daqueles dias. Lembrou-se também das palavras de Rhett, de que jamais lutaria por uma sociedade que o tratava como um excomungado, mas que, no final, acabou servindo ao Exército, lutando em prol dessa mesma sociedade, tal como Archie, que passara toda a juventude e a meia-idade preso por um crime que ele próprio não considerava crime. Mesmo assim, Archie perdeu um braço e um olho lutando pela Geórgia. Pensando em tudo isso, Scarlett concluiu que todos os homens sulistas, ricos ou pobres, eram um bando de sentimentalistas imbecis que se importavam menos com o próprio pescoço que com meia dúzia de palavras sem sentido. Ela voltou a sentir medo ao olhar as mãos calejadas e sujas de Archie, mas jurou que não contaria nada a ninguém. Se Frank ou tia Pittypat, ou talvez Melanie, soubessem... Mas, para surpresa de Scarlett, Archie disse ter contado tudo a Melanie desde a primeira noite que passara no porão. Melanie! A mais tímida e recatada das mulheres confiara o próprio filho, o marido, a tia, a cunhada e todos os amigos a Archie! Melanie não tinha medo de ficar sozinha com aquele homem, tampouco de mantê-lo em casa. Então, servir ao Exército era o suficiente para apagar os pecados? Seria isso, para Melanie, o mesmo que um batismo? Malditos ianques! Por culpa deles, uma mulher era obrigada a caminhar lado a lado com um assassino para protegê-la.

Naquele entardecer frio, na volta para casa, Scarlett avistou uma aglomeração de gente, charretes, carroças e cavalos em frente ao *saloon* Girl of the Period. Entre eles, estava Ashley, os Simmons, Hugh Elsing, vovô Merriwether, Tommy Wellburn e Henry Hamilton. Aproximando-se dali, Scarlett sentiu medo de que a Ku Klux Klan tivesse linchado outro preto, mas, pedindo que Archie fosse até lá (o que ele fez, contra a própria vontade), soube, nas palavras de vovô Merriwether, que “a legislatura se recusara a homologar a emenda e que fora bem-feito pros ianques!”. Emenda? A política não interessava a Scarlett nem um pouco, e ela raramente perdia tempo pensando no assunto. Ashley, notando a reação dela, explicou que a emenda permitiria aos pretos o direito de votar, mas fora recusada pela legislatura. Scarlett opinou que aquilo era uma bobagem, pois os ianques os obrigariam a engolir goela abaixo esse tal direito de voto. Tio Henry disse que sentia orgulho da legislatura por ter negado a emenda, que os ianques não poderiam forçá-los a engolir aquilo, mas Ashley refutou dizendo que não só podiam como iriam forçá-los a isso, o que tornaria as coisas ainda mais difíceis.

– Ah, Ashley, claro que não! As coisas não podem ficar piores do que já estão – resmungou tio Henry.

– Sim, as coisas podem ficar piores. Piores do que já estão. Imaginem só se tivermos uma legislatura preta? Um governador preto? Imaginem se houver um regime militar pior do que temos agora?

Scarlett ficava cada vez mais horrorizada à medida que compreendia tudo. Ashley opinou que talvez fosse melhor engolir o próprio orgulho e aceitar o inevitável, em vez de resistirem e provocar cada vez mais a ira do Norte contra eles.

– Vai virar radical e passar para o lado dos republicanos, Ashley? – provocou o vovô Merriwether.

Um clima de tensão pairou no ar. Scarlett notou a mão de Archie se aproximando da pistola. Archie achava, e com frequência dizia, que vovô era um saco velho cheio de vento, e não pretendia permitir que ninguém ofendesse o marido da senhora Melanie, ainda que esse marido estivesse falando um monte de besteira. Tio Henry tentou apaziguar os ânimos e pediu a Archie que levasse Scarlett para casa, pois política não era assunto para mulher e ali não era lugar para uma dama. Enquanto percorriam a Peachtree Strett, o coração de Scarlett parecia querer saltar pela garganta. Essa tal decisão idiota da legislatura poderia ameaçar a segurança dela? Atearia ainda mais fogo nos ianques, poria as serrarias em risco?

Quando Scarlett arrendou dez detentos, cinco para cada serraria, Archie cumpriu sua promessa e deixou de trabalhar para ela. Ele continuou acompanhando Melanie, Pitty, India e as amigas delas pela cidade, menos Scarlett, e ele até se recusava a levar as senhoras se Scarlett estivesse na carruagem. Frank se opôs à decisão de Scarlett. Ashley, a princípio, se recusou a continuar na serraria. Pitty, Melanie e o próprio Frank mal conseguiam andar de cabeça erguida pela cidade. Scarlett deslocou Hugh Elsing da gerência da serraria, colocou-o para dirigir a carroça de entregas e acertou os detalhes da contratação de Johnnie Gallegher, que parecia ser a única pessoa a aprovar a decisão dela de arrendar detentos. Scarlett sentiu-se aliviada. Johnnie era o homem certo, como ela imaginara. Firme, rígido, com a cabeça no lugar. Ela sabia que um irlandês determinado a alcançar um objetivo era um investimento valioso, não importava quais fossem suas características pessoais. Na primeira semana de trabalho, Johnnie atendera a todas as expectativas dela, pois, com cinco detentos, conseguira mais do que Hugh fizera com dez pretos livres. Além disso, com ele, Scarlett tinha mais tempo livre desde que voltara para Atlanta, pois Johnnie não gostava que ela fosse à serraria e sempre foi muito sincero ao dizer isso.

– No meio de um bando de detento não é lugar para uma dama ficar. Se ninguém disse isso às senhora, então sou eu, Johnnie Gallegher, que vou dizer. Tô vendendo a madeira da senhora, não tô? Não precisa me vigiar igual faz com o senhor Wilkes. Esse, sim, precisa de vigia. Eu não.

Assim, relutante, Scarlett se afastou da serraria de Johnnie, temendo que as visitas constantes o fizessem desistir do cargo. E o comentário sobre Ashley fez todo sentido, por mais que doesse a ela ter de admitir. Ele conseguira com os detentos pouco mais que conseguira com os pretos livres, embora nem ele soubesse por quê. Além do mais, parecia constrangido por trabalhar com detentos e mal conversava com Scarlett naqueles últimos dias. Scarlett estava preocupada com a mudança de comportamento de Ashley. Havia agora nele alguns fios de cabelo grisalhos e um peso que lhe deixava os ombros recaídos. Parecia um homem internamente corroído por uma dor lancinante, uma dor que sufocava e desesperava Scarlett, que sentia vontade de agarrá-lo pelos cabelos e gritar: "Me diga, me diga o que o preocupa! Darei um jeito! Farei o que for preciso!".

Mas o tratamento formal e o comportamento frio dele formavam um abismo entre os dois.

Capítulo 43

Era um daqueles dias raros de dezembro em que o sol estava tão quente quanto à época do verão. Ainda havia folhas secas nos galhos do carvalho, ali, no quintal de tia Pitty, e o verde-amarelo persistia na grama moribunda. Embalando a bebê nos braços, Scarlett foi até varanda e sentou-se em uma cadeira de balanço, na direção do sol. Usava um vestido novo, verde, debruado com metros e mais metros de passamanaria preta, e usava uma touca de renda que tia Pitty fizera para ela. Como era bom se vestir bem e se sentir bonita de novo depois de tantos meses terríveis!

Ali, embalando a bebê, ouviu o barulho de cascos se aproximando e, ao olhar em direção à rua, avistou Rhett se aproximando da casa. Havia meses ele não aparecia em Atlanta, estivera fora todo o período entre a morte de Gerald e o nascimento de Ella Lorena. Scarlett sentia a falta dele, mas agora tudo que queria, se pudesse, era evitá-lo. Bastou vê-lo para sentir um misto de pânico e culpa no peito. A bem da verdade, ela não parava de pensar em Ashley e não queria falar sobre o assunto com Rhett, mas sabia que ele faria de tudo para trazer Ashley à tona, por mais que ela evitasse.

– Outro bebê! Ora, ora, Scarlett, que surpresa! – disse com uma risada, curvando o corpo para puxar o cobertor que cobria o rostinho feio de Ella Lorena.

– Não banque o tolo – retrucou ela, enrubescendo. – Como está, Rhett? Faz tempo que não aparece por aqui.

– É verdade. Deixe-me segurar o bebê, Scarlett. Ah, sei segurar um bebê no colo. Tenho umas habilidades estranhas. Ora, ele parece muito com Frank. Exceto pelo bigode, claro. Mas isso é questão de tempo.

– Espero que não. É uma menina.

– Uma menina! Melhor ainda. Os meninos são inconvenientes. Nunca mais tenha meninos, Scarlett.

Mal sabia Rhett que Scarlett não queria ter mais nenhum bebê, fosse menino ou menina, mas ela se conteve e preferiu não dizer nada.

– Fez boa viagem, Rhett? Para onde foi desta vez?

– Ah... Estive em Cuba, Nova Orleans... e em outros lugares. Tome aqui, Scarlett. Pegue o bebê. Ela está começando a babar e não consigo achar meu lenço. É bonitinha, com certeza, mas está babando na minha camisa.

Scarlett pegou a bebê de volta. Rhett contou que chegara na noite anterior e fora ao Girl of the Period, onde ficara sabendo de todas as novidades, inclusive que Scarlett arrendara detentos para trabalhar na serraria e colocara o explorador Gallegher para arrancar o couro deles.

– Que mentira! – negou Scarlett enraivecida. – Ele não arranca o couro de ninguém. Vou investigar que história é essa.

– Vai?

Na tentativa de mudar de assunto, Scarlett perguntou a Rhett o que ele tanto fazia em Nova Orleans, se tinha alguma namorada por lá, pois corria o boato de que ele andava se preparando para se casar. Rhett negou, alegando nunca ter desejado uma mulher a ponto de se casar com ela, o que deixou Scarlett confusa e constrangida, pois ela se lembrou daquela noite, na varanda, quando ele disse "não sou homem para casar" e perguntou, com a maior naturalidade, se Scarlett aceitaria ser sua amante. Ele contou que o motivo das visitas constantes a Nova Orleans era uma criança, um menininho que estava sob sua tutela legal e por quem era o responsável. Depois de perguntar a Scarlett se ela desejava saber algo mais, e tendo ela respondido que não, Rhett disse que precisava tocar em um assunto desagradável. "Ah, meu Deus! Ele vai falar sobre Ashley e a serraria!", pensou ela e apressou-se para incutir outro assunto, perguntando por quais outros lugares ele passara. Rhett contou que fora a Charleston, pois o pai falecera.

– Ah, sinto muito – disse ela.

– Não sinta. Tenho certeza de que ele não achou nada mal morrer, assim como estou certo de que não sinto pela morte dele.

– Rhett, que horror! Isso lá é coisa que se diga?!

Rhett contou que, entre ele o pai, não havia amor, pois ele, Rhett, se parecia demais com o falecido avô, a quem o pai detestava. O pai de Rhett o atirara ao mundo sem um centavo e sem ter lhe ensinado nada a respeito da vida, a não ser a como se portar com um cavalheiro charlestoniano, bom atirador e excelente jogador de pôquer. O pai se opusera aos meios que o filho arranjara para, nas palavras do próprio Rhett, "não morrer de fome", e o proibira de ver a mãe, que precisava encontrar Rhett às escondidas.

– Eu poderia perdoar meu pai por tudo, mas nunca pelo que fez com minha mãe e minha irmã depois que a guerra terminou. Deixou as duas praticamente sem nada. A casa foi incendiada, e as plantações de arroz viraram pasto... Mandei dinheiro para minha mãe, mas meu pai mandou devolver... dinheiro sujo, veja só! Várias vezes passei por Charleston e deixei dinheiro escondido com minha irmã, mas meu pai sempre acabava descobrindo e fazia da vida da coitada um inferno. Não sei como as duas conseguiam sobreviver... Meu irmão ajudava com o que podia, e jamais aceitaria a ajuda de um especulador como eu, claro! Então, elas viviam da caridade dos amigos. Da caridade da sua tia Eulalie; inclusive, que gentil essa senhora. É uma das melhores amigas da minha mãe.

Scarlett comentou que ajudava tia Eulalie, que sempre lhe escrevia pedindo dinheiro, e os dois continuaram conversando sobre diferentes assuntos. Rhett encontrara tio Henry e o senhor Merriwether e dissera ter percebido que os dois aparentemente tinham rejuvenescido depois de terem se juntado à guarda nacional, pois voltaram a se sentir úteis, ao contrário de certos jovens que não conseguiam seguir em frente. Scarlett sabia que não haveria mais como evitar. Rhett encontrara Melanie e, surpreso, perguntou o que ela fazia em Atlanta, foi quando soube de tudo, que Scarlett tivera a bondade de convidar Ashley para ser seu sócio na serraria.

– Bom, e o que tem isso? – perguntou Scarlett, sem rodeios.

– Quando lhe emprestei o dinheiro para comprar a serraria, fiz isso sob uma condição, com a qual você concordou... Que o negócio não servisse de sustento para Ashley Wilkes.

– Não seja grosseiro. Já lhe devolvi o dinheiro do empréstimo e sou dona da serraria. O que faço ou deixo de fazer é da minha conta, de mais ninguém.

– Pagou o empréstimo que lhe fiz com o dinheiro que conseguiu com a venda da madeira. Isso significa que meu dinheiro está sendo usado para sustentar Ashley. Você é uma mulher sem palavra e, se não tivesse quitado o empréstimo, teria imenso prazer de pedir o dinheiro de volta e de levá-la a leilão público, se não pudesse pagar.

– Não entendo por que odeia Ashley tanto assim. Acho que sente ciúme dele.

– Ora, ora, arranje outro motivo, pequena sedutora, pois está enganada. E, quanto a odiar Ashley, não o odeio mais do que gosto dele. Para falar a verdade, a única coisa que sinto por ele e pelos que são como ele é pena.

– Pena?

– Sim, e certo desprezo. Sinto pena dele porque deveria estar morto e não está. E certo desprezo porque não sabe o que fazer consigo mesmo agora que o mundo dele acabou.

Algo na fala de Rhett soou familiar. Aturdida, ela se lembrou de ter ouvido palavras semelhantes, mas não conseguia se lembrar de quando nem onde. Estava enraivecida demais para conseguir raciocinar. Rhett perguntou a Scarlett se achava que Ashley estava feliz, ela respondeu que sim, mas não o convenceu.

– Ora, Scarlett, não banque a boba! O que sobrou para Ashley Wilkes fazer da vida agora que perdeu a casa, teve a fazenda confiscada para pagar impostos e cavaleiros de estirpe que não estão valendo nem um centavo?

Ele consegue trabalhar com a cabeça ou com as mãos? Aposto que você anda tendo prejuízo desde que ele começou a cuidar do negócio.

– Não tive!

– Que ótimo. Posso dar uma olhada nos livros de contabilidade qualquer domingo desses, à noite, quando estiver livre?

– Vá pro inferno, e pode ser agora mesmo! Não ligo nem um pouco.

Rhett disse que nunca mais voltaria a emprestar dinheiro a Scarlett, e ela retrucou que não precisava dele, pois procuraria os bancos quando fosse necessário. Mas Rhett tinha ações espalhadas por todos eles e disse que dificultaria ao máximo essas transações e que ela, Scarlett, deveria ter jogado limpo com ele. Scarlett se sentia enraivecida e frustrada. Havia algum tempo, vinha pensando em pedir dinheiro emprestado a Rhett para abrir um novo depósito de madeira. Apesar disso, disse que poderia se virar muito bem sem o dinheiro dele, pois vinha lucrando com a serraria de que Gallegher tomava conta e também com hipotecas e com a venda de pretos.

– É, ouvi falar. Que esperta você aproveitar-se dos indefesos, das viúvas, dos órfãos e dos ignorantes! Mas, se precisa roubar, Scarlett, por que não rouba dos ricos e dos fortes em vez de se aproveitar dos pobres e fracos? Desde Robin Hood essa prática é altamente moral.

Scarlett o acusou de tentar atormentá-la, e Rhett persistiu em Ashley, alegando que pessoas como ele não tinham nenhuma utilidade, pois, sempre que o mundo virava de cabeça para baixo, gente da espécie de Ashley era a primeira a perecer.

– Gente como ele não tem astúcia nem força, ou, quando as têm, escolhe não as usar. Então, não suportam e acabam sucumbindo. É a lei da natureza e o mundo fica melhor sem eles. Mas há alguns poucos que são fortes, resistem, e em uma questão de tempo se reerguem, e, quando o mundo volta ao lugar certo, retomam sua posição, exatamente de onde estavam.

Apesar da raiva que sentia, para Scarlett, as palavras de Rhett faziam muito sentido, soavam familiares. Mal conseguia escutar o que Rhett dizia, mas começava a se lembrar claramente do que lhe escapara da memória minutos antes. Lembrara-se do vento gelado no rosto, do pomar de Tara, do olhar distante de Ashley... De um nome estranho, engraçado, que ele usara para fazer referência ao fim do mundo. Na ocasião, ela não compreendera o significado daquilo, mas agora começava a entender, e a ter uma sensação estranha e perturbadora.

– Ah, Ashley disse uma vez... Falou sobre... um tal de crepúsculo dos deuses, o fim do mundo, alguma bobagem do tipo.

– Ah! O *Götterdämmerung*...

Olhando para a bebê, ele se levantou de repente, pegou o chapéu e esticou um dedo para a bebê agarrar.

– Suponho que Frank seja um pai muito coruja, tenho razão?

– Ah, sim. Ele é mesmo.

– Imagino que tenha muitos planos para essa bebê, não?

– É. Você sabe como os homens se derretem por bebês.

– Diga a ele... – pontuou Rhett, prestes a sair, mas parou de repente e fez uma cara estranha. – Diga que se quiser ver os planos para essa bebê se concretizarem é melhor passar mais noites em casa. Mais do que tem feito.

– O que quer dizer com isso?! Seu... seu maldoso! Como pode insinuar que o pobre Frank...

– Ah, por Deus! – exclamou Rhett, irrompendo em uma gargalhada escandalosa. – Não quis dizer que ele está andando por aí com mulher! Frank? Ah, por Deus!

E, com isso, desceu as escadas, ainda gargalhando.

Capítulo 44

A caminho da serraria de Johnnie Gallegher, pela estrada Decatur, ventava e fazia frio naquela tarde de março, e Scarlett ajeitou a manta nos braços, cobrindo-os até os ombros. Dirigir sozinha naqueles dias era arriscadíssimo, ela sabia disso, mais arriscado que antes, pois agora os pretos estavam totalmente fora de controle. Como Ashley previra, recusar a homologação da emenda custara caro, soara como um verdadeiro tapa na cara do Norte, e a retaliação foi rápida e agressiva. O Norte estava decidido a impor ao Estado o direito de voto aos pretos, e, com esse fim, a Geórgia declarou rebelião e fora posta sob rigorosa lei marcial. O Estado foi varrido do mapa e se tornara, junto à Flórida e ao Alabama, "Terceiro Distrito Militar", sob o comando de um general federal. O general Pope impusera um regulamento disciplinar muito mais rígido que os anteriores. Resguardados pelos ianques, e fortalecidos pela nova liderança governamental, a selvageria dos pretos se tornou ainda maior. Nada nem ninguém estava protegido contra eles.

Nesses dias perigosos e apavorantes, Scarlett estava assustada... assustada, mas determinada, e continuava saindo sozinha, levando a arma de Frank escondida no estofamento da charrete. Aproximando-se do caminho com um amontado de árvores desfolhadas que levavam a um riacho, em cuja extremidade ficava a colônia de Shantytown, ela agarrou as rédeas do cavalo e o apressou o máximo que pôde. Sempre que passava por aquele bando de gente suja, e daquele amontoado de barracas descartadas do exército e de senzalas, sentia-se desconfortável. Era o lugar mais mal-afamado e temido de Atlanta, pois ali viviam pretos imundos e marginais, prostitutas pretas e alguns brancos pobres da pior espécie. Diziam que ali era o primeiro lugar para onde os soldados ianques iam quando estavam à procura de algum preto ou branco criminoso. Os próprios ianques admitiam que aquele era um lugar horrendo que precisava ser exterminado, mas não tomavam nenhuma providência. A revolta imperava entre os moradores de Atlanta e Decatur, que eram obrigados a passar por ali quando precisavam cruzar as duas cidades. Damas também evitavam passar pelo local, mesmo acompanhadas de um homem, pois era comum haver, naquele lugar, bandos de pretas desocupadas e bêbadas, que, dispersas pela estrada, riam, provocavam e xingavam as mulheres que passavam. Na companhia de Archie, Scarlett nunca se importou com Shantytown, porque, com ele, nem mesmo a preta mais abusada que houvesse ali ousaria a rir da cara dela. Todavia, desde que vinha dirigindo sozinha, várias vezes ouvira provocações e xingamentos, e, apesar de sentir o ódio fervê-la por dentro, não podia fazer nada além de ignorar e seguir em frente.

Graças a Deus, naquele dia não havia nenhuma preta vadia na estrada! Naquele ponto, o vento frio trouxe-lhe às narinas um cheiro desagradável, uma mistura de madeira queimada, linguiça de porco frita e latrina. Quando começava a dobrar a curva e respirar aliviada por se livrar do odor repugnante, o coração saltou à boca e ela quase morreu de susto quando um preto enorme apareceu de repente, detrás de um carvalho. Em um instante, ela puxou as rédeas do cavalo e sacou a arma de Frank.

– O que você quer? – esbravejou com toda a dureza que conseguiu demonstrar. O preto alto voltou a se esconder atrás do carvalho e a voz que respondeu estava assustada.

– Deus nosso sinhô! Sinhá Scarlett, num atire em Big Sam!

Big Sam! O capataz de Tara, que ela vira pela última vez naquele dia, durante o cerco... Por um momento, mal pôde acreditar. Lembrou-se daquele dia em que vira um bando de pretos liderados por Big Sam cantando *Go down, Moses* e marchando em direção às trincheiras. Quando por fim teve certeza de que era ele mesmo, Scarlett mandou que saísse de trás da árvore. Big Sam, com um casaco azul da União, pequeno e apertado demais para ele, contou que trabalhara duro cavando valas e enchendo sacos de areia, até os confederados saírem de Atlanta, mas, quando o capitão encarregado dele fora assassinado, sem ter quem "dissesse a Big Sam o que Big Sam devia fazê", ficou vagando pelos arbustos, até que teve a ideia de voltar para Tara, mas soube que a propriedade fora incendiada. Foi então que apareceu um coronel que, tendo gostado de Big Sam, o pegou para cuidar de seu cavalo e de suas botas. O coronel levou Big Sam para o Norte, e viajaram por Washington, Nova Iorque, depois para Boston. Lá, era chamado de "sinhô O'Hara", coisa que não lhe agradava, sobretudo porque lhe perguntavam dos cães perdigueiros que soltavam para correr atrás dele, e das surras que levava, mas Big Sam respondia que nunca levara surra nenhuma, foi quando começou a sentir falta da sinhá Ellen e do sinhô Gerald. Scarlett, então, teve de contar sobre a morte dos pais e também do que acontecera a Tara, Suellen, Carreen e sobre Will Benteen. Contou ainda que Pork e Prissy continuavam em Tara e perguntou se ele, de fato, queria voltar para a propriedade. Foi quando lhe ocorreu ideia melhor. Perguntou a Big Sam se ele queria ficar em Atlanta e trabalhar como cocheiro dela, e ele a aconselhou a não andar sozinha por ali, ainda mais por Shantytown.

– Faiz dia que tô aqui, sinhá, venu vosmecê passá, mas nunca que consegui arcançá a sinhá a tempo. Faiz dois dia que tô aqui, mais vi aquelas nêga safada mexê com a sinhá. Espantei elas tudo. Sinhá num percebeu que num tem nenhuma aqui hoje?

– Percebi, sim, Sam, e agradeço muito. Bom, me diga, não gostaria de ser meu cocheiro?

– Sinhá Scarlett, faço gosto que sinhá me queira, mais é mió eu vortá pra Tara.

Scarlett notou que Big Sam ficou cabisbaixo de repente e perguntou o que se passava. Foi quando soube que ele matara um ianque bêbado que o ofendera.

– Sinhá, juro por Deus nosso sinhô, eu num queria matá aquele homi, mas minhas mão é forte demais, eu comecei a apertá o pescoço dele e quando vi o homi já tava morto.

Os ianques estavam à procura de Big Sam e, por isso, ele andava se escondendo. Scarlett franziu o cenho e hesitou. Não se abalou nem um pouco com a notícia de que Sam seria capaz de matar alguém, mas ficou triste por constatar que não poderia contar com ele como cocheiro. Um preto grande como Big Sam seria um guarda-costas tão bom quanto Archie. De todo modo, precisava enviá-lo a Tara o mais breve possível, para evitar que o encontrassem e prendessem. Era um preto valioso demais para ser enforcado. O melhor capataz de Tara! Não ocorrera a Scarlett que Big Sam agora era livre. Ele ainda lhe pertencia, tal como Pork, mammy, Petter, Cookie e Prissy. Ainda era "um membro da nossa família" e, como tal, tinha de ser protegido. Assim, Scarlett prometeu que o enviaria a Tara naquele mesmo dia, deu-lhe uma moeda, mandou que comprasse um chapéu de um dos pretos que ficavam por ali e pediu que a esperasse naquele mesmo lugar.

Scarlett prosseguiu caminho pensando que Big Sam certamente seria de grande valia para Will, em Tara. Pork nunca fora muito bom com o trabalho no campo e jamais seria. Além do mais, com Sam trabalhando ali, Pork poderia vir para Atlanta ficar com Dilcey, como Scarlett prometera a ele quando Gerald faleceu.

Ao chegar à serraria, ela encontrou Johnnie Gallegher na porta da choça miserável que servia de cozinha para o minúsculo acampamento. Ali, sentados em um tronco, em frente a um barraco que servia de dormitório para eles, estavam quatro dos cinco detentos que Scarlett arrendara para trabalhar na serraria. Estavam sujos, maltrapilhos, fedendo a suor e com aparência de doentes, e a corrente presa ao tornozelo tilintava quando se mexiam devagar. Pareciam apáticos e desesperados, e nem sequer ergueram a cabeça ao vê-la chegar e descer da carruagem.

– Não estou gostando nada da aparência desses homens – disse ela de súbito. – Parece que não estão bem. Onde está o outro?

– Disse que está doente – respondeu Johnnie. – Está no dormitório.

– E o que ele tem?

– Principalmente preguiça.

Scarlett, vendo o olhar de ódio que uns dos detentos lançou a Johnnie, perguntou a ele se andava chicoteando os homens, e Johnnie respondeu que ela lhe entregara a responsabilidade de cuidar da serraria e fazê-la lucrar. Ela sentiu um clima sinistro no ambiente, algo que não havia quando Hugh Elsing estava ali. Ao ir ao barraco que servia de cozinha, viu uma mulata gorda preparando algo no fogão. Scarlett sabia que Johnnie Gallegher vivia com ela, mas achava melhor ignorar o fato. Ela viu que a mulher cozinhava o feijão sem bacon, perguntou por que e soube que Johnnie dispensara o bacon. Scarlett percebeu também que a farinha, o presunto e outros mantimentos que ela enviara tinham sumido da despensa. Perguntou a um dos detentos quando fora a última vez que comera presunto e percebeu que ele estava com medo de responder. Ela mandou, então, que o presunto da prateleira fosse servido aos homens e ordenou que Rebecca preparasse biscoitos e café para eles.

Johnnie ladrão! Só podia ter vendido os suprimentos que ela enviara para o mês todo. Ela mandou chamá-lo e pediu que fosse à charrete. Lá conversaram, Scarlett o repreendeu e disse que, futuramente, passaria a trazer os mantimentos todos os dias.

– Futuramente não estarei mais aqui – afirmou Johnnie Gallegher.

– Está pedindo demissão?

Scarlett quase mandou o sujeito pegar as coisas e sair dali, mas se deteve, pois o que faria sem Johnnie naquele momento? Vendo o dilema com que ela se debatia, Johnnie tentou amenizar o tom da conversa dizendo que estava tarde e que não podiam discutir por uma bobagem como aquela.

Sugeriu que ela descontasse dez dólares de seu salário no mês seguinte e que o assunto terminasse ali.

– Vou descontar vinte dólares do seu salário – disse ela com firmeza – e amanhã de manhã volto aqui para continuarmos essa conversa.

Ela sabia que precisava se livrar de Johnnie. Era um ladrão cruel. Mas, por outro lado, era esperto, só Deus sabia quanto, e ela precisava de alguém esperto. Bem, não poderia demiti-lo agora. Johnnie trazia lucro. Scarlett só precisava garantir que os detentos fossem alimentados adequadamente. Assim, subiu na charrete, pegou as rédeas e partiu. Sabia que o assunto se encerrara ali e tinha consciência de que Johnnie também tinha ciência disso. Começou a fazer o caminho de volta inquieta. Sabia que não podia deixar vidas humanas à revelia e que, se algum daqueles homens morresse, ela seria tão culpada quanto Johnnie, pois mantivera os homens sob a responsabilidade dele, mesmo depois de tomar conhecimento de sua brutalidade.

Com o entardecer, Scarlett se sentiu ainda mais assustada ao fazer o caminho de volta. Ela nunca ficara até tão tarde na rua, sozinha. Não encontrou Big Sam por ali, puxou as rédeas para refrear o cavalo e esperar por ele, temendo que os ianques o tivessem encontrado. Foi quando escutou o ruído de passos se aproximando e deu um suspiro de alívio. Daria uma bela bronca em Sam por tê-la deixado ali. No entanto, não foi Sam quem apareceu.

Um homem branco, grande e maltrapilho, acompanhado de um preto que tinha os ombros e o peito de um gorila, apareceram. Ela meteu as rédeas no lombo do cavalo e puxou a arma. O cavalo começou a trotar, mas parou de repente quando o homem branco esticou o braço.

– Senhora, tem uma moedinha para me dar? – perguntou ele. – Estou com muita fome.

– Saia da minha frente! – respondeu ela, mantendo a voz o mais firme possível. – Não tenho dinheiro nenhum. Vamos, vamos!

– Pegue ela! – gritou o preto. – Deve tê dinheiro escondido *nos peito*.

Em um movimento repentino, a mão do homem segurou o freio do cavalo. Tudo que houve na sequência foi muito rápido. Ela empunhou a arma depressa, mas ficou com medo de atirar no branco e acertar o cavalo. O preto veio correndo em direção à charrete. Scarlett atirou nele; se acertou o tiro ou não, nunca soube, mas no instante seguinte lhe arrancaram a arma com tanta violência que ela quase teve o punho quebrado. Com a mão livre, ela cravou as unhas no rosto do preto que fedia. Foi quando sentiu a mão dele segurando sua garganta e, em um segundo, o corpete foi rasgado do pescoço à cintura. A mão preta vasculhou entre seus seios e uma sensação de terror e repulsa se apossou de Scarlett como nunca antes. Ela começou a gritar loucamente. Quando o preto tentou tapar a boca dela, Scarlett deu-lhe uma mordida selvagem e gritou mais uma vez. Foi quando viu um terceiro homem na estrada. Big Sam.

– Corre, sinhá Scarlett! – gritou Sam, lutando com o preto. Trêmula e aos gritos, Scarlett meteu as rédeas no lombo do cavalo e saiu em disparada. Pouco tempo depois, Big Sam, com suas pernas compridas, a alcançou. Com o rosto coberto de sangue e suor, resfolegante, ele perguntou:

– Machucaru a sinhá? Eles machucaru a sinhá?

Scarlett não conseguiu falar, mas, percebendo os olhos alarmados de Sam fitando seu colo, ela se deu conta de que estava com corpete aberto e puxou as duas pontas. Ele tomou as rédeas da mão dela e os dois partiram; Big Sam, sem ter certeza se tinha matado "aquele babuíno preto", e Scarlett, sem a menor intenção de voltar lá para saber.

Capítulo 45

Naquela noite, quando Frank a deixou com tia Pitty e as crianças na casa de Melanie e saiu a cavalo com Ashley, Scarlett esteve a ponto de explodir de raiva e mágoa. Como ele podia sair para uma reunião política logo naquela noite, justo naquela?! Uma reunião política! E na mesma noite em que fora atacada, quando algo poderia ter lhe acontecido! Que egoísta e insensível! Mas, desde que Sam chegara carregando-a nos braços, ela em prantos, Frank reagiu a tudo com extrema calma e serenidade, nem sequer cofiara a barba enquanto Scarlett, às lágrimas e aos berros, contava tudo que se passara. A única coisa que Frank fez foi perguntar, com gentileza: "Docinho, está machucada... ou só assustada?".

– Quando cheguei lá, aqueles homi já tinham feito esse estragu na rôpa da sinhá – explicou Sam.

– Você é um bom rapaz, Sam, e não vou esquecer o que fez. Se houver algo que eu possa fazer por você...

– Aaaah, tem, sim, sinhô, pode me mandá pra Tara o mais rápido que pudé. Os ianque tão atrás d'eu.

Frank escutou as palavras de Sam com a mesma calma com que tratara Scarlett e sem fazer perguntas. Tinha o mesmo semblante daquele dia em que Tony batera à porta deles, como se aquele fosse um assunto exclusivamente masculino e tivesse de ser abordado com o mínimo de palavras e emoções. Ele mandou Sam se apressar até a charrete, disse que mandaria tio Peter levá-lo até Rough and Ready naquela mesma noite, onde poderia se esconder no mato e pela manhã pegar o trem até Jonesboro. Pediu a Scarlett que se acalmasse e parasse de chorar, pois tudo passara e ela não se machucara. Perguntou a Pitty se poderia emprestar seus sais aromáticos a Scarlett e mandou mammy preparar uma taça de vinho para ela.

Scarlett voltou a se debulhar em lágrimas, desta vez de raiva. Queria palavras de conforto, indignação, promessas de vingança. Teria preferido até que ele lhe desse uma bronca, que dissesse que era justamente esse o seu medo, mas Frank estava estranhamente calmo e gentil, com um comportamento relapso, como se algo mais importante lhe passasse pela cabeça. E esse negócio importante era uma reuniãozinha política! Ela mal pôde acreditar quando Frank pediu que trocasse de roupa e se aprontasse para levá-la à casa de Melanie.

A salinha de Melanie estava tão tranquila quanto costumava ser nas noites em que Frank e Ashley ficavam fora e as mulheres se reuniam para costurar. O cômodo estava quente e acolhedor, com a luz da lareira acesa. O lampião na mesa irradiava uma luz amarela nas quatro cabeças inclinadas para o bordado. Pela porta aberta do quarto, ouvia-se a respiração serena de Wade, Ella e Beau. Archie, sentado de costas para a lareira, com a bochecha sobressaltada por conta do naco de fumo, talhava uma tora de lenha. O contraste entre o velho sujo e peludo e as quatro damas requintadas era tanto que Archie mais parecia um cão de guarda velho e brutal em meio a quatro filhotinhas de gato. A voz calma e serena de Melanie contava sobre o recém-acesso de raiva das Damas Harpistas, que pretendiam anunciar sua saída do Círculo Musical, por uma divergência quanto ao próximo recital do Coral dos Cavalheiros Jubilosos. Scarlett, revoltada, sentia vontade de gritar "Que se danem as Damas Harpistas!", pois queria contar sobre aquela experiência terrível, dizer quão fora corajosa, mas toda vez que tocava no assunto Melanie desviava a conversa, irritando Scarlett ainda mais. Eram tão mesquinhas quanto Frank. Como podiam manter aquele estado de calma e placidez se ela acabava de contar que fugira de um destino tão horrível? Nem sequer lhe permitiam a cortesia de desabafar e poder falar sobre o assunto.

O silêncio e a calmaria daquela sala, vez ou outra entremeados pela voz tênue e gentil de Melanie, a deixavam à beira de um ataque de nervos. Archie, ali sentado se entretendo com uma tora de lenha, de repente lhe pareceu muito estranho. Geralmente, estaria estirado no sofá, pois era assim que ficava durante as noites de guarda, roncando tão alto a ponto de fazer os pelos da barba flutuarem. E mais estranho ainda foi perceber que nem Melanie nem India o advertiram para proteger o chão das lascas de lenha com uma folha de papel. Quando Archie escarrou alto, India, claramente muito aborrecida, o reprimiu, tia Pitty comentou que sempre agradeceu a Deus o fato de o pai não mascar tabaco e Melanie a repreendeu, irritada, o que Scarlett também nunca vira.

– Santo Deus! – reclamou tia Pitty, deixando o bordado de lado. Visivelmente magoada, retrucou: – Não sei o que deu em vocês duas hoje. Você e India estão parecendo duas velhas ranzinzas.

Nenhuma das duas disse nada. Melanie nem sequer se desculpou pela grosseria, mas voltou para o bordado, com certo aborrecimento. "O que estava acontecendo ali?", perguntou-se Scarlett. Apesar do esforço de Melanie em fazer com que tudo se parecesse como sempre, pairava no ar um clima estranho, um nervosismo cuja causa não era só o que havia acontecido naquela tarde. Enquanto observava todos ali, Scarlett cruzou o olhar com o de India e percebeu nele algo mais forte que o ódio e mais ofensivo que desprezo.

"Como se fosse culpa minha o que aconteceu", pensou Scarlett, indignada.

India desviou o olhar para Archie, mas o aborrecimento pareceu ter se transformado em uma ansiedade velada. Archie não olhou para India, mas para Scarlett, do mesmo jeito frio e duro de India. Um silêncio sepulcral se instalou na salinha, e Scarlett escutou o ricochetear do vento lá fora. De repente, aquela se transformou na noite mais desagradável possível. Ela começou a sentir a tensão no ar e se perguntou se estivera assim o tempo todo e ela, por conta da raiva que sentia, não notara. Archie se mantinha em constante estado de alerta; uma inquietação reprimida fazia Melanie e India tirarem os olhos do bordado e erguerem a cabeça toda vez que se ouvia um ruído lá fora, fosse o crepitar de um galho ou o sibilo do vento. Havia algo errado, disso Scarlett tinha certeza, assim como também estava certa de que tia Pitty, tal como ela, não sabia exatamente o que era, mas Archie, Melanie e India sabiam. Sabiam de alguma coisa, esperavam alguma coisa, apesar do esforço para agir com naturalidade. Inquieta e aborrecida com aquilo tudo, sem querer, Scarlett acabou ferroando o próprio polegar com a agulha e começou a se queixar, disse estar nervosa demais para costurar, com vontade de ir para casa, descansar, dormir, reclamou do marido, reclamou por não estar ali cuidando dela, foi quando percebeu outro olhar enviesado de India e parou de falar. India estava resfolegante e fitava Scarlett com uma frieza mortal.

– Se não for incômodo, India – disse Scarlett em tom sarcástico –, agradeceria muito se me dissesse por que está me encarando a noite toda. Perdeu alguma coisa aqui?

– Não será incômodo nenhum. Respondo com prazer – afirmou India, com o olhar reluzente. – Não suporto ver você reclamando de um homem tão bom quanto o senhor Kennedy. Se soubesse o que...

– India! – reprimiu Melanie em tom de alerta, as mãos cerrando o bordado.

A discussão prosseguiu, Scarlett afirmando que ninguém melhor que ela conhecia o marido, India acusando-a de reclamar por não ser protegida, quando, na verdade, era a última a se preocupar com o assunto, por andar pelas ruas se expondo, se exibindo para estranhos, esperando que lhe beijassem os pés. Melanie insistiu, pedindo a India que se calasse.

– Deixe! Deixe ela falar – exclamou Scarlett. – Estou gostando. Sempre soube que ela me odiava, mas é hipócrita demais para admitir. Se acreditasse que alguém seria capaz de admirá-la, andaria nua pelas ruas, dia e noite.

Com o corpo trêmulo de raiva, India se levantou, acusou Scarlett de desprestigiar as pessoas decentes, de envergonhar o próprio marido ao sair às ruas para trabalhar, de dar motivo aos ianques para zombarem dos sulistas e ofendê-los. E acrescentou:

– E, quando fica andando pelo mato e se expondo a ataques, expõe também toda mulher recatada da cidade, colocando a tentação bem no caminho dos pretos e dos brancos maldosos. E está colocando em perigo a vida dos homens da nossa família, porque...

– Meu Deus, India! – gritou Melanie, e mesmo que estivesse visivelmente irritada Scarlett se surpreendeu ao ouvir Melanie usar o nome de Deus em vão. – Fique quieta! Ela não sabe e ela... não fale nada! Você prometeu...

Melanie não conseguiu mais conter India, apesar de continuar insistindo. De repente, Archie levantou-se depressa. Alguém se aproximava, disse ele, e não era o senhor Wilkes.

– Quem está aí? – perguntou ele antes mesmo de o desconhecido bater à porta.

– Capitão Butler. Deixe-me entrar.

Sem tirar o chapéu, e sem cumprimentar os demais, Rhett se dirigiu diretamente a Melanie e perguntou:

– Onde estão? Fale depressa. É questão de vida ou morte.

India atravessou a sala correndo e se aproximou de Melanie.

– Não diga nada a ele! – exclamou. – É um espião! Está do lado dos *scallawags*!

Rhett nem sequer desviou o olhar de Melanie.

– Depressa, senhora Wilkes! Pode ser que ainda haja tempo.

– Mas o que está... – perguntou Scarlett.

Sem explicar ao certo o que, Melanie perguntou a Rhett como ele soubera, e ele apenas respondeu:

– Por Deus, senhora Wilkes. São suspeitos desde o começo... estavam agindo com esperteza... até esta noite! Como sei? Estava jogando pôquer hoje com dois capitães ianques bêbados e eles deixaram escapar. Os ianques sabem o que eles vão fazer hoje e estão preparados. Os tolos vão cair na armadilha.

India continuou dizendo a Melanie que não dissesse nada, e Scarlett, mesmo sem compreender uma palavra de tudo aquilo, enxergou a confiança no olhar de Melanie quando endireitou o corpo e, com a voz calma, mas firme, disse:

– Na Decatur, perto de Shantytown. Eles se encontram no porão da antiga fazenda Sullivan... aquela que pegou fogo.

– Obrigado. Vou depressa para lá. Quando os ianques chegarem aqui, digam que não sabem de nada.

Tia Pitty ficou apavorada ao escutar aquilo, e, Scarlett, sem poder suportar mais aquele mistério, disse:

– O que está acontecendo? O que ele quis dizer com isso? Se não me contarem, vou ficar louca!

– O que ele quis dizer? Que provavelmente Ashley e o senhor Kennedy vão morrer por sua causa! – disse India, com voz de triunfo, apesar do medo e da agonia. – Pare de tremer, Melly! Ela vai desmaiar.

Archie mandou que todas se sentassem e ficassem em silêncio. Scarlett perguntou a Melanie onde estava Ashley, e India a provocou perguntando se ela não queria saber do marido. Melanie novamente pediu a India que se calasse, mas se viu obrigada a contar a Scarlett. Ashley e Frank faziam parte da Klan. India e Melanie sabiam disso o tempo todo, Scarlett não.

– É claro que o senhor Kennedy está na Klan, Ashley também, e todos os homens que a gente conhece – exclamou India. – São homens, não são? Brancos e sulistas. Você deveria sentir orgulho deles em vez de obrigar seu marido a sair escondido, como se estivesse fazendo algo errado, e...

– Então, é para lá que eles vão quando dizem que estão em uma reunião política? Ah, ele me prometeu! Agora os ianques vão me tomar as serrarias, a loja e prender Frank... Ah! E o que Rhett quis dizer?

Quem contou a verdade para Scarlett foi Archie. Como ela saíra naquela tarde para, nas palavras dele, "vagabundear e se metera em encrenca", Ashley e Frank tinham saído naquela noite para fazer justiça e acabar de uma vez com Shantytown. E, se o que Rhett dissera fosse verdade, os ianques suspeitaram de algo e saíram com as tropas atrás deles. Por outro lado, se Rhett estivesse mentindo, se fosse um espião, acabara de receber a informação para entregar o pescoço de Ashley e Frank às mãos dos ianques. E, se os dois não morressem, teriam de fugir para o Texas, ficarem por lá e talvez nunca mais voltar. Archie concluiu a fala dizendo:

– É tudo culpa sua. *Suas mão tão suja* de sangue.

Os ianques bateram à porta de Pitty. Todas as mulheres, apavoradas, fizeram o possível para manter o olhar absorto no bordado e transparecer calma. Archie abriu a porta, e Scarlett, transtornada com a possibilidade de ter causado a morte de Ashley, sem sequer cogitar que Frank também poderia estar morto, sentiu uma pontada de alívio ao reconhecer o oficial. Capitão Tom Jaffery, amigo de Rhett. Ela vendera madeira a ele para construir sua casa. Sabia que era um cavalheiro e que não as arrastaria para a cadeia. Perscrutando todos os cantos, dali da porta mesmo, o capitão perguntou a Melanie sobre Ashley e Frank, e ela respondeu que os dois estavam na loja. Jaffery disse que não estavam na loja e que os esperariam ali fora. Todos dentro da casa ouviram o capitão ordenando que a cercassem por todos os cantos. Com toda a calma do mundo, Melanie se sentou e pegou o livro sobre a mesa, *Os miseráveis*, obra predileta dos soldados confederados, que a liam à luz dos alojamentos e adoravam chamá-la de "Os miseráveis de Lee". Melanie abriu uma página do meio e começou a ler com a voz clara e monótona.

Por quanto tempo Melanie leu sob um cerco de olhares observadores, Scarlett jamais soube, mas teve a impressão de que foram horas. Agora começava a pensar tanto em Frank quanto em Ashley. Então, eis o motivo daquela suposta calma quando ela chegou! Ele prometera a ela que nunca se envolveria com a Klan. Ah, não, isso era o que ela mais temia. Todo o esforço do ano anterior seria em vão. E quem poderia imaginar que o velho e pacífico Frank se envolveria com ações impulsivas da Klan? Àquela hora, talvez já estivesse morto. E, se não estivesse e os ianques o capturassem, seria enforcado. E Ashley também! Com a casa toda cercada, nem sequer poderiam pegar dinheiro e uma muda de roupas para fugir, caso tivessem a sorte de ter conseguido escapar. E provavelmente havia um soldado ianque em cada casa da rua, para o caso de irem pedir ajuda a algum amigo. Ou talvez, àquela altura, já estivessem cavalgando feito loucos na escuridão, a caminho do Texas. Mas Rhett... talvez Rhett tivesse os alcançado a tempo. E ele sempre andava com muito dinheiro no bolso. Mas o que levaria Rhett a se preocupar com a segurança de Ashley? Com certeza, o detestava, não o suportava.

"É tudo culpa minha! India e Archie tinham razão!", pensou Scarlett.

De repente, voltaram a ouvir os passos de cavalos e uma cantoria lá fora, abafados pelas portas e janelas fechadas. Era a canção mais detestável de todas, a que falava da tropa de Sherman, *Marching through Georgia*, embalada pela voz de Rhett. Outras duas vozes embriagadas o atacavam, falas emboladas que mal conseguiam completar as palavras. O capitão Jaffery e seus homens rapidamente se posicionaram na varanda da frente. As mulheres se entreolharam, apavoradas, pois reconheceram as vozes de Ashley e Hugh Elsing. "Não pode ser Ashley! Ele nunca bebe! Nunca! E Rhett... ora, Rhett não é tipo que faz escândalo quando fica bêbado... Nunca!", pensou Scarlett. Não conseguia raciocinar rapidamente e, por um momento, nada fazia sentido. Ela sabia, tão bem quanto Melanie, que eles não estavam bêbados. Ashley apareceu na fresta da porta, o rosto empalidecido, o cabelo brilhoso desgrenhado, o corpo coberto pela capa preta de Rhett, do pescoço aos joelhos.

Naquela mesma noite, um espetáculo improvisado, em que havia vidas em jogo e do qual nem Scarlett nem tia Pitty participavam, aconteceu ali, na salinha de Melanie. O capitão deu ordem de prisão a Ashley e Hugh. Melanie resmungou e, indignada, disse jamais ter imaginado que a embriaguez poderia levar um homem à prisão. Melanie começou a reprimir o marido trôpego pela bebedeira e fez o mesmo com Rhett, expulsando-o por ter trazido o marido dela naquelas condições novamente. Rhett, trôpego, agarrou o encosto da cadeira e, olhando para o capitão e referindo-se a Melanie, reclamou e disse que aquele era o tratamento que recebia por trazer o marido dela de volta para casa e impedi-lo de ser preso. Rhett perguntou a Jaffery por que prenderia os dois, e o capitão respondeu que Ashley e Hugh tinha participado de um ataque da Klan em Shantytown, naquela mesma noite.

– Esta noite? – indagou Rhett, começando a gargalhar. E gargalhou tão alto que precisou se sentar no sofá. – Esses dois estavam comigo, Tom... desde as oito.

O capitão perguntou onde exatamente, e Rhett disse que não poderia responder ali, na frente das senhoras; sugeriu que fossem conversar lá fora, mas Melanie exigiu que respondesse à pergunta ali mesmo. Rhett, então, disse que os dois estavam com ele, divertindo-se no bordel de Belle Watling, e sugeriu ao capitão que fosse lá averiguar a informação.

– Rhett, eu não fazia ideia de que... – apesar do vento frio que soprava atrás dele, pela porta aberta, o capitão transpirava. – Olhe bem para mim! Você jura que esses dois estavam com você no... er... na Belle?

– Que diabos, claro que sim – grunhiu Rhett. – Vá lá e pergunte a Belle se não acredita na minha palavra. Agora, permita-me acompanhar a senhora Wilkes ao quarto dela. Ela não me parece bem. Dê ela aqui, Archie. Sim, deixe, consigo carregá-la. Senhorita Pitty, vá na frente, com o lampião.

O capitão insistiu com Rhett, disse que precisava prender aqueles dois homens, mas Rhett mandou que o fizesse amanhã, pois, de qualquer modo, os dois não conseguiriam fugir naquelas condições. Jaffery disse a India que pedisse ao irmão que se apresentasse ao delegado no dia seguinte e em seguida saiu, levando o sargento e Hugh Elsing com ele. Assim que saíram, para se firmar no chão, Scarlett agarrou o encosto da cadeira onde Ashley se sentara. E percebeu uma mancha escura de sangue. Ashley estava ferido. Ela correu até o quarto de Melanie e a viu estranhamente disposta, para quem estava a ponto de desmaiar, abrindo com uma tesoura a camisa ensanguentada do marido. Rhett contou que ele fora atingido no ombro por um tiro e o trouxera para casa porque estava fraco demais para conseguir viajar. Ele perguntou a India se tinha medo de sair à noite e, tendo ela respondido que não, pediu que fosse buscar um médico, de preferência não o doutor Meade, que provavelmente, àquela hora, também estaria se explicando para os ianques.

Ele pediu a India que chamasse Archie, pois precisava que tomasse algumas providências. Archie veio, disse que se recusaria a acatar ordens que não fossem de Melanie, mas, como ela ordenou que fizesse tudo que o capitão mandasse, ele escutou tudo calado. Scarlett estava tão preocupada com Ashley, tão absorta naquelas bolhas de sangue no peito dele, que só conseguiu ouvir as seguintes palavras da conversa entre Rhett e Archie:

"Pegue o cavalo... amarrado lá fora... vá o mais rápido que puder. A fazenda Sullivan. Vai encontrar as túnicas na chaminé de cima. Queime-as".

– E tem dois... homens no porão. Coloque-os no cavalo, do jeito que conseguir... Leve-os para o terreno baldio atrás de Belle... aquele que fica entre o bordel e a ferrovia. Tome cuidado. Se for pego, enforcarão você e todos nós. Deixe-os nesse terreno, com as armas... nas mãos. Tome... leve as minhas.

Quando Archie saiu, um acesso repentino de medo e suspeita irrompeu no peito de Scarlett feito uma bolha crescente e prestes a explodir.

– Onde está Frank? – gritou.

Rhett não respondeu, apressou-se até o quarto e lá pediu desculpas a Melanie por ter precisado mentir na frente dos soldados e dito que Ashley estivera no bordel. Disse que naquela tarde esteve jogando pôquer no bar de Belle e uma dúzia de soldados o vira lá. E que Belle e suas garotas ficariam satisfeitas de mentir e confirmar que o senhor Wilkes estivera lá. Dali a pouco, a porta dos fundos abriu-se e India entrou, trazendo consigo o doutor Dean, que os cumprimentou com um simples aceno de cabeça e, sem dizer uma palavra, removeu a bandagem que cobria o ferimento de Ashley.

– Alto demais para acertar o pulmão – disse. – Se não acertou a clavícula, não é grave. Tragam toalhas, senhoras, e algodão, se tiverem. E um pouco de conhaque.

Rhett pegou o lampião da mão de Scarlett e a acompanhou até a sala. A bolha que ela sentira irrompendo no peito estava maior, muito maior agora. Era mais que suspeita. Era quase uma certeza, uma certeza terrível.

– Frank estava na... Belle?

– Não – respondeu Rhett sem titubear. – Archie o está levando para um terreno baldio, perto do bordel. Está morto. Levou um tiro na cabeça.

Capítulo 46

Poucas famílias do extremo norte da cidade dormiram naquela noite, pois a notícia do desastre da Klan e do estratagema de Rhett se espalhou rápida e sorrateiramente enquanto a silhueta sombria de India se esgueirava pelos quintais, sussurrando depressa por entre portas de cozinhas e desaparecendo na escuridão da noite, deixando para trás o rastro do medo, mas também da esperança. Do lado de fora, as casas pareciam escuras, silenciosas e envoltas pelo medo, mas, dentro, vozes sussurravam. Todos os envolvidos no ataque daquela noite, assim como também todos os membros da Klan, sem exceção, estavam preparados para fugir, se preciso fosse. Cavalos encilhados, armas no coldre e comida nos bornais, mas a fuga em massa foi contida pela mensagem sussurrada de India: "O capitão Butler disse para não fugir. As estradas estão cercadas. Ele fez um acordo com aquela mulher, Watling...", e, na penumbra, vozes masculinas indagavam: "E por que devo confiar no maldito daquele *scallawag* do Butler? Deve ser uma armadilha!", e as vozes das mulheres imploravam: "Não vá! Se ele salvou Ashley e Hugh, pode salvar todo mundo. Se India e Melanie confiam na palavra dele...". E todos ficaram e confiaram, com certa desconfiança, simplesmente porque não havia outra saída.

Mais cedo, naquela mesma noite, os soldados bateram em várias portas e aqueles que não podiam ou se recusaram a dizer onde estiveram naquele dia foram presos; entre eles, Rene Picard, um dos sobrinhos da senhora Merriwether, os Simmons e Andy Bonnell, que passaram a noite na prisão. Tinham participado do ataque, mas se separaram do grupo durante o tiroteio. Durante a fuga alucinada para casa, foram presos antes de tomarem conhecimento do plano de Rhett. Por sorte, todos se limitaram a responder ao interrogatório dizendo que onde haviam estado ou deixado de estar não era da conta de ninguém, a não ser deles, e foram convocados a prestar novo depoimento na manhã seguinte. Sem demonstrar vergonha, o velho Merriwether e tio Henry Hamilton afirmaram com todas as letras terem passado a noite no bordel de Belle Watling e, quando o capitão Jaffery caçoou deles e os reprimiu por serem velhos demais para certas coisas, os dois quiseram briga. Belle Watling atendeu à convocação do capitão Jaffery e, antes que ele tivesse tempo de anunciar a que viera, ela gritou que o bordel estava fechado, pois um bando de bêbados causara uma confusão e um prejuízo terrível naquela noite, tendo brigado entre si e quebrado os melhores espelhos do estabelecimento, mas disse ao capitão que o bar ainda estava aberto, caso quisesse entrar e tomar algo. Ciente das risadinhas contidas dos soldados diante daquele comentário, e sentindo-se impotente naquela circunstância, ele recusou a oferta e perguntou a Belle se sabia o nome dos que tinham causado aquela confusão. Ela respondeu que era um grupo que vinha todas as quartas-feiras à noite e se identificava como Democratas da Quarta, apesar de ela não saber o motivo e não ter a menor curiosidade de saber. Sem hesitar, citou o nome dos doze envolvidos.

Antes de amanhecer, não havia família ex-confederada na cidade que não estivesse sabendo de tudo, e os pretos, a quem ninguém contou nada, também souberam de tudo por meio da "rádio negra secreta", que era um verdadeiro mistério para os brancos. Todos tomaram conhecimento do ataque, da morte de Frank Kennedy e do aleijado Tommy Wellburn, e de como Ashley fora ferido ao carregar o corpo de Frank. A morte de Frank apaziguou, em partes, o ódio que as mulheres sentiam por Scarlett, mas ela nem sequer pôde contar com o consolo de reclamar o corpo, teria de esperar até o amanhecer, quando as autoridades a notificariam. Por ora, precisava fingir não saber de nada. Os corpos de Frank e Tommy, os dois com arma nas mãos, estavam estirados em um terreno baldio, no meio do mato, e os ianques diriam que um matou o outro depois de uma briga que tiveram por causa de uma das que trabalhavam no bordel de Belle. Todos se compadeceram por Fanny, esposa de Tommy, pois ela acabara de ter um filho, e ninguém naquela escuridão poderia ir até ela para confortá-la, porque certamente os ianques cercavam a casa, aguardando o suposto retorno de Tommy. Cientes de que o interrogatório aconteceria tão logo amanhecesse, todos sabiam que a vida e a segurança dos cidadãos mais proeminentes da cidade dependiam de três coisas: que Ashley comparecesse à delegacia e agisse como se nada além de uma enxaqueca o acometesse; que Belle Watling cumprisse a própria palavra; e que Rhett Butler confirmasse que estivera com todos eles, e a cidade se revirava do avesso ao pensar nesses dois últimos. Belle Watling! As mulheres atravessavam para o outro lado da rua quando a encontravam, apesar de os homens se sentirem menos humilhados em relação a ela, pois achavam que Belle tinha bom coração. Não se pode dizer o mesmo, no entanto, em relação a Rhett Butler, o especulador, o *scallawag* detestável. Como podiam confiar a liberdade e a própria vida nas mãos desse patife?! Outra coisa que os inquietava era saber que os ianques ririam da cara deles, ah, e como ririam! Doze dos cidadãos mais ilustres da cidade eram frequentadores assíduos do bordel de Belle Watling! Dois deles tinham morrido por causa de uma delas e os outros foram expulsos pela própria Belle; outros ainda tinham sido presos, tendo recusado admitir onde estavam, quando todos sabiam a verdade!

A notícia se espalhava de porta em porta, as damas ianques gargalhavam a ponto de chorar. Pois era essa, então, a fidalguia e galanteria sulista?! Talvez aquelas mulheres de nariz empinado pusessem o rabo entre as pernas, já que todos sabiam que tipo de lugar os maridos delas frequentavam quando diziam que iam a reuniões políticas! Ora, ora, que engraçado! Apesar de toda a chacota, essas mesmas damas demonstravam condolência por Scarlett e pela tragédia que a abatera; afinal, Scarlett era uma dama e uma das poucas em Atlanta que tratava bem os ianques. Nos últimos tempos, conquistara a simpatia delas pelo fato de precisar trabalhar ou porque o marido não podia, ou porque se recusava a sustentá-la adequadamente. O doutor Meade e a esposa conversaram sobre os possíveis motivos de Rhett ter tomado uma atitude como aquela, e a senhora Meade concluiu que ele queria, com isso, caçoar de todos que o desprezavam, expor todos à vergonha de ter de confessar que andavam entre as prostitutas se não quisessem morrer enforcados.

No dia seguinte, logo cedo, Belle foi à casa de Melanie em uma carruagem fechada e, em uma conversa breve, aconselhou-a que não deveria ter lhe enviado um bilhete naquela manhã dizendo que iria lhe fazer uma visita como forma de agradecimento, pois tinham corrido o risco de os ianques terem descoberto tudo. Melanie a elogiou por ter sido tão convincente diante do delegado naquele dia, ela e suas meninas, e lhe agradeceu por terem salvo a vida de todos.

– O senhor Wilkes foi quem fez tudo direitinho. Não sei como ele conseguiu ficar de pé e contar a história, nem como conseguiu parecer tão calmo. Tenho certeza de que estava sangrando feito um porco quando o vi ontem à noite. Ele vai ficar bem, senhora Wilkes?

Melanie explicou que, apesar de ter perdido muito sangue, Ashley ficaria bem, como dissera o médico, pois o ferimento não atingira nenhum órgão vital. As duas comentaram, e elogiaram, igualmente o depoimento de Rhett, que fora muito convincente. No meio da conversa, Belle elogiou o filho de Melanie, disse que era um garotinho muito bonito e confessou que também tinha um menino, que não morava ali, com ela, pois estava em um colégio interno, e ela não o via desde pequeno. Enquanto Melanie voltava a agradecer-lhe pelo que fizera, Belle disse que não teria feito o que fez por qualquer um e que jamais esqueceria o que Melanie fizera por ela naquele dia, quando aceitara o dinheiro para o hospital.

– Se fosse para ajudar só aquele um, o marido da senhora Kennedy, eu não teria mexido nem um dedinho, por mais que o capitão Butler me pedisse – afirmou Belle. – Senhora Wilkes, a culpa é dela; se não andasse por aí se exibindo, atiçando os pretos e os vagabundos... A senhora veja, nenhuma das minhas meninas...

– Por favor, não diga essas indelicadezas em relação à minha cunhada – pediu Melanie, endireitando o corpo.

Belle levou a mão ao braço de Melanie, e ela se desvencilhou.

– Por favor, senhora Wilkes, não fique brava comigo. Não aguentaria isso de uma pessoa tão boa e gentil como a senhora. Me esqueci do quanto a senhora gosta dela. Me desculpe pelo o que disse – disse Belle. – Sinto muito a morte do senhor Kennedy. Era um homem bom. Eu costumava comprar umas coisas dele para pôr na minha casa, e ele sempre me tratou muito bem. Quando vai ser o enterro?

– Amanhã de manhã. E, quanto a Scarlett, está enganada – afirmou Melanie. – Ela ficou muito transtornada. Está muito abalada com a morte.

– Talvez esteja mesmo – disse Belle, visivelmente descrente. – Bem, preciso ir, tenho medo de que alguém me reconheça. E, senhora Wilkes, não se incomode de não me cumprimentar quando me encontrar na rua... Não se preocupe, vou entender.

– Vou cumprimentar a senhora com orgulho. Orgulhosa de lhe dever uma grande obrigação. Espero... espero mesmo que voltemos a nos encontrar.

– Não – disse Belle. – Isso não estaria certo. Boa noite.

Capítulo 47

Sentada no próprio quarto, Scarlett remexia a comida do prato com o jantar que mammy trouxera, ouvindo, enquanto isso, o sibilo da ventania lá fora. A casa estava assustadoramente silenciosa, mais até que quando o corpo de Frank jazia ali, havia apenas algumas horas. O único som que se ouvia era o de passos na ponta dos pés, vozes conversando baixinho, batidas leves às portas, vizinhos sussurrando condolências e um ou outro soluço da irmã de Frank, que viera de Jonesboro para o funeral. Wade e a bebê estavam na casa de Melanie desde que o corpo do falecido chegara, e Scarlett sentia falta do barulho dos passos do menino e da balbuciação da bebê. Houve uma trégua na cozinha e nenhum barulho de discussão entre Peter, mammy e Cookie chegava até ela. Até tia Pitty, sentada na biblioteca, no andar debaixo, não balançava a cadeira rangente em respeito à tristeza de Scarlett. Ninguém ousou incomodá-la, acreditando que a vontade dela era ficar sozinha com a própria dor, mas ficar sozinha era a última coisa que Scarlett queria. Se a tristeza fosse a única coisa que a incomodava, teria aguentado, assim como aguentara tantas outras. No entanto, além do sentimento profundo de perda causado pela morte de Frank, medo, remorso e o tormento de uma consciência subitamente desperta a acometiam. Pela primeira vez na vida, Scarlett se arrependia do que fizera, arrependimento que vinha acompanhado de um medo supersticioso que a fazia olhar de soslaio para a cama em que dormia com Frank.

Ela matara Frank. Matara com a mesma certeza com que se tivesse puxado o gatilho de uma arma. Ele tanto pediu que não saísse sozinha, mas ela não dera ouvidos. E, por causa da obstinação dela, ele estava morto. Deus a castigaria por isso. Mas algo pior, muito mais pesado e muito mais assustador, lhe atormentava a consciência, algo que nunca a incomodara, até o momento em que vira o rosto dele no caixão. Deus castigaria Scarlett por ter se casado com Frank sabendo que era Suellen quem ele amava de verdade. E, quando chegasse o juízo final, ela teria de responder pela mentira que contara a ele aquele dia na charrete, quando Frank voltava do acampamento ianque. Casara-se com ele friamente e o usara friamente. E o fizera infeliz nos últimos seis meses, quando poderia ter lhe dado alegrias. Deus a castigaria por não ter sido boa para Frank, a castigaria por todas as ofensas, provocações e ataques de raiva, por afastá-lo dos amigos e envergonhá-lo ao abrir as serrarias, construir um *saloon* e contratar detentos. Ela o fizera infeliz e sabia disso, mas Frank suportara tudo feito um cavalheiro. O único motivo para a verdadeira felicidade que lhe proporcionara foi presenteá-lo com Ella, e Scarlett sabia que não teria concebido a filha se tivesse a oportunidade de evitá-la. Ah, como queria que Frank estivesse vivo! Seria boa para ele, boa o suficiente para recompensar todo o mal que lhe causara. Ah, se ao menos Deus não parecesse tão furioso e vingativo! Ah, se ao menos os minutos não passassem tão devagar e se a casa não fosse não silenciosa! Se ao menos não estivesse tão sozinha!

Se ao menos Melanie estivesse ali com ela, poderia acalmá-la. Mas ela estava em casa, cuidando de Ashley. Scarlett chegou a pensar em chamar tia Pittypat para se postar entre ela e sua consciência, mas desistiu da ideia, pois Pittypat provavelmente pioraria ainda mais as coisas, já que estava, de fato, enlutada com a morte de Frank. Ela se identificava mais com ele que com Scarlett, por terem idade mais próxima, e Pitty era verdadeira devota de Frank, que cumprira com perfeição a necessidade de ter "um homem em casa", além de lhe trazer presentinhos, de conversar com ela sobre amenidades, contar piadas e histórias, ler o jornal à noite para ela e contar como fora o dia enquanto ela remendava as meias dele. Pittypat preparava pratos especialmente para ele e o mimava nas inúmeras vezes em que contraíra resfriado. Agora que sentia muito a falta dele, repetia sem parar: "Se ele não tivesse se metido com a Klan!".

Sem conseguir suportar o peso de toda aquela dor sozinha, Scarlett levantou-se devagar, abriu uma fresta da porta, foi até a cômoda e vasculhou à procura da "garrafa sossega nervo" de tia Pitty, que ficava escondida ali. Segurando-a contra a luz, viu que a garrafa de conhaque estava pela metade. Com certeza, ela não bebera tudo isso desde a noite anterior! Serviu uma dose generosa no copo d'água e tomou em uma golada só. Teria de encher o restante da garrafa com água antes de amanhecer para despistar mammy. A bebida desceu quente e agradável pela garganta. Não havia nada como o conhaque quando se precisava dele. Conhaque era bom a qualquer hora, muito melhor que o vinho insípido. E por que diabos seria apropriado para uma mulher beber vinho e não bebida destilada? Com certeza, as senhoras Merriwether e Meade tinham sentido o hálito de Scarlett no funeral, e ela percebeu o olhar triunfante que as duas trocaram. Alcoviteiras!

Ela serviu-se de outra dose. Queria se embebedar totalmente como Gerald costumava fazer em dias de festa. Talvez assim conseguisse esquecer o rosto encovado de Frank, acusando-a de arruinar a vida dele e de matá-lo. Ficou se perguntando se todos na cidade acreditavam que ela o matara. De uma coisa tinha certeza: os que compareceram ao funeral a trataram com frieza. As únicas que demonstraram certa empatia foram as esposas dos oficiais ianques com quem Scarlett fazia negócios. Bem, não se importava com o que a cidade dizia a seu respeito. Que importância tinha isso perto das contas que teria de acertar com Deus!

Ela escutou uma batida surda na porta da frente e depois os passos bamboleantes de tia Pitty atravessando o corredor. Ao escutar a voz ressonante e arrastada de um homem, sentiu alívio. Era Rhett. Não o vira mais desde a notícia da morte de Frank e agora sabia, bem lá no fundo, que ele era a única pessoa capaz de compreendê-la naquela noite. Apesar de tia Pitty ter dito que Scarlett estava deitada e que certamente não receberia ninguém, ela foi depressa para o corredor e, surpresa por sentir as pernas meio bambas, debruçou-se sobre o corrimão.

– Já vou descer, Rhett – disse ela.

Vendo a cara de espanto e reprimenda de tia Pitty, Scarlett cogitava que logo começaria o falatório de que ela se comportara mal no dia do enterro do marido, mas correu para o quarto e começou a ajeitar o cabelo. Abotoou o corpete até a altura do queixo e o fechou com o broche de luto de Pittypat. Ao olhar no espelho, sentindo-se branca demais e assustada demais, pensou em passar ruge, mas desistiu da ideia porque sabia que a pobre Pittypat ficaria à flor da pele se ela descesse corada e viçosa. Pegou a água de colônia, encheu a boca com um gole, gargarejou e cuspiu na escarradeira. Quando Scarlett desceu, Rhett apressou-se para se desculpar por vir incomodá-la com assuntos de negócios, mas a desculpa era apenas um pretexto para que Pittypat deixasse os dois a sós. Seguindo a sugestão da própria Pittypat, os dois foram para a biblioteca e, nas primeiras palavras trocadas, Rhett sentiu o hálito de Scarlett e lhe disse que a água de colônia não disfarçava nada. Ele a levou ao sofá de jacarandá, e ela se sentou, em silêncio.

– Posso fechar a porta? – perguntou ele.

Ela sabia que mammy ficaria horrorizada se visse as portas fechadas e falaria pelos cotovelos nos próximos dias, mas pior seria se ela escutasse aquela conversa sobre bebedeira, ainda mais porque andava procurando a garrafa de conhaque que desaparecera. Scarlett assentiu, e Rhett fechou as duas portas corrediças.

– Qual é o problema, doçura?

Só Rhett, e mais ninguém no mundo, pronunciava aquela palavra boba e terna com tanto carinho. Scarlett ergueu a cabeça e, sabe-se lá como, encontrou conforto naquela inescrutabilidade. Não sabia por que encontrava conforto nele, uma pessoa tão imprevisível e insensível. Talvez fosse porque, como ele próprio dissera tantas vezes, os dois fossem muito parecidos. Às vezes, Scarlett sentia como se todas as pessoas ao redor fossem estranhas. Todas, menos Rhett.

Então, ela desabafou com ele. Contou tudo que sentia, disse estar com medo, medo de ir para o inferno por ter se casado com Frank, pretendente de Suellen, por ter mentido e dito a ele que a irmã se casaria com Tony Fontaine. As palavras começaram a saltar da boca sem que ela sequer percebesse. Scarlett podia conversar sobre tudo com Rhett. Podia lhe contar tudo que quisesse. Ele se comportara tão mal a vida toda que jamais a julgaria. Abriu tanto o coração que citou a própria mãe ao falar que fizera mal para Frank, apesar de não ter sido criada para isso. Sem se dar conta, começou a chorar, contou do pesadelo que tinha com frequência, em que ela, o pai, a família toda e os escravos passavam fome, e disse que, ao despertar desse pesadelo, sentia como se não houvesse dinheiro no mundo capaz de impedi-la de voltar a passar fome. Rhett tentou acalmá-la dizendo que ela não tivera outra escolha senão aquela e que não estava arrependida por ter se casado com Frank e supostamente causado a morte dele, mas por ter se comportado mal e estar com medo de ir para o inferno por isso. Além disso, pontuou que ninguém obrigara Frank a se casar e que ele se deixara persuadir por ela, pois, do contrário, teria se oposto a fazer as coisas que a esposa pedia.

Mudando de assunto e na tentativa de animá-la, Rhett anunciou que viajaria para a Inglaterra e passaria alguns meses por lá, mas disse ter vindo para lhe contar outra novidade.

– E que novidade é essa? – perguntou ela, assoando o nariz no lenço que ele lhe oferecera minutos antes e ajeitando o cabelo, que começava a se soltar.

– A outra novidade é que... – respondeu, sorrindo para ela. – Eu ainda a desejo mais que todas as mulheres que já vi e, agora que Frank se foi, achei que gostaria de saber.

Ali, naquela mesma noite, Rhett a pediu em casamento.

– Sempre pretendi ter você, Scarlett, desde o primeiro dia em que a vi, em Twelve Oaks, quando arremessou aquele vaso e jurou que não era uma dama. Sempre pretendi ter você, de um jeito ou de outro. Mas, como você e Frank conseguiram um dinheirinho, sei que você nunca mais virá até mim à procura de empréstimos e garantias. Logo, terei de me casar com você.

– Rhett, essa é mais uma de suas brincadeiras de mau gosto?

– Juro pela minha alma! Por que desconfia? Não, Scarlett, essa é uma declaração honrada e de boa-fé. Admito não ser esse o melhor momento, mas tenho um bom motivo para minha indelicadeza. Viajo amanhã, vou passar um bom tempo fora e temo que, quando eu voltar, já tenha se casado com alguém que tenha algum dinheiro. Falando sério, Scarlett, não posso passar a vida toda esperando conquistá-la entre um marido e outro.

E Rhett falara sério mesmo. Scarlett disse que nunca mais se casaria; ele argumentou dizendo que ela nascera para ser esposa, e ela declarou que não o amava e que o casamento nunca lhe apetecera. No meio da longa conversa, lembrou-se de Ashley, e foi como se o visse ali, ao seu lado, vívido, íntegro, digno, o cabelo dourado, os olhos tão cheios de dignidade, tão diferente de Rhett. Era Ashley o motivo de ela não querer se casar de novo, embora não fizesse objeções a Rhett e, às vezes, gostasse dele de verdade. Sempre pertencera a Ashley, sempre, mesmo casada com Charles, mesmo casada com Frank e... De repente, o semblante de Ashley ficou embaçado, os braços de Rhett a envolveram, ele inclinou a cabeça dela sobre o braço e a beijou. De um jeito que ela jamais fora beijada.

Scarlett aceitou o pedido de casamento.

Em parte pelo dinheiro, em parte porque os dois se davam bem. E porque Rhett era o único homem capaz de suportar escutar a verdade dos lábios de uma mulher.

– Seria bom ter um marido que não me vê como uma tola e não esperasse ouvir mentiras de mim... e... bem... Eu gosto de você.

Antes de partir, Rhett perguntou a Scarlett que presente ela gostaria que ele trouxesse da Inglaterra, e ela pediu um anel de diamante. Que fosse grande.

– Vou lhe escrever. Avise-me, caso mude de ideia.

O anel que Rhett trouxe da Inglaterra era realmente grande, grande a ponto de Scarlett sentir-se constrangida de usá-lo. Ela adorava joias vistosas e caras, mas tinha a desagradável sensação de que andavam falando pela cidade, e com razão, de que a peça era vulgar. A pedra central era um brilhante de quatro quilates, circundado por esmeraldas, e de tão grande alcançava o nó do dedo, aparentando ser pesado. Scarlett suspeitava de que Rhett se esforçara ao máximo para mandar fazer a joia e, por pura maldade, ordenara que fosse a mais ostentosa possível. Ela aguardou a volta de Rhett a Atlanta e esperou estar com o anel no dedo para comunicar a novidade que, como esperava, causara imenso falatório. Desde o ocorrido com a Klan, Rhett e Scarlett eram os cidadãos mais malquistos pelos moradores da cidade, com exceção dos ianques e dos *carpetbaggers*. A conduta nada feminina de Scarlett já lhe causara má reputação, que se consolidou, entre outras coisas, ao se exibir grávida. Mas ter provocado a morte de Frank e Tommy e colocado em risco a vida de uma dúzia de homens culminou na condenação pública dela. Rhett, que já apreciava o ódio que a cidade sentia por ele durante suas especulações na guerra, tornou-se ainda mais detestado ao negar os concidadãos e fazer alianças com os republicanos desde então. Contudo e estranhamente, o fato de ele ter salvado a vida de alguns dos moradores mais proeminentes de Atlanta jogou ainda mais fogo no ódio que as damas da cidade sentiam por ele. Havia meses lidando com a chacota e as risadinhas dos ianques, a cidade dizia que, se Rhett estivesse verdadeiramente preocupado com a Klan, teria lidado com a situação de outro modo e que ele se afiliara a Belle Watling para deixar os bons cidadãos de Atlanta naquela posição vexaminosa. E, portanto, não merecia nem agradecimentos e tampouco o perdão pelos pecados cometidos. A notícia do casamento surgiu feito uma explosão repentina e avassaladora, abalando a cidade inteira. Até mesmo as mulheres mais flexíveis em relação às maneiras ficaram abaladas. Casar-se um ano depois da morte de Frank, e ainda após tê-lo matado. E se casar com Butler, dono de um bordel, metido com os ianques e os *carpetbaggers* e com todo o tipo de esquema duvidoso! A notícia do noivado chegara bem no momento em que a ira contra os ianques e todos os seus aliados atingia o ápice, quando a última fortaleza da resistência da Geórgia ao domínio ianque acabara de cair. A extensa campanha, iniciada quando Sherman se mudou para o sul de Dalton, quatro anos antes, atingira o clímax, e a humilhação do Estado estava completa. Três anos de Reconstrução e terror se passaram, mas a cidade começava a descobrir que o pior ainda estava por vir. Havia três anos, o governo federal tentava impor suas ideias e regras à Geórgia e, com um exército a seu dispor para cumprir ordens, conseguira muitos resultados. Mas os líderes da Geórgia continuavam a resistir, brigando pelos direitos do Estado de governar de acordo com os próprios princípios; o Estado estava sob as regras ianques, mas sem consentir com isso.

Oficialmente, o governo da Geórgia nunca capitulara e, apesar de persistir em uma luta inútil, conseguira ao menos adiar o inevitável. Muitos estados do Sul já contavam com pretos analfabetos ocupando altos cargos públicos, e assembleias legislativas eram dominadas por pretos e *carpetbaggers*. Mas a Geórgia, com sua teimosia, até o momento escapara daquela humilhação final. Por boa parte desses três anos, a assembleia legislativa estadual permaneceu sob o controle de homens brancos e democratas, mas, assim como Johnston e seus homens foram obrigados a recuar pouco a pouco de Dalton para Atlanta, quatro anos antes, os democratas da Geórgia também se recuaram gradativamente a partir de 1865, pois o governo federal assumia cada vez mais o controle do Estado e da vida dos cidadãos. A autoridade civil se tornava mais imponente por meio da força e dos decretos. Por fim, tendo a Geórgia a condição de província militar, as urnas foram abertas aos pretos, concordasse ou não o Estado com a decisão.

Uma semana antes do anúncio do noivado de Scarlett e Rhett, ocorreu uma eleição para governador. O general John B. Gordon, um dos cidadãos mais queridos e admirados da Geórgia, foi o candidato dos sulistas democratas; já os republicanos tinham como candidato Bullock, detestado pelos sulistas e amigo de Rhett! A eleição durara três dias em vez de um, e trens abarrotados de pretos foram enviados de cidade em cidade, percorrendo todas as zonas eleitorais. É claro que Bullock venceu. Se a invasão de Sherman causara ódio à Geórgia, ver os *carpetbaggers*, os ianques e os pretos assumirem o controle total da assembleia legislativa estadual trouxera um sabor amargo que o Estado jamais experimentara.

Scarlett, com o habitual desinteresse por coisas que não estivessem bem abaixo do próprio nariz, mal tomou conhecimento da eleição. Rhett não votara e a relação dele com os ianques permanecia a mesma de sempre, mas continuava sendo um *scallawag* e amigo de Bullock, o que significava que, se o casamento se consolidasse, Scarlett também se tornaria uma *scallawag*. Ela sabia que Atlanta toda se abalara com a notícia do noivado, mas só teve a verdadeira dimensão disso durante uma conversa com a senhora Merriwether, em que teve de ouvir que Butler não era o tipo de homem certo para nenhuma mulher de família.

– Foi ele quem salvou o pescoço do vovô Merriwether e do seu sobrinho – rebateu Scarlett.

– Ele só fez isso para pregar uma peça na gente, Scarlett, para nos envergonhar perante os ianques – disse Merriwether. – Você sabe tão bem quanto eu que esse homem é um trapaceiro. Sempre foi, e agora mais do que nunca. Ele não é o tipo de homem que pessoas decentes recebam em casa.

– Não?! Ora, que estranho, senhora Merriwether. Ele vivia fazendo visitas à sua casa durante a guerra. E foi ele quem deu o cetim branco para o vestido de casamento de Maybelle, não foi? Ou estou enganada?

Quando aquela digna matrona foi embora sacudindo o chapéu tamanha sua raiva, Scarlett soube que agora tinha uma inimiga em vez de um simples desafeto. Mas não se importava nem um pouco com isso. Importava-se com a opinião de uma única pessoa: mammy. E ela se opôs do início ao fim, declarando que não deixaria aquilo acontecer em nome da falecida Ellen, que, segundo ela, com certeza, revirava-se no túmulo ao ver a filha cometer tanta má-criação. Scarlett cogitou mandar mammy de volta para Tara, mas ela a lembrou de que era uma escrava livre e que escolheria onde bem quisesse ficar. Mammy disse ainda que Scarlett e Rhett pareciam "duas mulas em arreio de cavalo".

Durante a lua de mel em Nova Orleans, Scarlett contou a Rhett sobre a conversa que tivera com mammy, e ele achou graça da comparação.

– Nunca ouvi uma verdade profunda expressa assim de maneira tão suscinta – comentou ele. – Mammy é uma alma calejada e esperta e uma das poucas pessoas que conheço de quem faria questão de conquistar respeito e boa vontade. Mas, sendo eu uma mula, suponho que nunca vou conseguir nada dela. Chegou a recusar a moeda de dez dólares que lhe dei. Um presente que eu, no fervor de noivo, quis lhe dar depois do casamento. Nessas andanças pelo mundo, encontrei poucas pessoas que não se derretiam ao verem dinheiro vivo. Mas ela olhou fundo nos meus olhos, me agradeceu, disse que não era uma "nêga livre" qualquer e que não precisava do meu dinheiro.

– Por que ela tem de agir assim? Por que todo mundo se acha no direito de falar de mim feito um bando de galinhas-d'angola? Com quem me caso ou deixo de me casar é da minha conta. Sempre cuidei da minha própria vida. Por que as pessoas não cuidam da vida delas? – indagou Scarlett.

– Minha querida, o mundo é capaz de perdoar quase tudo, menos quem cuida da própria vida. Mas por que tem que se abalar tanto feito um gato escaldado? Já disse mais de uma vez que não se importa com o que os outros dizem a seu respeito. Por que não prova isso? Anime-se, Scarlett! Não me disse, certa vez, que o motivo para querer tanto dinheiro era poder mandar todo mundo para o inferno? Agora é a hora. Esqueça Atlanta. Esqueça essa conversa de gato escaldado. Eu a trouxe para Nova Orleans para se divertir. E pretendo fazer com que isso aconteça.

Quinta Parte

Capítulo 48

Ela realmente se divertiu, mais do que se divertira na primavera que precedeu a guerra. Nova Orleans era um lugar tão diferente e glamouroso, do qual Scarlett desfrutou com o mesmo prazer de um condenado à prisão perpétua que recebera absolvição da sentença. Os *carpetbaggers* estavam saqueando a cidade, muitas pessoas honestas foram expulsas de casa, sem ter a menor ideia de onde encontrariam a próxima refeição, e um preto ocupava a cadeira do vice-governador. Mas a Nova Orleans que Rhett apresentou a ela era o lugar mais alegre que ela vira. Todas as pessoas que Scarlett conhecera pareciam ter todo o dinheiro do mundo e não se preocupavam com absolutamente nada. Rhett a apresentara a várias mulheres, todas muito bonitas, bem-vestidas, de mãos macias, que aparentemente nunca precisaram se ocupar com o trabalho duro; mulheres que riam o tempo todo e nunca falavam sobre assuntos sérios e chatos, muito menos de tempos difíceis. E, quanto aos homens que conheceu, como eram diferentes dos de Atlanta! E como a disputavam para dançar e elogiavam sua beleza! Pareciam-se muito com Rhett: olhar sempre alerta, aparentavam não ter nem passado nem futuro e sempre se esquivavam do assunto quando Scarlett lhes perguntava o que faziam ou quem eram. Às vezes, quando Rhett ficava só entre eles, Scarlett entreouvia uma ou outra conversa de coisas sobre as quais ela nada entendia e nomes intrigantes, Cuba e Nassau nos dias de bloqueio, a corrida do ouro, invasão de terras, contrabando de armas, pirataria, Nicarágua e William Walker e de como fora fuzilado em Trujillo. Certa vez, ao entrar de repente durante o término de uma conversa sobre o que acontecera aos membros do bando de guerrilheiros de Quantrill, Scarlett escutou os nomes de Frank e de Jesse James. Mas eram todos bem-educados e bem-apessoados, e era evidente que admiravam Scarlett; então, para ela, essas questões pouco importavam. Quando confessou a Rhett que se identificava com aqueles homens, ele riu e contou que todos eram aventureiros ou *carpetbaggers* aristocratas e que ganhavam dinheiro na especulação com comida, como seu amado marido, ou com contratos governamentais duvidosos, ou ainda por outros meios ilícitos, mas isso tampouco pareceu incomodar Scarlett.

Ainda mais empolgante que as pessoas que conheceu eram os vestidos que Rhett comprara para ela, tendo escolhido a cor, o tecido e as estampas a dedo. As crinolinas, àquela altura, já estavam fora de moda, e surgiram novos e encantadores estilos de saia, com anquinhas drapeadas, e nesses drapeados havia bordado floral, laços e babado rendado. Ela lembrou-se das saias sem graça dos anos de guerra e ficou um pouco constrangida com esse novo modelo de saia que demarcava bem o abdome. Sem falar nos chapéus que agora eram tão pequenos, cheios de plumas, fitas e flores. Chemises, camisolas e anáguas de linho da melhor qualidade, com bordado fino e incontáveis preguinhas. E os sapatos de cetim que Rhett lhe dera?! Scarlett não economizou nos presentes para a família; um filhote de cachorro para Wade, que sempre lhe pedia um; um gatinho persa para Beau; um bracelete de coral para a pequena Ella; um colar pesado com pingente de pedra-d'água para tia Pitty; a obra completa de Shakespeare para Melanie e Ashley; um uniforme fino para tio Peter; tecidos de vestido para Dilcey e Cookie; presentes caros para todos de Tara. Não comprou nada para mammy, e, quando Rhett perguntou o motivo, Scarlett respondeu que ela não merecia.

– Então, vou comprar um presente para ela. Lembro-me de que minha ama sempre dizia que, quando fosse para o céu, queria uma saia de tafetá tão rija que poderia ficar em pé sozinha e tão rodada a ponto de o Senhor Deus achar que foi feita com asas de anjo. Vou comprar um tafetá vermelho para mammy e mandar fazer uma anágua bem elegante.

– Ela não vai aceitar o presente. Preferiria morrer a usar uma saia que você deu de presente – comentou Scarlett.

– Não duvido. Mas vou presenteá-la mesmo assim.

Fazer compras com Rhett pelas ruas de Nova Orleans era uma verdadeira aventura. Mas nada comparado às refeições que faziam, pois Rhett sabia exatamente o que pedir e o ponto ideal de cada prato. Os vinhos, licores e champanhes de Nova Orleans inebriavam Scarlett, muito mais que o vinho caseiro ou o conhaque "sossega nervos" de tia Pitty. O melhor de Nova Orleans, indubitavelmente, era a comida. Sem nunca esquecer os dias de fome em Tara e tampouco a penúria mais recente, Scarlett aproveitou ao máximo tudo quanto pôde comer: *gumbo*, camarão, pães, doces, peixes assados, e o apetite nunca diminuía, pois, quando se lembrava das infinitas ervilhas-secas e batatas-doces de Tara, sentia o desejo de devorar todos os pratos da culinária *creole*. Certa vez, Rhett comentou que a esposa fazia toda refeição como se fosse a última e a aconselhou a deixar de ser gulosa, pois se engordasse ele se divorciaria, mas Scarlett não deu a mínima, mostrou a língua e pediu para repetir a sobremesa. Como era bom poder gastar todo o dinheiro que quisesse, sem ter de contar moedinhas nem se preocupar em poupar para pagar impostos ou comprar mulas. E ela também andava bebendo champanhe à vontade. Certa manhã, ao acordar de ressaca depois de uma bebedeira, recordou-se, a contragosto, de que cantara *Bonnie blue flag* ao longo de todo o caminho de volta. À exceção daquela tal Watling, Scarlett nunca vira uma dama meio zonza, quiçá embriagada. Ela nem tivera coragem de encarar Rhett, tamanho constrangimento que sentia, mas ele parecia achar graça da bebedeira dela. Tudo que Scarlett fazia parecia divertir Rhett, como se ela fosse uma gatinha saltitante. Era muito agradável passear pelas ruas de Nova Orleans com Rhett, porque era um homem bonito. O falatório a respeito dele em Atlanta ofuscava sua bela aparência, mas, em Nova Orleans, Scarlett percebia quão as mulheres se alvoroçavam ao vê-lo, o que repentinamente a fez sentir orgulho de andar ao lado dele. Sim, com Rhett, Scarlett se sentia como uma criança, todo dia à beira de uma nova descoberta. Primeiro, descobriu que o casamento com ele era totalmente diferente do que tivera com Charles e Frank. Os dois últimos a respeitavam e tinham medo do temperamento dela; Rhett não. Além disso, também parecia não a respeitar muito. Ele fazia o que bem queria e, se ela discordasse, ria da cara dela. Scarlett não o amava, mas com certeza se divertia muito ao lado dele. Naqueles dias juntos, embora achasse que já o conhecia bem, aprendeu muitas coisas novas a seu respeito. Rhett lhe contou suas histórias de coragem, honra e virtude, dos amores que tivera pelos lugares estranhos pelos quais passara, e Scarlett se divertia, pois sabia que nenhum homem contaria histórias como essas à esposa. Ela aprendeu também que seus elogios tinham sempre dois lados e que as expressões mais ternas eram sempre suspeitas. Às vezes, ele dispensava a camareira e fazia questão de levar o café na cama a Scarlett, despertando-a como uma criança; outras, ela acordava de um sono profundo com um sobressalto quando ele puxava as cobertas e começava a lhe fazer cócegas nos pés. Rhett fazia Scarlett brincar, o que ela quase se esquecera de como fazer. A vida fora muito séria e amarga. Ele sabia brincar e a levava junto em suas brincadeiras. Mas Rhett nunca brincava como um menino. Era um homem e, não importava o que fizesse, ela nunca se esquecia disso.

Na véspera do retorno a Atlanta, Scarlett acordou no meio da noite, com pesadelos terríveis, em que sentia fome, frio. Rhett acordou e a amparou nos braços, perguntou se aquele era o pesadelo de sempre, e Scarlett confirmou.

– Ah, Rhett, é terrível! Eu corro, corro, procurando alguma coisa, mas nunca a encontro. É algo que está escondido no meio da névoa. Sei que se conseguir encontrar o que procuro estarei segura para sempre e nunca mais voltarei a sentir frio ou fome.

– Scarlett, acho que, se você se sentir segura, confortável, aquecida e bem-alimentada todos os dias, vai parar de ter esses pesadelos. E, Scarlett, fique tranquila, porque vou garantir tudo isso a você – disse Rhett.

– Rhett, você é tão bom.

– Scarlett, quero que você repita todas as manhãs, ao acordar: "Nunca mais vou voltar a sentir fome e nada nem ninguém poderá me abalar enquanto Rhett estiver aqui do meu lado e o governo dos Estados Unidos se mantiver de pé".

– O governo dos Estados Unidos? – indagou ela, endireitando o corpo, as lágrimas ainda escorrendo pelas bochechas depois do pesadelo.

Rhett contou que investira a maior parte do dinheiro em títulos confederados, o que significava que emprestara dinheiro aos ianques. Scarlett considerou a ideia um absurdo. Como emprestar dinheiro àqueles malditos ianques?! Mas Rhett argumentou que, com os ianques sob o controle da Geórgia, era impossível prever o que aconteceria, pois não poderia confiar nos bandos que vinham do norte, leste, sul e oeste, e investir em títulos era mais seguro que em imóveis, sendo esses últimos muito mais fáceis de localizar. Mas ele a tranquilizou dizendo que o governador era amigo dele e que aquela era apenas uma precaução para não correr o risco de investir totalmente em imóveis. Na mesma conversa, Rhett aproveitou para dizer que não moraria com ela na casa de Pitty, porque não suportaria a tagarelice dela, e porque corria o risco de tio Peter assassiná-lo antes mesmo de colocar o pé sob o teto sagrado dos Hamilton. Com isso, India moraria com tia Pitty, enquanto ele e Scarlett ficariam na suíte de um hotel até que a casa nova ficasse pronta. Rhett contou que, antes de viajarem, ele negociara a compra de um terreno grande na Peachtree. Ela amou a ideia, os dois passaram a falar do estilo da casa, e Rhett, aproveitando que tinham tocado no assunto do dinheiro, a advertiu de que lhe daria todo o dinheiro que ela bem quisesse para a casa, joias, e para satisfazer aos seus caprichos, bem como tudo que quisesse dar a Wade e Ella, e se disse disposto a colaborar com Will Benteen, caso o rapaz não obtivesse sucesso com o negócio do algodão.

– Mas preste atenção. Nem um centavo sequer para a loja nem para aquela serraria sua.

Scarlett entristeceu, pois, durante a lua de mel, vinha pensando em pedir mil dólares a Rhett para ampliar o depósito de madeira. Rhett disse que não se importava de ver a esposa cuidando dos dois negócios e a incentivou que continuasse a fazê-lo, pois aquela seria a herança de Ella e Wade, mas deixou claro que não queria ver nenhum centavo seu em nenhum dos negócios. Scarlett quis saber por quê.

– Porque não quero contribuir com o sustento de Ashley Wilkes.

Capítulo 49

Naquele dia, depois de escutar os passos de Melanie se aproximando da cozinha e o tilintar da louça e dos talheres, a senhora Elsing aproveitou o momento para cochilar com as amigas sentadas na sala, todas com as cestas de costura no colo.

– De minha parte, não pretendo visitar Scarlett agora nem nunca – disse baixinho, com a fria e elegante fisionomia mais gélida do que nunca.

As demais integrantes do Círculo de Costura de Viúvas e Órfãos da Confederação rapidamente deixaram as agulhas de lado e arrastaram as cadeiras, aproximando-se mais umas das outras. Todas estavam afoitas para falar de Scarlett e Rhett, mas não podiam fazê-lo na presença de Melanie. No dia anterior, o casal voltara de Nova Orleans e ocupava a suíte nupcial do National Hotel.

– Hugh diz que devo fazer uma visita como gesto de cortesia porque o capitão Butler salvou a vida dele – continuou Elsing. – E a coitada da Fanny fica ao lado dele e disse que vai também. Eu disse para ela "Fanny, não fosse por causa da Scarlett, Tommy estaria vivo aqui com a gente. Visitá-la é uma ofensa à memória dele", mas ela, sem o menor juízo, diz "Não estou indo visitar Scarlett, estou indo visitar o capitão Butler. Ele fez tudo o que pôde para salvar Tommy e não teve culpa por não ter conseguido".

– Como esses jovens são desmiolados! – comentou a senhora Merriwether. – Visitar Scarlett, imagine! Minha Maybelle é tão boba quanto Fanny. Disse que ela e Rene vão visitar os dois porque o capitão Butler impediu o enforcamento de Rene. E eu disse que, se Scarlett não andasse se expondo por aí, Rene jamais teria corrido o risco. E papai Merriwether pretende ir visitá-los também, parece que ficou caduco, diz que deve obrigação agora para aquele calhorda. Juro, desde que papai colocou os pés no bordel daquela Watling, anda fazendo muita coisa vergonhosa. Imagine só, visitar aqueles dois! Eu, com certeza, não vou! Scarlett arranjou a própria sentença ao se casar com um homem desses. Ele já não era boa bisca mexendo com especulação durante a guerra, ganhando dinheiro enquanto a gente passava fome, e agora que anda de mãos dadas com esses *carpetbaggers* e *scallawags*, e que é amigo... Amigo não, carne e unha... daquele desgraçado do Bullock... Visitar, ora, veja essa!

As damas ali reunidas continuaram falando baixinho sobre Scarlett e Butler: senhora Bonnell comentou que quem fosse visitá-los iria por pura cortesia e que era difícil imaginar que Scarlett era filha de uma dama como Ellen Robillard; India comentou que fora Scarlett quem de fato matou o senhor Kennedy e, antes que se dessem conta, Melanie apareceu na porta, com o semblante vermelho, visivelmente enraivecido, os olhos gentis cuspindo fogo e as narinas trincando. Imbuídas naquela conversa, nenhuma delas percebera que ela chegara. Assim como também ninguém nunca vira Melanie furiosa. Todas a amavam, a consideravam a mais doce, a mais meiga das jovens, deferente aos mais velhos e sem opinião própria.

– Como ousa, India? – indagou Melanie, com a voz baixa, mas trêmula. – A que ponto seu ciúme chegou?

India empalideceu, mas manteve a cabeça erguida.

– Não retiro o que disse – falou essas poucas palavras sem titubear, enquanto a mente fervia.

"Ciúme, eu?!", pensou, lembrando-se de Stuart Tarleton, e de Honey e Charles. Não teria motivos para ter ciúme de Scarlett? Não teria motivos para detestá-la ainda mais, agora que suspeitava de que ela andava tramando prender Ashley em sua teia? "Tenho tanto a dizer sobre Ashley e sua tão querida Scarlett...", pensou India, mas não disse nada a não ser reafirmar que não retiraria suas palavras.

– Ainda bem que você não mora mais sob o meu teto – disse Melanie com a voz fria.

Houve uma troca de ofensas entre as presentes; Melanie sempre defendendo a cunhada, India e as senhoras acusando Scarlett de ser uma mulher assanhada e mesquinha, mas Melanie não arrefeceu e as acusou de ingratidão, contou que Scarlett ficara ao lado dela o tempo todo quando poderia ter voltado para a casa dela, quando os ianques estavam a ponto de invadir Atlanta. Melanie relembrou que dera à luz Beau, e Scarlett a trouxe para Tara, garantiu seu sustento e o do bebê, e que, quando Ashley voltou, doente, desanimado, sem casa e sem um centavo no bolso, Scarlett o recebeu como uma irmã e, como se não bastasse, ainda lhe ofereceu um trabalho quando Melanie e ele estavam prestes a se mudar para o Norte.

– Melly... – disse a senhora Elsing com a voz baixa. – Querida, isso me parte o coração. Eu era a melhor amiga de sua mãe, ajudei o doutor Meade a trazer você ao mundo e a amei como se fosse minha. Não doeria tanto vê-la falar assim se tivéssemos falando aqui de algo importante. Mas uma mulher como Scarlett O'Hara, que não pensaria duas vezes em lhe passar para trás, assim como faria com qualquer uma de nós...

Logo que a senhora Elsing começou a falar, os olhos de Melanie lacrimejaram, mas ela se manteve firme enquanto Elsing prosseguiu com a fala.

– Quero que uma coisa fique bem clara aqui – declarou Melanie. – Que, quem não quiser visitar Scarlett, não precisa nunca mais, nunca mais, me visitar.

Um burburinho, que virou uma confusão geral, começou ali quando, depois da fala de Melanie, todas as senhoras se jogaram a seus pés. A senhora Elsing, em prantos, disse que Melanie estava fora de si e que não aceitaria aquilo, pois as duas eram amigas. Ela começou a chorar, Melanie se deixou levar pelas lágrimas, e as duas se abraçaram. Outras senhoras desataram a chorar, e a senhora Merriwether juntou-se a Elsing e Melanie, e as três se abraçaram. Tia Pitty, que assistira a tudo petrificada, de repente desabou no chão, em um dos poucos verdadeiros desmaios que tivera na vida. Em meio a lágrimas, confusão, e à procura pelos sais aromáticos e o conhaque "sossega nervos", India saiu sem que ninguém percebesse.

Como Rhett já sabia, a velha guarda da cidade nunca se renderia, e isso se mostrou verdadeiro nas poucas e insignificantes visitas que receberam, cujos motivos ele conhecia bem. As primeiras a visitá-los foram as famílias dos homens envolvidos naquela mal-afortunada incursão da Klan, mas apareciam com muito menos frequência desde então. E não convidavam os Rhett para visitá-los. Segundo Rhett, aquelas pessoas nem sequer teriam aparecido, não fosse pelo ataque enraivecido de Melanie. O fato é que as visitas escassas mal preocuparam Scarlett, pois a suíte do hotel em que os dois se hospedavam vivia cheia de convidados de outro tipo. A "gente nova" de Atlanta, como eram chamados pelos moradores antigos, quando não por outras alcunhas menos corteses, era a assídua visita que Scarlett e Rhett recebiam. Muitas dessas pessoas, tal como Rhett e Scarlett, hospedavam-se no National Hotel enquanto aguardavam o término da construção de suas casas. Gente alegre, abastada, muito parecida com os amigos de Nova Orleans, bem-vestida, despreocupada com gastos, vaga em relação aos antecedentes. Todos os homens eram republicanos e estavam em Atlanta "a negócios relacionados ao governo estadual". Que negócios eram esses Scarlett não sabia e não se preocupava em saber. As esposas dos amigos *scallawags* e *carpetbaggers* de Rhett vinham aos grupos visitá-los, tal como a "gente nova" que Scarlett conhecera vendendo madeira para suas casas. Usavam roupas belíssimas, nunca falavam sobre a guerra e muito menos dos tempos difíceis, limitavam as conversas à moda, a escândalos e ao uíste, do qual Scarlett se tornou boa jogadora em pouquíssimo tempo. Sempre que estava no hotel, encontrava sua suíte abarrotada de jogadores de uíste, mas passava pouco tempo lá, pois vinha acompanhando a construção da casa nova. Queria adiar as atividades sociais até o dia em que sua casa ficasse pronta e ela emergisse como senhora da maior mansão de Atlanta e anfitriã das melhores celebrações e reuniões da cidade. Estava tão envolvida com a obra, com pedreiros e carpinteiros, que se esqueceu da loja e das serrarias. Empenhou-se tanto em construir algo luxuoso que o resultado final foi uma mansão mais imponente que a do próprio governador Bullock. Uma varanda contornava a casa inteira, e, em cada um dos quatro cantos, havia um lance de escadas que levava à entrada. Jardim vasto e vívido, com bancos de ferro, pavilhão de ferro, ou, como estava na moda dizer, um gazebo que, asseguraram a Scarlett, era puro estilo gótico, e duas estátuas de ferro. Para Wade e Ella, meio deslumbrados com o tamanho, esses dois animais de metal eram a única coisa divertida da casa. Por dentro, mobília de luxo, feita com nogueira, tapete vermelho, reposteiro de veludo vermelho e espelhos emoldurados por toda parte, tanto quanto havia... segundo Rett, no estabelecimento de Belle Watling. Scarlett aproveitava o conforto e o luxo da casa e, recordando-se dos tempos difíceis de Tara, sentia-se feliz. "Um estranho que não conheça a gente saberia que esta casa foi construída por meios ilícitos", comentou Rhett, mas Scarlett não deu a mínima. Ela sabia que Rhett adorava provocá-la e o ignorava sempre que possível, pois, caso se importasse, seria obrigada a discutir com ele, coisa que não queria. Às vezes, tinham discussões rápidas, que terminavam logo, porque Scarlett brigava, mas Rhett não, apenas deixava clara a sua opinião sobre elas, sobre suas atitudes e suas novas amigas. E certas opiniões dele eram de tal natureza que Scarlett simplesmente não podia ignorá-las e tampouco tratá-las como piada.

Quanto a mammy, ela nunca recuara um centímetro sequer em relação à opinião de que Rhett era uma mula em arreio de cavalo. Era educada, mas fria, com Butler e sempre o chamava de "capitão Butler", nunca de "sinhô Butler". Nem mesmo a anágua que Rhett lhe dera de presente a amoleceu, e ela fazia questão de manter Wade e Ella longe dele, sempre que possível, mesmo que estivesse claro que Wade adorava o tio Butler e que Rhett gostava muito do menino. Rhett, em vez de cogitar demitir mammy ou de ser duro com ela, a tratava com a máxima deferência e até lhe pedia permissão para passear a cavalo com Wade e a consultava antes de comprar bonecas para Ella.

Quando chegou a ocasião de inauguração da casa, Scarlett fez questão de mandar convite para todos os amigos e conhecidos, os novos e os antigos, mesmo aqueles de quem não gostavam. Convidou até as senhoras Merriwether e Elsing, as senhoras Meade e Whiting, que não gostavam dela, como ela bem sabia, assim como sabia que não teriam o traje adequado para uma ocasião como aquela. Naquela noite, a varanda ficou coberta de convidados que beberam, comeram e dançaram ao som de uma orquestra cuidadosamente protegida por uma parede de palmeiras e seringueiras. À exceção de Melanie e Ashley, tia Pitty e tio Henry, doutor Meade e senhora Meade e do vovô Merriwether, nenhum dos que Rhett considerava da "velha guarda" compareceu. Dois dias antes da festa, corria o boato de que o governador Bullock estaria presente, e a velha guarda enviara cartões, desculpando-se pela impossibilidade de aceitar o convite, e Scarlett ficou enfurecida quando o pequeno grupo que comparecera, constrangido com a chegada do governador, despediu-se de repente e foi embora. No entanto, engoliu a própria raiva e fingiu indiferença. Somente para Melanie, na manhã seguinte, confessou a frustração e não fez questão de conter a raiva.

– Você me ofendeu, Melly Wilkes, e fez Ashley e os outros me ofenderem também! Sabe muito bem que não teriam ido embora se você não tivesse os arrastado. Ah, não tente fingir! Vi muito bem você começando a se afastar quando eu trouxe o governador para apresentar a você. Fugiu feito um coelho! – reclamou Scarlett.

Melanie se desculpou dizendo que realmente não poderia se encontrar com o governador, nem com nenhum outro republicano ou *scallawag*, fosse na casa da cunhada ou em qualquer outro lugar, pois não conseguia se esquecer do que aquela gente fizera a eles. Scarlett acusou a cunhada de estar fazendo tempestade em copo d'água, Melanie pediu desculpas, pois não tinha a intenção de magoá-la e afirmou que continuariam a visitá-la, mas pediu que os avisassem quando republicanos ou *scallawags* estivessem na casa dela, pois nesse dia ela e Ashley não apareceriam por lá.

– Se você vier ou não, para mim é indiferente – disse Scarlett, colocando o chapéu de sol na cabeça antes de ir embora, sentindo o orgulho ferido satisfeito ao notar a expressão de tristeza de Melanie.

Nas semanas que sucederam a festa de inauguração da casa nova, Scarlett teve dificuldade de manter a suposta indiferença à opinião pública. Ficou extremamente chateada e frustrada quando parou de receber a visita dos velhos amigos, com exceção de Melanie, Pitty, tio Henry e Ashley, e quando parou de receber convite para os modestos encontros. Como não sabiam que ela, tanto quanto eles, detestava o governador Bullock, mas que convinha ser gentil com ele? Idiotas! Se todos tratassem bem os republicanos, em pouco tempo a Geórgia sairia da situação em que se encontrava. A verdade é que a cidade inteira, definitivamente, se voltara contra Scarlett. Ela se misturara aos inimigos e agora não importavam suas origens, tampouco os laços familiares; passara para o outro lado, virara a casaca, era uma defensora dos pretos, uma traidora, uma republicana e... *scallawag*.

Passado o período de frustração, a indiferença forjada de Scarlett deu lugar à realidade. Logo deixou de se importar com a ausência dos Merriwether, Elsing, Whiting, Bonnell, Meade e dos demais. Contentava--se com as visitas de Melanie, que, claro, vinha acompanhada de Ashley, e com os outros convidados que compareciam às suas festas, muitos mais divertidos, bem-vestidos e bem-educados. Sua casa vivia cheia dos recém--chegados a Atlanta; alguns eram conhecidos de Rhett; outros, parceiros de negócios misteriosos aos quais ele se referia como "mera questão de negócios, querida". Alguns desses convidados eram casais que Scarlett conhecera quando morou no National Hotel, outros faziam parte da equipe do governador Bullock. Entre os novos amigos de Scarlett, estavam os Gelert, os Connington, os Deal, os Hundon, os Carahan, os Flaherty, os Bart, todos envolvidos com atividades ilícitas; uns tinham vendido sapatos de "papelão" para o governo confederado; outros conquistaram fortuna com casa de jogos e agora faziam apostas maiores investindo, com o dinheiro do Estado, na construção de ferrovias inexistentes; e havia ainda aqueles que fizeram fortuna comprando sal a poucos centavos e revendendo-o até cinco vezes mais. Mas, entre os que compareciam às recepções maiores de Scarlett, também havia um grupo diferente, de famílias excelentes, pessoas de muita cultura e refinamento. Nomes de peso vinham chegando a Atlanta atraídos pela intensa atividade comercial da cidade naquele período de reconstrução e expansão. Famílias ianques enviavam os filhos à cidade e oficiais ianques estabeleciam residência naquele lugar pelo qual tanto tinham lutado para conquistar. A princípio, como eram novos na cidade, recebiam com alegria o convite para as recepções opulentas da hospitaleira anfitriã senhora Butler, mas, por serem pessoas de boa índole, o pouco contato com os *carpetbaggers* bastou para afastá-los e deixá-los tão ressentidos quanto os georgianos nativos. Muitos se tornaram democratas e mais sulistas que os próprios sulistas. Os que permaneciam no círculo de Scarlett, o fazia porque não eram bem-vindos em nenhum outro lugar. Entre esses, havia as professoras ianques que vieram ao Sul com o objetivo de alfabetizar os escravos e educar os *scallawags* que haviam nascido bons democratas, mas se tornaram republicanos após a rendição, e de quem muito se ouvia a velha guarda comentar: "E o que se pode esperar de ianques lambe-botas desses escurinhos? É claro que acham os pretos tão bons quanto eles!".

Mas nada se comparava à intolerância das mulheres da velha guarda, que se mantinham implacáveis e inflexíveis no trono social. A Causa perdida agora era mais forte e mais significativa, carregavam-na feito um emblema estampado no peito, e tudo que se referia a ela era sagrado: o túmulo dos homens que morreram lutando, os campos de batalha, as bandeiras rasgadas, os sabres que estampavam as salas, as cartas desbotadas enviadas pelos soldados. Para essas mulheres, não havia motivo para estender o braço ao inimigo, e agora Scarlett pertencia a esse último grupo. Todavia, nessa sociedade mestiça, unida pelas exigências da situação política, havia uma coisa em comum: o dinheiro. Como antes da guerra nunca conseguiram sequer juntar 25 dólares de uma vez na carteira, agora mergulhavam em uma orgia de gastos nunca antes vista em Atlanta. Com os republicanos no poder, a cidade entrou em uma era de desperdício e ostentação, e o curto manto do refinamento era incapaz de tapar o vício e a vulgaridade que havia por baixo. Nunca a fronteira entre os muito ricos e os muito pobres fora tão demarcada. Os que estavam no topo não pensavam nos menos afortunados; exceto pelos pretos, claro. Esses sempre tinham o melhor. As melhores escolas, as melhores roupas, o melhor entretenimento, pois estavam no poder e o voto de cada um deles contava.

No topo dessa vulgaridade, Scarlett emergia triunfante, recém-casada, bem-vestida, resguardada pela solidez do dinheiro de Rhett. Era uma época que combinava perfeitamente com ela: cruel, ostentosa, extravagante, cheia de mulheres exageradamente bem-vestidas, com joias demais, cavalos demais, comida demais, uísque demais. Nas raras vezes em que Scarlett refletia sobre o assunto, sabia que nenhuma de suas novas aliadas seria designada uma dama, de acordo com os estritos padrões de Ellen. Mas ela rompera esses padrões havia muito tempo, desde aquele dia em que, no vestíbulo de Tara, decidira se tornar amante de Rhett, e quase nunca sentia o peso da consciência. Talvez esses novos amigos não fossem, no sentido literal da palavra, damas e cavalheiros propriamente e se assemelhassem mais aos amigos de Nova Orleans, tão divertidos! Tão diferentes daquela gente carola e leitora de Shakespeare!

Agora ela, enfim, se sentia segura. E, sentindo-se assim, queria dançar, jogar, divertir-se, empanturrar-se de comida e de vinho, cobrir-se de sedas e cetins, mergulhar no colchão fofo e nos travesseiros de penas. Motivada pelo consentimento de Rhett, que se divertia vendo-a assim, e livre das amarras da infância, livre do último resquício de pobreza, Scarlett agora se permitia desfrutar do luxo com que tantas vezes sonhara e fazer exatamente o que lhe agradava, de mandar para o inferno todo mundo que a julgava e criticava. Dizia e fazia exatamente o que queria, e, em pouco tempo, sua insolência não tinha limites. Não hesitava em demonstrar sua arrogância aos novos amigos republicanos e *scallawags*, e com os oficiais ianques da guarnição e suas famílias não era menos grosseira, tampouco menos insolente. De toda a massa heterogênea que viera morar em Atlanta, o pessoal do exército era o único que Scarlett se recusava a receber ou suportar. Melanie não era a única a não conseguir se esquecer do que aquele uniforme azul significava. Para Scarlett, esse uniforme e aqueles botões dourados eram sempre a memória do pavor, do cerco, dos saques e incêndios, da fuga, da miséria e do trabalho duro de Tara. E agora que era rica e salvaguardada pela amizade com o governador e muitos republicanos influentes, poderia insultar toda farda azul que visse. E insultava. As famílias da guarnição se sentiam desnorteadas com esse tratamento, pois eram pessoas discretas, bem-criadas e, sozinhas e perdidas ali, ansiosas para retornar ao Norte, um tanto constrangidas da ralé que foram forçadas a manter no poder. Eram uma classe infinitamente distinta em comparação aos aliados de Scarlett. Assim, as damas dessas famílias suportavam frequentadores da casa da senhora Butler, como a ruiva Bridget Flaherty, pois, para essas damas, Scarlett era símbolo de riqueza e elegância. Não sabiam que as famílias tradicionais da cidade, com quem almejavam convívio, desprezavam Scarlett; sabiam apenas que o pai de Scarlett fora um grande proprietário de escravos, que a mãe era uma Robillard de Savannah e que o marido era Rhett Butler, de Charleston. E isso lhes bastava. Ela era a porta para adentrar a sociedade de que aquelas pessoas tanto desejavam fazer parte, uma sociedade que as rechaçava, não retribuía aos convites e as cumprimentava com frieza nas igrejas. Para essas pessoas recém-saídas da obscuridade, Scarlett ERA a sociedade. Damas forjadas, não enxergavam as pretensões forjadas dela, apenas condescendiam com o valor que ela própria se atribuía e suportavam seus caprichos, seu temperamento, sua arrogância e sua grosseria.

Os homens, embora tivessem dinheiro, pareciam menos pacientes em relação às exigências do novo cavalheirismo; embebedavam-se durante as festas de Scarlett, e não raramente, ao término da recepção, havia um ou outro convidado inesperado que passava a noite ali. Não bebiam como aqueles garotos dos tempos da adolescência de Scarlett; ficavam grosseiros, abobalhados, desgrenhados e obscenos. Apesar do desprezo por essas pessoas, Scarlett gostava de estar cercada por elas. Porque, no fundo, gostava da companhia dessa gente, de ver a casa cheia. Como desprezava essas pessoas, podia mandá-las para o inferno sempre que se sentia aborrecida. Mas elas suportavam. Quanto a Rhett, as senhoras o consideravam um sujeito detestável e insuportavelmente vulgar. Pelas costas, os homens se referiam a ele como "suíno e bastardo". A nova Atlanta gostava de Rhett não mais que a velha, e ele fazia tão pouca questão de agradar tanto a esta quanto àquela. Continuava agindo do mesmo modo provocativo, desdenhoso, impérvio às opiniões a seu respeito, tão cortês que essa cortesia era uma afronta a si próprio. Para Scarlett, ele ainda era um enigma, mas que não mais a preocupava. Convencera-se de que nada jamais lhe agradara ou jamais lhe agradaria. Ele achava graça de tudo que ela fazia, incentivava suas extravagâncias e insolências, zombava de suas pretensões. E pagava as contas.

Capítulo 50

Rhett nunca perdeu o comportamento inabalável e sereno, mesmo nos momentos mais íntimos. Assim como Scarlett nunca se livrou da sensação de que ele a observava de soslaio, e sabia que, sempre que olhasse para o lado, seria surpreendida pelo olhar especulativo de quem está sempre à espera, um olhar que beirava à irremediável paciência e que ela não compreendia. Às vezes, era agradável conviver com ele, apesar do terrível hábito de ele não permitir mentiras, dissimulação ou discursos grandiloquentes em sua presença. Ele escutava Scarlett falar sobre a loja, as serrarias e o *saloon*, sobre os detentos e o custo para alimentá-los, e oferecia conselhos pragmáticos e perspicazes. Refletindo sobre a sutil indiferença com que ele geralmente a tratava, Scarlett, muitas vezes, se perguntava, mas sem nenhuma legítima curiosidade, por que ele se casara com ela. Os homens se casavam por amor, para ter um lar, filhos, ou por dinheiro, mas ela sabia que ele não se casara com ela por nenhum desses motivos. Rhett, com certeza, não a amava, referia-se à casa deles como uma "obra de terror arquitetural" e dizia que preferiria um bom hotel a morar em uma casa. E nunca sequer tocou no assunto sobre filhos, como Charles e Frank. A bem da verdade, Scarlett concluíra que ele se casara com ela porque a desejava, assim como desejara Belle Watling. E essa não era uma conclusão agradável. O fato é que os dois tinham feito uma barganha, e Scarlett estava satisfeita com a parte dela.

Certa tarde, ao voltar de uma consulta com o doutor Meade, depois de um desconforto digestivo, recebeu a desagradável notícia de que estava grávida. Indignada e desesperada, chegando em casa, ao entardecer, foi direto ao quarto dar a notícia a Rhett.

– Você sabe que não quero mais filhos! Nunca quis nenhum! Sempre que as coisas estão caminhando bem para mim, eu engravido. Anda, não fique parado aí rindo! Você também não quer! Ah, Santa Mãe de Deus!

– Bem, e por que não dar esse bebê à senhora Melly? Não me disse que o sonho dela é ter outro bebê? – sugeriu Rhett.

– Grrrrr! Sinto vontade de matar você. Não vou ter esse bebê, estou dizendo! Não vou, não vou!

Ela contou a Rhett que ficou sabendo por Mamie Bart de modos para se livrar da gravidez, e Rhett, em pé e segurando-a pelo pulso, a repreendeu:

– Não me importo se tiver um filho ou vinte, mas não quero que morra! É óbvio que a madame de uma casa de prostituição conhece bem esses truques. Não quero que essa mulher volte a colocar os pés aqui, entendeu? Nunca mais!

* * *

Melanie saiu do quarto de Scarlett exausta por causa do esforço, mas feliz e emocionada pelo nascimento da filha de Scarlett. Rhett estava esperando no corredor, tenso, cercado de guimbas de charuto que abriram buraco no carpete refinado. "Ah, que sorte a de Scarlett ter o capitão bem ali na porta, enquanto o bebê vinha ao mundo", pensou ela. Ah, se Ashley estivesse ao lado dela naquele dia pavoroso em que Beau nasceu, não teria sofrido tanto. Ah, se aquela menininha do outro lado da porta fosse sua e não de Scarlett! "Ah, como sou perversa! Como posso cobiçar o bebê de Scarlett, que tem sido tão boa para mim! Perdão, senhor. Perdão!

Queria tanto um bebê meu!" De repente, sentada na cadeira do lado de fora da porta, deu-se conta de que não contara a Rhett que o bebê era uma menina, uma menina! E era óbvio que um homem como ele desejava um menino. Melanie sabia que, para a mulher, um bebê, fosse menino ou menina, sempre era bem-vindo, mas, para o homem, especialmente voluntarioso como o capitão Butler, uma menina seria como um golpe no peito, uma afronta à própria masculinidade. Mas mammy, que saiu do quarto sorrindo, a tranquilizou... e também a fez refletir sobre o tipo de homem que o capitão Butler de fato era. Ela contou que Rhett, ao saber que a criança era uma menina, ficou todo contente, disse que não a trocaria por uma dúzia de meninos, pois meninos só davam trabalho e não serviam para nada.

– Vai vê que tô fazendo mau juízo do sinhô Rhett. Êta dia feliz pra mim, sinhá Melly. Já troquei fralda de três geração das Robillard. Tô feliz por demais, sinhá – disse mammy.

Mas havia uma pessoa que não estava contente. Repreendido e boa parte do tempo ignorado, Wade Hampton aguardava na sala de jantar da casa de Pittypat, para onde fora enviado naquela manhã. Disseram-lhe que a mãe não estava bem e que não podia ficar ali fazendo barulho, pois não poderia incomodá-la. Estava apavorado, com medo de a mãe morrer. As mães de amigos dele tinham morrido, e ele vira carros fúnebres saindo das casas e escutara o choro dos meninos. Perto do meio-dia, aproveitando que Peter estava distraído na cozinha, Wade escapou e voltou correndo para casa. Lá deu de cara com mammy, que descia as escadas com o avental sujo, o repreendeu por ter escapado e mandou que saísse dali, mas ele não foi e se escondeu atrás dos *portieres* da parede, sem ter certeza de que a mãe estava viva. Melanie apareceu e o tranquilizou, contou que o doutor Meade trouxera ao mundo uma irmãzinha linda para brincar com ele. Mas foi só quando tio Rhett desceu as escadas com o doutor Meade e veio correndo ao encontro do menino que ele se tranquilizou. Rhett contou que Scarlett estava bem, fazendo uma bela refeição naquele momento. Aliviado, mas percebendo que todos só falavam da irmã nova de Wade, e que ninguém mais parecia ligar para ele, nem mesmo tia Melly e tio Rhett, Wade perguntou:

– Tio Rhett, as pessoas gostam mais de meninas que de meninos?

– Não, eu não diria isso – respondeu ele com a voz séria, como quem está, de fato, refletindo sobre o assunto. – É só que as meninas dão mais trabalho que os meninos e as pessoas se preocupam mais com quem dá trabalho que com quem não dá.

– Você entende os meninos, não é, tio Rhett?

– Sim – respondeu com certa angústia. – Entendo bem os meninos.

Por um instante, Wade voltou a ficar com medo e também teve uma repentina sensação de ciúme. Tio Rhett não estava pensando nele, mas em algum outro menino.

– Você não tem outros meninos, tem?

Rhett, que estava sentado com Wade no colo, levantou-se.

– Venha, vou tomar uma bebida, e você também, Wade. Vai ser o seu primeiro drinque, um brinde à sua nova irmã.

Wade disse que não poderia fazer aquilo, pois prometera a tia Melly que só tomaria sua primeira bebida quando saísse da faculdade, e que ela lhe daria um relógio na ocasião. Rhett o tranquilizou dizendo que Melly se referia a bebidas destiladas, não ao vinho, e disse que daria uma corrente de presente a Wade. Tendo diluído o clarete na água da jarra, até a bebida ficar rosada, Rhett deu a taça a Wade. Nesse exato momento, mammy entrou na sala de jantar usando o melhor vestido que reservava para os domingos, um avental limpo e um lenço na cabeça engomado.

– Presente de aniversário, sinhô Rhett – disse ela.

Wade paralisou, com a taça nos lábios. Ele sabia que mammy nunca gostara do padrasto. Nunca a vira chamá-lo assim, de "sinhô Rhett". Mas ela estava sorrindo, contente. E chamando-o de "sinhô Rhett". Que dia maluco!

– Imagino que queira rum em vez de clarete – disse Rhett, tirando uma garrafa de rum do armário. – É uma bebê linda, não é, mammy?

– É memo! – concordou mammy, estalando os lábios ao pegar o copo.

– Já viu bebê mais linda que essa?

– Óia, sinhá Scarlett era danada de bunita quando nasceu, mas não que nem essa.

– Tome aqui mais uma dose, mammy. E, mammy... – perguntou com a voz curiosa e brilho no olhar. – Que farfalhar é esse que estou ouvindo?

Mammy tentou disfarçar, disse que eram as anáguas que usava, mas Rhett pediu que levantasse a saia e viu que ela vestia a anágua vermelha de tafetá que ele lhe dera.

– Demorou para usá-la – resmungou Rhett, mas seus olhos negros sorriam e dançavam.

– É... Tempo dimais memo.

Então, Rhett disse algo que Wade não compreendeu:

– Acabou a conversa de mula em arreio de cavalo?

– Sinhô Rhett, sinhá Scarlett nunca que divia tê contado isso pro sinhô!

* * *

Desde o nascimento da filha, o comportamento de Rhett mudara e intrigava tanto a cidade inteira quanto a própria Scarlett. Quem diria que ele, logo ele, ficaria tão escancaradamente orgulhoso da paternidade? Ainda mais em uma circunstância embaraçosa como aquela, em que o primogênito era uma menina e não um menino? O comportamento de Rhett causara inveja velada entre as mulheres cujos maridos, antes mesmo do batismo, já não davam importância aos filhos. Ele achava a filha maravilhosa, incomparável às outras crianças, e não se importava nem um pouco em dizer isso a quem encontrasse pelo caminho. Quando a babá nova deixou a bebê chupar um pedaço de gordura de porco, o que causou uma crise de cólicas, Rhett arrancou risos de pais e mães da cidade ao sair correndo atrás do doutor Meade e de outros dois médicos, e não foi tarefa fácil impedi-lo de chicotear a pobre babá, que fora dispensada. E muitas outras foram contratadas e demitidas, completando no máximo uma semana de trabalho. Nenhuma estava à altura das exigências de Rhett. Apesar do ciúme de mammy, que não entendia por que não a deixavam cuidar sozinha da bebê, de Wade e Ella, Rhett, percebendo que mammy começava a mostrar os sinais da idade, e que o reumatismo lhe fazia diminuir o passo, achou prudente ter outra babá, sem nunca revelar o verdadeiro motivo a mammy. Dizia apenas que um homem de sua posição não poderia se dar ao luxo de contar com uma enfermeira apenas, preferindo designar a mammy o papel de chefe das babás. Ela compreendeu os motivos, mas exigiu que não deixassem uma "nêga quarqué" se aproximar do berço. Então, Rhett mandou buscar Prissy em Tara. E tio Peter arranjou uma sobrinha-neta chamada Lou, que pertencera a uma das primas de tia Pitty.

Scarlett chegava a sentir-se constrangida com o comportamento do marido em relação à filha em frente às visitas e, certa vez, o chamara de "babão". Um dia, os dois tiveram uma discussão acalorada – recorrente naqueles dias –, interrompida quando Melanie, desavisada, entrou no quarto para ver a bebê. Scarlett engoliu a raiva e ficou observando Melanie segurar a bebê no colo. Deram-lhe o nome de Eugenie Victoria, mas, naquela tarde, involuntariamente, Melanie atribuiu um apelido à filha dos Butler que pegou tanto quanto "Pittypat", a quem ninguém nunca mais chamou de Sarah Jane.

Olhando para a criança, Rhett disse:

– Os olhos dela serão verdes. Feito duas ervilhas.

– Não serão, não – resmungou Melanie, indignada, esquecendo-se de que os olhos de Scarlett eram quase dessa cor. – Serão azuis como os do senhor O'Hara... Azuis como... azuis como a *Bonnie blue flag*.

– *Bonnie Blue Butler* – corrigiu Rhett, sorrindo, pegando a filha do colo de Melanie, olhando bem de perto para os olhos da bebê. E Bonnie ela se tornou a ponto de os próprios pais não se recordarem mais de que fora batizada com o nome de duas rainhas.

Capítulo 51

Quando finalmente se restabeleceu o suficiente para voltar a sair, Scarlett pediu a Lou que apertasse ao máximo as tiras do espartilho, depois mediu a cintura com a fita métrica. Cinquenta centímetros! É isso que os bebês fazem com o corpo! Scarlett estava com a cintura tão grande quanto a de tia Pitty e de mammy. Bonnie era uma bebê linda, sem dúvida nenhuma, e Rhett adorava a criança, mas Scarlett estava decidida: não teria outro filho. Só não sabia o que fazer, pois não conseguiria manipular Rhett como fazia com Frank. Rhett não tinha medo dela. A depender dele, era provável que quisesse um filho por ano, por mais que dissesse que afogaria o menino caso ela tivesse algum. Bem, nem menino nem menina. Três crianças já eram o suficiente para qualquer mulher.

Lou chamou a carruagem, e Scarlett foi ao depósito de madeira. Estava animada, pois encontraria Ashley para falarem sobre a contabilidade e, com um pouco de sorte, conseguiria conversar a sós com ele. Era evidente que ela não precisava mais trabalhar. Sem o menor problema, ela poderia vender as serrarias e investir o dinheiro para o futuro de Wade e Ella, mas isso significaria deixar de ver Ashley com frequência. Ao chegar, Scarlett deu de cara com seis mulas e uma fileira de carroças sendo abastecidas de madeira pelos pretos. Sentiu-se orgulhosa. Aquilo era fruto do trabalho dela! Mas a alegria durou pouco, porque, ao verificar os livros da contabilidade e compará-lo com os de Johnnie Gallegher, ela percebeu que Ashley mal dera conta das despesas, enquanto Johnnie, além de cobrir os custos, também conseguira obter lucro durante a ausência dela. Ashley pediu desculpas e disse que teria melhores resultados se ela o deixasse contratar escravos livres em vez de prisioneiros, mas ela se manteve firme, alegando que contratar detentos era muito mais barato.

– Scarlett! Scarlett! Pare com isso! Não aguento vê-la falando desse jeito – exclamou Ashley. – Ah, minha querida, não aguento ver o modo como ele brutalizou você... Você, que sempre foi tão doce...

Ele se referia a Butler, mas Scarlett sabia que Rhett não tinha absolutamente nada a ver com aquele comportamento dela. Sentiu certa culpa por não dizer nada, mas que diferença faria mais um acréscimo na ficha suja de Rhett?

Ashley prosseguiu dizendo ter percebido o mal que Rhett causara a Scarlett, que ele virara a cabeça dela e a influenciara a agir tal como ele.

– Sim, eu sei, eu sei que não deveria dizer essas coisas... ele salvou minha vida e sou grato por isso, mas, juro por Deus, como queria que tivesse sido qualquer outro, menos ele! E não tenho o direito de falar com você como se... Não aguento, Scarlett, não aguento ver sua beleza maculada nas mãos dele... Quando penso nele beijando você, tocando você, eu...

"Ele vai me beijar!", pensou Scarlett. Ela se inclinou em direção a ele, mas Ashley se afastou de repente e, como se tivesse percebido que falara demais, pediu desculpas por ofender o marido dela.

No caminho de volta para casa, Scarlett estava decidida a deixar claro para Rhett que não queria mais filhos e que os dois precisariam dormir em quartos separados. Ela compreendia o tormento de Ashley e admitia que sentiria o mesmo caso não soubesse que ele e Melanie viviam como dois irmãos. Logo que voltou para casa, subiu as escadas correndo, foi até o berçário e lá encontrou Rhett ao lado do berço de Bonnie, com Ella sentada em seu colo e Wade lhe mostrando o que tinha nos bolsos. Que bênção o fato de Rhett gostar de crianças e se divertir com elas! Alguns padrastos eram tão cruéis com filhos de outros casamentos!

Para surpresa de Scarlett, Rhett recebeu o comunicado com tranquilidade e alívio. Perguntou se ela estivera no depósito de madeira, ela confirmou, e ele disse:

– Como você é ingênua! Viveu com três homens e ainda não conhece nada da natureza masculina. Deve achar que eles são um bando de velhas na menopausa.

– Está querendo me dizer que... – esbravejou Scarlett, indignada – ... que não liga se...

– Cansou de mim, não é? Bem, os homens cansam mais rápido que as mulheres. Mantenha sua santidade, Scarlett. Isso não vai me causar nenhum sofrimento. Não tem problema nenhum – completou, dando de ombros e rindo. – Felizmente, o mundo está cheio de camas... e a maioria delas está cheia de mulheres.

– Você quer dizer que faria isso mesmo... que...

– Minha pequena inocente, mas é claro! É um milagre que eu não tenha pulado a cerca ainda. Para mim, a fidelidade nunca foi uma virtude.

Rhett se virou e saiu do quarto, como se o assunto estivesse encerrado. Ela se sentou abruptamente. Conseguira o que queria. Era isso que ela e Ashley queriam. Mas não estava se sentindo feliz. Sentia o orgulho ferido e estava consternada ao ver que Rhett compreendera a questão com muita facilidade, que ele não a desejava, não fazia a menor questão, a colocara no mesmo nível das outras mulheres com quem já estivera. Tudo agora parecia uma terrível confusão, e de todo coração Scarlett queria não ter dito nada. Sentiria falta das conversas na cama com Rhett, enquanto ele fumava seu charuto no escuro. Sentiria falta do calor de seu abraço quando ela acordava apavorada no meio daqueles pesadelos em que vagava pela neblina.

De repente, sentiu-se verdadeiramente infeliz. Abaixou a cabeça, a apoiou no braço da cadeira e chorou.

Capítulo 52

Em uma tarde chuvosa, logo depois do primeiro aniversário de Bonnie, Wade ficou amuado na sala, vez ou outra indo até a janela, achatando o nariz contra a vidraça. Scarlett, vendo o menino inquieto, mandou que ele fosse chamar Pork para atrelar a carruagem e levá-lo à casa de Beau para brincar, mas Wade respondeu que Beau não estava em casa, pois tinha ido à festa de aniversário de Raoul Picard. Raoul era o filho pequeno de Maybelle e Rene, "um pirralho detestável", pensou Scarlett, que parecia mais um macaco que uma criança. Rhett, percebendo que o menino parecia chateado, perguntou por que ele não fora à festa, e Wade respondeu que não o convidaram. Ele perguntou, então, se Joe Whiting e Frank Bonnell, e se os outros amiguinhos, o convidavam para as festas.

– Não, não, senhor. Não me convidam para as festas – respondeu Wade.

– Wade, pare de mentira! – esbravejou Scarlett, virando-se para o filho. – Só na semana passada você foi a três festas diferentes. A do filho dos Bart, dos Gelert e dos Hundon.

– Um bando de mulas em arreio de cavalo, se juntá-los todos – comentou Rhett, com a voz embargada. – Filho, você se divertiu nessas festas? Me diga.

– Não, senhor.

– Por que não?

– Ah... num sei. Mammy... mammy diz que eles são *branco ordinário.*

– Vou arrancar o couro de mammy agora mesmo! – redarguiu Scarlett, pondo-se de pé. – E você, Wade, onde já se viu falar assim dos amiguinhos...

– O menino está dizendo a verdade, e mammy também – afirmou Rhett. – Não se preocupe, filho. Não precisa ir a festa nenhuma se não tiver vontade. Tome aqui. – Rhett tirou uma nota do bolso. – Diga a Pork que prepare a carruagem e o leve ao centro. Compre tudo isso de bala... um monte, o suficiente para ficar com dor de barriga.

Antes de partir, e depois de receber um olhar de reprimenda da mãe, Wade foi até Rhett e disse:

– Tio Rhett, posso perguntar uma coisa?

– Claro que sim. O que é, filho?

– Tio Rhett, você esteve... você lutou na guerra?

Com o olhar alerta, mas a voz muito natural, ele respondeu:

– Por que pergunta, filho?

– É que... Joe Whiting disse que você não foi. E o Frankie Bonnell também.

Rhett, com a voz firme, respondeu que servira o exército durante a guerra por oito meses, lutando de Lovejoy a Franklin, no Tennessee. Contou que fizera parte da artilharia, não da Guarda Nacional, como os pais dos outros meninos, e, quando Wade, como quem procura por uma prova, perguntou se ele se ferira durante a guerra, Rhett não hesitou em abrir a camisa e mostrar uma cicatriz que atravessava o peito até o abdome. Tratava-se da herança de uma luta com facas nos campos de ouro da Califórnia, mas Wade não sabia disso. O menino respirou aliviado e contente.

– Acho que o senhor é tão corajoso quanto meu pai, tio Rhett.

– Quase, mas não tanto – respondeu Rhett, colocando a camisa para dentro do cós da calça. – Agora vá. Gaste esse dinheiro e mande para o inferno qualquer moleque que diga que não estive no exército.

Depois que Wade saiu, Rhett disse a Scarlett que nunca refletira sobre quanto Wade sofria e que não permitiria que Bonnie passasse pelo mesmo.

– Você acha que vou permitir que minha Bonnie sinta vergonha do pai? Que não seja convidada para as festas quando tiver 9, 10 anos? Acha que vou permitir que ela seja humilhada como Wade por culpa minha e sua? Que vou deixar minha filha crescer excluída da decência de Atlanta? Não vou mandá-la estudar no Norte e aparecer em casa só para nos visitar simplesmente por não ser aceita em Charleston, em Savannah ou em Nova Orleans. Não quero que se sinta forçada a se casar com um ianque nem com um estrangeiro porque nenhuma família decente do Sul vai aceitá-la... e tudo isso porque a mãe dela é uma tola, e o pai, um canalha.

Nesse meio-tempo, Wade, que tinha ido chamar Pork, voltou a aparecer na porta e disse que Bonnie poderia se casar com Beau. Rhett, disfarçando a raiva daquela conversa tensa com Scarlett, virou-se para o menino e, com a mesma seriedade com que sempre conversava com as crianças, disse que ele tinha razão e perguntou com quem ele se casaria quando crescesse.

– Não vou me casar com ninguém – respondeu Wade, confiante. – Vou estudar em Harvard, quero ser advogado que nem meu pai, e depois vou ser um soldado valente igual a ele.

Scarlett, ciente de que Melly alimentava essas ideias do filho, o repreendeu:

– Wade, você não vai estudar em Harvard. É uma escola ianque e não vou deixar que frequente uma escola ianque. Vai estudar na Universidade da Geórgia e, quando se formar, administrar a loja para mim. E, quanto ao fato de seu pai ser um soldado corajoso...

– Shhh! – interrompeu Rhett rapidamente, notando o brilho nos olhos do menino enquanto falava do pai que nunca conheceu. – Você vai crescer e se tornar um homem corajoso igual ao seu pai, Wade. E vou vê-lo estudando em Harvard e se tornando advogado. Agora, ande. Vá atrás de Pork e diga para levá-lo à cidade.

Naquele dia, Rhett disse a Scarlett que ela cuidava muito mal dos próprios filhos, que deveria ter se preocupado em garantir um lugar na sociedade para eles, mas nem sequer se preocupara em manter a própria posição.

– Só podemos contar com a senhora Wilkes para nos ajudar, e você não poupa esforços para se indispor com ela e ofendê-la. Ah, e por favor, poupe-me dos comentários sobre a pobreza e as roupas dela. Ela é a alma e o centro de toda a excelência de Atlanta. Graças a Deus pela vida dela. Ela vai me ajudar no que preciso.

Rhett comunicou a Scarlett que estava decidido a lamber o chão, se preciso fosse, das senhoras Merriwether, Elsing, Whiting e Meade. Contribuiria para a caridade, iria às igrejas, se vangloriaria dos serviços prestados à confederação e, na pior das hipóteses, entraria para a maldita Klan.

– E faça-me o favor, madame, de não desfazer o meu trabalho, não execute nenhuma hipoteca dessas pessoas, não venda madeira podre para nenhuma delas e tampouco faça qualquer coisa para ofendê-las. E que fique bem claro. Nunca mais o governador Bullock vai colocar o pé dentro desta casa. Está me ouvindo? Nem ninguém daquela gangue bem-vestida dele com quem você anda. E, se eles vierem a esta casa, vou ao bar de Belle Watling dizer a quem tiver interesse de escutar que me recuso a ficar sob o mesmo teto que eles.

– Ora, ora! Então o jogador furador de bloqueios e especulador vai se tornar um homem de respeito! Bom, nesse caso, a melhor coisa a fazer, para começar, é vender o bordel de Belle Watling.

– Obrigada pela sugestão.

* * *

Rhett não poderia ter escolhido momento pior para tentar angariar o respeito daquela gente. Nunca antes nem depois os nomes "republicano" e "scallawag" carregavam consigo tanto ódio, pois a corrupção do regime *carpetbagger* atingira o auge, e, desde a rendição, o nome de Rhett estava diretamente ligado aos ianques, republicanos e *scallawags*. Em 1866, sob o regime militar, a sociedade de Atlanta imaginara atravessar seu pior, mas mal sabia que o pior ainda estava por vir, e acontecia agora, sob o governo de Bullock. Graças ao voto dos pretos, os republicanos e seus aliados tinham fincado raízes e vinham impondo regras a uma minoria impotente, porém resistente. Entre os escravos livres, foi espalhado o boato de que havia na bíblia apenas dois partidos: os republicanos e os pecadores. Com isso, os republicamos ganharam o apoio maciço deles. Muitos pretos ocupavam as cadeiras do legislativo, onde passavam a maior parte do tempo comendo amendoim e experimentando os sapatos novos, os pés descalços tentando se familiarizar com o calçado. Muitos nem sabiam ler ou escrever, mas tinham o poder de definir impostos e títulos, favorecendo a si próprios e aos amigos republicanos. Promotores, especuladores, empreiteiros e outros grupos que tinham a esperança de lucrar com aquela orgia de gastos cercavam a sede do parlamento e, sem a menor dificuldade, conseguiam dinheiro do Estado para a construção de ferrovias que nunca saíram do papel, para a compra de vagões e máquinas fantasmas e para edifícios públicos que nunca foram erguidos. A ferrovia estadual, antes um patrimônio, tornara-se um problema. Não era mais uma ferrovia, mas uma espécie de gamela sem fundo em que os porcos podiam chafurdar. Funcionários nomeados por motivações políticas, em um número três vezes maior que o necessário, republicanos viajando, indo e vindo ao bel-prazer e sem pagar nada, vagões carregados de pretos embarcando em infindáveis excursões pelo Estado para votar inúmeras vezes na mesma eleição. Com a má administração da ferrovia, os contribuintes se enfureciam ainda mais, pois o dinheiro para a escolas públicas provinha, dela e, como não havia mais rendimento, apenas dívidas, uma geração de crianças ignorantes espalharia anos adentro a semente do analfabetismo. Quando a Geórgia se rebelou contra a corrupção, o governador rapidamente foi ao Norte e, perante o congresso, difamou os sulistas, contando sobre as injúrias sofridas pelos ex-escravos e praticadas pelos brancos, alegando que a Geórgia se preparava para uma nova rebelião e, por isso, necessitava de um regime militar mais rigoroso. E foi assim que uma mão de ferro se instalou no Estado, um prato cheio e regado ao cinismo para a roubalheira que corria solta no alto escalão. Protestos e esforços para resistir foram inúteis, pois o governo estadual contava com a retaguarda e o apoio do Exército americano. Atlanta praguejava contra Bullock, contra os *scallawags* e os republicanos e contra qualquer um que se afiliasse a eles. E Rhett estava diretamente ligado a eles, mas, agora, nadava contra a corrente e não poupava esforços nas braçadas.

Ele deu início à sua campanha sorrateiramente, sem levantar suspeitas, feito um leopardo tentando ludibriar as próprias pintas na penumbra da noite. Afastara-se dos camaradas de conduta duvidosa e não era mais visto com os soldados ianques, tampouco com *scallawags* e republicanos. Quando ia à casa de Belle Watling, isto é, se fosse, o fazia sempre à noite. A congregação episcopal quase caiu dos bancos ao vê-lo entrar na igreja, na ponta dos pés, atrasado para a missa, segurando a mão de Wade. Ficaram chocados não só pela presença dele, como por vir acompanhado do menino, que era supostamente católico, como era Scarlett, ou assim achavam. Fazia anos que Scarlett não punha os pés na igreja, e todos acreditavam que ela negligenciara a educação religiosa do filho, o que elevou a moral de Rhett por tentar redimir o erro da esposa, mesmo que tivesse levado a criança à congregação episcopal em vez da católica.

Rhett fez uma contribuição generosa ao fundo para reforma da igreja episcopal e doou um bom, mas não escandaloso, montante à Associação de Embelezamento dos Túmulos dos Nossos Gloriosos Mortos. Procurou a senhora Elsing para fazer a oferta e suplicou que a mantivesse em segredo, ciente de que ela espalharia a notícia. A senhora Elsing detestou ter de aceitar o dinheiro dele, "dinheiro de especulação", mas a associação precisava dessa ajuda. Assim que teve a oportunidade, Rhett confessou a ela o orgulho que tinha por ter servido a Confederação e disse ter mantido o assunto em segredo por conta de seu passado vergonhoso. A senhora Elsing, em uma conversa com a senhora Merriwether, desabafou:

– De certo modo... – contou hesitante – ... não sei como, acho que ele não é tão mal quanto parece. Um homem que serviu a Confederação não pode ser tão mal. É Scarlett quem é má. Sabe, Dolly, acredito... mesmo, de verdade, que ele... bem, que ele sente vergonha de Scarlett, mas é cavalheiro demais para deixar isso transparecer.

Certo dia, quando a senhora Merriwether foi ao banco pedir um empréstimo que fora recusado, Rhett interveio, pediu desculpas e alegou ter ocorrido algum engano, pois jamais recusariam um pedido a uma pessoa como ela. Na ocasião, Rhett aproveitou para perguntar o que ela fizera para impedir Maybelle de chupar o dedo quando era pequena, e Merriwether recomendou que tentasse quinina.

– Quinina! Nunca que pensaria nisso. Não tenho palavras para agradecer, senhora Merriwether. Andava preocupado demais com essa mania de Bonnie.

Quando Bonnie começou a andar, Rhett saía para passear com ela, fosse de carruagem ou montada na frente da sela. Certa tarde, depois de chegar do banco, saiu de mãos dadas com a filha pela Peachtree, caminhando devagar, diminuindo as passadas largas para acompanhar o passinho da menina, respondendo pacientemente a cada uma de suas milhares de perguntas. Bonnie era uma criança tão simpática, bonita, com um emaranhado de cachos pretos e olhos azuis tão reluzentes que poucos resistiam em falar com ela. Rhett nunca interferia nessas conversas, ficava ao lado observando e exalando seu orgulho paternal. Os tempos eram difíceis, e o sentimento de rancor contra qualquer um que tivesse relações com Bullock e sua corja era latente. Mas Bonnie combinava os melhores encantos dos pais e era a pequena brecha por meio da qual Rhett rompia a muralha de frieza de Atlanta.

Bonnie cresceu rápido, e a cada dia se parecia mais e mais com Gerald O'Hara. Do avô, herdara o mesmo temperamento explosivo, demonstrado com acessos de grito que só cessavam quando tinha os desejos satisfeitos, o que acontecia muito rapidamente, desde que o pai estivesse por perto. Até os dois anos, pegava no sono com facilidade no berçário, que dividia com Wade e Ella. Mas, de repente, sem nenhum motivo aparente, começou a berrar quando mammy saía e fechava a porta carregando o lampião. Depois, começou a acordar de madrugada, aos berros, aterrorizada, assustando as outras duas crianças e acordando a casa inteira. Uma vez, tiveram de chamar o doutor Meade, e Rhett foi indelicado com o médico quando ele diagnosticou o problema da menina como "pesadelos". Tudo que conseguiam arrancar dela era a palavra "escuro". Scarlett se irritava e queria bater na criança, não concordava em deixar o lampião aceso no berçário, pois atrapalharia o sono de Wade e Ella. Rhett, preocupado, mas compassivo, tentando extrair da filha alguma outra informação sobre o que se passava, com frieza disse que, se havia alguém ali que deveria levar umas palmadas, era Scarlett. O desfecho foi: Bonnie saiu do berçário e começou a dormir com o pai, no quarto que ele ocupava sozinho. A história chegou aos ouvidos da cidade e começou a se espalhar, e a fofoca do quanto era inapropriado uma menina de 2 anos dormir sozinha no quarto com o pai atingiu Scarlett. Primeiro, porque todos tiveram a prova de que ela e o marido dormiam em quartos separados; segundo, porque, se a filha tinha medo de dormir sozinha, deveria dormir com a mãe. Scarlett acreditava que todas as crianças tinham medo do escuro e que o único remédio para curar o problema era a dureza. Mas Rhett estava impassível, decidido a manchar sua reputação de mãe, como forma de castigá-la pela decisão de dormirem em quartos separados.

Uma noite, quando Rhett não voltou para casa, enquanto Bonnie o esperara impaciente, grudada na janela, ansiosa para mostrar ao pai uma coleção de baratas e besouros, custou muito a Lou conseguir levá-la para a cama. Mas Lou se esquecera de acender o lampião, ou o óleo se esgotou e ele apagou sozinho. O fato é que Rhett, ao chegar em casa embriagado, trôpego, e escutar os berros da filha "Escuro! escuro!", ficou enfurecido, disse que arrancaria o couro de Lou, mandou que todos saíssem e brigou com Scarlett, que disse achar tudo aquilo um exagero.

– "Deixe ela gritar!" – remedou Rhett, e por um momento Scarlett achou que ele bateria nela. – Ou você é tola ou a mulher mais desumana que já conheci!

– Com isso, você só está mimando essa menina e...

– E pretendo continuar fazendo isso. Assim, ela vai superar e esquecer esse medo.

Depois disso, Rhett passou a chegar em casa bem mais cedo, antes de Bonnie ir para a cama. Ficava ao lado dela, segurando-lhe a mão, até ela pegar no sono. Só então saía do quarto, na ponta dos pés, deixando o lampião aceso e a porta entreaberta caso a menina acordasse assustada. Também chegava sóbrio, mas não pelas inúmeras reprimendas de Scarlett. Vinha bebendo muito ultimamente e, certa noite, ao pegar Bonnie no colo, pediu que ela lhe desse um beijo. A menina torceu o narizinho e disse:

– Cheiro ruim. Tio Ashley não cheira ruim.

Com isso, Bonnie pediu para descer do colo.

Capítulo 53

Era aniversário de Ashley, e Melanie preparava uma festa surpresa para aquela noite. Todos sabiam da recepção, exceto Ashley. Até Wade e Beau sabiam da festa e juraram segredo, com o peito estufado de orgulho. Todos os moradores de bem da cidade foram convidados e tinham confirmado presença. O general Gordon e a família aceitaram o convite de bom grado, Alexander Stephens compareceria se a saúde, sempre incerta, assim lhe permitisse, e até Bob Toombs, o tempestuoso petrel da Confederação, era aguardado. Scarlett e Melanie, India e tia Pitty passaram a manhã inteira de um lado para o outro da casinha, orientando os escravos a trocar as cortinas, polir a prataria, encerar o chão, cozinhar, preparar e experimentar os refrescos. Scarlett nunca vira Melanie tão empolgada e tão feliz quanto naquele dia.

– Veja, querida, Ashley não comemora o aniversário dele desde... lembra-se daquele churrasco em Twelve Oaks? No dia em que a gente soube que o senhor Lincoln havia convocado voluntários? Pois é, desde aquele dia, Ashley não comemora o aniversário dele. E trabalha tanto, chega tão cansado em casa que nem se lembra de que hoje é seu aniversário. Imagine só a surpresa dele depois do jantar, quando todo mundo chegar!

Archie passara a manhã inteira observando os preparativos com muito interesse, embora jamais admitisse. Nunca vira os bastidores de uma festa grande como aquela, era uma experiência nova para ele. Ele se ofereceu para pendurar as lanternas entre as árvores para que Ashley não as percebesse quando chegasse, e Melanie se sentiu aliviada por lhe arranjar uma ocupação, pois os escravos ficavam muito tensos perto de Archie e não conseguiam trabalhar.

– Melly, se eu fosse você, não ficaria com esse velho marginal dentro de casa – comentou Scarlett, irritada. Ela detestava Archie tanto quanto ele a ela, e os dois mal se falavam. A casa de Melanie era o único lugar onde ele aceitava ficar se Scarlett estivesse presente. E, mesmo lá, ele sempre olhava para Scarlett com desconfiança e frieza. – Ele ainda vai lhe arranjar encrenca, escute o que digo.

– Ah, se você o elogiar e agir como se dependesse dele, é totalmente inofensivo – comentou Melanie. – E é tão afeiçoado a Ashley e Beau que sempre me sinto segura quando está por perto.

India comentou que Melanie era a única pessoa a quem Archie se afeiçoara, a primeira que adorava desde a esposa e que o sujeito seria capaz de matar quem quer que ofendesse Melanie.

Pouco ou nada preocupada com o que o velho pensava ou deixava de pensar, Scarlett avisou que precisava ir embora, pois iria almoçar e passaria na loja em seguida. Melanie pediu que ela lhe fizesse o favor de segurar Ashley lá até as cinco, pois assim teriam tempo hábil para terminar os preparativos.

– Pode deixar comigo – respondeu Scarlett, radiante por dentro, sentindo as energias revigoradas.

A caminho de casa, ela se deu conta de que Melanie não a convidara para recepcionar os convidados com India e tia Pitty e sabia o motivo. Lembrou-se das palavras de Rhett. "Uma *scallawag* recepcionando todos os ilustres ex-confederados e democratas? Você só recebeu o convite por causa da lealdade que a senhorita Melanie tem a você."

Era uma tarde agradável, ensolarada, mas não muito quente, e Scarlett caprichou no traje para ir à loja: escolheu um vestido de tafetá verde, furta-cor, e um chapéu de sol verde-claro, enfeitado com plumas verdes. Sentia o coração feliz e, no meio do caminho, parou uma dúzia de vezes para conversar com as *carpetbaggers* e com muitos homens que saíam do pó avermelhado da estrada e tiravam o chapéu para cumprimentá-la. Chegando à loja, perguntou a Hugh se Ashley estava e foi direto ao escritório conversar com ele.

– Scarlett? O que faz aqui pelo centro a esta hora do dia? Por que não está em casa ajudando Melly com a festa surpresa? – perguntou.

– Ah, Ashley Wilkes! – resmungou, indignada. – Não era para você saber! Melly vai ficar muito triste quando descobrir.

– Ah, não, vou fingir bem. Farei de conta que sou o homem mais surpreso de Atlanta – disse Ashley, com olhar brincalhão.

Naquela tarde, Ashley segurou as mãos de Scarlett e esticou os braços dela para admirar seu vestido. Parecia o Ashley de sempre, aquele que ela conhecera em Twelve Oaks, com o mesmo sorriso. Scarlett esperara por aquele momento. A atmosfera estava tão leve, o clima tão agradável, Ashley tinha a fisionomia tão contente. Em uma tarde como aquela, tudo que ela mais queria era sentir o calor das mãos dele; esperara tanto por aquilo. Era a primeira vez que ficavam literalmente a sós desde aquele dia frio, no pomar de Tara. Mas que estranho não se sentir excitada com aquele toque! Fosse em outro tempo, a simples proximidade entre os dois a deixaria de pernas bambas. Mas agora era diferente, sentia a ternura e o contentamento de uma amizade. Ficou intrigada e ao mesmo tempo um pouco sem graça. Continuava o mesmo Ashley, tão querido, radiante, e ela o amava mais que tudo na vida. Mas por que... Preferiu afastar aquele pensamento. Ali, conversaram sobre o passado, sobre aquele último churrasco em que estiveram juntos, e Ashley recordou-se de todos os detalhes do vestido, do xale de renda branca; rememorou o momento em que a vira rodeada de homens, todos a seus pés; falaram sobre quanto as coisas tinham mudado desde então, das trilhas que percorreram, e Ashley até admitiu que, às vezes, se perguntava o que teria sido dele sem ela.

– Mas não fiz nada por você, Ashley. Sem mim, você seria o mesmo. Um dia, se tornaria um homem rico, um grande homem, como ainda há de ser.

– Não, Scarlett, as sementes da grandeza nunca me pertenceram. Acho que, se não fosse você, eu teria caído no esquecimento... feito o pobre Cathleen Calvert e tantas outras pessoas que já foram alguém na vida, mas lá atrás.

De repente, Scarlett se deu conta do que se passava na cabeça de Ashley. Algo que, no ardor da paixão que consumia o coração dela, Scarlett não conseguia enxergar e compreender, agora, na serenidade daquele laço de amizade, começava a transparecer. Ashley já não estava triste. Estivera depois da rendição, quando ela lhe implorou que viesse para Atlanta. Agora, sentia-se apenas resignado.

Os dois confessaram sentir falta dos velhos tempos, quando tudo era alegria e festas. "Ah, que saudade daqueles dias vagarosos", pensou Scarlett, "do calor e da calmaria, do latido dos perdigueiros, dos piqueniques dos Tarleton, de ver Stuart e Brent chegando com suas pernas compridas, do cabelo ruivo e das brincadeiras de sempre, de Tom e Boyd montados, do andar lânguido e cheio de graça de Cade e Raiford Calvert. E do senhor John Wilkes, de Gerald, com as bochechas coradas depois do conhaque, da voz sussurrada e do perfume de Ellen". Os dois ficaram em silêncio por um bom tempo, olhando um para o outro, e entre eles jazia o calor da juventude que em outros tempos partilharam tão irrefletidamente.

– Quanta coisa aconteceu desde então, Ashley – disse Scarlett, tentando manter a voz firme, refreando o nó que apertava a garganta. – A gente tinha tantos sonhos naquela época, não é? Ah, Ashley, nada saiu como a gente esperava!

– Nunca sai – afirmou Ashley. – A vida não tem a obrigação de nos trazer o que esperamos. Aceitamos o que recebemos e agradecemos por não ter sido pior.

Sem que Scarlett percebesse, lágrimas começaram a rolar pelo rosto e ela ficou muda, olhando para ele feito uma criança desnorteada. Ashley não disse nada, apenas a abraçou. Ela apoiou a cabeça no peito dele e o conforto de seus braços a ajudou a secar as lágrimas repentinas. Ela escutou um barulho lá fora e imaginou serem os carroceiros indo para casa. Então, de repente, Ashley a soltou, e ela ficou confusa com aquele gesto súbito. Percebendo o olhar alarmado dele, Scarlett virou-se. Lá, paradas atrás deles, estavam India, pálida feito uma folha, e Archie, tão malévolo quanto um papagaio caolho. Atrás dos dois, estava a senhora Elsing.

Como saiu de lá, Scarlett nunca se lembrou. Mas foi embora no mesmo instante, seguindo a orientação de Ashley, deixando-o conversar com Archie lá dentro, enquanto India e a senhora Elsing ficaram do lado de fora, de costas para ela. Scarlett voltou para casa correndo, que, por sorte, estava silenciosa, pois os criados tinham ido a um velório e as crianças estavam brincando no jardim de Melanie. Melanie... Melanie! Ela saberia. India com certeza contaria. E, se não contasse, a senhora Elsing o faria. O mexerico se espalharia rapidamente pela cidade. No café da manhã do dia seguinte, todos, até os pretos, já estariam sabendo. Na festa de aniversário de Ashley, as mulheres se reuniriam pelos cantos e ficariam cochichando maliciosamente, deleitando-se com o mexerico. Logo agora! Em uma conversa tão sincera, tão inocente! Poderiam ter sido flagrados outras vezes, naquele Natal em que ele estava de licença, naquele dia no pomar de Tara... Ah, se tivessem sido descobertos naqueles tempos, não teria sido tão ruim! Mas agora! Justo agora? Quando ela se entregara aos braços de um amigo... Mas sabia que ninguém acreditaria nela. Scarlett suportaria tudo, os mexericos, os olhares, o falatório pela cidade, só não aguentaria... Melanie. Ah, não, Melanie! Sem saber ao certo por que, nada a apavorava mais que imaginar Melanie recebendo a notícia. E Rhett?

O que faria quando soubesse? Archie com certeza contaria. Era o único que teria coragem de dar uma notícia dessas a Rhett, cuja reputação era conhecida por atirar primeiro para depois fazer perguntas.

E Archie contou mesmo. Rhett apareceu mais tarde, bateu à porta do quarto de Scarlett, pediu licença para entrar. Ela consentiu, e ele mandou que se vestisse para irem à festa. Scarlett implorou, alegou estar com dor de cabeça.

– Mas que branca ordinária, uma bela de uma covarde você é! – afirmou. – Levante-se – disse com a voz firme e serena. – Vamos à festa. Precisa se apressar.

– Rhett... Archie, ele se atreveu...

Sim, Archie se atreveu. Um homem muito corajoso, Archie.

Você deveria matá-lo por sair por aí contando mentiras.

– Tenho o estranho hábito de não matar quem conta a verdade. Não temos tempo para discutir agora. Levante-se.

Ela tentou explicar que fora um mal-entendido. Ele disse que, se ela não mostrasse a cara naquele dia, nunca mais poderia andar de cabeça erguida pela cidade. Ele remexeu o armário e escolheu o vestido para ela usar; novo, de seda, cor verde-jade e decotado. Também disse que não chamaria mammy para amarrar as tiras do espartilho, e ele próprio o fez, puxando o tecido, deixando-o bem apertado.

Quando começou a anoitecer, os criados voltaram, e ela estranhou o silêncio deles enquanto preparavam o jantar. Ou seria o peso na consciência que a fizera pensar assim?

Scarlett chegou à porta de Melanie de cabeça baixa, com o braço apoiado no de Rhett, tão duro quanto uma pedra de granito, transmitindo-lhe certa dose de coragem. Santo Deus! Ela conseguiria encarar todos ali, e encararia. Afinal, o que eram se não um bando de gatas arredias que a invejavam? Pois ela lhes daria uma lição. Não se preocupava com o que pensavam. Só Melanie... só se preocupava com Melanie. Scarlett ergueu a cabeça e sorriu. Antes que houvesse tempo de virar e falar com os que estavam à porta, alguém apareceu, abrindo caminho entre as pessoas. Lá dentro, a música parou, e fizeram completo silêncio. O coração de Scarlett gelou. De repente, Melanie apareceu, os pezinhos pequenos apressados, correndo rumo à porta, vindo em direção a Scarlett para falar com ela antes de todo mundo. Era como se não houvesse outros convidados ali, a não ser Scarlett. Melanie ficou ao lado dela e a abraçou pela cintura.

– Que vestido lindo, querida! – disse com a voz baixa, mas clara. – Você é mesmo um anjo que caiu do céu. India não pôde vir para me ajudar. Pode ficar comigo aqui, recepcionando os convidados?

Capítulo 54

Salva em seu quarto de novo, Scarlett desmoronou na cama e, por um tempo, ficou ali parada, recordando-se da cena, ela de pé, entre Melanie e Ashley, cumprimentando os convidados. Que pesadelo! Preferiria encarar o exército de Sherman de novo a repetir aquilo! Passado certo tempo, ela se levantou e começou a andar de um lado para o outro, tirando as roupas enquanto caminhava. Quando a festa terminou, Rhett a mandara de volta para casa sozinha, na carruagem, e ela agradeceu a Deus por esse alívio temporário. Ele ainda não chegara. Graças a Deus, ainda não voltara. Ela não conseguiria olhar para ele, não naquela noite; sentiria-se envergonhada, assustada, trêmula. Mas onde estava? Provavelmente, no bordel daquela uma. Pela primeira vez, Scarlett se sentia agradecida pela existência de Belle Watling. E contente por haver outro lugar além dali que abrigasse Rhett até as coisas esfriarem, até que a fúria assassina dele passasse. Mas que coisa errada se sentir contente porque o marido estava na casa de uma prostituta. E ela se sentiria quase igualmente contente se ele tivesse morrido, e se isso significasse não ter de encará-lo naquela noite. Amanhã... bem, amanhã seria outro dia. E com que primor Melanie evitara o escândalo, mantendo Scarlett a seu lado o tempo todo nesta noite terrível! Os convidados agiram com certa indiferença, um tanto confusos, mas foram educados de modo geral. Ah, que ignomínia aquela, proteger-se debaixo das saias de Melanie contra aqueles que a odiavam, se salvaguardar pela confiança cega de Melanie (justo Melanie!).

Sentindo que não poderia suportar tudo aquilo de cara limpa, ela vestiu o roupão e se preparou para descer e pegar uma bebida. No meio da escadaria, olhou para a porta fechada da sala de jantar e viu um feixe de luz pela fresta debaixo. Será que a luz já estava acesa quando ela chegou e, de tão nervosa, nem sequer percebeu, ou estaria Rhett em casa, afinal? Enquanto se abaixava para tirar a chinela ruidosa e voltar para a cama na ponta dos pés, a porta da sala de jantar abriu-se de repente e Rhett apareceu, um vulto escuro, temeroso, iluminado por trás pela luz de uma vela.

– Por gentileza, queira me acompanhar, senhora Butler – disse com a voz meio rouca. – Estava bêbado, era evidente, e ela nunca o vira demonstrar sua embriaguez, por mais que estivesse alto. Sem saber o que fazer, paralisada e em silêncio, ela sentiu o braço de Rhett segurá-la firme. – Venha cá, sua maldita!

Scarlett sentiu medo, um medo diferente daquele de antes. Ele parecia e falava como um estranho, era um Rhett rude, grosseiro, que ela nunca vira antes. Nunca, nem mesmo nos momentos mais íntimos, ele fora nada além de indiferente. Rhett lhe ofereceu uma bebida, ela recusou, mas ele insistiu:

– Sente-se e teremos uma agradável discussão doméstica sobre a elegante recepção que acabamos de assistir.

– Você está bêbado – disse ela friamente –, e vou para a cama.

– Estou muito bêbado e pretendo ficar ainda mais bêbado antes do fim da noite. Mas você não vai para a cama, ainda não. Sente-se.

Ela sentou-se, mesmo a contragosto.

– Tome. Está tremendo feito uma vara verde – disse, entregando o copo a ela. – Sei que bebe às escondidas, e que bebe bastante. Já faz um tempo que quero lhe dizer para parar com essa dissimulação e beber abertamente, se quiser. Acha que me importo se for chegada a um conhaque?

Scarlett pegou o copo e, com um súbito movimento, tomou o conhaque em uma golada só, como Gerald sempre fazia quando tomava uísque puro. Ainda a segurando pelo braço, com força suficiente para machucar, ele pediu a ela que se sentasse. Com um leve empurrão, ela não teve outra escolha senão se sentar no sofá, e o fez com um grito de dor. Agora, estava com medo, mais medo que nunca. Quando Rhett inclinou o tronco e se aproximou de Scarlett, ela enxergou naquele rosto sombrio e corado algo que não conseguiu reconhecer, tampouco entender; algo mais profundo que raiva, mais forte que dor. Ele a olhou por um bom tempo, em silêncio, até que puxou uma cadeira, sentou-se bem de frente para Scarlett e serviu-se de mais uma dose.

– Foi uma comédia e tanto esta noite, não é mesmo? – perguntou. – Uma comédia legítima, sem um personagem sequer a menos. A vizinhança reunida para apedrejar a esposa pecadora, o marido traído resguardando a esposa, como se espera de um cavalheiro, a esposa enganada entrando em cena com seu espírito cristão e acobertando tudo com o santo e imaculado manto de sua reputação. E o amante...

– Por favor.

Por mais que Scarlett tentasse, Rhett estava decidido a não se calar. Disse que o "amante" parecia um verdadeiro imbecil desejando a própria morte e que era evidente que Melanie soubera do ocorrido, mas não acreditara, e, ainda que visse a cena, tampouco acreditaria nos próprios olhos.

– A senhora Melly é honrada demais para conceber a desonra da parte de quem ama. Não sei qual foi a mentira que Ashley contou a ela... mas qualquer mentira esfarrapada serviria, pois ela ama Ashley e ama você também. Não sei, realmente não sei por que ela ama você, mas ama. Que essa seja uma das cruzes que você tem de carregar.

A conversa inflamada prosseguiu, Scarlett pedindo uma chance de explicar, e Rhett alegando desinteresse em ouvir.

– Fui expulso porque meus ardores eram vulgares demais para seus refinamentos... porque você não queria mais ter filhos. Quão mal isso me fez, minha querida! Como me machucou! Então, saí à procura de consolo e a deixei para trás com seus refinamentos. E você passou esse tempo rastreando os passos do eterno sofredor Ashley Wilkes. Maldito sujeito! Qual é o problema dele? Não pode ser mentalmente fiel à esposa e tampouco fisicamente infiel a ela. Por que ele não se decide? Você não se oporia a ter filhos dele, não é... e fingir que são meus?

Scarlett se levantou em um pulo e com um grito. Rhett se levantou também, com aquela risada debochada que fazia o sangue dela ferver. Com as mãos segurando a cabeça dela, cerrando os cabelos esvoaçantes, virando o rosto dela em direção ao seu, Rhett continuou:

– Veja minhas mãos, minha querida – disse, flexionando-as. – Eu poderia parti-la em pedacinhos sem nenhum problema e faria isso se soubesse que conseguiria tirar Ashley da sua cabeça. Mas não tiraria. Então, acho que vou tirá-lo da sua cabeça para sempre assim... Vou colocar uma mão em cada lado da sua cabeça e esmagar seu crânio entre elas como se fosse uma noz, e isso vai tirar ele daí para sempre.

– Seu bêbado idiota! – esbravejou ela. – Tire suas mãos de mim.

Para surpresa dela, ele tirou e, sentado na beirada da mesa, se serviu de outra dose.

Naquela mesma noite, depois de mais trocas de ofensas, entre as quais Scarlett chamou Rhett de ciumento, e ele a acusou de traição por pensar em Ashley na cama enquanto estava nos braços do marido, Rhett a segurou no colo e começou a subir as escadas. Com a cabeça apoiada contra o peito dele, ela escutou seu coração martelar. Rhett a machucava, e ela, assustada, soltou um grito abafado. A cada degrau que subiam, o medo de Scarlett aumentava. Era um completo estranho, em uma escuridão que ela desconhecia, mais enegrecida que a morte. Ela gritava, debatia-se. De repente, ele parou no patamar, virou-a nos braços, curvou-se e a beijou com uma ferocidade e um desejo que varreram tudo da mente dela, exceto a escuridão em que mergulhava e os lábios que a tomavam. Scarlett tremia como se estivesse em meio a uma ventania, e aquela boca, que escorregava pela fenda do roupão entreaberto, encontrou a pele dela. Rhett murmurava coisas que ela não escutava, e os lábios dele evocavam sensações que ela nunca sentira. Ela tentava falar, mas os lábios dele a impediam; de repente, sentiu uma mistura selvagem de emoções, que nunca experimentara antes: alegria, medo, loucura, desejo, entrega àqueles braços tão fortes, àqueles lábios agressivos, ao destino que avançava tão rápido. Pela primeira vez na vida, ela conhecia alguém, algo mais forte que ela, alguém a quem não poderia intimidar nem destruir, alguém que a intimidava e destruía.

Quando acordou na manhã seguinte, não o viu e, não fosse pelo travesseiro amassado ao lado dela, teria pensado que os acontecimentos da noite anterior não passaram de um sonho absurdo e selvagem. Ela vivia havia alguns anos com Rhett, dormira com ele, dividira a mesa com ele, discutira com ele, tivera uma filha com ele e, ainda assim, não o conhecia. O homem que a carregava nos braços naquela escuridão era um estranho que ela jamais imaginara existir. Agora, tentava odiá-lo, tentava indignar-se com ele, mas não conseguia. Ele a machucara, a humilhara, a usara brutalmente naquela noite louca, e ela se deliciara. Ah, deveria estar envergonhada! Uma dama, uma dama legítima jamais deveria andar de cabeça erguida depois de uma noite como aquela. No entanto, mais forte que a vergonha era a lembrança do êxtase, do prazer de se render. Pela primeira vez na vida, ela se sentira viva, sentira um desejo tão arrebatador e primitivo quanto o medo que vivenciara naquela noite em que fugira de Atlanta, um desejo tão deliciosamente inebriante quanto o ódio voraz de quando assassinara o ianque. "Estou tão nervosa quanto uma noiva", pensou. "E por causa de Rhett!"

Mas Rhett não apareceu para o almoço nem para o jantar. Nem no dia seguinte. À noite, Scarlett decidiu avisar a polícia. Na manhã do terceiro dia, ele apareceu de barba feita, banhado, sóbrio, mas com os olhos vermelhos e a cara inchada por conta da bebida. Contou que a polícia esteve no bordel de Belle Watling. Ele estava lá.

Ela sentiu uma vontade repentina de chorar, de se deitar na cama e de esvair em lágrimas. Ele não mudara, nada mudara, e ela fora tola, ingênua de achar que ele a amava. Ele a usara, assim como fazia com qualquer mulher do bordel de Belle.

– Saia deste quarto e nunca mais volte aqui. Já lhe disse uma vez, mas não foi cavalheiro o suficiente para compreender. Daqui em diante, trancarei a porta.

– Não se preocupe. Estou de partida. Por isso vim, para avisá-la. Vou para Charleston, Nova Orleans e... bem, uma viagem bem longa. Parto hoje.

– Ah.

– E vou levar Bonnie comigo. Peça àquela tola da Prissy que prepare a mala dela. Vou levar Prissy comigo também.

– Você nunca vai tirar minha filha desta casa.

– Minha filha também, senhora Butler. Com certeza, não vai se importar se eu a levar a Charleston para visitar a avó.

– A avó uma ova! Acha que vou deixar você tirar minha filha daqui, se fica por aí se embebedando toda noite e frequentando lugares como aquele da tal Belle e...

Quando Rhett se virou para sair do quarto, ela escutou os passos dele no corredor, em direção ao berçário. Ele abriu a porta. Um coral de gritinhos e um alvoroço pueril irromperam, e a voz de Bonnie sobrepôs a de Ella.

– Pai, onde você *tava*?

– Caçando a pele de um coelho para agasalhar minha Bonnie. Dê um beijo aqui na pessoa que você mais ama neste mundo, Bonnie... e você também, Ella.

Capítulo 55

– Querida, não quero nenhuma explicação sua e não vou escutar também – declarou Melanie com firmeza, apoiando gentilmente a mão pequena nos lábios angustiados de Scarlett, calando-a. – Ofenderia você, a mim e a Ashley se cogitasse haver a necessidade de alguma explicação entre nós. Ora, nós três somos... somos como soldados lutando juntos contra o mundo há tantos anos que me envergonha a simples ideia de você achar que uma fofoca de quem não tem o que fazer seria capaz de abalar nossa relação. Acha que eu acreditaria que você e meu Ashley... Ah, que ideia! Não sabe que eu a conheço melhor que qualquer outra pessoa no mundo? Acha que me esqueci de todos os gestos maravilhosos e altruístas que fez por Ashley, por Beau e por mim... tudo, tudo! Desde salvar minha vida a impedir que passássemos fome! Acha que me esqueceria de ver você andando, indo atrás daquele cavalo do ianque, quase descalça e com as mãos cheias de bolhas... tudo para eu e o bebê termos o que comer... acha que me esqueceria disso e acreditaria nessas coisas terríveis que estão falando sobre você? Não quero ouvir uma palavra a respeito desse assunto, Scarlett O'Hara. Nenhuma palavra sua.

– Mas... – reclamou Scarlett hesitante, sem conseguir concluir.

Rhett partira uma hora antes, com Bonnie e Prissy, para piorar ainda mais a situação de Scarlett, que se sentia envergonhada e enraivecida. A postura defensora de Melanie acrescentou ainda mais peso ao fardo da culpa que carregava. Se ela tivesse acreditado em India e Archie, se a tivesse rechaçado na recepção da festa, ou a cumprimentado com frieza, Scarlett poderia manter a cabeça erguida e se defender com todo seu arsenal, mas a postura de Melanie, interpondo-se entre ela e a iminente ruína social, feito uma lâmina fina e cortante, parecia não oferecer outra opção a Scarlett a não ser a confissão. "Confesse seus pecados e cumpra penitência com dor e contrição", eram palavras que ela ouvia da mãe, ensinamentos religiosos que nos últimos tempos volta e meia a assolavam. Ela confessaria, sim, confessaria tudo, cada olhar e cada palavra trocada, aquelas pequenas carícias... e Deus a aliviaria desse fardo e lhe concederia a paz. Sua penitência seria dura demais, verdade; ela sabia que seria terrível ver o amor e o carinho do olhar de Melanie darem lugar à raiva e à repulsa. Houve um tempo em que se deliciaria por contar toda a verdade a Melanie, ah, como era tudo que ela mais desejava! Mas, agora, sem saber por que, do dia para a noite, esse sentimento mudara, e não havia coisa no mundo que evitasse tanto. Sabia apenas que, tal como quisera que a mãe a visse como uma dama modesta, gentil e pura de coração, agora queria com todas as forças que Melanie jamais fizesse mau juízo dela. De uma coisa tinha certeza: não se importava sobre o que o mundo pensava dela ou o que Ashley ou Rhett achavam dela, mas Melanie, Melanie não podia mudar a opinião a respeito dela. Mas, quando começou a falar: "Melanie, preciso explicar o que aconteceu naquele dia", foi interrompida e, nesse momento, naqueles olhos negros que irradiavam amor e ódio, com angústia Scarlett se deu conta de que a calma e a serenidade da confissão jamais seriam alcançadas. Melanie cortara para sempre aquela possibilidade.

Em uma das poucas reflexões adultas de Scarlett, ela se deu conta de que desabafar e aliviar o fardo do próprio coração seriam puro egoísmo. Livraria-se de um peso e o transferiria para o coração de uma pessoa inocente e fiel. Ela tinha uma dívida com Melanie pela lealdade e proteção, e essa dívida só poderia ser paga com o silêncio. "Não consegue conceber a desonra da parte de quem ela ama... que essa seja uma das cruzes que você tem de carregar." Rhett tinha razão. Sim, essa seria uma das cruzes de Scarlett, ela a carregaria até a morte, teria de suportar essa tormenta em silêncio.

Apesar da postura pacífica e resoluta, era evidente que Melanie fervia por dentro. A voz fria e as palavras duras soavam estranhas porque Scarlett nunca a vira assim; logo Melanie, que raramente expressava a própria opinião e nunca usava palavras ofensivas. De repente, ocorreu a Scarlett que os Wilkes e os Hamilton tinham acessos de fúria tão intensos, se não mais contundentes, que os O'Hara.

– Estou farta de ver as pessoas criticarem você, querida – afirmou Melanie. – Essa foi a gota d'água e vou tomar uma providência. E tudo isso aconteceu só porque as pessoas têm inveja de você, porque você é inteligente e bem-sucedida. Você se sai melhor que muitos homens.

E, assim, Melanie se virou contra India e a proibiu de colocar os pés na casa dela, com o consentimento de Ashley. Scarlett sabia que Ashley, tal como ela própria, se escondia sob as saias de Melanie. Ashley, que valorizava a honra acima de tudo e de todos, sacrificara a relação com a própria irmã, que tanto amava. Embora Scarlett reconhecesse a necessidade de tudo aquilo, e que ela era, em boa parte, a culpada de tudo, ainda assim, como mulher, teria o respeitado mais se ele tivesse dado um tiro em Archie, admitido a verdade para Melanie e para o mundo. As palavras de Rhett, que sempre zombava do comportamento de Ashley, começaram a pairar na mente dela, e, pela primeira vez, o brilho que o envolvia desde o primeiro dia em que ela o vira e se apaixonara perdidamente começava a se ofuscar de modo quase imperceptível.

Melanie não só rompeu com India como cumpriu todo o resto. Nunca mais voltou a tocar no assunto e, nas semanas que se sucederam à festa de aniversário de Ashley, enquanto Rhett continuava misteriosamente ausente e Atlanta fervia com o mexerico, e com o alvoroço da situação e o partidarismo, Melanie não teve dó nem piedade dos detratores de Scarlett, fossem eles velhos amigos ou parentes de sangue. Opiniões dividiam a cidade inteira. Teria India mentido? Uma mulher com a reputação de Melanie defenderia e protegeria com unhas e dentes a possível amante do próprio marido? Seria India uma solteirona invejosa e frustrada que contara aquela mentira, tendo convencido Archie e a senhora Elsing a acreditarem na história? A fofoca se espalhava e dividia, inclusive, os Hamilton, os Wilkes, os Burr, os Whiteman e os Winfield. Todos foram forçados a tomar partido do caso. Não havia neutralidade. Da família, quem mais sofreu foi tia Pitty, que não desejava nada além de viver confortavelmente entre o amor dos parentes. Se ficasse ao lado de Melanie, teria de deixar de morar com India e, nesse caso, precisaria arranjar uma pessoa estranha para lhe fazer companhia ou trancaria a casa e iria morar com Scarlett, pois tia Pitty tinha a impressão de que o capitão Butler não se importaria com isso, ou, ainda, iria morar com Melanie e dormiria no cubículo onde o berçário de Beau fora improvisado. Pitty não gostava muito de India, pois ela a intimidava com seu jeito seco e frio e suas convicções apaixonadas. Mas sua companhia tornava possível a Pitty manter-se confortável em seu porto seguro, e Pitty sempre agira mais pensando no próprio conforto que em questões morais. Assim, India ficou. Pitty amava Melanie mais que qualquer outra pessoa no mundo, exceto ela própria, e, agora, Melanie a tratava com frieza e como se fosse uma estranha. Ela nem sequer ousara atravessar a cerca que separava sua casa da de Pitty, sendo que antes passava por ali uma dúzia de vezes por dia. Pitty a visitava, chorava e implorava por atenção, mas Melanie sempre se recusava a discutir a questão e nunca retribuía as visitas.

Os que tomavam partido de India indagavam-se: se Scarlett é inocente, onde estaria o capitão Butler? Por que não estava aqui, ao lado da esposa, apoiando-a nesse momento tão dramático? À medida que os dias e as semanas se passavam, e começava a se espalhar o boato de que Scarlett estava grávida, o grupo partidário de India se satisfazia. O filho não poderia ser do capitão Butler, acreditavam. Já havia algum tempo o rumor de que o casamento não ia bem se tornara público. Havia algum tempo, a cidade se escandalizara com a notícia de que o casal dormia em quartos separados. No fim, alguns acreditaram incondicionalmente na inocência de Scarlett, não por conta de suas virtudes pessoais, mas porque Melanie acreditava nela. E Scarlett sabia que, não fosse pela defesa cega de Melanie e pela atitude rápida, Atlanta inteira teria se voltado contra ela e a excomungado dali.

Capítulo 56

Rhett ficou fora por três meses, durante os quais Scarlett não recebeu nenhuma notícia dele e nem sabia se voltaria. Ela continuou cuidando dos negócios e, incentivada por Melanie, ia à loja todos os dias. Mas, pela primeira na vida, apesar de o lucro com os negócios ter triplicado, não sentia o menor interesse pela loja e era curta e grossa com os funcionários. A serraria de Johnnie Gallegher ia de vento em popa, mas nada do que Johnnie fizesse ou dissesse lhe agradava. Por fim, Johnnie, tão irlandês quanto ela, enfureceu-se e ameaçou demissão depois de um longo discurso. Scarlett teve de acalmá-lo com um servil pedido de desculpas. Ela deixou de ir à serraria de Ashley, tampouco ia ao depósito de madeira quando achava que ele estaria lá. Sabia que Ashley a evitava e que a constante presença na casa dele, inevitável por conta dos convites de Melanie, era um tormento. Os dois nunca tiveram a oportunidade de ficar a sós, e Scarlett estava desesperada para saber o que ele contara a Melanie, mas Ashley se mantinha sempre distante e, em silêncio, suplicava-lhe para não falar. Para piorar, a serraria que ele administrava, a cada semana, ia de mal a pior, acrescendo ainda mais à raiva retesada na garganta. A inércia de Ashley a irritava. Scarlett não sabia ao certo o que ele deveria fazer, mas de uma coisa tinha certeza: Ashley tinha que reagir. Rhett teria reagido. Rhett sempre reagia, mesmo que de modo errado, e Scarlett, mesmo contra a própria vontade, admirava isso nele.

Tendo passado o primeiro acesso de raiva de Rhett, à medida que os dias se passavam, Scarlett sentia cada vez mais a falta dele. Ela sentia saudade, saudade das histórias que a faziam chorar de rir, das anedotas, do riso sarcástico, mas, sobretudo, da capacidade que ele tinha de ouvi-la. Para Rhett, ela podia contar e recontar sem o menor pudor como iludira as pessoas e ele a aplaudiria, ao contrário dos demais, que, à simples menção do assunto, ficariam chocados. Sem Rhett e Bonnie, ela se sentia sozinha. A filha lhe fazia mais falta que imaginara. Recordando as palavras duras de Rhett em relação ao modo como ela tratava os próprios filhos, Scarlett tentou se aproximar de Wade e Ella, mas foi inútil. Não percebera quanto permanecera distante dos filhos durante o crescimento deles, ocupada demais, trabalhando demais, preocupada demais com o dinheiro para conquistar o afeto e a confiança deles. Scarlett se aborrecia de ver como Ella era uma criança tola, incapaz de se concentrar em um assunto por muito tempo, dispersando-se mesmo quando a mãe lhe contava histórias. Quanto a Wade, como Rhett comentara uma vez, o menino parecia mesmo ter medo da mãe. Para ela, essa constatação era estranha e dolorosa. Quando Scarlett tentava conversar com o filho, ele se desvencilhava; já com Melanie, conversava feito um papagaio e sempre lhe mostrava os bolsos, onde guardava de tudo, de minhocas a tiras velhas de barbante. Melanie levava jeito com os pirralhos. Isso era indiscutível. Beau era a criança mais bem-comportada e adorada de Atlanta, e Scarlett se dava melhor com ele que com os próprios filhos. Era um menino lindo, loiro como o pai! E simpático, sempre se sentava no joelho dela ou de qualquer adulto tão logo tivesse a oportunidade. Scarlett nunca se esquecera do choque que tivera certo dia, ao passar na casa de Melanie para buscar Wade, e deparar-se com ela brincando com Beau e Wade.

– Estamos em Gettysburg! – explicou ela. – Estou do lado dos ianques e me dei mal! Este é o general Lee – disse, apontando para Beau. – E este é o general Pickett – acrescentou, apoiando o braço no ombro de Wade.

Sim, Melanie levava jeito com as crianças. "Pelo menos", pensou ela, "Bonnie me ama e gosta de brincar comigo." Mas bem lá no fundo ela sabia que Bonnie preferia Rhett à mãe.

Quando o doutor Meade lhe contou que estava grávida, Scarlett ficou consternada, pois esperava um diagnóstico de nervosismo e preocupação. Então, o fruto daquele momento de mais puro êxtase era uma criança. Pela primeira vez, alegrava-se com a notícia da gravidez. E se fosse um menino! Um menino de verdade, não uma criatura sem graça como Wade. Como cuidaria dele! Agora que tinha o tempo livre necessário para se dedicar à maternidade e dinheiro não lhe faltava para garantir o futuro da criança, como se sentiria feliz! Pensou em escrever para a mãe de Rhett em Charleston e comunicar a notícia, mas desistiu da ideia ao concluir que ele poderia ver o gesto como uma maneira de forçá-lo a voltar para casa.

As primeiras notícias de Rhett chegaram por meio de uma carta de tia Pauline, de Charleston, onde aparentemente ele visitava a mãe. Que alívio saber que ele ainda estava nos Estados Unidos! Rhett levara Bonnie para conhecer as tias Pauline e Eulalie. Apesar das notícias quanto ao paradeiro de Rhett, a carta trazia "reprimendas" das duas à Scarlett, pois, quando o indagaram sobre os boatos que ouviram, souberam por Rhett que Scarlett continuava indo à antiga loja do senhor Kennedy, onde passava todas as manhãs, sem nunca deixar ninguém cuidar da contabilidade do negócio, e que andava sozinha pela cidade, envolvida em um negócio de serrarias, quando, agora que se casara com um homem que tinha condições de lhe oferecer todo o conforto possível, não tinha a menor necessidade disso. "Scarlett, você precisa parar!", dizia a carta. "Pense em como seus filhos vão se sentir quando ficarem mais velhos e souberem que andou metida com negócios!" A carta a acusava de ter agido como "um homem". Ora, se não tivesse agido assim, teria morrido de fome! Maldito Rhett! Conseguira dobrar as duas que tanto criticaram o casamento dos dois, que tanto desconfiavam da conduta dele. "Ele é um verdadeiro cavalheiro. Tão bonito, tão gentil e tão devoto a Bonnie e a você!" Scarlett mal terminou de ler a carta e a deixou de lado. Por que ele se divertia tanto com essas atitudes perversas?

Rhett e Bonnie voltaram para casa sem avisar. Ao escutar o barulho lá fora, Scarlett veio correndo do quarto até a escada e ali viu a filha com as pernas curtinhas e rechonchudas tentando subir os degraus e a agarrou em um abraço apertado. Bonnie perguntou por mammy, e Scarlett a soltou e a deixou descer as escadas. Rhett apareceu logo em seguida, e Scarlett ficou ali parada, apoiada no corrimão, perguntando-se se ele a beijaria. Mas ele não a beijou. Apenas disse:

– Está meio pálida, senhora Butler. Acabou o ruge? Ou essa palidez toda é por conta da saudade que sentiu de mim?

– Se estou pálida, você tem culpa, sim, não porque senti saudade... Mas porque... – Ah, ela não queria, não planejara dar a notícia assim, mas as palavras lhe escaparam pela boca, e ela nem sequer tivera tempo de se preocupar com os criados ao redor. – É porque vou ter um filho!

Rhett prendeu a respiração e a mediu da cabeça aos pés. Deu um passo à frente, aproximando-se dela.

– É mesmo?! – disse com frieza. – E quem é o felizardo pai? Ashley?

– Maldito seja! – esbravejou ela com a voz trêmula, corroendo-se de raiva por dentro. – Você... você sabe que é seu. E não desejo esse filho mais que você. Nenhuma mulher desejaria engravidar de um crápula como você. Eu queria... Queria que esse filho fosse de qualquer um, menos seu!

– Anime-se! – disse ele, virando-se e subindo as escadas. – Talvez você o perca.

Encolerizada, pensando em tudo que significava uma gravidez, no enjoo que a consumia, na espera fastidiosa, na deformação que o corpo sofria, nas horas de dor, Scarlett se sentiu zonza e, erguendo o braço, arremeteu contra Rhett. Nesse momento, perdeu o equilíbrio e escorregou no degrau encerado, sem conseguir se agarrar ao corrimão. Rolou escada abaixo e caiu de costas, sentindo uma dor aguda nas costelas.

Era a primeira vez que ficara acamada. Seu estado de saúde oscilou entre momentos de melhora e piora. Angustiada, fraca, sentia a mente cansada. Cansada demais para pensar em outra coisa a não ser o medo da morte. Ela sabia que a morte pairava no quarto e não tinha forças para confrontá-la. Como era fácil ter um filho e como doía não poder ter um! E que dor dilacerante saber que ela não teria aquele filho. E mais dilacerante ainda porque esse seria o primeiro que ela desejava de verdade. Queria que Rhett estivesse ali, a seu lado. Mas ele não estava. A última lembrança que tinha dele era seu rosto pálido, assustado, carregando-a na escuridão do salão escuro, a voz rouca chamando por mammy. E a vaga lembrança de ser carregada degraus acima, até o quarto. Ali, mammy, Melanie e o doutor Meade entravam e saíam a todo momento, e em meio ao delírio febril ela chamava por Rhett, mas ele não aparecia.

Melanie, toda vez que saía do quarto de Scarlett, via Rhett no quarto do outro lado, sentado à beira da cama, com a porta escancarada, os olhos grudados em tudo o que se passava do outro lado. O cômodo estava sujo, cheio de tacos de charuto no carpete, pratos de comida intacto e a cama revirada. Com a barba por fazer, Rhett não parava de fumar e, toda vez que via Melanie, perguntava do estado de saúde de Scarlett. "Sinto muito, mas ela piorou", "Não, ela ainda não perguntou de você. Mas está delirando", "Não, não perca as esperanças, capitão Butler! Vou lhe trazer um café quente e algo para comer. Desse jeito, o senhor vai ficar doente!"

Como as pessoas podiam dizer aqueles absurdos do senhor Butler? Estava tão magro, abatido! Um dia, ao entrar no quarto, Melanie suspeitou de que ele estivesse bêbado, e de fato estava. E a embriaguez sempre a assustava. Ao entrar para lhe dar notícias de Scarlett, Rhett se agarrou às saias dela e, aos prantos, chorando feito uma criança, em uma cena que Melanie jamais pensara presenciar na vida – um homem chorando, aos soluços! –, Rhett lhe contou que Scarlett não desejava o bebê e que a culpa da gravidez era dele.

– Capitão Butler, por Deus, o senhor está fora de si! Ela não queria o bebê? Ora! Que mulher não deseja um filho?

– Não, não! Você quer filhos. Mas ela não. Não os meus...

Não, isso não seria possível. Só poderia ser o efeito do álcool. Estava bêbado, extenuado com aquela situação, confuso, delirante. Os homens nunca conseguem suportar o fardo tão bem quanto as mulheres.

– Pronto, pronto, acalme-se – disse ela, a essa altura sentada na cama, afagando a cabeça dele em seu colo. – Fique quieto, eu compreendo.

– Não, por Deus, a senhora não entende! Não consegue entender... É... é boa demais para entender. Não acredita em mim, mas é tudo verdade, sou um cachorro. A senhora sabe o que fiz? Estava louco, fora de mim, morrendo de ciúme. Ela nunca gostou de mim, e achei que conseguiria mudar isso... que conseguiria fazê-la gostar de mim. Mas ela nunca gostou. Ela não me ama. Nunca amou. Ela ama...

O olhar apaixonado, delirante e embriagado fitou o de Melanie e, com a boca aberta, ele se deteve, como se, pela primeira vez, tivesse percebido com quem estava conversando. Ela estava pálida e tensa, mas com o olhar firme, terno, plenamente compadecido e descrente.

– Sou um crápula! – murmurou, deixando a cabeça cansada repousar de novo no colo dela. – Mas não tão crápula assim. E, seu lhe contasse, a senhora não acreditaria em mim, não é? É boa demais para acreditar em mim. E nunca conheci alguém bom de verdade. A senhora não acreditaria em mim, não é?

– Não, não acreditaria – respondeu Melanie com a voz branda, voltando a acariciar o cabelo dele. – Ela vai ficar bem. Calma, calma, capitão Butler. Não chore! Ela vai ficar bem.

Capítulo 57

Um mês depois, Rhett deixava Scarlett na estação de Jonesboro. Magra e pálida, levava consigo Wade e Ella, que ficaram grudados em Prissy, pois, apesar da mente ainda ingênua, os dois sentiam medo do clima frio e assustador que pairava entre a mãe e o padrasto. Mesmo fraca, Scarlett decidira ir para Tara. Com o corpo debilitado e a mente extenuada, ela se sentia quase à beira do sufocamento em Atlanta, com a cabeça revolvendo uma sequência ininterrupta de pensamentos inúteis em relação à situação confusa em que sua vida se encontrava. Tinha a sensação de que, se pudesse retornar à quietude e aos campos verdejantes da plantação de algodão, todos os seus problemas desapareceriam e ela conseguiria, de algum modo, organizar os pensamentos.

Assim que o trem de Scarlett partiu, Rhett montou no cavalo e seguiu em direção à Ivy Street, para a casa de Melanie. Os dois não ficavam a sós desde aquele dia terrível, em que Scarlett esteve entre a vida e a morte e Melanie consolou o capitão embriagado e desorientado. Chegando lá, ela o recepcionou, constrangida, achando que talvez Rhett tivesse vindo para pedir a Beau que passasse o dia com Bonnie.

– Scarlett já foi? – perguntou Melanie.

– Sim. Tara vai lhe fazer bem – respondeu sorrindo. – Às vezes, acho que ela se parece o gigante Anteu, que renovava as forças toda vez que tocava a própria terra. Não faz bem a Scarlett passar muito tempo longe daquela terra vermelha que ela tanto ama. A paisagem daqueles campos de algodão lhe fará mais bem que os tônicos do doutor Meade.

– Gostaria de se sentar? – perguntou Melanie com as mãos trêmulas. O capitão era tão grande, tão másculo, e criaturas assim, tão excessivamente masculinas, sempre a deixavam sem jeito.

– Senhora Melanie, minha presença a incomoda? – perguntou ele com gentileza. – Prefere que eu vá embora? Por favor, seja franca.

Vendo aquele olhar suplicante, de repente o constrangimento e a confusão de Melanie se esvaíram. O capitão tinha o olhar tão sereno, tão gentil e tão compassivo que ela pensou: "Pobrezinho! Anda tão preocupado com Scarlett! Como pude achar que ele teria a indelicadeza de tocar em um assunto que nós dois preferimos esquecer?".

A visita de Rhett tinha um motivo. Ele contou a Melanie que andava preocupado com a saúde de Scarlett e perguntou se o senhor Wilkes faria uma oferta de compra das serrarias.

– Sei que Scarlett venderia sua parte das serrarias ao senhor Wilkes, e a ninguém além dele, e gostaria que o senhor Wilkes as comprasse – declarou Rhett.

– Ah, meu Deus! Isso seria ótimo, mas...

Melanie e Ashley não tinham o investimento necessário para essa oferta, e Rhett sabia disso. Por isso, propôs um acordo a ela dizendo que arranjaria o dinheiro, enviaria a quantia por correio, sem remetente, e Melanie teria apenas de convencer o marido a fazer o negócio. Para persuadi-la, mencionou Beau, a preocupação que tinha com o futuro do menino, e deixou claro que aquilo não era um empréstimo, mas um presente. Melanie resistiu, disse que nunca enganara o marido e que tampouco pretendia fazê-lo agora.

– Nem mesmo para ajudar Scarlett? – apelou Rhett, aparentando estar muitíssimo frustrado. – Ela gosta tanto da senhora!

Lágrimas escorreram pelo rosto de Melanie.

– Então, estamos combinados? Este será nosso segredo? – perguntou Rhett.

– Scarlett tem tanta sorte de ter um marido tão bondoso! – exclamou Melanie em um rompante emocional.

Scarlett retornou de Tara com o rosto corado e o olhar vívido e brilhante. Rhett fora recebê-la com Bonnie, ele com duas penas de peru no chapéu, e Bonnie com dois traços pintados com tinta azul em cada bochecha. Era evidente que os dois brincavam de índio quando chegou a hora de vir buscá-la na estação. A caminho de casa, Scarlett contou muitas notícias de Tara; o tempo seco favorecera a plantação de algodão, mas Will dissera que o preço do produto estaria baixo naquele outono. Suellen teria outro filho, e Ella demonstrara inusitada coragem ao meter uma mordida repentina em Susie, filha mais velha de Suellen (embora merecidamente, admitia Scarlett, pelo fato de a menina ser filha de quem era). Wade matara uma cobra-d'água sozinho. Randa e Camilla Tarleton se tornaram professoras, apesar de os Tarleton nunca terem conseguido sequer soletrar a palavra "cão"! Betsy Tarleton se casara com um gordo maneta de Lovejoy, e o casal, junto de Hetty e Jim Tarleton, tinha uma boa plantação de algodão em Fairhill; a senhora Tarleton agora tinha uma égua e um potro, e estava radiante; havia pretos morando na antiga casa dos Calvert, tinham arrematado a propriedade em um leilão; ninguém tinha notícias de Cathleen e de seu marido perverso; Alex se casaria com Sally (viúva do próprio irmão!) depois de terem dividido a mesma casa tanto tempo, e Dimity Munroe estava com o coração partido. Apesar de contar com entusiasmo todas as notícias, Scarlett escondera a tristeza de, durante um passeio com Will pelo condado, ter visto tantos hectares de terra fértil agora dominados pelo matagal.

Quando ela perguntou sobre as notícias dali, Rhett contou que Ashley estivera na casa dos dois na noite anterior fazendo uma oferta de compra das serrarias, pois aparentemente algum doente de varicela de quem ele cuidara em Rock Island lhe enviara o dinheiro por correio.

– Vejo que há fé no ser humano quando percebo que ainda existe gratidão – comentou ele.

Scarlett perguntou quem era a tal pessoa, e Rhett apenas disse que a carta viera de Washington, sem remetente. Ela relutou em um primeiro momento. Tinha muitos motivos para não vender as serrarias, já recebera inúmeras ofertas de compra do negócio, mas recusara todas, porque as serrarias eram a única evidência tangível do que ela conquistara sozinha, contra tudo e todas as adversidades, e se orgulhava muito disso. Tinha outro motivo forte para não querer se livrar delas: era o único meio de manter contato a sós com Ashley. Vendo a cara de deboche de Rhett, ela chegou a desconfiar de que ele tivesse algum envolvimento em tudo aquilo, mas ele dissimulou bem a situação dizendo duvidar de que ela seria capaz de concluir a venda. Mas ela concluiu.

Naquela noite, Scarlett vendeu as serrarias e a parte dela a Ashley. Depois de assinar os papéis e enquanto Melanie distribuía taças de vinho a Rhett e Ashley para comemorar o negócio, Scarlett foi acometida por um vazio, como se tivessem lhe tirado um dos filhos. Mesmo tendo transferido totalmente o negócio a Ashley, naquela mesma noite, Scarlett e Ashley tiveram uma discussão acalorada diante de Rhett e Melanie. Ashley dizia que dispensaria todos os detentos e contrataria escravos livres para trabalhar, e Scarlett se opunha com todas as forças. Melanie se manteve cabisbaixa, constrangida e com os olhos fixos nas mãos cruzadas sobre o colo, até que seu olhar cruzou com o de Rhett e foi como se encontrasse nele a compreensão e a coragem de que precisava.

– Não vou trabalhar com condenados, Scarlett! – reafirmou Ashley. – Talvez você não saiba, mas eu sei. Sei bem que Johnnie Gallegher matou pelo menos um homem ali. Talvez tenha sido mais de um... e quem se importa, não é mesmo? Um detento a menos ou a mais?

– Santo Deus! Você... você está querendo dizer... Ashley, você deu ouvidos àquela ladainha do reverendo Wallace sobre dinheiro manchado? – indagou Scarlett.

– Não dei ouvidos a nada. Já sabia disso muito antes de escutar o sermão dele.

Ah, como ela queria estar a sós com ele! Se ao menos Rhett e Melanie não estivessem ali, se estivessem a sós, ela não teria de ser tão dura nem tão fria com ele, não precisaria dizer essas coisas que tanto o machucavam!

– Olhe para mim! – disse ela. – Você sabe de onde meu dinheiro veio. Sabe como eram as coisas antes de eu ter esse dinheiro! Você se lembra daquele inverno em Tara, quando fez muito frio, e tínhamos de cortar o carpete para improvisar o que calçar? Quando não tínhamos o que comer e nos perguntávamos como educaríamos Beau e Wade? Você se lembra...

– Eu me lembro – respondeu Rhett visivelmente farto daquela discussão. – Mas preferiria esquecer.

– Bem, olhe para nós agora! Você tem uma casa boa e um bom futuro pela frente. E alguém nesta cidade tem uma casa melhor que a minha? Meus filhos têm tudo o que querem. E como consegui dinheiro para isso? Por acaso nasceu em árvores? Não, senhor! Detentos, um *saloon* e...

– Não se esqueça de mencionar o assassinato do ianque – interveio Rhett com a voz branda. – Foi ali seu ponto de largada.

Scarlett virou-se para ele, a ponto de vociferar, mas se deteve. Ele acrescentou:

– E o dinheiro trouxe muita, muita felicidade a você, não foi, querida?

Capítulo 58

Passada a enfermidade que a acometera, Scarlett notou uma mudança de comportamento em Rhett, sem saber ao certo se isso era bom ou ruim. Ele vivia sóbrio, reservado e preocupado. Jantava com a família com muito mais frequência, tratava os criados com gentileza e era ainda mais amoroso com Wade e Ella. Nunca sequer mencionou nada do que aconteceu e com discrição parecia impedir Scarlett de tocar no assunto. Ela manteve as coisas assim, pois era mais fácil conviver em paz e deixar a vida transcorrer tranquilamente, na superfície. Rhett era gentil com Scarlett e a tratava quase como uma estranha, mas os olhos que antes acompanhavam todos os seus passos agora viviam grudados em Bonnie. Às vezes, era difícil sorrir quando passavam pelas pessoas e ela escutava: "Como o capitão Butler idolatra essa criança!", mas, se Scarlett não sorrisse, as pessoas estranhariam o comportamento dela e achariam que estava com ciúme da própria filha. E essas pessoas teriam razão. Por mais que detestasse ter de admitir para si mesma, estava mesmo com ciúme. Sempre gostara de ocupar o lugar de preferida no coração das pessoas, mas era evidente que Rhett e Bonnie tinham um como o outro como preferido.

Rhett saía algumas noites, mas sempre chegava sóbrio. Às vezes, trazia homens de madrugada para casa, e ficavam na sala de jantar conversando, em torno da garrafa de conhaque. Não eram os mesmos homens com quem ele bebia naquele primeiro ano de casamento. Nenhum *carpetbagger*, *scallawag*, tampouco republicano, vinha à casa a convite dele. Algumas noites, caminhando na ponta dos pés e espreitando por cima do corrimão da escada, Scarlett, surpresa, escutava as vozes de Rene Picard, Hugh Elsing, dos Simmons e de Andy Bonnell. Vovô Merriwether e tio Henry vinham sempre. E uma vez, perplexa, ela escutou a voz do doutor Meade. Todos os mesmos que, no passado, teriam condenado Rhett à forca! Apavorada com a ideia de que Rhett, tal como Frank, tivesse entrado para a Klan, ela, sem conseguir suportar mais a angústia, certo dia questionou o marido, que respondeu:

– Minha querida, está desinformada. Não existe mais Klan. Fazia mais mal do que bem, foi a nossa conclusão. Só enfurecia os ianques e colocava ainda mais lenha na fogueira de sua excelência, o governador Bullock. Ele sabe que só consegue permanecer no poder se conseguir convencer o governo federal e os jornais ianques de que a Geórgia é um caldeirão em ebulição, com um membro da Klan escondido atrás de cada arbusto. Está desesperado para se manter no poder, inventando histórias que nunca existiram sobre a Klan, contando que houve republicanos leais dependurados pelos polegares e pretos honestos sendo linchados por estupro. Aprecio suas preocupações, mas não existe nenhuma Klan desde que deixei de ser um *scallawag* e me tornei um humilde democrata.

Aliviada, mas ainda temerosa, Scarlett perguntou a Rhett se ele tinha alguma relação com o fim da Klan, e ele respondeu que tanto quanto Ashley; este porque era contra a violência de qualquer tipo; aquele, porque sempre julgou a Klan uma tolice por não ser o caminho certo para conseguir o que se quer.

– Ashley e eu convencemos os cabeças quentes de que observar, esperar e agir nos levariam muito mais longe que sair por aí à noite com túnicas e cruzes – explicou Rhett.

Scarlett questionou o fato de aquela gente acreditar logo nele, um especulador, um *scallawag*, um aliado dos ianques, e Rhett respondeu que agora era um democrata em ótima posição que lutaria até a última gota de sangue para resgatar aquele tão adorado Estado das mãos dos violadores, e que, em breve, alguns dos melhores amigos republicanos deles estariam atrás das grades, pois vinham abusando da própria ganância e se expondo demais.

– Você ajudaria a colocá-los na cadeia? Mas eram seus amigos! Permitiram sua entrada naquele negócio milionário da ferrovia! – comentou Scarlett.

– Ah, não lhes desejo mal. Mas estou do outro lado agora e, se puder ajudar a colocá-los em seu lugar, farei isso, com certeza. E quão todos me agradecerão por isso! Sei de informações valiosas sobre essas negociatas... Quando o legislativo começar a cavar... vão investigar o governador e vão colocá-lo na cadeia também, se quiserem. É melhor avisar aos seus amiguinhos, os Gelert e os Hundon, para se prepararem para deixar a cidade a qualquer momento. Se conseguirem o pescoço do governador, o deles virá de bandeja também.

Scarlett soube por Rhett que ele vinha ajudando a organizar as eleições com o objetivo de colocarem um democrata no poder e para isso estava investindo muito dinheiro, o ouro confederado de que tanto perguntavam.

– Está colocando dinheiro em um buraco de rato! – opinou Scarlett.

– A mim não importa quem vencerá a eleição. O que realmente importa é que fique bem claro para todo mundo que me empenhei nisso, inclusive financeiramente. E isso será lembrado daqui a alguns anos e favorecerá Bonnie.

– E quase cheguei a pensar que essa conversa piedosa poderia significar que algo mudou aí dentro de você, mas...

– Por dentro, não, minha querida, mas por fora, sim. Troquei de pele. Podem-se esconder com tinta as pintas de um leopardo, mas ele continua sendo um leopardo, não tem jeito.

Em outubro, o governador Bullock renunciou ao cargo e fugiu da Geórgia. Uso indevido dos fundos públicos, desperdício e corrupção atingiram o auge. O escândalo e a indignação pública alcançaram tamanha proporção que até o partido do próprio governador se dividiu. Os democratas agora tinham a maioria no legislativo, e Bullock, ciente de que seria investigado e temendo sofrer *impeachment*, decidiu não esperar. Fez tudo de modo a evitar que a confirmação da renúncia chegasse ao Norte antes dele.

Quando chegou a notícia, uma semana depois da fuga do governador, Atlanta ficou eufórica. Faltava pouco, a Reconstrução estava perto do fim. O governador em exercício também era republicano, mas a eleição ocorreria em dezembro, e ninguém tinha dúvida de qual seria o resultado. A Geórgia estava a poucos dias de um novo governo democrata. Apesar do exército, do que a administração de Washington pudesse fazer, dos *carpetbaggers*, dos *scallawags* e dos nativos republicanos, a Geórgia retornara às mãos do próprio povo. Como já se esperava, os aliados de Bullock, entre eles os Gelert e os Hundon, desapareceram de repente da cidade. E quem poderia acreditar em uma mudança como essa? A própria Scarlett, apesar do aviso de Rhett, estava impressionada com a sequência dos fatos.

No Natal de 1871, o mais feliz que a cidade tivera nos últimos dez anos, ela se sentia inquieta. Não pôde deixar de notar que Rhett se tornara o homem mais exultado e um dos mais populares de Atlanta, pois renunciara a suas heresias republicanas e dedicara tempo, dinheiro e trabalho para ajudar a Geórgia a reconquistar o próprio poder. Quando andava a cavalo pelas ruas, sorrindo, acenando com o chapéu, carregando um pacotinho azul, que era Bonnie empoleirada na sela, não havia quem não sorrisse e quem não conversasse com entusiasmo e carinho com a menininha. Já, em relação a Scarlett...

Capítulo 59

Ninguém tinha dúvida de que Bonnie Butler andava precisando de rédeas, mas, como era a predileta de todos, ninguém tinha a coragem necessária para repreendê-la. Começou a desobedecer mais desde que passara aqueles meses fora, viajando com o pai. Em Nova Orleans e Charleston, tinha permissão para ficar acordada até tarde e, muitas vezes, dormiu nos braços do pai em teatros, restaurantes e às mesas de jogos. Depois disso, nada nem ninguém conseguia fazê-la ir para a cama no mesmo horário que a obediente Ella. Durante a viagem, Rhett a deixara usar o vestido que bem quisesse, e, desde então, Bonnie fazia birra sempre que mammy tentava vesti-la com vestidos de fustão e macacões em vez de tafetá azul e colarinho de renda. Scarlett tentava disciplinar a filha, impor-lhe limites, mas Rhett sempre tomava partido de Bonnie, por mais que as exigências e os comportamentos da criança fossem exagerados. Ele não só incentivava a filha a falar como também a tratava como um adulto, e considerava as opiniões de Bonnie de tal modo que ela contradizia o pai e o colocava em seu lugar, interrompendo os mais velhos a seu bel-prazer. Rhett apenas sorria e nem sequer permitia que Scarlett desse um tapa na mão da menina para repreendê-la.

Quando Bonnie completou 4 anos, Rhett, escutando atentamente o conselho de mammy de quanto era "vergonhoso uma minina andá de cavalo com o pai, com as perna aberta e as saia do vestido alevantada", deu de presente à filha um pônei marrom e branco, de crina e rabo grandes. O pônei seria para as três crianças, e Rhett comprou uma sela para Wade também, mas o menino preferia o cachorro são-bernardo, e Ella tinha medo de animais. Assim, o pônei ficou totalmente para Bonnie, e ela deu ao animal o nome de "Senhor Butler". A alegria de Bonnie só não foi maior porque ela ainda não cavalgava montada com uma perna de cada lado, como o pai, mas se consolou rapidamente quando Rhett lhe explicou que era muito mais difícil montar em uma sela lateral. Então, a cidade passou a ver os dois passeando pela Peachtree Street, Rhett no próprio cavalo, segurando as rédeas do pônei, e Bonnie montada no "Senhor Butler". Às vezes, quando passavam pelas ruas, os dois rompiam o silêncio, atiçando galinhas, cachorros e crianças.

Tendo plena certeza de que a filha aprendera a montar, a manter as mãos firmes nas rédeas, e vendo-a totalmente destemida, Rhett decidiu que era chegada a hora de ela treinar alguns pequenos saltos. Ele mandou construir uma barreira de obstáculos no quintal dos fundos e pagou 25 centavos por dia para Wash, um dos sobrinhos pequenos de tio Peter, ensinar o "Senhor Butler" a pular. A princípio, a barra tinha cinco centímetros de distância do chão, mas gradativamente foi aumentando até atingir trinta. Depois de muito treino, quando Rhett decidiu que o pônei estava bem treinado, o suficiente para Bonnie começar a saltar, a alegria da filha foi incomensurável. Desde o primeiro salto, ela e o pai se divertiam todas as manhãs, e, certo dia, vovó Merriwether, que participara da viagem dos pioneiros em 1849, comentou que os gritos eufóricos dos dois soavam como os de um Apache depois de um escalpo bem-sucedido. Passada uma semana, Bonnie implorou ao pai por uma barra mais alta, de 45 centímetros. Rhett recusou, dizendo que, quando ela completasse 6 anos, poderia saltar a essa altura, mas Bonnie insistiu, fez birra e o pai acabou cedendo.

– Mãe! – chamou Bonnie, virando a cabeça em direção à janela do quarto de Scarlett. – Mãe! Olha pra mim! O papai deixou!

Scarlett, que penteava o cabelo, foi até a janela e sorriu ao ver a criatura pequena toda animada.

– Está linda, filha, linda! – disse Scarlett, sentindo-se orgulhosa ao ver Bonnie com a postura ereta e a cabeça erguida, decidida.

– Você também! – respondeu Bonnie. Em seguida, ela açoitou o lombo do Senhor Butler e galopou pelo pátio, em direção ao arvoredo.

– MÃE! OLHA SÓ ESTE SALTO QUE EU VOU DAR!

Aquelas palavras soaram familiares a Scarlett. E traziam uma sensação ruim. Mas o que era exatamente? Por que não conseguia se lembrar? Bonnie galopava a toda velocidade, os cachos pretos esvoaçantes, os olhos azuis e brilhantes, aquele mesmo olhar... "Os olhos do meu pai", pensou. "Os olhos azuis irlandeses, e Bonnie se parece tanto com ele..."

– Não! – gritou Scarlett. – Não! Bonnie, Bonnie, pare!

* * *

Na terceira noite após a morte de Bonnie, mammy, vestida de preto dos pés à cabeça, com os olhos vermelhos e uma tristeza profunda cravada em cada traço de sua figura robusta, foi falar com Melanie para pedir-lhe ajuda.

– Sinhá Melly, tô precisada de sua ajuda. Sinhá precisa vim comigo pra casa – pediu mammy, com as lágrimas escorrendo pelo rosto. – Pode sê que sinhô Rhett escute vosmecê. O enterro. É sobre isso que vim falá.

– Ah, mammy, o que houve? O que quer dizer com isso? – indagou Melanie.

– Sinhá Melly, sinhô Rhett não tá bem... do juízo. Num qué deixá nóis tirá a sinhazinha do quarto. Num qué deixá enterrá a criança.

Mammy contou a Melanie que Rhett ficara ensandecido quando o doutor Meade comunicou a morte de Bonnie e que, assim que soube, pegou o revólver, saiu e deu um tiro no pônei. Scarlett desfaleceu no mesmo momento, começou um entra e sai de vizinhos pela casa, Rhett pegou a filha nos braços, levou-a sozinho à funerária, depois voltou com a menina nos braços, a carregou para o quarto dele e não a tirou mais de lá. Quando Scarlett recobrou os sentidos, os dois discutiram muito; ela o acusou de assassino; ele, de ela nunca ter ligado para a filha. Rhett pediu a mammy que cuidasse da menina até ele voltar e desapareceu até o pôr do sol. Ao retornar, chegou embriagado, não cumprimentou ninguém e foi direto para o quarto. Pediu a mammy que abrisse todas as cortinas e trouxesse velas, muitas velas, pois ali estava escuro demais, e Bonnie tinha medo do escuro. A mãe do senhor Butler viera de Charleston para o enterro, bem como Suellen e Will chegaram de Tara, mas Rhett não falara com nenhum deles, apenas ficava no quarto, sem comer e sem dormir, com a filha morta deitada na cama dela, ao lado da cama dele. Rhett passara os dois dias assim, trancado com Bonnie no quarto, saindo pela manhã, voltando ao pôr do sol, embriagado. Quando Scarlett mandou avisar que o enterro seria na manhã do dia seguinte, mammy, sem conseguir suportar mais algo que a sufocava, foi ao quarto de Rhett e contou que a culpa do medo de escuro de Bonnie era dela, pois pusera medo na menina falando de bicho-papão, porque Bonnie acordava no meio da noite descalça, parecia não ter medo de nada, e ela, mammy, ficava preocupada que a criança pudesse se machucar. Depois de confessar o que a angustiava, baixou a cabeça e esperou que Rhett batesse nela. Mas ele ficou em silêncio e, após algum tempo, apenas levou a mão ao braço de mammy e disse:

– Ela era uma menina muito corajosa, não era, mammy? Só tinha medo do escuro. Só isso. Não tinha medo de mais nada.

A pedido de mammy e depois de pensar em Beau, e no que seria dela, Melanie, se fosse Beau ali no lugar de Bonnie, ela, ainda sem saber como faria isso, foi falar com Rhett.

Quando Melanie bateu à porta de Rhett, ele a abriu, viu quem era e puxou Melanie pelo braço para entrar. Ali ficaram, até que ela abriu uma fresta, viu mammy e pediu que trouxesse um bule de café e um lanche reforçado. Mammy seguiu as ordens, voltou e bateu à porta. Uma fresta se abriu, Melanie pegou a bandeja e voltou a fechar a porta. Na terceira vez que a porta se abriu, mammy, angustiada e aguardando ali, do lado de fora, sem conseguir escutar absolutamente nada, por mais que aguçasse os ouvidos, viu Melanie aparecer, com aparência de cansaço e lágrimas nos olhos, mas logo seu rosto recobrou a serenidade.

– Vá dizer à senhora Scarlett que o capitão Butler deseja que o enterro seja feito amanhã de manhã – sussurrou.

– Deus seja louvado! – exclamou mammy.

Capítulo 60

Quando a angústia sufocante e profunda após a morte de Bonnie começou a se esvair e dar lugar a um sentimento de resignação, algo ainda mais profundo e mais sombrio que todo o sofrimento pela perda da filha passou a envolver Scarlett. E recaía sobre seus ombros feito um engodo, escuro, pesado, oculto, como se o chão sob seus pés pudesse, a qualquer momento, virar areia movediça. Nunca sentira esse tipo de medo. Temera apenas aquilo que seus olhos podiam ver, mas o medo de agora era totalmente diferente, um medo terrível e estranhamente semelhante àquele pesadelo que conhecia tão bem, a névoa densa por entre a qual corria com o coração disparado feito uma criança perdida à procura de um refúgio totalmente invisível. Lembrou-se do quanto Rhett sempre conseguia fazê-la rir dos próprios medos. E lembrou-se também do conforto que sentia quando encostava a cabeça naquele peito grande e moreno, e quando se protegia naqueles braços fortes. E foi com um olhar diferente que ela o enxergou de verdade pela primeira vez em semanas. E a mudança a chocou. Esse homem não acharia graça de nada e tampouco a consolaria.

Rhett quase nunca ficava em casa. Quando se sentavam para jantar juntos, ele geralmente estava bêbado. Mas o efeito da embriaguez nele não era mais o mesmo. Já não dizia coisas provocativas e divertidas quando bebia, coisas que faziam Scarlett rir, mesmo contra a própria vontade. Agora, quando bebia, Rhett ficava calado, mal-humorado e incapaz de se manter nas próprias pernas, tanto que certa vez Scarlett o ouviu bater à porta dos criados para pedir ajudar a Pork para subir as escadas e levá-lo para a cama. Para a cama! Agora, andava desgrenhado, e os efeitos do uísque ficavam evidentes na pele abatida e nas olheiras profundas. Muitas vezes, passava a noite toda fora, sem nenhum aviso. Com certeza, devia estar no quarto de algum *saloon*, mas Scarlett sempre achava que nessas ocasiões Rhett ia para o bordel de Belle Watling. No entanto, não poderia se enfurecer agora, tampouco o culpar ou exigir fidelidade, pois também se sentia culpada por tê-lo acusado da morte de Bonnie.

Scarlett fora tomada por uma apatia, um sentimento geral de infelicidade que não conseguia compreender. Sentia-se só, como nunca se sentira antes. Sozinha e com medo de não poder contar com ninguém, ninguém além de Melanie. Para piorar ainda mais, mammy decidira voltar para Tara. Às lágrimas, Scarlett suplicara a ela para ficar, mas mammy apenas disse:

– Parece que sinhá Ellen falou pra mim: "Mammy, vai pra casa. Seu serviço aqui tá acabado". Por isso tô indo.

Rhett, que escutara a conversa, deu a mammy o dinheiro necessário e a apoiou.

– Tem razão, mammy. A senhora Ellen também tem. Seu serviço aqui terminou. Vá para casa.

Scarlett, cada vez mais preocupada com o olhar ensandecido de Rhett, foi perguntar ao doutor Meade se o marido poderia ter perdido o juízo, e o médico respondeu que não, mas a alertou de que ele precisava parar de beber, do contrário não viveria muito tempo, e sugeriu a Scarlett que tivessem outro filho. "Ah!", pensou ela. "Eu ficaria muito contente de ter outro filho, muitos filhos, se fosse essa a solução, um menino tão bonito quanto Rhett! Ou outra menina, linda e alegre, cheia de vida, determinada, não cabeça de vento como Ella. Ah, por que Deus não levara Ella, se tivesse de escolher um de seus filhos?" Rhett parecia não querer outros filhos. Pelo menos nunca aparecera no quarto de Scarlett, embora a porta agora nunca ficasse fechada. Ele parecia não se importar com mais nada. Nada além de uísque e aquela ruiva desgrenhada.

As senhoras da vizinhança, quando viam Rhett passar, o paravam para lhe dar os pêsames, expressar suas condolências e empatia, mas ele era rude, amargo, e, estranhamente, as senhoras não se ofendiam, pelo contrário; se compadeciam e, não raramente, ao vê-lo bêbado pelas ruas, quase incapaz de conseguir se manter na sela, diziam "Coitadinho!" e redobravam a gentileza e a empatia. Em relação a Scarlett, todos pareciam chocados com a facilidade com que ela se recuperara da morte de Bonnie, sem nunca perceber o esforço por trás da superfície. Agora, nenhum dos velhos amigos ia à casa dela, exceto tia Pitty, Melanie e Ashley. Além deles, os únicos que apareciam eram os amigos novos, com suas carruagens luxuosas, afoitos para expressarem sua solidariedade e distraí-la com fofocas a respeito de outros novos amigos, os quais não interessavam Scarlett nem um pouco. Todos esses "amigos novos" lhe pareciam estranhos agora. Não a conheciam. E jamais a conheceriam. Não faziam a menor ideia de como era a vida dela antes daquela eminência segura em uma mansão da Peachtree Street. Não conheciam suas lutas, suas privações, tampouco de que se fizera aquela mansão, aquelas roupas caras, as pratarias e as recepções suntuosas. Não sabiam.

Agora, ela adoraria passar as tardes com Maybelle ou Fanny, ou com a senhora Elsing ou a senhora Whiting, ou até com aquela velha teimosa da senhora Merriwether. Ou com a senhora Bonnell, ou... ou com qualquer um dos amigos e vizinhos antigos. Pois eles sabiam. Sabiam o que era a guerra, o terror, o fogo, tinham passado fome, frio, tinham convivido com o inimigo à porta. E das ruínas reergueram sua fortuna. Como a consolaria conversar com Maybelle, que perdera um filho durante uma fuga. E com Fanny, que também perdera um marido nos dias negros da lei marcial. Como seria tragicamente cômico relembrar com a senhora Elsing aquele dia em que a encontrara em Five Points, quando Atlanta caíra, com a carruagem abarrotada de suprimentos do batalhão. E como seria bom falar da confeitaria da senhora Merriwether e perguntar a ela: "Lembra-se das dificuldades que tivemos depois da rendição? Lembra-se de que não fazíamos a menor ideia de onde sairia nosso próximo par de sapatos? E olhe pra gente agora!".

Compreendia agora por que os ex-confederados, quando se encontravam, falavam sobre a guerra com tanto prazer, orgulho, nostalgia. Aqueles foram dias dificílimos, mas que tinham conseguido superar. Eram veteranos. E Scarlett era uma veterana também, mas não tinha com quem dividir suas memórias, lembranças e conquistas.

Ah, como seria bom.

Capítulo 61

"A senhora Wilkes está mal. Venha para casa o quanto antes."

Foi essa mensagem, enviada por telegrama por Rhett, que Scarlett recebeu quando estava em Marietta. Ela partiu imediatamente, deixando Wade e Ella no hotel com Prissy. Atlanta ficava a pouco mais de trinta quilômetros dali, mas o trem parecia rastejar pela ferrovia úmida naquele início de tarde outonal, parando a cada vereda para o embarque dos passageiros. Durante o trajeto difícil, viam-se as florestas devastadas, encostas enlameadas e ainda marcadas pelo embasamento de canhões e por crateras agora cobertas pelo mato naquela estrada da qual o exército de Johnston recuara. Cada estação, cada parada anunciada pelo maquinista, tinha o nome de uma batalha. Em outro momento, aquela paisagem teria reavivado lembranças terríveis, mas algo preocupava Scarlett muitíssimo mais agora.

Quando o trem chegou a Atlanta, o sol já havia se posto e uma garoa nebulosa encobria a cidade. Rhett aguardava Scarlett na estação, com uma carruagem. O semblante dele a apavorou mais que a mensagem do telegrama.

– Ela não... – exclamou Scarlett.

– Não. Está viva ainda – respondeu Rhett, ajudando-a a subir na carruagem. – Para a casa do senhor Wilkes, o mais depressa que puder – ordenou ao cocheiro.

– O que houve com ela? Não sabia que estava doente. Parecia bem semana passada. Foi algum acidente? Ah, Rhett, não pode ser tão sério assim!

– Ela está nas últimas – anunciou Rhett, com a voz tão inexpressiva quanto seu semblante. – Quer ver você.

– Melanie?! Nas últimas? Não, não pode ser! Não Melanie. O que aconteceu?

– Sofreu um aborto.

Scarlett não sabia da gravidez de Melanie. Rhett acreditava que ela queria fazer uma surpresa, por isso não contara a ninguém.

Quando a carruagem parou em frente à casinha, Scarlett desceu trêmula, assustada, e subiu as escadas correndo. Atravessou a varanda, abriu a porta e deu de cara com Ashley, tia Pitty e India. "O que India faz aqui?", pensou Scarlett, já que Melanie a proibira de voltar a colocar os pés ali. Os três se levantaram ao vê-la, tia Pitty comprimindo os lábios para tentar conter a tremedeira. Ashley contou que Melanie tinha a intenção de contar sobre a gravidez após o terceiro mês, para surpreender todo mundo e mostrar como os médicos estavam errados a respeito da saúde dela.

A porta do quarto de Melanie se abriu e o doutor Meade apareceu no corredor. Com a barba grisalha afundada no peito, ele veio em direção a Scarlett. Ashley foi falar com ele imediatamente, mas o doutor o deteve.

– Você ainda não – disse o doutor. – Ela quer falar com Scarlett.

– Doutor – interveio India, levando a mão à manga da camisa dele. – Deixe-me vê-la por um momento. Quero dizer a ela... preciso dizer... que estava errada... que me enganei... sobre uma coisa.

Mas o doutor chamou Scarlett e a acompanhou até a porta do quarto.

– Bem, mocinha – sussurrou apressado. – Nada de histeria nem de confissões no leito de morte; do contrário, juro por Deus, lhe torço o pescoço! E não faça essa cara de inocente. Sabe bem a que me refiro. A senhora Melly vai morrer em paz e você não se atreva a falar de Ashley, não tente aliviar sua consciência contando nada a ela. Nunca toquei um dedo sequer em nenhuma mulher, mas juro que se disser algo à senhora Melly não responderei por mim.

Antes que Scarlett pudesse abrir a boca para dizer algo, o doutor abriu a porta e ela entrou. No quarto pequeno, com pouca mobília e semiescuro, um lampião protegido por uma folha de jornal estava aceso. Melanie estava deitada na cama, coberta com uma manta, o cabelo com duas tranças pendendo de cada lado da cabeça, feito uma menina. Apesar de quase nenhuma claridade, Scarlett percebeu quão Melanie estava pálida e abatida. Até aquele momento, ela ainda tinha esperanças de que o doutor Meade estivesse errado. Mas agora percebia que não. Nos tempos da guerra, vira aquela mesma expressão em tantos leitos e sabia, definitivamente, que sempre significava mau presságio. Melanie estava à beira da morte, mas Scarlett se recusava a acreditar nisso. Não poderia ser verdade. Deus não permitiria que Melanie partisse, pois Scarlett precisava demais dela. Nunca antes se dera conta disso. Melanie estava prestes a partir, e Scarlett sabia que não conseguiria seguir em frente sem ela.

No leito de morte, Melanie pediu a Scarlett que cuidasse de Beau como se fosse seu próprio filho.

– Entrego Beau em suas mãos – disse com um sorriso bem discreto. – Já o entreguei antes... lembra? Antes de ele nascer.

Então ela se lembrava? E como poderia se esquecer daquele dia apavorante de setembro, do medo que sentiram dos ianques, e Scarlett recordou-se de tudo como se pudesse reviver o momento, escutar a voz suplicante de Melanie lhe implorando para ficar com o bebê caso ela morresse. "Eu a matei", pensou ela. "Desejei tanto a morte dela que Deus me ouviu e agora está me castigando." Melanie também fez Scarlett prometer que garantiria os estudos de Beau, que ele iria para Harvard, para a Europa e para onde bem mais desejasse. De repente, ela ficou em silêncio e, visivelmente tentando reunir forças para voltar a falar, disse:

– Ashley... Ashley e você... – E voltou a ficar em silêncio.

Ao ouvir o nome de Ashley, Scarlett sentiu o coração parar. Melanie soubera o tempo todo. Scarlett deixou a cabeça despencar na manta e um nó sufocante se instalou na garganta feito as garras de uma mão cruel. Melanie sabia. Sabia e mesmo assim... permanecera uma amiga leal. Ah, se ao menos ela pudesse voltar atrás! Jamais teria olhado para Ashley! "Ah, Senhor Deus!, por favor, por favor, deixe-a ficar. Vou reparar meus erros, serei uma pessoa boa para ela! Nunca mais voltarei a tocar no nome de Ashley se o Senhor permitir que ela viva!"

– Ashley... – repetiu Melanie com a voz quase inaudível, e os dedos finos tocaram o cabelo de Scarlett, ainda de cabeça baixa. Ela sentiu o toque como o de um bebê. Scarlett sabia o que Melanie queria dizer, queria levantar a cabeça e olhar para ela. Mas não podia, não conseguiria olhá-la nos olhos e ler neles o que ela não conseguia dizer. – Ashley... – sussurrou Melanie mais uma vez, e Scarlett conseguiu se controlar e reuniu a coragem necessária para erguer a cabeça. Para sua surpresa, viu os mesmos olhos escuros e amorosos, fundos, moribundos, e os mesmos lábios macios e cansados lutando para conseguir sugar o ar. Nenhum sinal de acusação, reprovação, medo. Por um momento, Scarlett ficou surpresa a ponto de se sentir aliviada. Segurou a mão de Melanie com força. "Obrigada, meu Deus. Sei que não mereço, mas agradeço por não deixá-la saber."

– O que tem Ashley, Melly?

– Você... me promete que vai cuidar dele? Cuidar... dos negócios dele... entende?

– Sim, prometo. Cuidarei.

– Você é tão inteligente... tão corajosa... sempre foi tão boa para mim...

Sem conseguir conter o choro e o peso da consciência, Scarlett levantou-se de repente. O doutor Meade abriu a porta. As palavras de Rhett voltaram a ressoar na mente de Scarlett. "Ela a ama. Que essa seja sua cruz."

– Boa noite – disse Melanie, com a voz mais firme que todas as possibilidades permitiram. – E me prometa... o capitão Butler... seja carinhosa com ele. Ele... a ama tanto...

Ao fechar a porta, Scarlett foi acometida por um turbilhão de memórias. Melanie parada no topo da escada com o sabre de Charles na mão enquanto uma fumaça cinzenta pairava sobre o corpo fardado de azul estendido no chão. "Que tola! Nunca conseguiria nem segurar uma espada!", pensou ela na ocasião, mas agora sabia que Melanie teria descido aquelas escadas e matado o ianque, se preciso fosse. Agora ela percebia que Melanie estivera sempre ali, ao seu lado, com a espada à mão, pronta para protegê-la, defendê-la; sim, estivera sempre ali, tão discreta quanto a própria sombra, amando Scarlett, lutando por ela com uma lealdade cega e inveterada, lutando contra os ianques, o fogo, a fome, a miséria, a opinião pública e até contra a própria família, sangue de seu sangue.

"Melanie é a única amiga que tive na vida. A única mulher, com exceção de minha mãe, que me amou de verdade. E se parece com minha mãe. Todos que a conhecem se agarram às saias dela", pensou Scarlett. De repente, foi como se Ellen estivesse ali, do outro lado daquela porta, partindo desse mundo pela segunda vez. De súbito, foi como se estivesse em Tara de novo, com o mundo desabando sobre a cabeça, desolada por saber que não conseguiria enfrentar a vida sem a exímia força dos fracos, dos gentis e dos carinhosos.

No silêncio que se instalara pela casa de repente, procurando por Ashley feito um animal desprotegido em busca do calor do fogo, ao se aproximar do outro quarto, ela bateu devagar à porta e o encontrou. Scarlett o abraçou, desesperada, disse que estava assustada, ele confessou que sentia o mesmo, mas Scarlett o encorajou.

– Nada nunca o assustou... Mas eu... Você sempre foi tão forte, Ashley.

– Se fui forte, foi porque ela estava por trás dessa força – afirmou com a voz embargada, segurando uma das luvas de Melanie, que estava na penteadeira. – E... e... toda a força que já tive se vai agora, com ela.

Ouvindo isso e sentindo o tom de desespero naquela voz baixa, Scarlett o soltou e deu um passo atrás. Nesse silêncio profundo que se estabeleceu entre os dois, ela sentiu que, pela primeira vez na vida, o compreendia de verdade.

– Mas... Ashley, você a ama de verdade, não ama?

– Ela é o único sonho que tive que nasceu, viveu, respirou e sobreviveu à realidade.

– Ashley! Como pôde ter sido tão bobo?! Como não percebeu que ela tinha muito mais valor que eu? – questionou Scarlett, sentindo um aperto no peito e uma sensação de amargura. – Ah, Ashley! Como não percebeu que amava ela e não eu! Era ela quem você amava! Como... como não percebeu? Tudo teria sido tão diferente, tão... Ah, você deveria ter percebido e não ter deixado eu me levar por essa conversa de honra e sacrifício! Se tivesse me dito isso muitos anos atrás... Eu teria sofrido, mas conseguiria superar... Mas por que esperou até agora, justo agora, quando Melly está morrendo, para perceber isso?! Ah, Ashley, são os homens que devem saber dessas coisas... não as mulheres! Deveria ter percebido desde o início que você a amava e que só me queria... como Rhett deseja aquela tal Watling!

Scarlett percebeu que acabara de prometer a Melanie que cuidaria de Ashley, mas Ashley não tinha forças para suportar palavras como aquelas. "Ele não cresceu. É uma criança, tanto quanto eu, e está morrendo de medo de ficar sem ela. Melly sabia disso... Melly o conhecia muito melhor que eu o conheço. Foi por isso que me pediu para cuidar dele e de Beau." De onde Ashley tiraria forças para suportar isso? "Ele não... não vai suportar nada sem ela."

– Perdoe-me, querido – disse ela com a voz gentil, estendendo-lhe os braços. – Sei quanto deve estar sofrendo. Mas lembre-se... ela não sabia de nada... ela nunca sequer desconfiou... Deus foi bondoso conosco a esse ponto.

– O que vou fazer? Não consigo... não posso viver sem ela!

"Eu também não", pensou Scarlett, evitando imaginar como seriam os anos futuros sem Melanie. Mas Ashley dependeria dela agora; Melanie também dependia dela agora. Scarlett respirou fundo, levou os ombros para trás, procurando forças, e, com uma serenidade que estava longe de sentir, beijou a bochecha marejada de lágrimas dele, sem desejo, sem ardor, apenas como o mais generoso e gentis dos gestos.

– Mas vamos conseguir... de algum jeito, vamos conseguir – afirmou ela.

Quando o doutor Meade abriu a porta depressa e pediu a Ashley que se apressasse, um pensamento ocorreu a Scarlett. Ashley não a amava e nunca a amara de verdade. E essa constatação não a magoara. Ela deveria estar frustrada, desnorteada, perdida, com o coração partido, pronta para esbravejar contra o destino. Mas não se importava. Não se importava porque também não o amava. Ela não o amava, portanto nada que ele fizesse ou dissesse poderia magoá-la.

Capítulo 62

– Não falem comigo, senão vou começar a gritar! – exclamou Scarlett quando tia Pitty veio falar com ela, com os lábios trêmulos feito os de uma criança, acompanhada de India, cujo olhar agressivo desaparecera.

Ela sabia que todos ali, tia Pitty, India, Ashley, Beau, tio Peter e todos os criados, dependiam dela. Todos a fitavam com olhar suplicante, aguardando instruções, mas a simples ideia de falar sobre Melanie naquele momento, de pensar nos preparativos que sucediam a morte, causaram-lhe um nó na garganta. Sim, Scarlett sabia que ela, e tão somente ela, teria de tomar as providências. Mas não naquele instante. Sabia que, se continuasse ali por mais um minuto que fosse, perderia o controle e começaria a chorar sem parar. Precisava ficar sozinha.

Foi até a varanda escura, fechou a porta e sentiu o ar frio e úmido no rosto. Já não chovia mais, e o silêncio era total, exceto por uma ou outra gota que pingava dos beirais. O mundo estava envolto em uma névoa densa, ligeiramente fria, que trazia no sopro o aroma do ano da morte. Todas as casas estavam escuras, exceto uma, cuja luz perpassava a janela. Era como se o mundo todo estivesse coberto por uma cortina de fumaça. E tudo estava silencioso. Ali, sozinha, preparava-se para despejar todas as lágrimas, mas lágrimas seriam insuficientes para aquela laceração. Ainda tentava processar a perda dos dois pilares que a mantinham em pé. Sabia que precisava voltar, sabia que teria de encarar Ashley, consolá-lo, mas não hoje! Amanhã, bem cedo, faria tudo que era preciso, diria todas as palavras de conforto necessárias. Mas não hoje, não hoje. Não conseguiria.

Sua casa ficava a alguns quarteirões dali. Não esperaria por Peter para atrelar a charrete, nem que o doutor Meade a acompanhasse. Decidiu subir a ladeira a pé. Logo que começou o caminho, com as lágrimas involuntariamente contidas a ponto de sufocá-la, uma sensação surreal a acometeu, uma sensação de que já estivera naquela mesma escuridão e naquele mesmo frio, não só uma, mas muitas vezes. "Que bobagem!", pensou, apressando o passo. Os nervos lhe pregavam uma peça, só podia ser. Mas a sensação persistia, invadindo-lhe a mente contra a própria vontade. "Estou exausta, só preciso me acalmar. Que escuro, que noite mais estranha. Nunca vi uma névoa tão densa quanto essa, a não ser... a não ser..." O sonho. O sonho que se repetira tantas vezes. Estaria sonhando de novo ou aquilo era realidade?

De cabeça baixa, com o coração disparado, os lábios molhados pelo vento úmido que ricocheteava as árvores, ela caminhava. Em algum lugar, em algum lugar em meio àquela névoa indômita e ao silêncio, havia um abrigo! Ofegante, ela acelerou ainda mais o passo, começando a correr, a saia molhada do vestido envolvendo os tornozelos gelados, os pulmões ardendo no peito, o espartilho apertado pressionando as costelas contra o coração. Nesse momento, avistou uma luz, uma fileira de luzes tremeluzentes, porém reais. Em seu pesadelo, nunca houve nenhuma luz sequer, apenas a névoa cinzenta. Agarrou-se àquelas luzes. Luzes eram sinal de segurança, gente, realidade. De repente, interrompeu o passo. Dali, com os punhos cerrados, tentando se recompor e se livrar daquele estado de pânico, ficou olhando para a fileira de lampiões que sinalizavam ser aquela a Peachtree Street, em Atlanta, não aquele mundo cinzento e onírico cercado de fantasmas. Recostada em uma carruagem, recuperou o fôlego, olhou mais ao alto e avistou, no topo da colina, a própria casa.

E era como se luzes resplandecessem por todas as janelas, desafiando a escuridão. Casa! Então era real! Era para lá que ela corria! Era para lá que queria ir. Para casa! Para Rhett!

Foi como se todas as correntes que a prendiam de repente a libertassem, e com elas o medo que a assombrava em seus pesadelos se esvaísse. Agora sabia qual era o abrigo que tanto procurava nos sonhos, o lugar quente e seguro que tanto buscava naquela névoa. Não, não era Ashley... Ah, nunca fora Ashley! Era Rhett... Rhett, que com seus braços fortes a segurava, que lhe oferecia o peito largo como travesseiro para ela descansar a cabeça cansada, que com sua risada debochada a fazia enxergar tudo pela perspectiva certa. Ele a amava! Como ela não percebera que ele a amava, apesar de todos os comentários que mostravam o contrário? Melanie percebera isso, Melanie, que durante o último suspiro dissera: "Ele... a ama tanto...".

Havia anos Scarlett se apoiava na muralha maciça do amor de Rhett, ele que a tirara para dançar a escocesa, que a obrigara a sair do luto, que lhe arranjara o dinheiro para ela recomeçar... Ele que, mesmo tendo a deixado naquela estrada, em Atlanta, sabia que ela conseguiria, nunca duvidara. Apenas a testara. Havia anos, ela se apoiava nessa muralha sem nunca lhe dar o devido valor, assim como ignorara o amor de Melanie, convicta de que chegara aonde chegou por conta própria. Agora Scarlett sabia que o amava.

"Não sei há quanto tempo o amo, só sei que é a mais pura verdade. E, não fosse por Ashley, teria percebido isso muito tempo atrás. Esse tempo todo enxerguei o mundo com uma venda nos olhos porque Ashley estava no meio do caminho. Sim, vou dizer toda a verdade a Rhett. Ele entenderá. Ele sempre me compreende. Vou dizer a ele quanto fui tola. Vou confessar quanto eu o amo."

Capítulo 63

Assim que chegou em casa, ofegante, Scarlett encontrou tudo em silêncio. Era uma quietude perturbadora, incômoda, diferente da serenidade do horário do sono. Olhando ao redor, não encontrou Rhett na sala, nem na biblioteca, e sentiu um aperto no peito. E se não estivesse em casa, e se... estivesse com a tal Belle ou sabe-se lá com quem mais costumava passar as noites quando não aparecia em casa para jantar? Quando estava prestes a subir a escada, viu a porta da sala de jantar entreaberta, espiou e o encontrou.

Com seus olhos negros, Rhett a encarou, mas com ar fatigado, pesado, e ele nem sequer estranhou o cabelo de Scarlett recaído nos ombros, o vestido molhado e sujo e a respiração ofegante. Na mesa à frente dele, uma garrafa de conhaque cheia e um copo vazio. "Graças a Deus! Está sóbrio!"

– Entre e sente-se – disse ele. – Ela morreu?

Scarlett assentiu e, hesitante com aquela fisionomia dele, aproximou-se, insegura, sem saber muito bem o que fazer. Preferia que ele não tivesse tocado no nome de Melanie tão rápido. Não queria falar disso agora, não queria reviver a angústia sufocante da última hora. Teria o resto da vida para falar de Melanie. Agora, impulsionada por uma vontade voraz de gritar "Eu te amo!", sentia como se houvesse apenas aquela noite, aquele momento para contar toda a verdade a Rhett.

– Que Deus permita a ela um bom descanso – respondeu Scarlett com a voz pesarosa. – Ela era a única pessoa de coração verdadeiramente puro que já conheci. Ah, Rhett! Por que não foi até lá comigo? Foi tão triste... e queria tanto que estivesse ao meu lado!

– Eu não aguentaria – respondeu sem rodeios e ficou em silêncio por um momento. Depois, falando com certo esforço, disse: – Uma dama grandiosa.

No olhar melancólico de Rhett, fixo por cima dos ombros de Scarlett, como se Melanie tivesse silenciosamente atravessado aquela porta, Scarlett tentou captar o que se passava naquela mente que se despedia da única pessoa no mundo que ele respeitava e, de repente, viu-se novamente desnorteada, com uma terrível sensação de perda que já não era mais pessoal. No olhar de Rhett, Scarlett enxergou não só a morte de uma mulher, mas de uma lenda – a bondosa, gentil, discreta mulher, mas a verdadeira espinha de aço em que o Sul se reconstruíra e em cujos braços orgulhosos e carinhosos buscara consolo após a derrota. Scarlett lhe contou das palavras de Melanie, que ela lhe pedira que cuidasse de Beau e de Ashley, e acrescentou:

– Ela disse também... disse... "Cuide bem do capitão Butler. Ele a ama muito".

De repente, Rhett se levantou, foi até a janela, abriu as cortinas e ficou olhando lá fora, como se houvesse algo ali além da névoa.

– Então, ela morreu. Agora, tudo ficou mais fácil para você, não é mesmo? – declarou Rhett. – Com certeza, você tem muitos motivos para querer o divórcio. Como lhe restou pouca reputação, e como deixou a religião de lado, vai encarar o divórcio sem o menor problema. E agora... Ashley e seus sonhos se tornarão realidade. Com a bênção da senhora Melanie.

– Divórcio?! – exclamou. – Não! Não! – ela levantou-se, foi correndo até a janela e agarrou o braço dele. – Está enganado! Redondamente enganado! Não quero o divórcio... eu... – Scarlett hesitou, como se não conseguisse encontrar as palavras.

Com o indicador e o polegar no queixo de Scarlett, ele ergueu o rosto dela em direção à luz e, por um momento, olhou-a fundo nos olhos. Com certeza, ele sabia! Sabia o que ela queria lhe falar. Sem dizer nada, ele voltou a se sentar na cadeira e, visivelmente cansado, esparramou o corpo e abaixou a cabeça.

– Scarlett... Não quero ouvir... nada – disse ele com pesar.

– Mas não sabe o que tenho a dizer!

– Minha querida, está escrito na sua cara. Algo ou alguém a fez perceber que o desafortunado senhor Wilkes é uma fatia demasiadamente farta do Mar Morto, tão grande que nem mesmo você se sente capaz de mastigar. E essa mesma coisa ou esse mesmo alguém de repente lançou uma luz nova e atraente sobre mim, fazendo-a me enxergar com outro olhar – acrescentou, com um suspiro.

Surpresa, ela respirou fundo. É verdade, Rhett sempre a decifrara com facilidade. Apesar do espanto inicial, ela agora se sentia aliviada e contente. Ele sabia, ele compreendia e tudo ficaria mais fácil para ela. Estava chateado, magoado com o descaso, ela teria de convencê-lo, e o faria com muito prazer, com muito amor! Scarlett disse que lhe contaria tudo, confessou quanto havia sido tola todo esse tempo, quanto o amava, e Rhett tentou impedi-la, pediu que os poupasse daquela última discussão. *Última.*

– Ah, acredito em suas palavras – disse ele. – Mas e quanto a Ashley Wilkes?

– Ashley! – exclamou ela, gesticulando com impaciência. – Acho... acho que faz muito tempo que não sinto nada por ele. Era... Acho que Ashley era uma obstinação que eu trazia desde quando menina. Rhett, eu nunca, jamais sequer teria olhado para ele se soubesse quem ele realmente era. É uma criatura tão desamparada, tão medrosa, apesar de toda aquela conversa sobre honra, e tão...

Naquela noite, Rhett disse a Scarlett que Melanie tinha razão. Ele amara Scarlett. Durante a guerra, ia embora, viajava para tentar esquecê-la, mas, sem nunca conseguir, acabava voltando. Arriscou-se a ser preso apenas para poder voltar e reencontrá-la e confessou que teria sido capaz de matar Frank Kennedy caso ele não tivesse morrido.

– Eu a amava, mas não podia demonstrar meu amor. Você é tão cruel com quem a ama, Scarlett... Transforma o amor das pessoas em um chicote e as castiga com o próprio sentimento delas. Quando me casei com você, sabia que não me amava. Sabia de Ashley. Mas, bobo como era, pensei que conseguiria fazê-la esquecê-lo, que conseguiria fazer com que gostasse de mim. Cuidar de você, dar-lhe tudo o que queria. Queria me casar com você, protegê-la e lhe dar tudo que a fizesse feliz... como fiz com Bonnie. Você já tinha sofrido tanto, Scarlett... Queria vê-la feliz, brincando feito uma criança... porque você era uma criança... corajosa, assustada, teimosa. Acho que ainda é uma criança. Só uma criança poderia ser tão teimosa e insensível.

Apesar da voz calma e cansada, alguma coisa na fala de Rhett fez Scarlett recobrar algo. Uma memória que surgia feito um fantasma. Já ouvira aquela voz antes, também em algum momento crítico da vida. A voz de um homem encarando a si mesmo e o mundo sem sentimento, sem dor, sem esperança. Ah... Agora se lembrava... Ashley, naquele dia no pomar de Tara; Ashley, em meio a uma ventania, falando sobre a vida e sobre teatro de sombras com resignação e determinação. A mesma voz que a amedrontara e trouxera mau presságio.

– Era óbvio que tínhamos nascido um para o outro. Tão óbvio que fui o único homem que a aceitou como você é, voluntariosa, gananciosa, inescrupulosa... tal como eu. Achei que, com o tempo, você esqueceria Ashley. Mas... Tentei de tudo e nada funcionou. Enlouqueci. Sentava-me de frente para você à mesa do jantar sabendo que gostaria que fosse Ashley quem estivesse no meu lugar... E como poderia tê-la em meus braços à noite sabendo que... E me pergunto por que, por que me magoava tanto. Era por isso que saía e procurava Belle. Encontrei um pouco de conforto, desonesto, é verdade... nos braços de uma mulher que me amava e me respeitava por ser simplesmente um cavalheiro fino... mesmo sendo ela uma prostituta analfabeta.

– Ah, Rhett...

– Então, veio a Bonnie e percebi que ainda havia esperanças. Em Bonnie, eu via você menina outra vez, uma menininha feliz antes de a guerra e a pobreza arrancarem tudo de você. Ela se parecia tanto com você... Voluntariosa, corajosa, alegre, cheia de vida... Eu podia paparicá-la, é verdade, a mimei demais... como queria fazer com você. Mas ela não era você... ela me amava. Que sorte a minha poder dar a ela todo o amor que quis lhe dar e você rejeitou... E, quando ela se foi... todo o resto se foi também.

Pela primeira vez na vida, Scarlett sentia pena de alguém, pena verdadeira, livre do desprezo que ela costumava sentir quando se apiedava de outra pessoa, porque era a primeira vez que se aproximara tanto de compreender outro ser humano. Ela tentou consolá-lo, prometeu-lhe que repararia tudo, que poderia ter outros filhos, mas Rhett estava decidido, iria embora. Para a Inglaterra, Paris, talvez para Charleston, para "tentar fazer as pazes com as pessoas", como ele mesmo dissera.

– Mas você odeia aquela gente! – lembrou ela. – Vi você caçoar da cara deles tantas vezes e...

– Ainda caçoo deles... mas... cansei de vagabundear por aí, Scarlett. Tenho 45 anos... a idade em que um homem começa a valorizar certas coisas que jogou fora na juventude... Não, não estou me retratando nem me arrependo de nada que fiz. Eu me diverti muito, tive bons momentos... Não, não pretendo jamais me livrar de minhas pintas. Mas quero a aparência externa das coisas, o tédio absoluto da respeitabilidade... a respeitabilidade das outras pessoas, minha querida, não a minha. A serena dignidade que só os gentis podem ter. A graça afável dos dias que se foram... O discreto encanto dos dias que não percebi quando os vivenciei...

Em silêncio, ela o observou subir as escadas, sentindo um nó na garganta prestes a sufocá-la. Sabia que não haveria apelo ou razão capaz de reverter aquele veredicto. Sabia disso porque sentiu na fala de Rhett força, inflexibilidade, implacabilidade... todas as qualidades que procurara em Ashley sem nunca encontrar. Com o ruído dos pés de Rhett nos degraus do andar acima, morria a última coisa no mundo que importava. Ela nunca compreendera nenhum dos homens que amara e perdera os dois. Agora, mesmo com a mente atordoada, percebia que, se alguma vez tivesse compreendido Ashley, jamais teria se apaixonado por ele; e, se tivesse compreendido Rhett, jamais o teria perdido. Consternada, ela se perguntava: "Alguma vez compreendi alguém neste mundo?".

Um embotamento passara a lhe acometer a mente, um embotamento havia muito conhecido, o suficiente para fazê-la saber que uma dor lancinante se aproximava, tão aguda quanto a dos tecidos durante o primeiro contato com o bisturi do cirurgião. "Não vou pensar nisso agora", decidiu mentalmente, recorrendo à velha tática. "Mas não posso permitir que ele vá embora!", gritou o coração. "Deve haver algum jeito!"

– Não vou pensar nisso agora! – repetiu, agora em voz alta, tentando afastar o pensamento, tentando encontrar um escudo para se defender daquela maré crescente de dor. – Vou... vou para Tara amanhã.

E, com isso, animou-se um pouco. Ficou ali parada por um tempo, lembrando-se das coisas pequenas, da alameda de cedros que levava à propriedade, das encostas floridas de jasmim, do verde vívido contra as paredes brancas, das cortinas brancas esvoaçantes. E mammy estava lá. De repente, tudo que mais queria era correr para o colo de mammy, como fazia quando criança. Queria poder apoiar a cabeça naquele colo macio. Mammy, o último elo que restara dos velhos tempos.

Com o espírito de seu povo que não conhecia a derrota, mesmo quando ela os esbofeteava, Scarlett ergueu a cabeça. Teria Rhett de volta. Sabia que o reconquistaria. Nunca ouve nenhum homem que resistira a seus encantos.

"Vou pensar nisso tudo amanhã, quando estiver em Tara. Amanhã vou pensar em um jeito de reconquistá-lo. Amanhã será outro dia."